DIE FEINDIN

CHRISTIANE HEGGAN

Rachels Lebenstraum geht in Erfüllung, als sie eine bekannte Winzerei erbt. Doch steht ihr, die als Waise in die Familie kam, dieser Besitz wirklich zu? Ihre neidische Schwester Annie, die leibliche Tochter der verstorbenen Winzer, hält sich für die rechtmäßige Erbin. Deshalb engagiert sie den Privatdetektiv Gregory Shaw, um nach einem Skandal in Rachels Vergangenheit und der ihrer verschollenen Mutter zu suchen. Schon bald ist er einem Mörder auf der Spur, der 30 Jahre lang im Verborgenen bleiben konnte. Gregory erkennt, dass Rachel mehr als nur eine Feindin hat und in großer Gefahr ist. Er spürt aber auch, dass er sich rettungslos in sie verliebt hat. Er weiß, dass er diese wunderbare Frau nie mehr verlassen will und sie vor allen Gefahren dieser Welt beschützen wird ...

,,*Gregory hob Rachel in einer gleitenden Bewegung auf seine Arme, wobei sich ihre Lippen nicht voneinander lösten, und trug sie ins Schlafzimmer. Er legte sie so sanft aufs Bett, als sei sie eine Porzellanpuppe. Alle Hemmungen waren verschwunden, als sie ihm sein Polohemd über den Kopf streifte. Während er sie dann auszog, bewegte er sich so wunderbar langsam, als hätte er alle Zeit der Welt. Er küsste ihre Brust, und eine wundervolle Hitze durchflammte sie. Niemand hatte je in ihr so unverfälschte Leidenschaft geweckt. Sie konnte sich nicht länger zurückhalten. „Ich will dich, Gregory", flüsterte sie. „Ich will dich jetzt."*
Als er in sie eindrang, stöhnte sie vor Lust laut auf und begann sich zu bewegen, erst langsam, dann immer schneller, während sie erstaunt bemerkte, dass ihre Körper vollkommen verschmelzen und sich völlig synchron bewegen konnten.
Der Höhepunkt durchfuhr sie mit solcher Gewalt, dass sie glaubte, sie müsse das Bewusstsein verlieren. Doch sogar in diesem Moment war er für sie da, hielt ihre Hände und flüsterte ihren Namen, während seine eigene Leidenschaft den Höhepunkt erreichte,,.

IMPRESSUM

JULIA PRESTIGE erscheint monatlich in der CORA Verlag GmbH & Co. KG,
20350 Hamburg, Axel-Springer-Platz 1

 Redaktion und Verlag:
Brieffach 8500, 20350 Hamburg

Geschäftsführung: Thomas Beckmann
Redaktionsleitung: Claus Weckelmann (verantwortlich für den Inhalt),
Ilse Bröhl (Stellvertretung)
Lektorat/Textredaktion: Ilse Bröhl (Leitung)
Produktion: Christel Borges, Bettina Reimann, Marina Poppe (Foto)
Grafik: Bianca Burow, Tommaso Del Duca, Birgit Tonn
Vertrieb: Verlag Koralle Gesellschaft mit beschränkter Haftung, Hamburg

© 2000 by Christiane Heggan
Originaltitel: „Enemy Within"
erschienen bei: Mira Books, Toronto
Published by arrangement with HARLEQUIN ENTERPRISES II B.V., Amsterdam

© Deutsche Erstausgabe in der Reihe JULIA PRESTIGE
Band 40 (4) 2001 by CORA Verlag GmbH & Co. KG, Hamburg
Übersetzung: Ralph Sander

Fotos: Telepress

Satz und Druck: AIT Trondheim AS
Printed in Norway

Aus Liebe zur Umwelt: Für CORA-Romanhefte wird ausschließlich 100% umweltfreundliches
Papier mit einem hohen Anteil Altpapier verwendet.

Der Verkaufspreis dieses Bandes versteht sich einschließlich der gesetzlichen Mehrwertsteuer.

PROLOG

„Sie lebt."

Als der Mann am Schreibtisch diese Worte hörte, umklammerte er den Telefonhörer noch fester. „Sind Sie sicher?" Seine sonst so kraftvolle und gleichmäßige Stimme klang mit einem Mal heiser und leise. „Sie sind schon früher auf falsche Fährten gestoßen."

„Diesmal nicht", erwiderte der Privatdetektiv. „Ich habe die Information aus einer sehr zuverlässigen Quelle. Von einem Fälscher, der ihr einen Pass ausgestellt hat."

Mit seiner freien Hand nahm der Mann einen Bleistift auf und hielt ihn fest umschlossen. „Wollen Sie sagen, sie hat das Land verlassen?"

„Sieht so aus."

„Irgendeine Ahnung, wohin?"

„Sie hat meinem Kontaktmann nichts darüber gesagt. Gut eine Woche nach dem Unfall war sie bei ihm aufgetaucht, hatte ihm mitgeteilt, was sie brauchte, und dann bar bezahlt."

Mit dem Geld, das sie aus seinem Haus hatte mitgehen lassen. „Dieser Fälscher . . . hat sich bei Ihnen gemeldet? Einfach so? Nach einunddreißig Jahren?"

„Er hat sich nicht bei mir gemeldet. Ich habe ihn aufgespürt."

„Und wie?" fragte er misstrauisch.

Der Detektiv schien sich an dem Verhörstil des Mannes nicht zu stören, er war so etwas gewöhnt. „Ich erledige ein paar Jobs für einen hiesigen Gangster, einen alten Fuchs mit

Freunden, die alle an den richtigen Stellen sitzen. Ich habe ihm gesagt, ich müsse eine Frau finden, die vor über dreißig Jahren unter einem anderen Namen das Land verlassen haben könnte. Daraufhin hat er für mich den Kontakt mit dem Fälscher hergestellt."

„Und wie heißt dieser Fälscher?"

Der Detektiv lachte auf. „Sorry, aber er möchte lieber ungenannt bleiben. Sie verstehen?" Er machte eine kurze Pause. „Er wollte ohnehin erst reden, nachdem ich ihm fünf Riesen zugeschoben hatte. Ich hoffe, das ist so in Ordnung", fügte er an, wobei er ein wenig unsicher klang. „Sie haben mir selbst gesagt, dass Geld keine Rolle spielen würde."

Der Mann machte eine fahrige Handbewegung. „Das Geld kümmert mich einen Dreck, ich will nur sicher sein, dass er Sie nicht bescheißt."

„Macht er nicht. Er hat die Frau auf einem Foto wieder erkannt, das die Polizei nach dem Unfall in der Umgebung verteilt hatte. Als sie zu ihm kam, trug sie eine dicke Brille, und sie hatte eine andere Haarfarbe. Aber es war eindeutig sie, dafür legt mein Mann die Hand ins Feuer."

„Welchen Namen hatte sie benutzt?"

„Virginia Potter."

Der Mann in dem abgedunkelten Zimmer atmete tief ein, um dann die Luft langsam aus seinen Lungen entweichen zu lassen. Sie *war* es. Ihre Mutter hieß Virginia.

„Sie hatte auch eine Adresse in Seattle hinterlassen", fuhr der Detektiv fort. „Ich habe sie überprüft, aber sie war falsch."

Auch wenn ihn die Nachricht wie ein Schock traf, war er nicht wirklich überrascht. Er war anfangs einer der wenigen und schließlich der Einzige gewesen, der diesen lächerlichen Quatsch vom „Unfalltod" nicht geglaubt hatte.

„Verstehen Sie nicht, was sie getan hat?" hatte er den Polizeibeamten angebrüllt, der die Ermittlungen leitete. „Sie hat ihren Tod vorgetäuscht! Sie hat ihren Wagen über die Klippe geschoben und ist dann ganz gemütlich davonspaziert."

Die Behörden waren davon zwar nicht überzeugt gewesen, hatten dann aber doch für die gesamte mittelkalifornische Küste eine Personenbeschreibung herausgegeben, während Taucher den Meeresboden absuchten. Außer dem Wagen wurde aber nur ein Koffer voller Kleidung gefunden – ihre Kleidung und die des Babys.

Am Abend des dritten Tages hatte die Polizei die Suche eingestellt, die Frau und ihr Kind waren offenbar ertrunken und wurden später offiziell für tot erklärt.

Er dagegen hatte niemals die Suche beendet.

Die Erinnerung an jene tragische Nacht war nie verblasst, so dass der Hass wieder in ihm aufstieg und seine Kehle zuschnürte. Diese elende Schlampe! Er hatte sie bei sich aufgenommen und sie wie sein eigen Fleisch und Blut behandelt. Und wie hatte sie sich revanchiert? Indem sie das tötete, was für ihn das Kostbarste war. Sein erstgeborener Sohn, sein Mario.

Jetzt endlich waren seine Gebete erhört worden. Sie lebte. Er schwor sich, dass er herausfinden würde, wo sie sich verkrochen hatte. Nicht, um sie vor Gericht zu bringen und verurteilen zu lassen – das Gefängnis war noch viel zu milde für das, was sie getan hatte –, sondern damit *er* selbst sie bestrafen konnte. Er würde das Miststück leiden lassen, schön langsam. Und wenn er mit dieser Frau fertig war, dann würde der Tod für sie die Erlösung sein.

Der Gedanke, endlich den Tod seines Sohnes auf eine Weise zu rächen, wie nur er sie sich ausmalen konnte, ließ ihn vor Erwartung fast schon schwindlig werden. Ja, das lange Warten würde sich am Ende doch noch gelohnt haben.

Langsam straffte er seine Schultern. Als er schließlich weitersprach, war seine Stimme wieder kraftvoll. „Finden Sie sie", sagte er zu dem Anrufer, während er den Bleistift in zwei Stücke zerbrach.

1. KAPITEL

„Courtney!" In ihrem Pariser Hotelzimmer am rechten Seine-Ufer blickte Rachel Spaulding mit gespieltem Entsetzen auf ihre Fingernägel. „Was machst du mit mir?"

Rachels Nichte, eine fünfzehn Jahre alte, temperamentvolle und selbst erklärte Modeexpertin, schlug ihr leicht auf die Hand. „Ich lasse dich nur ein bisschen heißer aussehen. Und jetzt halt still, ja? Oder willst du überall auf deinen Händen Nagellack haben?"

„Wir haben von einer Maniküre gesprochen", protestierte Rachel. „Nicht davon, dass du meine Fingernägel in Nuttenrot lackierst."

Courtney kicherte, hielt aber ihren Kopf weiter über Rachels Hand gebeugt. „Das ist der allerneueste Farbton. Und er heißt nicht Nuttenrot, sondern *Rouge de Passion*", fügte sie in fast perfektem Französisch an. „Die Verkäuferin hat gesagt, dass dieser Farbe kein Mann auf der ganzen Welt widerstehen kann."

„Ja, schon, aber ich bin nicht hier, um Leidenschaft zu wecken, sondern um Monsieur Fronsac zurück ins Boot zu holen."

„Und das wirst du auch." Courtney tauchte den Pinsel wieder in das Fläschchen und strich den überschüssigen Nagellack am Rand ab. „Französische Männer lieben Frauen, die keine Angst haben, ab und zu ein wenig draufgängerisch zu sein."

Rachel konnte sich nur mit Mühe ein Lächeln verkneifen: „Und seit wann bist du eine Expertin für französische Männer?"

Courtney hielt in ihrer Bewegung inne und warf Rachel einen wissenden Blick zu. „Ich bin fast sechzehn Jahre alt, Tante Rachel, keine sechs."

„Ich verstehe."

Rachel betrachtete liebevoll ihre Nichte, die in zwei Monaten ihren sechzehnten Geburtstag feiern würde. Courtney Aymes war das, was man gerne als typisch kalifornisches Mädchen bezeichnete. Sie hatte langes und seidiges blondes Haar, die für alle Spaulding-Frauen charakteristischen blauen Augen und lange, wohlgeformte Beine, die am Vortag auch dem Zöllner am Flughafen Charles de Gaulle nicht entgangen waren.

Rachel bewunderte ihre Nichte, die das völlige Gegenteil ihrer Mutter – ihre Schwester Annie – darstellte. Sie war warmherzig, humorvoll, mitfühlend und fast schon zu loyal. Es war auch kein Geheimnis, dass Courtney mehr mit Rachel gemein hatte als mit ihrer eigenen Mutter. Diese Tatsache war für Annie immer wieder Grund genug, ihre feindselige Haltung gegenüber ihrer jüngeren Schwester zu unterstreichen.

Diese Feindseligkeit hatte Annie auch dazu veranlasst, Courtney rundweg zu verbieten, mit Rachel nach Paris zu reisen, obwohl die Schule noch nicht wieder angefangen hatte. Erst als Grandma sich eingemischt und darauf gepocht hatte, die kurze Reise würde Courtney gut bekommen, hatte Annie schließlich doch ihre Erlaubnis gegeben.

„Fertig." Das Mädchen setzte sich aufrecht hin, um die Arbeit zu begutachten. „Wie findest du's?"

„Also . . ." Rachel betrachtete einige Sekunden lang ihre perfekt lackierten Nägel. „Ich selbst hätte diese Farbe nicht ausgesucht, aber ich muss sagen, dass sie nicht so schlimm ist, wie ich gedacht hatte."

Courtney grinste breit. „Da bist du ja bestimmt froh, dass du mich mitgenommen hast, wie?"

„Rasend. Ich wüsste gar nicht, wie ich ohne dich zurechtkommen sollte", antwortete Rachel lachend.

Courtney lehnte sich in ihrem Sessel zurück, betrachtete Rachel von Kopf bis Fuß und nickte dann zustimmend. „Du siehst scharf aus."

Wieder reagierte Rachel amüsiert auf Courtneys Wortwahl. Das Mädchen tat ihrem Ego wirklich gut. „Danke, mein Schatz."

Während Rachel die Hände vom Körper forthielt, um den Nagellack nicht zu verschmieren, ging sie hinüber zu dem großen goldverzierten Spiegel über dem offenen Kamin und warf einen prüfenden Blick auf ihr Abbild. In letzter Minute hatte sie auf Courtneys Vorschlag hin dem schlichten, aber eleganten schwarzen Anzug den Vorzug vor dem blauen Kleid gegeben. Da sie um ihr Aussehen nie viel Aufhebens machte, hatte sie ihr kurzes braunes Haar einfach nach hinten gebürstet und ihr Make-up auf ein Minimum reduziert: ein Hauch Rouge auf den Wangen und einen roten Lipgloss. Das war schon deutlich mehr als zu Hause in Calistoga, wo sie sich praktisch immer einfach und bequem kleidete. Aber jetzt waren sie in *Paris*, wie Courtney unermüdlich betonte.

Ihr Blick wanderte zu ihrer linken Hand, an der der vier Karat schwere Diamantring funkelte, den Preston ihr im letzten Monat zur Verlobung geschenkt hatte. Als der Juwelier seiner Mutter aus San Francisco für eine private Präsentation ins Farley-Haus gekommen war, hatte Rachel dem Mann erklärt, dass sie einfachen, unauffälligen Schmuck bevorzugte. Aber sowohl Preston als auch seine Mutter hatten sich als unerbittlich erwiesen. Als zukünftige Ehefrau eines der viel versprechendsten Anwälte von Kalifornien musste Rachel ihrer Rolle entsprechend aussehen. Mit anderen Worten: Sie musste standesgemäß aussehen. Sie hatte es nicht übers Herz gebracht, die beiden zu enttäuschen.

Der Gedanke, den Ring im Hotelsafe zurückzulassen, verschwand so schnell, wie er gekommen war. Sie musste sich an das verdammte Ding gewöhnen. Außerdem gab der teure Edelstein ihr das Gefühl, dass Preston an ihrer Seite war und ihr Mut zusprach. Ein wenig mehr Selbstbewusstsein hätte ihr jetzt wirklich gut getan. Das

Meeting mit Monsieur Fronsac und seinen zwei Teilhabern lag ihr schwer im Magen. Annie, die Marketingleiterin des Weinguts, hatte ihr gesagt, der Mann verleihe dem Wort Arroganz eine völlig neue Bedeutung. Genau deshalb hatte Rachel zunächst auch die Bitte ihrer Großmutter abgeschlagen, nach Paris zu reisen und den Geschäftsabschluss zu retten.

„Annie ist diejenige, die ihn beleidigt hat", hatte sie protestiert. „Soll *sie* doch hinfliegen und sich entschuldigen."

Doch Fronsac, Eigentümer der größten Supermarktkette in Frankreich, wollte mit Annie Spaulding und eigentlich sogar mit Spaulding Vineyards insgesamt nichts mehr zu tun haben. Schließlich war Rachel nichts anderes übrig geblieben, als ihrer Großmutter beizupflichten. Wenn Spaulding Vineyards auf dem französischen Markt Fuß fassen wollte, dann musste Monsieur Fronsac umgestimmt werden.

„Du siehst aus, als würde die Guillotine auf dich warten", sagte Courtney kichernd.

Rachel drehte sich zu ihr um: „Das merkt man, oder?"

„Würde ich schon sagen." Courtney steckte das Fläschchen Nagellack zurück in ihren Make-up-Koffer. „Ich weiß nur nicht, warum du dir so viele Gedanken machst. Ich habe neulich Grandma und Preston reden hören. Sie sind beide der Meinung, dass es nur einen gibt, der den alten Bock von Fronsac besänftigen kann. Und das bist du."

„Grandma und Preston überschätzen gerne meine Fähigkeiten", erwiderte Rachel, obwohl sie innerlich über das Vertrauen erfreut war, das sie in sie setzten. Vor allem Preston. Ihr gut aussehender Verlobter, Sohn eines hochrangigen Richters und einer Frau aus der Oberschicht von San Francisco, war nicht so leicht zu beeindrucken. Zwangsläufig verteilte er auch nur höchst selten Komplimente.

Sie kämpfte gegen ihre innere Unruhe an und wedelte mit ihren Händen. „Trocken?"

Courtney sprang von ihrem Sessel auf und prüfte mit

einer Fingerspitze einen Nagel, dann nickte sie. „Jawohl, Ma'am."

Rachel ging zum Himmelbett, auf dem ihre Aktentasche lag. Sie kontrollierte rasch den Inhalt, um festzustellen, dass sie alles hatte, was für das Meeting erforderlich war. „Wünsch mir was", sagte sie und grinste ihre Nichte schief an.

„Mach ich." Courtney umarmte sie kurz. „Und ruf mich an, wenn dein Meeting vorbei ist, ja? Wir müssen deinen Sieg mit einem total abgefahrenen Lunch feiern."

Rachel lachte. „Weißt du was?" fragte sie und legte den Arm um die Hüfte des Mädchens, während sie Seite an Seite zur Tür gingen. „Ich *bin* froh, dass du mitgekommen bist."

Um zehn nach elf verließ Rachel das aus dem 17. Jahrhundert stammende Gebäude in der Rue Saint Jacques, das Fronsacs Büro beherbergte. Noch immer unter Anspannung stehend, lehnte sie sich gegen die Hauswand und atmete erleichtert aus.

Nach nervenaufreibenden eineinhalb Stunden mit Fronsac und seinen beiden Teilhabern hatte sich der Geschäftsmann letztlich – wenn auch alles andere als selbstlos – bereit erklärt, die Vergangenheit ruhen zu lassen und eine Auswahl von Spaulding-Weinen in seinen fünfhundert Supermärkten ins Angebot zu nehmen.

Es war weder ein leichter noch ein billiger Sieg gewesen. Annies kleiner Ausrutscher hatte das Weingut einen gewaltigen Rabatt von fünfzig Prozent gekostet, der damit fünf Prozentpunkte über dem lag, was Fronsac ursprünglich ausgehandelt hatte. Sie wusste nicht, über wen sie sich mehr ärgerte – über Annie oder über den Franzosen.

Ihre Anstrengungen hatten sich dennoch bezahlt gemacht. Immerhin hatte Fronsac nicht nur den Vertrag unterzeichnet, sondern zusätzlich darauf bestanden, den Abschluss zwischen Supermarchés Fronsac und Spaulding Vineyards auf einer Pressekonferenz bekannt zu geben.

Innerhalb von nur zwanzig Minuten hatte sich ein halbes Dutzend Reporter der verschiedenen Tageszeitungen und

Magazine eingefunden, gefolgt von einem Kamerateam des Senders France 2, um sie mit Fragen zu bombardieren – zum Glück auf Englisch.

Jetzt, da die Aufregungen abgeklungen und die Verträge unterzeichnet waren, spürte sie, dass sie sich endlich entspannte. Courtneys Vorschlag eines abgefahrenen Lunchs klang jetzt noch verlockender als zuvor.

Rachel fiel ein, dass sie ihre Nichte anrufen wollte, und sie sah sich nach einer Telefonzelle um. Wenige Meter von der Sorbonne entfernt entdeckte sie eine. Sie holte ihre Telefonkarte aus der Handtasche und strebte auf die berühmte Universität zu, während sie die frische Herbstluft tief einatmete.

Paris war schon immer einer ihrer Lieblingsorte gewesen. Und nirgends war die Stadt der Lichter reizvoller und französischer als im Quartier Latin.

Das Viertel, das lange Zeit als Oase der Künstler und Intellektuellen und als Heimat solch namhafter Persönlichkeiten wie Ernest Hemingway, Jean-Paul Sartre und Maurice Chevalier gegolten hatte, steckte voller Leben und war für viele Herz und Seele von Paris.

Rachel hatte keine Ahnung, warum sie sich so mit Frankreich verbunden fühlte. So wie die meisten Amerikaner hatte sie ihre erste Reise durch Europa unmittelbar nach dem Wechsel auf die High School unternommen. In diesen zwölf hektischen Tagen hatte sie auch Deutschland, Italien und die Schweiz gesehen, doch Frankreich hatte bei ihr den nachhaltigsten Eindruck hinterlassen.

Sie war seitdem oft wieder hergekommen, wenn die wenige freie Zeit einen Kurzurlaub gestattete. Fasziniert hatte sie die reichhaltige Geschichte in sich aufgesogen, war durch die üppigen Landschaften gereist und hatte reizende kleine Dörfer abseits der bekannten Routen entdeckt. Und ganz nebenbei hatte sie die Landessprache erlernt.

Sie näherte sich der Telefonzelle, als sie von einer lebhaften Interpretation von „When the Saints Go Marching In" abgelenkt wurde. Ein Saxofonist, einer von vielen Straßenmusikanten, die überall in Paris ihr Können zum Besten

gaben, stand mitten auf dem Fußweg und spielte mit großer Inbrunst, während die Zuschauer im Takt in die Hände
klatschten.

Als Rachel sich endlich einen Weg durch die ständig größer werdende Menge gebahnt hatte, war die Telefonzelle
besetzt. Anstatt zu warten, zuckte sie kurz mit den Schultern, steckte die Karte zurück in ihre Handtasche und ging
zum nächsten Taxistand.

2. KAPITEL

Die Sonne erhob sich langsam über die Howell Mountains, ihre warmen Strahlen durchfluteten das Tal und verwandelten die mit Tau bedeckten Trauben in winzige Juwelen.

Auf ihren Stock gestützt, ging Hannah Spaulding an einer Reihe von Weinstöcken entlang, wie sie es zu dieser Jahreszeit seit fünfundfünfzig Jahren jeden Morgen machte.

Es waren wunderbare Jahre, dachte sie, während ihr Blick über jene 200 Hektar wanderte, über die sich die in der Kleinstadt Calistoga gelegenen Spaulding Vineyards ausdehnten. Nicht immer war es einfach gewesen. Die Prohibition hatte die aufblühende Weinindustrie im Napa Valley beinahe zugrunde gerichtet, gefolgt von der Großen Depression und dem Zweiten Weltkrieg. Über hundert Winzer in der Umgebung hatten in diesen schwierigen Jahren ihren Betrieb aufgeben müssen. Doch die Spaulding Vineyards hatten so wie eine Hand voll weiterer Weinkellereien überlebt.

1968 geschah dann etwas Außergewöhnliches. Bei einer Weinprobe in Frankreich wurden drei Cabernet Sauvignons mit hohen Auszeichnungen geehrt, darunter einer aus der Produktion von Spaulding, der Spitzenweine aus Bordeaux und Burgund auf die hinteren Plätze verwies. Mit einem Mal waren die Weine zu beiden Seiten des Atlantiks im Gespräch, die bis dahin niemand hatte ernst nehmen wollen, und veränderten nachhaltig die Einstellung zu amerikanischen Weinen.

Erneut schossen Weinkellereien wie Pilze aus dem Boden, manche von ihnen wurden so groß, dass sie auf dem Weltmarkt Fuß fassen konnten. Spaulding war mit einer Produktion von 500.000 Kisten pro Jahr kaum noch als Familienbetrieb zu bezeichnen, doch ein Mitmischen im ausländischen Wettbewerb war nie möglich gewesen. Bis vor kurzem.

Hannah ging langsam weiter. Wenn Rachel es schaffte, den Abschluss mit Fronsac zu retten – und sie war sicher, dass ihr das gelingen würde –, dann waren Spaulding keine Grenzen gesetzt. Darum war sie auch so unwillig, die Kontrolle über das Weingut aus ihren Händen zu geben. Hannah wollte an dem teilhaben, was auf Spaulding wartete. Doch ihr Alter von neunundsiebzig Jahren und zwei Herzinfarkte hatten ihren Arzt veranlasst, ihr sehr strenge Vorschriften zu machen. Sie musste jeglichen Stress vermeiden und statt sechzig maximal zwanzig Stunden pro Woche arbeiten. Für diese lachhafte Vorgabe hatte sie nur Spott übrig.

„Spätestens nach einer Woche bin ich tot, weil ich nichts zu tun habe", hatte sie Dr. Warren gesagt. „Dann können Sie mich genauso gut jetzt gleich beerdigen."

Sie hatten sich schließlich auf dreißig Stunden geeinigt, wobei Hannah hier und da immer noch eine Stunde mehr herausholte.

Ihre Mädchen, wie sie ihre beiden Enkelinnen bezeichnete, hatten den Großteil der Arbeit unter sich aufgeteilt, wobei jede von ihnen sich mit den Dingen befasste, die ihr am besten lag. Annies offene, ausgelassene Persönlichkeit hatte sie zur perfekten Wahl für das Marketing gemacht, während Rachel schon früh Begeisterung für die Weinproduktion und eine Liebe zum Land hatte erkennen lassen, die so ausgeprägt waren wie bei Hannah.

Ein schwaches Lächeln umspielte Hannahs Lippen, als sie daran dachte, wie Rachel als kleines Kind die schweren Trauben in ihren tollpatschigen Händen hielt, um an ihnen zu riechen. Mit fünf Jahren kannte sie den Namen jeder Traubensorte, die Spaulding Vineyards anbaute, und konnte sie exakt dem Wein zuordnen, der aus ihnen gekeltert wurde. Mit zehn Jahren führte sie ihre Klassenkameraden über das Gut, und als sie sechzehn war, arbeitete sie voller Eifer in den Kellern, sprühte die Betonböden sauber, schrubbte vor der Ernte die Tanks und tat einfach alles, was man ihr auftrug.

Inzwischen war sie einunddreißig Jahre alt und auf dem besten Wege, die jüngste und begabteste Winzerin im gesamten Tal zu werden. Hannah bedauerte nur, dass die Mädchen es nie geschafft hatten, miteinander auszukommen. Auch jetzt noch genügte es, Rachel zu erwähnen, und schon sträubten sich Annies Haare. Vor drei Jahren hatte Rachel genug davon, mit Annie unter einem Dach zu leben, und war aus Hannahs Haus ausgezogen, um sich in den Hügeln von Calistoga ein eigenes Anwesen zu kaufen.

„Grandma!"

Als Hannah Annies Stimme hörte, konnte sie sich gerade noch rechtzeitig umdrehen, um zu sehen, wie ihre älteste Enkelin von Electra abstieg, der Stute, die ihr im Rahmen der vierten Scheidung zugesprochen worden war. Mit ihren eng anliegenden Reithosen, den braunen Stiefeln und ihren feurig roten Haaren, die in der Morgensonne leuchteten, sah Annie einfach grandios aus.

Jedes Mal, wenn Hannah sie sah, wurde sie an ihren verstorbenen Sohn Jack erinnert. Er hatte das gleiche, vor Leben sprühende und gute Aussehen besessen, und eine Zeit lang war er genauso ungezähmt und unberechenbar gewesen wie Annie. Die Ehe und ein Baby hatten ihn gottlob verändert, während Heirat und Mutterschaft bei Annie nichts bewirkt hatten. Mit neununddreißig Jahren und nach vier gescheiterten Ehen waren bei ihr keine Anzeichen zu erkennen, dass sie zur Ruhe kam. Das war einer der Gründe, warum Hannah sie an diesem Morgen zu sich gebeten hatte.

„Ich bin froh, dass du gekommen bist, meine Liebe", sagte sie, während ihre Enkelin sie auf die Wange küsste.

Annie wickelte die Zügel ihres Pferds um ihre Hand und lief im Gleichschritt neben Hannah her. „Ich werde mir doch nicht die Gelegenheit entgehen lassen, mit dir ein wenig Zeit zu zweit zu verbringen, Grandma. Das weißt du ja." Sie zeigte Hannah ein schelmisches Grinsen. „Selbst wenn ich dafür in aller Herrgottsfrühe aufstehen muss."

„Du warst früher auch mal eine Frühaufsteherin."

„Das ist lange her." Annie strich ihr Haar zurück, das beim Reiten durcheinander geraten war. „Heute arbeite ich hart, da brauche ich meine acht Stunden Schlaf."

„Die du auch hättest", gab Hannah zurück, „wenn du zu einer vernünftigen Zeit zu Bett gehen würdest, anstatt bis zum letzten Augenblick in irgendeinem Nachtclub in San Francisco zu bleiben."

Als hätte sie diese Bemerkung nicht gehört, blieb Annie an einem Weinstock stehen, pflückte eine einzelne Traube und steckte sie in den Mund. „Mmmh. Die Cabernet-Trauben sind reif, nicht wahr?"

„Fast."

„Vorsicht." Annie sah nach Westen zu den Mayacamas, jener Gebirgskette, die Napa Valley vom Pazifik trennte. „Es sieht jetzt noch nicht danach aus, aber es kommt Regen."

Hannah folgte ihrem Blick. Auch wenn der Himmel im Moment strahlend blau und die Luft angenehm warm war, wusste sie aus Erfahrung, wie schnell das Wetter in dieser Jahreszeit umschlagen konnte. „Die Lastwagen stehen bereit", sagte sie zustimmend. „Rachel ist ziemlich sicher, dass wir am Freitag mit der Lese anfangen werden."

„Wann hast du von ihr gehört?" fragte Annie beiläufig.

„Heute Morgen. Sie war vor dem Treffen mit Fronsac ein nervliches Wrack. Dabei ist das völlig unnötig, sie wird das schon schaffen."

Annie blickte in die Ferne. „Nicht so wie ich, die immer nur Mist baut."

„Das habe ich nicht gesagt", protestierte Hannah.

„Aber gedacht."

„Nein, habe ich nicht."

„Ach, komm schon, Grandma, jeder weiß, dass zwischen dir und Rachel ein besonderes Band existiert."

„Wenn du mir *wieder mal . . .*", Hannah betonte diese beiden Worte ganz besonders, „ . . . unterstellen willst, ich würde deine Schwester mehr lieben als dich, dann muss ich wieder mal sagen, dass du dich irrst. Dieses Band, von dem du sprichst . . . das existiert. Aber nur weil Rachel und ich für die Herstellung von Weinen die gleiche Leidenschaft besitzen."

„Und diese Leidenschaft macht sie zu etwas Besonderem."

„In gewisser Weise ja. Aber das ändert nichts daran, dass ich euch beide gleichermaßen liebe." Hannah betrachtete nachdenklich den starrsinnigen Zug auf Annies Gesicht und fragte sich, ob sie jemals zu ihr durchdringen würde. „Ihr beide seid für mich die liebsten Menschen in meinem Leben, auch wenn ihr so verschieden seid wie Tag und Nacht."

„Aber du hast Rachel nach Paris geschickt."

Hannah lachte auf. „Oh, Darling, dich hätte ich ja wohl schlecht dorthin schicken können. Meinst du nicht auch? Wenn Monsieur Fronsac die entsprechende Macht hätte, würde er dir sogar verbieten, überhaupt nach Frankreich einzureisen."

„Fronsac ist ein Schwachkopf."

„Vielleicht. Aber er ist auch unsere Eintrittskarte für den französischen Markt." Ihr Blick ruhte auf ihrer hübschen, nie um Worte verlegenen Enkelin. „Was hast du dir bloß dabei gedacht, Darling, französische Weine als minderwertig zu bezeichnen und damit seinen gallischen Stolz zu verletzen?"

„Er hat mich wütend gemacht." Annie trat gegen einen Stein, der weit durch die Luft flog. „Er hat von mir erwartet ... nein, das stimmt so nicht, er hat von mir *verlangt,* dass er einen Rabatt von fünfundvierzig Prozent pro Kiste bekommt. Als ich ihn daraufhin gefragt habe, ob er im Gegenzug die Spaulding-Weine auch in speziellen Ständern präsentieren würde, hat er mich ausgelacht und gesagt, die seien den französischen Weinen vorbehalten. Du hättest ihn hören müssen, Grandma. Er hat sich so benommen, als würde er uns einen *Gefallen* tun, wenn er unsere Weine kauft." Sie drehte sich zu Hannah um. „Hast du mich deswegen herkommen lassen? Damit wir uns über diesen alten Querkopf unterhalten?"

„Nein." Für einen Moment trafen sich ihre Blicke. „Ich wollte mit dir über deine neue ... Eroberung sprechen."

Annie hob eine Augenbraue und erinnerte damit Hannah

einmal mehr an ihren verstorbenen Sohn. „Du meinst Rick Storm?"

„Ja. Ich habe gehört, dass du ihn letzte Nacht mit aufs Weingut gebracht hast."

„Woher weißt du das?"

„Das Dröhnen einer Harley lässt einen nur schwer durchschlafen", sagte Hannah trocken.

„Tut mir Leid, Grandma. Daran hatte ich nicht gedacht. Ich hätte ihm sagen sollen, dass er die Maschine am Tor abstellt . . ."

Hannah machte eine ungeduldige Handbewegung. „Das interessiert mich überhaupt nicht. Was mir wirklich Sorgen macht, ist die Tatsache, dass du dich überhaupt mit ihm eingelassen hast."

„Hast du jemals einen der Männer gemocht, mit denen ich ausgegangen bin?" Annies Tonfall war neckisch und ein wenig vorwurfsvoll zugleich.

„Ganz bestimmt. Abgesehen von diesem argentinischen Gigolo, der nur an dein Geld kommen wollte, habe ich alle deine Ehemänner gemocht. Aber dieser Rick Storm . . ." Sie schüttelte ablehnend ihren Kopf. „Dieser Mann ist eine Gefahr für die Allgemeinheit. Es vergeht keine Woche, in der er nicht in irgendeiner Bar in eine Schlägerei verwickelt ist oder einen Paparazzo verprügelt oder mit 160 Stundenkilometern durch San Francisco rast."

„Er ist ein Rockstar, Grandma. Dieses Leben immer hart an der Grenze gehört zu seinem Image."

„Und du bist eine Spaulding", gab Hannah zurück. „Du musst auch einem Image gerecht werden." Sie seufzte hilflos. Diese eindringlichen Gespräche mit Annie kamen in jüngster Zeit immer häufiger vor, und auch wenn sie hoch und heilig versprach, sich zu ändern, geschah das doch nie. Nach vier Ehen, die alle an ihrer unverhohlenen Untreue gescheitert waren, benahm sich Annie noch immer so wild wie in ihrer Zeit auf dem College.

„Du musst dir keine Gedanken machen", sagte Annie, während sie wieder kleine Steine aus dem Weg kickte. „Rick ist Vergangenheit."

„Oh." Wenigstens eine gute Nachricht. „Und wieso?"

„Er hatte mir gesagt, dass er für eine Party in der nächsten Woche verschiedene Spaulding-Weine bestellen wollte. Ich war natürlich einverstanden, ihn erst probieren zu lassen. Darum hatte ich ihn auch gestern Abend mit hierher gebracht. Als mir klar wurde, dass er sich eigentlich nur zusammen mit mir besaufen wollte, habe ich ihn rausgeschmissen. Ich glaube kaum, dass ich in nächster Zeit von ihm hören werde."

„Gut." Hannahs Tonfall wurde sanfter. Vielleicht gab es ja doch noch Hoffnung. „Ich bin stolz auf dich, dass du dich gegen ihn durchgesetzt hast, Annie. Du hast richtig . . ."

Plötzlich schoss ein stechender Schmerz durch Hannahs Brust, und sie krümmte sich vornüber.

„Grandma!" Annie ließ ihre Stute los und umfasste Hannah. „Was ist denn? Was ist los? Oh, mein Gott!" schrie sie, während Hannahs Beine langsam unter ihr wegsackten. „Hast du einen Herzinfarkt?"

Hannah wollte etwas sagen, doch ein weiterer stechender Schmerz bohrte sich durch ihren Körper und strahlte in ihren gesamten Brustkasten aus. Es ist ein Herzinfarkt, dachte sie, während sie mit aller Macht versuchte, nicht das Bewusstsein zu verlieren, und er ist schlimm.

Annie kniete sich neben sie. „Stirb nicht, Grandma", schluchzte sie. „Bitte stirb nicht." Mit einem Mal wurde ihr bewusst, dass sie etwas tun musste, und sie hielt Hannahs Kopf fest, bis er den Boden berührte. „Ich hole Hilfe. Du bewegst dich nicht, ich . . ."

Als Annie jedoch aufstehen wollte, umschloss Hannahs Hand fest ihr Handgelenk. „Nein."

„Nein? Was soll das heißen? Du bist krank, Grandma. Du wirst sterben, wenn ich keine Hilfe hole!" Wieder schluchzte Annie laut. „Was soll aus mir werden, wenn du stirbst?"

Trotz der unerträglichen Schmerzen wollte Hannah lachen. Typisch Annie. Nur sie konnte in einem solchen Moment an sich selbst denken. „Keine Hilfe, Annie. Zu spät . . . muss . . . dir . . . was . . . sagen."

„Nicht jetzt, Grandma, ich muss . . ."

„Hör mir zu." Hannah versuchte durchzuatmen, zuckte

aber, als sich die Muskeln in ihrem Oberkörper noch stärker zusammenzogen. Es fühlte sich an, als würde eine große, starke Faust ihr Herz umschließen, um langsam und gnadenlos das Leben aus ihrem Körper zu pressen. „Es geht um Rachel . . .‟

Annie presste die Lippen aufeinander und sagte nichts.

Hannah schloss die Augen. Sie atmete nur noch flach, und die Sonne, die wenige Momente zuvor noch so hell und warm geschienen hatte, erschien ihr zunehmend dunkler. Mit der Kraft der Verzweiflung drückte sie wieder Annies Hand. „Sag Rachel . . . ihre Mutter . . . ihre leibliche Mutter . . . Alyssa . . . sie lebt . . .‟

Annie öffnete den Mund und riss ihre blauen Augen vor Entsetzen und Unglauben weit auf. „Aber . . . das kann nicht sein. Sie starb bei der Geburt.‟

„Das ist . . . nicht wahr.‟ Hannah fuhr mit der Zunge über ihre Lippen und atmete zaghaft ein. „Rachel muss es erfahren. Sag ihr . . . Schwester Mary-Catherine . . . im Kloster . . . ‚Our Lady of Good Counsel‘ in Santa Rosa . . . wird ihr helfen.‟

Hannah versuchte, ihre Augen offen zu halten, während es immer dunkler zu werden schien. Die Zeit wurde knapp, aber sie hatte noch so viel zu sagen. „Versprich mir . . . du . . . sagst es . . . Rachel.‟

Während sie auf eine Antwort wartete, versuchte Hannah ihren Blick auf Annie zu richten, doch an deren Stelle sah sie das Gesicht ihres verstorbenen Ehemannes. In dem grauen Morgenmantel, den er am Tag ihrer Hochzeit getragen hatte, sah Henry attraktiver aus als jemals zuvor. Nicht eine Falte war auf seinem Gesicht zu sehen. Das vertraute betörende Lächeln, mit dem er ihr vor so vielen Jahren den Kopf verdreht hatte, umspielte seine Lippen. „Meine liebe Hannah.‟

Als sie seine Stimme hörte, schien der Schmerz in ihrer Brust nachzulassen, und die Panik, die sie gerade eben noch empfunden hatte, verschwand. „Henry . . .‟

„Grandma! Grandma!‟

Annies angsterfüllter Schrei holte Hannah zurück, und einen Moment lang verspürte sie große Traurigkeit, als sie daran dachte, was ihre Mädchen würden durchmachen müssen. „Ich liebe dich", murmelte sie.

Sie wollte noch „und Rachel" hinzufügen, aber Henry war inzwischen näher gekommen. Während er ihr seine Hand entgegenstreckte, fiel die Sonne auf seinen goldenen Ehering und ließ ihn aufblitzen. „Komm, Hannah", sagte er sanft. „Ich habe auf dich gewartet."

Hannah sah ihn an, dann ergriff sie mit einem leisen Seufzer seine Hand.

3. KAPITEL

„Tante Rachel, komm schnell!" Courtney winkte ihr zu, als sie das Hotelzimmer betrat. „Du bist im Fernsehen!"

„Schon?" Rachel blickte gerade noch rechtzeitig auf den Bildschirm, um zu sehen, wie sie und Monsieur Fronsac in die Kamera lächelten.

„Oh, verdammt", sagte Courtney, als das Bild verschwand und der Nachrichtensprecher weitere Meldungen verlas. „Das wars." Ihre Enttäuschung war aber nur von kurzer Dauer, denn ihre Augen strahlten bereits wieder vor Begeisterung, als sie Rachel ansah. „Du hast es geschafft, Tante Rachel! Grandma wird so stolz auf dich sein."

Rachel warf ihre Aktentasche auf ein Sofa aus blauem Brokat. „Du glaubst gar nicht, wie froh ich bin, dass das erledigt ist. Deine Mutter hatte Recht. Mit Monsieur Fronsac zu verhandeln, ist eine Tortur. Und diese französischen Reporter erst mal." Sie rollte mit den Augen. „Die waren unerbittlich."

„Na ja, aber du musst irgendetwas richtig gemacht haben", sagte Courtney voller Stolz. „Sie lieben dich nämlich. Sie nennen dich eine moderne Pionierin – die erste amerikanische Winzerin, die ihre Weine über Supermarchés Fronsac vertreibt. Du kannst mir glauben, sie haben es als richtig große Sache dargestellt." Sie schnippte mit den Fingern. „Ich weiß was. Warum versuchen wir nicht, eine Kopie von dem Band zu bekommen, bevor wir abfliegen? Vielleicht kann Grandma einen von unseren Lokalsendern dazu überreden, es zu zeigen. Überleg mal, was das für eine Publicity für das Weingut wäre."

Rachel musste lachen. Das war auch etwas, was sie an Courtney so mochte. Trotz ihres jugendlichen Alters besaß sie bereits ein Gespür fürs Marketing, genau wie ihre Mutter.

„Das ist eine hervorragende Idee, Courtney. Ich werde Mr. Fronsac nach dem Lunch anrufen und hören, ob er . . ."

In dem Augenblick wurde sie vom Klingeln des Telefons unterbrochen. Das war sicher Grandma, die wissen wollte, wie das Treffen verlaufen war. Sie bedeutete Courtney, den Fernseher leiser zu stellen, bevor sie den Hörer abnahm. „Hallo?"

„Rachel, hier ist Annie."

Sie hörte den Schmerz in der Stimme ihrer Schwester und bekam einen trockenen Mund. „Annie? Stimmt irgendwas nicht?"

„Es ist Grandma", schluchzte Annie. „Oh, Rachel, sie ist tot. Grandma ist tot."

Auf dem Flug zurück in die Staaten saß Rachel stumm da und blickte aus dem Fenster. Weiße flauschige Wolken zogen vorüber. Auf dem Platz gleich neben ihr schlief Courtney, die so lange geweint hatte, bis ihr vor Erschöpfung die Augen zugefallen waren.

Grandma ist tot.

Annies Worte hallten mit einer Endgültigkeit in Rachels Kopf nach, die ihr Herz erstarren lassen wollte. Zum letzten Mal hatte sie vor vierzehn Jahren eine solche Trauer empfunden, als ihre Eltern mit dem Ballon abgestürzt waren, der oft benutzt wurde, um wichtigen Gästen das Weingut zu zeigen. Jack und Helen Spaulding waren damals ebenso ums Leben gekommen wie drei Besucher.

Rachel war am Boden zerstört gewesen, und sie war sicher, dass auch ihr Leben vorüber war. Doch sie verdankte Hannah, dass sie diese schwierigen Jahren ohne bleibende Wunden überstanden hatte.

Wundervolle Erinnerungen an ihre Großmutter kamen ihr in den Sinn und schnürten ihr die Kehle zu. Eine dieser

Erinnerungen war besonders lebendig. Es war ihr zehnter Geburtstag, der Tag, an dem ihre Eltern ihr schonend und liebevoll eröffnet hatten, dass sie von ihnen adoptiert worden war.

Rachel erinnerte sich an den Schock, als wäre es erst gestern gewesen. Am Boden zerstört, war sie auf ihr Zimmer gerannt. „Ich bin keine Spaulding", hatte sie geschluchzt. Sie war jemand, den man abgelehnt hatte, ein Niemand, den man achtlos weggeworfen hatte.

Ihren Eltern wollte sie nicht zuhören, stattdessen hatte sie sich an den Ort zurückgezogen, an dem sie sich wirklich sicher fühlte – die Weinberge. Grandma hatte sie dort gefunden, wie sie auf der Erde saß, den Blick voller Selbstmitleid auf die Berge gerichtet. Hannah hatte sich zu ihr gesetzt und mit ihrer sanften Stimme das erklärt, was Rachel von ihren Eltern nicht hatte hören wollen.

„Niemand hat dich weggeworfen", hatte sie gesagt und das lange, braune Haar aus Rachels verheultem Gesicht gestrichen. „Deine biologische Mutter war gerade mal siebzehn Jahre alt, als sie bei der Geburt starb. Dein Vater war damals nicht viel älter, und er hatte eine entsetzliche Angst davor, sich ganz allein um ein Baby zu kümmern. Also hatte er dich in die Obhut von fürsorglichen Nonnen gegeben, Frauen, von denen er wusste, dass sie für dich ein gutes Zuhause finden würden. Und das haben sie gemacht." Sie hatte Rachel an sich gezogen und angefügt: „Mein Gott, wir könnten dich nicht stärker lieben, wenn du unser eigen Fleisch und Blut wärst."

„Annie liebt mich nicht", hatte Rachel trotzig gesagt. „Sie hasst mich."

Grandma hatte den Kopf geschüttelt. „Annie liebt dich auf ihre Art. Eines Tages werdet ihr das beide erkennen."

Rachel hatte sich seit diesem Abend nie wieder wie eine Verstoßene gefühlt. Sie hatte sogar gelernt, sich gegen Annie zu behaupten, was nicht so einfach gewesen war. Aber erst viele Jahre später, als sie in die Fußstapfen von Hannah und Annie getreten und ein fester Teil von Spaulding Vineyards geworden war, hatte sie sich wirklich wie eine Spaulding gefühlt.

Was waren wir drei doch für ein Team, dachte Rachel zurück. Hannah mit ihrer unglaublichen Begabung für die Weinherstellung, Annie mit ihrem Händchen für die Vermarktung der Spaulding-Weine und sie selbst mit ihren Zukunftsvisionen. Eine örtliche Zeitung, die von so viel Talent beeindruckt gewesen war, hatte ihnen den Spitznamen „Spauldings unglaubliches Trio" gegeben.

Und jetzt bestand dieses unglaublich Trio nur noch aus zwei Personen.

Ich hätte mehr auf ihre Gesundheit achten sollen, dachte Rachel, die mit einem Mal von Schuldgefühlen geplagt wurde. Ich hätte darauf drängen müssen, dass sie noch weniger Stunden in der Woche auf dem Weingut arbeitet. Stattdessen habe ich ihr auch noch kleine, unbedeutende Probleme aufgehalst, die ich allein hätte lösen sollen. Oh, Grandma.

Ihr Herz schmerzte vor Trauer, während sie den Kopf gegen den Sitz presste und die Augen schloss. Du fehlst mir schon jetzt.

Annie war völlig allein in dem Haus, in dem sie aufgewachsen war. Sie saß in Grandmas altem Schaukelstuhl und starrte in das Feuer, das die Haushälterin Ming Augenblicke zuvor entzündet hatte. Auch wenn die Tage im Oktober brütend heiß sein konnten, waren die Nächte im Tal oft kühl, und Grandma hatte immer auf einem Kaminfeuer bestanden.

Grandma. Sie ist von mir gegangen, dachte Annie, während sie spürte, dass ihr erneut Tränen in die Augen schossen. Niemals wieder würde sie Hannahs von Herzen kommendes, mitreißendes Lachen hören und auch nicht das vertraute Geräusch ihres Stocks, wenn sie durch den Flur ging.

Von klein auf hatte sich Annie auf unerklärliche Weise mit Hannah verbunden gefühlt. Sie war nicht nur die geliebte Großmutter, sondern auch ihre beste Freundin gewesen, die eine Person, die sie wirklich verstanden und bedingungslos geliebt hatte. Sicher, sie waren immer wieder mal verschiedener Meinung gewesen. Grandma konnte manchmal so stur sein, aber Annie konnte sich noch so dumm anstellen, sie verzieh es ihr stets.

Annies Blick schweifte durch den vornehm eingerichteten Salon, während sie daran dachte, dass Grandma ihr in genau diesem Zimmer durch eine der schwierigsten Phasen ihres Lebens geholfen hatte: die Ankunft eines Babys.

„Mom und Dad lieben mich nicht mehr", hatte sie zu Grandma gesagt, nachdem Helen und Jack drei Tage zuvor Rachel aus dem Waisenhaus mitgebracht hatten. Mit dem Schürhaken hatte sie wütend auf die brennenden Holzscheite eingeschlagen. „Sie interessieren sich nur noch für das Baby."

Sanft hatte Grandma Annie den Schürhaken aus der Hand genommen und die achtjährige Enkelin auf den Schoß gesetzt. Eine halbe Stunde lang hatte sie ihr alles über Erstgeborene erzählt und darüber, welchen besonderen Platz sie im Herzen ihrer Eltern haben. Niemand, hatte sie zu Annie gesagt, nicht einmal ein Baby, könnte daran jemals etwas ändern.

Hannahs Worte hatten nicht bewirkt, dass Annies Vorbehalte gegenüber Rachel nachließen, aber sie hatten dafür gesorgt, dass sie sich wichtig fühlte, sogar ein wenig überlegen. Das hatte sie nie in ihrem Leben vergessen. Und weil sie viel klüger als ihre jüngere Schwester war, hatte sie immer genau gewusst, wie sie die Schuld für etwas, das sie selbst angestellt hatte, auf Rachel schieben konnte. Und wenn das nicht funktionierte, wusste sie ganz genau, welche schauspielerischen Künste bemüht werden mussten, um ihrer Bestrafung zu entgehen.

„Oh, Annie", hatte Hannah oft gesagt, „du hättest Schauspielerin werden sollen."

Grandma war auch diejenige gewesen, die ihr vorgeschlagen hatte, sie solle doch ihre Fantasie nutzbringend einsetzen und sich dem Marketing von Spaulding zuwenden. Zu ihrer eigenen Überraschung war Annie von der Arbeit auf Anhieb begeistert gewesen. Sie liebte den tagtäglichen Umgang mit den Kunden, die Entstehung und Entwicklung neuer Marketingstrategien, die Begeisterung, die jede neue Werbekampagne bei ihr auslöste.

DIE FEINDIN

An Annies zweiunddreißigstem Geburtstag hatte Hannah erklärt, dass der Marketingleiter von Spaulding in den Ruhestand gehen würde. Dann hatte sie Annie feierlich einen Vertrag überreicht und sie wissen lassen, dass *sie* von nun an die neue Marketingleiterin sei.

Zum ersten Mal in ihrem Leben war Annie sprachlos gewesen. Mit Tränen in den Augen hatte sie den Vertrag gelesen, der für sie eine großzügige Gehaltserhöhung, Prämien und eine fünfprozentige Beteiligung an Spaulding Vineyards bedeutete. Noch nie hatte jemand so großes Vertrauen in sie gesetzt, und der Gedanke, dass Hannah sie tatsächlich für fähig hielt, ganz allein eine gesamte Abteilung zu leiten, war einfach unglaublich.

„Ich weiß nicht, was ich sagen soll", hatte Annie gemurmelt, während alle anderen im Esszimmer lachten.

„Du musst überhaupt nichts sagen", hatte Grandma erwidert. „Außer, dass du gut arbeiten wirst."

Und das hatte sie auch gemacht. Meistens jedenfalls. Bedauerlicherweise hatten ihre Schwäche für attraktive junge Männer und ihre schlechte Menschenkenntnis in Verbindung mit einigen dieser Männer in ihrem Privatleben Chaos verursacht und zu erheblichen Reibereien zwischen ihr und Grandma geführt.

Der Gedanke an den gestrigen Morgen, an dem sie beide zum letzten Mal durch die Weinberge spaziert waren, schmerzte so sehr, dass Annie vornüber gebeugt dasaß und die Hände auf ihren Magen presste. Plötzlich schoss ihr ein Gedanke durch den Kopf, der sie hochfahren ließ. Was, wenn *sie* für den Herzinfarkt verantwortlich war? Nur weil sie sich mit diesem dämlichen, nutzlosen Rocker eingelassen hatte?

Sie schüttelte den Kopf. Nein, so etwas durfte sie nicht denken. Grandma war seit langer Zeit krank gewesen. Der alte Doc Warren hatte das bestätigt.

„Hannahs Uhr lief unerbittlich ab", hatte er zu Annie gesagt, nachdem er Grandmas Tod festgestellt hatte. „Und das wusste sie."

Annie stöhnte leise auf. Warum konnte diese Uhr nicht noch ein wenig länger gelaufen sein?

Im Kamin tanzten die blauen und orangenen Flammen ausgelassen umher. Trauer ergriff von Annie Besitz, als ihr klar wurde, dass die Frau, die noch zwei Tage zuvor auf diesem Platz gesessen und in die Flammen gesehen hatte, für immer von ihr gegangen war.

Sie blickte hinauf zu Hannahs Porträt über dem Kaminsims und wischte ihre Tränen fort. „Mach dir um das Weingut keine Sorgen, Grandma", sagte sie, während sie an Hannahs Versprechen dachte, dass Spaulding Vineyards eines Tages ihr gehören würde. „Ich passe gut drauf auf. Und diesmal wirst du stolz auf mich sein, das verspreche ich dir."

Sie konnte ihre Tränen nicht länger zurückhalten, legte die Hände vors Gesicht und weinte hemmungslos.

Sam Hughes, Produktionsleiter bei Spaulding, und seine Frau Tina waren die beiden Ersten, die Rachel erblickte, als sie aus der Cessna stieg, mit der sie und Courtney von San Francisco nach Calistoga geflogen waren.

Sam war seit mehr als dreißig Jahren ein guter, treuer Freund der Spauldings. Mit seinen fünfundsechzig Jahren war er ein robuster Mann mit vollem graumeliertem Haar, einem buschigen Schnauzbart in gleicher Farbe und einem warmherzigen Lächeln.

Auf der letzten Stufe blieb Rachel stehen und sah sich um. Enttäuscht stellte sie fest, dass Preston nirgends zu entdecken war. Sie wollte fragen, ob man ihn informiert hatte, als Sam mit ausgestreckten Armen auf sie zueilte und sagte: „Es tut mir so Leid, Honey."

„Oh, Sam", erwiderte Rachel, die sofort in Tränen ausbrach, die sie auf dem Flug zurückgehalten hatte. Sie ließ sich in die Arme ihres alten Freundes fallen und schluchzte.

Eine Weile standen sie einfach da, bis sich Rachel aus der Umarmung löste, um Tina zu umarmen, die ihrerseits Courtney getröstet hatte. Sams Frau war stets gut gelaunt, klein und rundlich, und ihr gutes Aussehen hatte sie von ihren italienischen Vorfahren geerbt. Trotz des großen Altersunterschieds waren die beiden Frauen seit Jahren eng befreundet.

„Wo ist Preston?" fragte Rachel, als sie wieder sprechen konnte.

Während Sam ihr Gepäck im Kofferraum seines alten Audi verstaute, führte Tina Rachel und Courtney zum Wagen. „Er musste an einem wichtigen Dinner teilnehmen. Er lässt ausrichten, dass er sich morgen mit dir trifft."

Rachel konnte den missbilligenden Tonfall in Tinas Stimme nicht überhören, und er überraschte sie auch nicht. Auch wenn sie manchmal schon eine Spur zu ehrlich war, hatte Tina nie einen Hehl daraus gemacht, dass sie Preston nicht mochte. Ihrer Meinung nach war er aufgeblasen, opportunistisch und eiskalt. Die Wahrheit war allerdings, dass Tina Preston einfach nicht verstand. So wie viele andere erkannte auch sie nicht seine Art, mit der er Rückhalt bot, seine ruhige, resolute Stärke und seine unerschütterliche Entschlossenheit.

„Was ist mit Mom?" fragte Courtney, als sie auf der Rückbank Platz genommen hatte. „Wo ist sie?"

„Zu Hause." Sam warf einen Blick in den Spiegel, bevor er rückwärts aus der Lücke fuhr. „Sie bereitet alles für Hannahs Beerdigung vor."

„Ich hoffe, sie macht keinen Staatsakt daraus", sagte Rachel, während sie in ihrer Handtasche ein Taschentuch suchte. „Das würde Grandma gar nicht gefallen."

Sam verließ den Parkplatz und folgte der Beschilderung in Richtung Route 29, dem zweispurigen Highway, der durch Napa Valley verlief. „Ich habe versucht, ihr das zu sagen", merkte er an. „Aber du kennst deine Schwester. Was nicht aufwendig ist, ist auch nichts."

Rachel erwiderte nichts. Sie fragte sich, wie es ab jetzt sein würde, für Annie zu arbeiten. Es war nie ein großes Geheimnis gewesen, dass Annie als die älteste Tochter das Weingut erben würde. Und obwohl Hannah ausdrücklich darum gebeten hatte, an den Strukturen des Unternehmens nichts zu ändern, *würde* es Veränderungen geben. Dafür würde Annie schon sorgen.

Andererseits konnte es durchaus geschehen, dass Annie als Chefin von Spaulding Vineyards sanftmütiger wurde. Vielleicht würde sogar diese alberne Eifersucht ein Ende haben – eine Eifersucht, die an dem Tag begonnen hatte, als ihre Eltern Rachel aus dem Waisenhaus mit nach Hause gebracht hatten.

Als könne er Gedanken lesen, sah Sam sie im Rückspiegel an. „Es wird schon alles gut werden, Honey", sagte er leise. „Mach dir keine Sorgen, okay?"

„Okay." Sie blickte aus dem Fenster auf die vertraute Landschaft, die nie wieder so sein würde wie früher. „Wie ist Grandma gestorben?" fragte sie schließlich.

„Ich dachte, Annie . . ."

„Ich möchte es von dir hören."

Sam nickte. „Es war ein schwerer Herzinfarkt. Sie ist sehr schnell gestorben. Annie war bei ihr, wie du ja weißt. Sie hat zwar sofort Hilfe geholt . . ." Sam seufzte leise. „Es war zu spät."

„Hast du mit Dr. Warren gesprochen?"

„Ja. Er meinte, es sei angesichts der Schwere der beiden früheren Infarkte ein Wunder gewesen, dass sie noch so lange durchgehalten hat."

„Verdammt, Sam. Warum hat er uns das nicht früher gesagt? Vielleicht hätten wir verhindern können . . ." Sie konnte nicht weitersprechen und hielt das Taschentuch vor ihre Augen.

„Hannah hatte den Doc dazu verpflichtet, nichts zu sagen", erklärte Sam. „Sie wollte nicht, dass du und Annie besorgt seid."

So war Hannah. Sie machte sich immer über andere Gedanken, nie über sich selbst. Als Courtney ihre Hand ergriff, rang Rachel sich ein Lächeln ab. Den Rest der kurzen Fahrt verbrachten sie schweigend.

Die folgenden achtundvierzig Stunden waren wohltuend hektisch. Während sich Annie um die Vorbereitungen der – wie sie es nannte – „angemessenen" Beerdigung kümmerte, nahm Rachel Anrufe aus ganz Kalifornien und sogar aus Europa von den Menschen entgegen, die ihr Beileid aussprechen wollten, weil Hannah in ihrem Leben eine Rolle gespielt hatte. Sogar der sonst so schroffe Monsieur Fronsac hatte ein Beileidstelegramm geschickt.

Nach der Beerdigung bat Hannahs langjähriger Anwalt Ambrose Cavanaugh die Familie einschließlich Sam und Tina, ihm in Grandmas Arbeitszimmer zu folgen, wo er ihnen das Testament verlas.

Wie erwartet, hatte Hannah diejenigen großzügig berücksichtigt, die ihr über die Jahre hinweg so treue Dienste geleistet hatten: zwei Diener, die seit Jahren im Ruhestand waren, und Ming, die momentane, äußerst tüchtige Haushälterin, die den Spaulding-Haushalt besser geführt hatte als Hannah selbst.

Sam, dessen Freundschaft sie sehr geschätzt hatte, erbte ein Gemälde von Raoul Duffy, das er oft bewundert hatte. Es zeigte ein Weingut in Bordeaux, wo Sam in den frühen fünfziger Jahren in die Lehre gegangen war. „Neben diesem Gemälde", hatte sie ausdrücklich erklärt, „überlasse ich ihm die zweifelhafte Ehre, auf meine Mädchen aufzupassen."

Rachel warf Sam einen kurzen Blick zu und sah, wie er mit dem Handrücken eine Träne wegwischte.

Tina erbte ihr antikes Royal-Doulton-Porzellan, und Hannah dankte ihr für die zahlreichen Einladungen zum sonntäglichen Mittagessen und dafür, dass sie sie immer zum Lachen gebracht hatte.

Ein leises, aber nicht zu überhörendes Seufzen veranlasste Rachel, nach links zu sehen. Dort saß Annie und trommelte ungeduldig mit ihren langen, lackierten Fingernägeln auf ihren Schoß.

Als hätte Ambrose diesen Seufzer ebenfalls gehört, blickte er auf und räusperte sich. „Und nun", sagte er leise, „zu Hannahs übrigem Nachlass." Er lächelte Courtney an und las vor: „,Meiner lieben und wundervollen Urenkelin Courtney vermache ich ein Treuhandvermögen in Höhe von einer Million Dollar, das ihr in Raten ab dem einundzwanzigsten Geburtstag ausgezahlt wird. Daneben hinterlasse ich ihr meine Perlenkette sowie die dazu passenden Ohrringe, die sie immer so bewundert hat. Du musst sie dir nicht mehr ausleihen, Darling. Sie gehören jetzt dir.'"

Als Courtney einen Schluchzer unterdrückte, tätschelte Rachel sanft die Hand ihrer Nichte. Sie kannte niemanden, der besser geeignet gewesen wäre, um Grandmas wunderschöne Perlen zur Schau zu stellen.

Ambrose wartete einen kurzen Augenblick, dann fuhr er fort: „,Meiner ersten und sehr geliebten Enkelin Annie hinterlasse ich ebenfalls die Summe von einer Million Dollar und das Haus, in dem sie geboren wurde. Es ist mein vordringlichster Wunsch, dass diese vertraute Umgebung sie immer daran erinnert, wie sehr ich sie geliebt habe.'" Wieder machte er eine kurze Pause. „,Und meiner Enkelin Rachel, die keinen Wert auf Geld legt und die mich noch nachträglich umbringen würde, wenn ich versucht hätte, ihr auch nur einen Cent zu vererben, hinterlasse ich das, was ihr am meisten am Herzen liegt – Spaulding Vineyards.'"

Während Rachel schockiert den Mund aufmachte, sprang Annie auf. „*Was?*" Mit schneeweißem Gesicht marschierte sie zu dem Schreibtisch, an dem Ambrose saß. „Was haben Sie gesagt?"

Der Anwalt nahm seine Brille ab. „Hannah hat Rachel das Weingut vererbt", sagte er, während sein Blick verriet, dass er sich innerlich auf einen Kampf vorbereitete.

„Das kann sie nicht machen." Annie schlug mit den Handflächen so heftig auf die Tischplatte, dass ein antikes Tintenfässchen zu tanzen begann. „Das Weingut gehört mir! Das hat sie mir gesagt, jeder weiß das."

„Hannah hat vor zwei Jahren ihr Testament geändert", erklärte Ambrose.

„Warum sollte sie ihr Testament ändern? Sie wusste, wie viel mir das Weingut bedeutet."

„Wir können später über die Gründe sprechen. Unter vier . . ."

„Mom", warf Courtney ein. „Ambrose hat Recht. Du kannst das später klären."

Annie stampfte mit dem Fuß. „Ich will das jetzt klären, verdammt noch mal. Warum hat sie ihr Testament geändert?"

Ambrose machte einen unbehaglichen Eindruck. „Sie hatte Vorbehalte, Annie, was Sie und Ihren Lebenswandel angeht. Und Ihre mangelnde Bereitschaft, sesshaft zu werden. Sie hatte Angst, dass Ihre wilde Ader, wie sie es nannte, sich irgendwann auf die Führung von Spaulding Vineyards auswirken könnte."

„Und darum bekommt *sie* das Weingut?" Ohne den Blick von Ambrose abzuwenden, zeigte sie auf Rachel.

„Sie war der Ansicht, dass Ihre Schwester geeigneter ist."

„Unsinn. Ich bin die Beste für die Leitung. Außerdem bin ich eine Spaulding. Eine *rechtmäßige* Spaulding", fügte sie hinzu, während sie wutentbrannt über die Schulter hinweg zu Rachel blickte. „Nicht irgendeine Versagerin, die man vor einem Waisenhaus abgelegt hat."

„Mom!" Mit betroffenem Gesicht stand Courtney auf. „Sprich nicht so über Tante Rachel."

„Warum nicht? Es ist die Wahrheit. Sie hat kein Recht, Spaulding Vineyards zu erben. Ich schon. Es ist mein Recht von Geburt an."

Rachel, die Annies Wutausbruch bis dahin schweigend ertragen hatte, war mit ihrer Geduld am Ende. „Um Himmels willen, Annie! Muss sich immer alles nur um dich drehen? Kannst du nicht ein klein wenig Respekt an den Tag legen? Grandma ist erst seit ein paar Stunden unter der Erde, und du musst schon . . ."

„Oh, bitte", herrschte Annie sie an. „Erspar mir die moralische Tour, ja? Ich bin nicht in der Laune dafür."

„Meine Damen, bitte." Sam, der inzwischen auch aufgestanden war, sah mit finsterem Gesichtsausdruck von Rachel zu Annie. „Das ist nicht die richtige Zeit, um sich zu streiten. Und Hannah hätte das ganz sicher ebenfalls nicht gewollt."

„Daran hätte sie denken sollen, als sie . . . als sie *ihr* das Weingut vermachte", sagte Annie verbittert. Dann wandte sie sich wieder dem Anwalt zu und fragte: „Was muss ich machen, um das Testament anzufechten?"

„Wie bitte?"

Annie stemmte die Fäuste in die Hüfte. Jegliche Trauer, die sie während Grandmas Beerdigung noch zur Schau gestellt hatte, war verschwunden. „Offenbar hatte sich Grandma nicht wohl gefühlt, als sie diese Fassung schrieb. Entweder das", schob sie nach und warf Rachel einen weiteren gehässigen Blick zu, „oder jemand hat sie dazu gezwungen."

„Sie können das Testament nicht anfechten, Annie", erwiderte Ambrose. „Hannah war in bester geistiger Verfassung, wie Sie ja selbst wissen. Und sie wurde auch nicht gezwungen. Dafür kann ich bürgen, und ebenfalls die beiden, die bei der Unterzeichnung als Zeugen anwesend waren – Sam und meine Sekretärin."

Er sah wieder auf seine Notizen. „Es gibt noch einen Punkt, den ich ansprechen muss. An das Testament ist eine Bedingung geknüpft: Wenn Rachel in irgendeiner Weise den Namen Spaulding entehrt, dann geht das Weingut an Annie über. Ich nehme nicht an, dass es dazu kommt", fügte er an und gestattete sich ein flüchtiges Lächeln. „Da Hannah diesen Vorbehalt in ihr erstes Testament aufgenommen hatte, wollte ich Sie beide wissen lassen, dass er nach wie vor gültig ist."

Rachel nickte, um zu zeigen, dass sie diese Bedingung verstanden hatte. Ambrose blickte zu Annie, die noch immer vor Wut kochte. „Irgendwelche Fragen?"

Einen Moment lang verharrte Annie völlig bewegungslos. Nur ihre Augen bewegten sich, während sie von Sam zu Tina sah, als erhoffe sie sich von den beiden Unterstützung. Als sie erkannte, dass niemand auf ihrer Seite war, warf sie Rachel einen letzten hasserfüllten Blick zu und stolzierte aus dem Zimmer, ohne die Tür hinter sich zuzuziehen.

4. KAPITEL

Annie war noch immer wütend, als sie am Nachmittag in ihr Büro zurückkehrte. Während sie ihren Wagenschlüssel auf den Schreibtisch schmiss, ließ sie einem Schrei reiner, unverfälschter Wut freien Lauf. Rachel hatte es wieder geschafft. Dieses Luder hatte hinter ihrem Rücken intrigiert und es irgendwie geschafft, Grandma davon zu überzeugen, dass sie am besten geeignet war, um Spaulding zu leiten.

Sie ignorierte ihren Vorsatz, nicht vor sechs Uhr abends zu trinken, und holte eine kleine Flasche aus ihrer Schreibtischschublade, goss ein wenig Scotch in den silbernen Becher und trank ihn in einem Zug aus. Sie hoffte, er würde ihre Nerven ein wenig beruhigen. Noch immer vor Wut schäumend, öffnete sie das Fenster, von dem aus sie das Weingut überblicken konnte.

Es war zeitlebens ihr Ziel gewesen, einmal Spaulding Vineyards zu besitzen. Nicht, dass sie irgendeinen besonderen Bezug zum Land hatte, so wie angeblich Rachel. Aber sie wollte für Spaulding das bewerkstelligen, was Robert Mondavi mit seinem Weingut geschafft hatte. Er hatte einen kleinen Familienbetrieb zu einem hochkarätigen, angesehenen und weltweit operierenden Weinimperium aufsteigen lassen.

Da Hannah ihrer ältesten Enkelin stets vorgeworfen hatte, zu viel Geld auszugeben, war es nicht zu der Expansion gekommen, die Annie sich erträumt hatte. Rachel war zwar nicht grundsätzlich gegen eine Expansion, aber

39

sie befürwortete eine langsame Vorgehensweise, was nur unwesentlich besser war als Hannahs Einstellung. Wie sollte ein Unternehmen große Erfolge erzielen, wenn die Leute an der Spitze nicht dann und wann ein paar Risiken eingingen?

Plötzlich bog Rachels roter Cherokee in die Zufahrtsstraße ein, gefolgt von Sams altem Audi. Annie konnte sich ein kurzes, sarkastisches Lachen nicht verkneifen. Sam und Tina waren so glücklich gewesen, dass Rachel das Weingut erbte. Dass sie nicht aufgestanden waren und gejubelt hatten, war eigentlich ein Wunder gewesen.

„Freut euch nicht zu früh, meine Freunde", sagte sie laut. „Und glaubt nicht, dass ich aus dem Rennen bin."

Mit vor der Brust verschränkten Armen sah sie zu, wie Rachel aus dem Jeep stieg und über den Hof ging. Als sie in den Weinkellern verschwunden war, kehrten Annies Gedanken zurück zu dem Tag, an dem Grandma gestorben war. Sie dachte an die Worte, die sie ihr zugeflüstert hatte. *Rachels leibliche Mutter lebt.*

Obwohl Annie Rachel diese Nachricht hatte zukommen lassen wollen, hatte sich keine Gelegenheit dazu ergeben. In ihrer Trauer und mit einem wahren Strom von Besuchern konfrontiert und zudem noch mit den Vorbereitungen für die Beerdigung beschäftigt, hatte sie Grandmas Geständnis völlig vergessen. Bis zu diesem Moment.

Was für eine unglaubliche Enthüllung, überlegte Annie. Und wie sonderbar, dass Grandma aus der Existenz dieser Frau einunddreißig Jahre lang ein Geheimnis gemacht hatte. Wer war diese mysteriöse Alyssa? Welchen Grund konnte es wohl geben, dass die Spaulding-Familie das Gerücht in die Welt gesetzt hatte, Rachels Mutter sei bei der Geburt gestorben?

Annie klopfte mit einem Finger leicht auf ihre Unterlippe. Wäre es nicht wunderbar, wenn da irgendwo ein schöner kleiner Skandal verborgen war? Ein so handfester Skandal, der Ambrose dazu zwingen würde, die Klausel in Hannahs Testament in Kraft treten zu lassen?

Von einer plötzlichen Hoffnung erfüllt, ging Annie zurück zum Schreibtisch und nahm Platz. Es musste möglich sein, das herauszufinden. Natürlich so, dass niemand davon erfuhr.

Du hast ein Versprechen gegeben, Annie. Du hast einer sterbenden Frau ein Versprechen gegeben.

Genau genommen hatte sie das nicht gemacht. Sie war an dem Morgen viel zu aufgeregt gewesen, um irgendwas zu sagen. In dem Moment, als sie Hannah versichern wollte, ihren letzten Wunsch zu erfüllen, war ihre Großmutter gestorben.

Sie hatte also nichts versprochen und konnte sich daran machen, dieser faszinierenden Angelegenheit nachzugehen.

Nur – wie sollte sie vorgehen, wenn sie Alyssas Nachnamen nicht kannte? Vielleicht hatte die Nonne, von der Grandma gesprochen hatte, die Antwort. Vielleicht lebte sie noch und war bereit zu reden.

Oder sie konnte einen Privatdetektiv einschalten, jemanden, der sich auf Vermisste spezialisiert hatte. Ja, das war wohl sicherer, als persönlich nach Santa Rosa zu fahren und Gefahr zu laufen, dass man sie erkannte. Derjenige, den sie beauftragen würde, musste allerdings sehr diskret vorgehen. Sie konnte es sich nicht leisten, Rachel oder Ambrose merken zu lassen, dass sie die Suche nach Alyssa in die Wege geleitet hatte.

Nach einiger Zeit zeichnete sich auf ihrem Gesicht ein schwaches Lächeln ab. Natürlich. Gregory Shaw. Warum hatte sie nicht gleich an ihn gedacht? Er war genau der richtige Mann. Er war klug, erfinderisch, erfahren und vor allem diskret.

Er war außerdem aber auch ein Mann mit Prinzipien, und es konnte ein Problem werden, ihn davon zu überzeugen, dass er den Fall übernahm. Annie brauchte nicht einmal eine Minute, da wurde ihr Lächeln breiter. Sie wusste genau, wie sie dieses Hindernis umgehen konnte.

„Nein, Mrs. Bigsbie", sagte Gregory Shaw geduldig. „Wir stellen keine Leibwächter. Und wir befassen uns auch nicht mit Scheidungen. Empfehlen kann ich Ihnen . . ."

Ein Sperrfeuer aus Widerworten am anderen Ende der Leitung unterbrach ihn mitten im Satz. Was das heißen sollte, dass er sich nicht mit Scheidungen befasste? Und dass er keine Leibwächter stellte? Was für ein Privatdetektiv sei er eigentlich, wenn er nicht mal ihre Tochter vor deren gewalttätigem Ehemann schützen könne?

Gregory drehte seinen Sessel so, dass er aus dem großen Fenster seines Büros im siebzehnten Stockwerk blicken konnte. Die Skyline von San Francisco erstreckte sich vor ihm und war in schwachen Dunst gehüllt, der der Stadt an der Bucht etwas Einzigartiges, Unheimliches verlieh.

Dass er überhaupt mit Kathryn Bigsbie sprach, lag einzig daran, dass sie eine alte Freundin seiner Tante Willie war. Darauf hatte sie ihn gleich zu Beginn hingewiesen, nachdem seine Sekretärin das Gespräch zu ihm durchgestellt hatte.

„Was Sie brauchen, ist ein Detektiv, der auf Ehefälle spezialisiert ist", sagte er, als Mrs. Bigsbie endlich aufgehört hatte zu reden. „Sein Name ist Dylon Cross . . ."

„Ich dachte, *Sie* sind der Spezialist", sagte sie spitz.

„Nicht mehr, Mrs. Bigsbie. Meine Agentur hat heute andere Schwerpunkte, ich kümmere mich um große Unternehmen."

„Oh." Es folgte eine kurze Pause. „Also . . . das kann ich nicht gebrauchen."

Er lächelte. „Nein, ganz sicher nicht. Sie brauchen jemanden wie Dylon Cross. Er ist ein guter Freund von mir und ein hervorragender Privatdetektiv. Hier ist seine Nummer." Er wartete, bis sie Stift und Papier zur Hand hatte, dann sagte er ihr die Nummer durch. „Bestellen Sie Dylon einen schönen Gruß von mir", fügte er an. „Er wird sich gut um Sie kümmern."

Er hatte gerade aufgelegt, als die Sprechanlage erneut summte. „Mr. Shaw", sagte seine Sekretärin in ihrem forschen Tonfall. „Hier ist eine Frau, die Sie unbedingt sprechen möchte, obwohl sie keinen Termin hat. Ihr Name ist Annie Spaulding. Sie sagt, Sie kennen sie."

Gregory unterdrückte ein leises Lachen. Er hatte Annie nicht mehr gesehen, seit sie sich von seinem Freund Luke Aymes hatte scheiden lassen. Sie hatte ihn, Gregory, nie sehr gut leiden können, und an jenem Tag, als die Scheidung rechtskräftig wurde, hatte sie sich zu einer einzigen letzten Bemerkung durchringen können, indem sie ihn einen billigen Schnüffler nannte, der nur eines konnte: seine Nase in Angelegenheiten stecken, die ihn nichts angingen. Sie hatte sogar behauptet, dass sie und Luke noch immer verheiratet wären, wenn er nicht herumgeschnüffelt hätte.

Dass Luke ihn auf sie angesetzt hatte, um Beweise für ihre Affäre mit einem südamerikanischen Polospieler zu sammeln, hatte sie dabei allerdings verschwiegen – den Polospieler, den sie später geheiratet und von dem sie sich kurz darauf ebenfalls getrennt hatte.

Was wollte sie jetzt wohl von ihm?

Die Neugier gewann die Oberhand. „Führen Sie sie zu mir, Phyllis", sagte er, während er sich aus seinem Sessel erhob und sich vor seinem Schreibtisch in Positur brachte.

Auch wenn die Frau, die sein Büro betrat, noch immer so schön war wie vor zwölf Jahren, hatte die Zeit ihr doch eine neue Reife und eine Widerborstigkeit verliehen. „Hallo, Annie."

In ein eng anliegendes rotes Kostüm gekleidet, das jede Rundung ihres Körpers betonte, betrat Annie lächelnd das Büro und durchquerte den Raum in einem wiegenden Gang, der nichts für Männer mit schwachem Herz war. „Gregory, es ist lange her." Ihre Stimme war noch immer das gleiche sanfte Schnurren, das eine einzige Botschaft vermitteln sollte: Sex.

„Ja, das stimmt. Wie geht es Courtney?" fragte er und erinnerte sich daran, dass Lukes Tochter inzwischen eine junge Frau sein musste.

„Ihr gehts gut. Sie kanns nicht erwarten, endlich sechzehn zu werden. Luke ist immer noch irgendwo in Afrika, um Tiger oder Elefanten oder was auch immer zu fotografieren." Sie ging schnell über ihren Exmann hinweg und warf Gregory einen scheuen Blick zu. „Ich war nicht sicher, ob du mich überhaupt sehen wolltest."

Er deutete auf den Sessel vor seinem Schreibtisch. „Du kennst mich. Ich kann keine Herausforderung ausschlagen."

Sie schlug ihre Lider mit den langen Wimpern nieder. „Bin ich das für dich? Eine Herausforderung?"

„Unter anderem."

Tatsächlich errötete sie ein wenig. „Ich kann dir nicht verübeln, dass du noch immer wütend auf mich bist. Als wir uns das letzte Mal gesehen haben, war ich nicht sehr nett zu dir."

„Du hast damit gedroht, mir das Herz herauszuschneiden und es an deine Katze zu verfüttern."

Sie kicherte. „Wirklich?" Sie setzte sich und schlug ihre wohlgeformten Beine übereinander, machte aber keine Anstalten, ihren verrutschten Rock zu korrigieren. „Ich war ungezogen, Gregory. Sag, dass du mir vergibst."

„Da gibt es nichts zu vergeben." Gregory ging um den Tisch herum und nahm Platz. „Jeder hat das Recht, seine Meinung zu sagen."

„Das solltest du ja wissen, immerhin hast du auch nie um den heißen Brei herumgeredet."

Das Geplänkel war zwar ganz unterhaltsam, begann ihn aber bald zu langweilen. Gregory lehnte sich zurück und legte seine Fingerspitzen so aneinander, dass sie eine Pyramide bildeten. „Was möchtest du, Annie?"

Sie wechselte sofort in einen geschäftsmäßigen Ton. „Ich muss jemanden finden, und dafür brauche ich deine Hilfe."

„Tut mir Leid", sagte er kopfschüttelnd zum zweiten Mal an diesem Tag. „Um diese Dinge kümmere ich mich nicht mehr."

„Ich weiß." Sie sah sich um, begutachtete die eleganten Teakmöbel, den antiken Orientteppich, die rundum verlaufenden Fenster und die herrliche Aussicht. „Du hast viel erreicht seit diesem Loch in der Laguna Street."

Gregory griff nach seinem Notizblock. „Ich kann dir einen anderen Privatdetektiv empfehlen." Dylon, alter Freund, dachte er, während er zu schreiben begann, du schuldest mir ein Bier.

„Ich will keinen anderen Detektiv", sagte Annie im gleichen Moment. „Ich will dich, Gregory, keinen anderen." Sie beugte sich vor und erlaubte ihm einen ungehinderten Blick in ihr weit ausgeschnittenes Dekolletee. „Sag mir, dass du das übernimmst. Bitte. Um der alten Zeiten willen?"

„Wenn ich könnte, würde ich es machen", log er. „Aber ich gehe im Augenblick in Arbeit unter, und es ist kein Land in Sicht."

Sie sah geknickt aus. „Du wirst mir nicht helfen?"

„Tut mir Leid."

Zu seiner Überraschung ließ sie ihren Kopf in die Hände sinken und brach in Tränen aus.

Einige Sekunden lang konnte er sie nur anstarren. So wie die meisten Männer, die er kannte, fühlte er sich unbehaglich, wenn in seiner Nähe eine Frau weinte. Zum Glück waren seine Exfrau und seine zwölfjährige Tochter nicht von dieser Sorte, obwohl Letztere allmählich dahinterkam, dass hier und da ein paar Tränen sehr hilfreich waren, um ihren Willen durchzusetzen. „Annie, bitte hör auf", sagte er. Etwas Besseres kam ihm nicht in den Sinn.

Seine Bitte verhallte ungehört.

Gregory fühlte sich mies und ging um den Schreibtisch herum, um sich vor sie zu knien. „Komm schon, Annie", sagte er, während er ein strahlend weißes Taschentuch aus der Brusttasche holte und ihr reichte. „So schlimm kann es gar nicht sein."

„Doch." Sie nahm das Taschentuch und trocknete ihre Tränen, verwischte aber zugleich ihre Wimperntusche. „Mein Leben ist ein einziger Scherbenhaufen."

Als er diese Worte hörte, versetzte er sich innerlich einen Tritt, dass er nicht schon früher etwas gesagt hatte. Hannah Spaulding. Er hatte letzte Woche im *Chronicle* von ihrem Tod gelesen. Annie hatte ihre Großmutter geliebt, so wie jeder Hannah geliebt hatte, der sie kannte. Kein Wunder, dass sie so außer sich war. „Das mit deiner Großmutter tut mir Leid", sagte er sanft. „Ich weiß, wie viel sie dir bedeutet hat."

„Sie war alles für mich." Sie schneuzte ihre Nase, rieb sich wieder die Augen und verschmierte ihre Wimperntusche noch mehr. Dann fügte sie hinzu: „Sie hat Rachel das Weingut vererbt."

Gregory stand auf und lehnte sich gegen den Schreibtisch. *Das* war es also. Das Erbe, mit dem Annie gerechnet hatte, war an einen anderen gegangen. Und nicht nur an irgendeinen anderen, sondern an die Schwester, die sie ihr Leben lang gehasst hatte.

Zwar kannte Gregory Rachel nicht sehr gut, aber er erinnerte sich lebhaft an sie. Als schüchterne, recht ansehnliche Fünfzehnjährige war sie bei der Hochzeit von Annie und Luke Brautjungfer gewesen, und er hatte als der beste Freund den Bräutigam zum Altar begleitet. Während der gesamten Hochzeitszeremonie hatte das Mädchen ihn, Gregory, bewundernd angesehen. Beim anschließenden Empfang hatten er und Luke sich über die unübersehbare Schwärmerei amüsiert, ohne zu ahnen, dass Rachel gleich hinter ihnen stand. Mit hochrotem Kopf war sie davongerannt. Gregory, der sich elend gefühlt hatte, war sofort hinter ihr hergeeilt, um sie zu bitten, seine Entschuldigung anzunehmen. Doch Rachel war immer weiter fortgelaufen.

Er hatte sie danach nie wieder gesehen, aber irgendwo hatte er gelesen, dass sie Winzerin geworden und mit Preston Farley verlobt war, einem pedantischen, mäßig erfolgreichen Anwalt aus San Francisco.

„Ich nehme an, du hast damit nicht gerechnet", antwortete er auf Annies Bemerkung.

„Nein." Annie sah zu ihm auf. Die verschmierte Wimperntusche ließ ihre Augen wie die eines Waschbärs aussehen. „Du weißt, wie sehr ich dieses Weingut liebe, Gregory. In den vergangenen zwanzig Jahren habe ich mich mit Leib und Seele diesem Gut verschrieben, ich habe es wachsen gesehen und dabei gewusst, dass es eines Tages mir gehören würde. Und so hätte es auch sein sollen, verdammt!"

Sie blickte auf das mit Mascara verschmierte Taschentuch in ihrer Hand und seufzte. „Tut mir Leid, Gregory. Ich wollte nicht alle meine Probleme bei dir abladen. Es ist nur so . . . jetzt, wo Rachel das Sagen hat, behandeln mich alle wie eine Aussätzige. Sogar Courtney, meine eigene Tochter, hat sich von mir abgewandt."

„So schlimm wird es doch bestimmt nicht sein."

„Doch, das ist es. Ich bin sicher, dass mich niemand vermissen würde, wenn ich morgen sterben würde. Ganz im

Gegenteil. Sie würden wahrscheinlich noch ‚na, endlich‘ sagen." Wieder bedeckte sie ihre Augen. „Vielleicht sollte ich sie alle glücklich machen und mich umbringen."

Gregory hatte Mühe, sich zusammenzureißen. Annie hatte schon immer eine Vorliebe für das Theatralische gehabt, und daran hatte sich offenbar nichts geändert.

Aber wenn sie aufgeregt genug war, um eine solche Darbietung aufzufahren, dann sollte er sich vielleicht wenigstens ihr Problem anhören. „Wen willst du denn suchen lassen?" fragte er leise.

Annie blickte ihm in die Augen. „Eine alte Freundin meiner Mutter. Ihr Name ist Alyssa. Mama hat mir nie ihren Nachnamen gesagt, aber sie hat eine Nonne erwähnt, Schwester Mary-Catherine, die in einem Kloster in Santa Rosa lebte – ‚Our Lady of Good Counsel‘."

„Wie passt die Nonne ins Bild?"

„Ich bin mir nicht sicher." Sie rollte das Taschentuch zusammen. „Nach allem, was ich weiß, waren Alyssa und meine Mutter Freunde."

„Hast du diese Alyssa jemals gesehen?" fragte Gregory. „Persönlich? Oder auf einem Foto?"

Annie schüttelte den Kopf.

„Haben sie und deine Mutter sich vielleicht auf dem College ein Zimmer geteilt?"

„Nein", antwortete Annie mit weiterhin gesenktem Blick. „Ich glaube, Mama ist ihr Ende der sechziger Jahre begegnet. 1968, glaube ich. Ja, das muss das Jahr gewesen sein."

Gregory rieb sich mit dem Zeigefinger übers Kinn. „Sie war nicht zufällig bei deiner Hochzeit? Bei deinen Hochzeiten?" korrigierte er sich, als ihm einfiel, dass Annie mehrmals verheiratet gewesen war.

„Nein."

„Und die Beerdigung deiner Eltern? War sie dort?"

Wieder schüttelte Annie den Kopf.

Gregory sah Annie eine Zeit lang an, weil er nicht wusste, was er von ihr und von ihrer bizarren Geschichte halten sollte. Wie konnte diese Alyssa eine Freundin sein, wenn sie nicht einmal zur Beerdigung der Spauldings gekommen war? Neugierig geworden, welche Absichten Annie wirklich verfolgte, versuchte er es mit einer anderen Frage: „Warum willst du diese Frau finden?"

„Ich habe dir doch gesagt, dass sie eine Freundin meiner Mutter war."

„Aber warum jetzt?" bohrte er nach. „Wenn diese Alyssa dir so viel bedeutet, warum hast du nicht schon früher versucht, sie zu finden?"

„Weil ich da noch Grandma hatte!" entgegnete Annie aufgebracht. „Und jetzt bin ich ganz allein. Ich habe niemanden, der sich für mich interessiert. Wenn ich jemanden finde, der Mama kannte, der sich an sie erinnert und mir von ihr erzählen kann . . . das würde mich ein wenig aufbauen." Sie sah ihn mit verheulten Augen an. „Ist das so schwer zu verstehen?"

„Nein", räumte er ein. „Wirklich nicht." Vorausgesetzt, sie sagte die Wahrheit, was er sehr stark bezweifelte. Er wartete einen Moment, dann fragte er: „Hast du schon mal daran gedacht, dass sie vielleicht tot sein könnte?"

Bei diesen Worten nahm Annies Gesicht einen so tragischen Ausdruck an, dass er seine Frage bereute. „Nein, hab ich nicht", murmelte sie und nestelte wieder an dem Taschentuch. „Sie darf nicht tot sein."

Gregory verschränkte die Arme und beobachtete sie weiter. Irgendetwas an ihrer Geschichte stimmte nicht. Vielleicht war er übermäßig misstrauisch, was aber nicht überraschte. Immerhin wusste er genug über Annie, um allen Grund dazu zu haben. Außerdem war seine Aussage, er habe keine Zeit, nicht übertrieben. Zwischen der ATC-Fusion und seiner Aussage bei einem Gerichtsverfahren in der kommenden Woche hatte er kaum Freizeit. Und die sollte seiner Tochter Noelle gehören.

Auf der anderen Seite tat ihm Annie Leid. Ja, sie war verschlagen, sie manipulierte andere, und sie war von ganzem Herzen eine Lügnerin, aber tief in seinem Inneren hatte er immer gefühlt, dass sie eine verlorene Seele war, die immer noch nach sich selbst suchte. Was würde es schon ausmachen, wenn er ein paar Fragen stellte, um wenigstens herauszufinden, ob diese mysteriöse Alyssa noch lebte?

Mehr musste er für den Moment nicht machen. Seine Tante Willie konnte seine Ermittlungszeit sogar auf die Hälfte reduzieren. Als ehemalige Eigentümerin und Herausgeberin des *Sacramento Ledger* gab es nur wenig, was sie nicht wusste.

Als hätte Annie seine Gedanken gelesen, schniefte sie leise. Diesmal wartete ihre Stimme mit einer großen Dosis Melodrama auf. „Ich bin so einsam, Gregory."

„Du bist nicht einsam, Annie. Du hast eine Familie, Freunde, ein Geschäft."

Sie reagierte mit einem kurzen, verbitterten Lachen. „Meine Familie behandelt mich wie eine Aussätzige. Ich habe keine Freunde. Und seit gestern habe ich auch kein Geschäft mehr, nur einen Job." Sie begann wieder zu weinen. „Nenn mich sentimental", sagte sie, „aber mit einem Mal ist diese Frau für mich sehr wichtig geworden."

„Viel Information hast du mir bislang nicht gegeben", erinnerte er sie, während er noch immer nach einer diplomatischen Möglichkeit zum Rückzug suchte.

„Ich weiß. Darum bin ich auch zu dir gekommen", antwortete sie mit einem süßen, vertrauensseligen Lächeln. „Luke hat immer gesagt, du seist der Beste. ‚Wenn alle Stricke reißen', sagte er, ‚dann gib Gregory den Job.'"

Er reagierte mit einem zurückhaltenden Lächeln. Was war aus dem „billigen Schnüffler" geworden?

„Ich zahle dir, was immer du haben möchtest", fuhr sie fort, als er nicht antwortete. „Nenn mir einfach dein Honorar." Sie durchsuchte ihre Handtasche und zog ein Scheckheft heraus.

Bevor sie es öffnen konnte, hielt Gregory sie auf. „Wir sollten das erst noch zurückstellen. Lass mich erst mal sehen, was ich herausfinden kann."

Ihr Gesichtsausdruck hellte sich augenblicklich auf. „Das heißt, du machst das? Du suchst für mich nach Alyssa?"

„Ich werde es versuchen", sagte Gregory und fragte sich, ob er nicht seinen Entschluss bereuen würde. „Mehr kann ich nicht versprechen."

„Um mehr kann ich dich auch nicht bitten." Annie war wieder sie selbst. Sie stand auf, ging zu ihm und gab ihm einen Kuss auf die Wange, wobei sie ihren Körper länger gegen seinen drückte, als es erforderlich gewesen wäre. „Danke", flüsterte sie ihm ins Ohr.

Gregory löste sich sanft aus ihrer Umarmung. Das Letzte, was er wollte, war, ihr etwas Falsches zu signalisieren. „Ich rufe dich in ein paar Tagen an. Ich lasse dich dann wissen, was ich herausgefunden habe."

„Gut." Sie sah sich um. „Hast du ein Badezimmer?" fragte sie lächelnd. „Ich glaube, ich muss mich ein wenig frisch machen."

Er deutete auf eine Tür und sah ihr nach, wie sie sich mit dem gleichen verführerischen Hüftschwung entfernte, und musste grinsen. Annie mochte noch so verzweifelt sein, aber ihre Prioritäten hatte sie nicht aus den Augen verloren.

Momente später war sie zurück. Die Waschbäraugen waren verschwunden, und auf ihren Lippen glänzte eine frische Schicht karmesinroten Lippenstifts. „Ich weiß, dass du die Diskretion in Person bist. Trotzdem möchte ich es sagen, damit es keine Missverständnisse gibt. Ich möchte nicht, dass irgendjemand von unserer kleinen ... Abmachung erfährt. Die gesamte Spaulding-Familie eingeschlossen."

Gregory nickte und nahm die Visitenkarte, die sie ihm reichte.

„Ruf mich lieber zu Hause an, nicht auf dem Weingut", wies sie ihn an. „Tag und Nacht. Wenn ich nicht da bin, sprich auf den Anrufbeantworter."

An der Tür, die er ihr aufhielt, blieb sie noch einmal kurz stehen. „Zu schade, dass ich nicht so schlau war, dich anstelle von Luke zu heiraten", erklärte sie mit Schwindel erregender Überzeugung. „Irgendetwas sagt mir, dass wir gut zueinander gepasst hätten."

Diesmal konnte er nicht verhindern, laut zu lachen. Weil sein Beruf damals viel zu tief unter ihrem sozialen Status rangierte, hatte sie ihn vom ersten Augenblick an gehasst. Sie war sogar gegen die Freundschaft zwischen Gregory und Luke gewesen und hatte behauptet, er übe einen schlechten Einfluss auf ihren Ehemann aus.

„Das bezweifle ich", sagte er.

Sie klimperte mit den Lidern und verließ sein Büro.

DIE FEINDIN

„Our Lady of Good Counsel" war ein rosafarbenes, mit Stuck verziertes Gebäude, das den zahlreichen Missionen glich, die spanische Padres im achtzehnten Jahrhundert überall entlang der kalifornischen Küste errichtet hatten. Am Rand von Santa Rosa in Sonoma County gelegen, war das Kloster umgeben von einem schmiedeeisernen Zaun, der von Efeu überzogen war. Hinter dem Gitter führte der Kiesweg durch einen üppigen, schattigen Garten.

Bevor er sein Büro verließ, hatte Gregory zunächst im Kloster anrufen wollen, um sicher zu sein, dass Schwester Mary-Catherine noch immer dort war. Über dreißig Jahre waren eine lange Zeit, und abhängig davon, wie alt die Nonne 1968 gewesen war, konnte sie inzwischen im Ruhestand oder sogar verstorben sein. Nach gründlicher Überlegung hatte er sich aber dafür entschieden, unangemeldet im Kloster aufzutauchen. Diese Methode führte oft zu den besten Ergebnissen. Er hoffte, dass das diesmal der Fall sein würde.

Nachdem er an der Kette der altmodischen Glocke gezogen hatte, dauerte es nur wenige Sekunden, bis eine in Schwarz gekleidete Nonne ans Tor kam.

„Kann ich Ihnen helfen?" fragte sie höflich.

Als sie nahe genug war, konnte Gregory sehen, dass sie sehr jung war, höchstens zweiundzwanzig oder dreiundzwanzig. „Guten Morgen, Schwester", sagte er und verbeugte sich leicht. Er hatte noch nie mit einer Nonne zu tun gehabt, hielt aber eine ehrerbietige Haltung nicht für verkehrt. „Mein Name ist Gregory Shaw. Ich möchte zu Schwester Mary-Catherine."

„Schwester Mary-Catherine ist im Moment in der Kapelle. Aber das wird nicht mehr allzu lange dauern." Die Nonne nahm einen Schlüssel von der Wand und schloss das Tor auf. „Würden Sie bitte im Garten auf sie warten."

„Ja, selbstverständlich, danke."

Sie öffnete das Tor. „Sobald Schwester Mary-Catherine frei ist, lasse ich sie wissen, dass Sie hier sind."

Gregory bedankte sich nochmals und sah ihr nach, wie sie sich entfernte. Auf dem Kies waren ihre Schritte fast nicht zu hören. Die Hände in die Taschen gesteckt, sah er sich um und nahm die völlige Ruhe und das Gefühl vollkommenen Friedens in sich auf. Er fragte sich, wie es wohl sein musste, 24 Stunden am Tag und 365 Tage im Jahr hinter diesen Mauern zu verbringen. Vielleicht hatte die mysteriöse Alyssa hier auch einige Zeit verbracht. Vielleicht war sie selbst auch eine Nonne gewesen.

„Guten Morgen."

Erschrocken drehte sich Gregory um. Die Nonne, die nun vor ihm stand, war erheblich älter als die erste. Gregory schätzte sie auf Mitte sechzig. „Guten Morgen." Er fühlte sich auf einmal ein wenig verlegen und nahm die Hände aus seinen Taschen. „Schwester Mary-Catherine?"

Sie nickte. „Was kann ich für Sie tun, Mr. Shaw?"

„Ich suche jemanden, Schwester, und habe gehofft, Sie könnten mir weiterhelfen. Eine Frau namens Alyssa. Ich habe leider keinen Nachnamen, aber sie könnte 1968 hier oder in der Umgebung gelebt haben."

Auch wenn ihr Gesicht keine Veränderung zeigte, hatte Gregory das Gefühl, dass er eine leichte Anspannung in ihren Schultern bemerkte. „Ich kenne niemanden, der so heißt", sagte sie. Ihre Stimme war ruhig und gleichmäßig und verriet nichts von der Spannung, die er wahrzunehmen geglaubt hatte.

„Ich verstehe." Gregory schwieg einen Moment lang, weil er sie nicht mit einer Fülle von Fragen überschütten wollte. „Und was ist mit Helen Spaulding?" fragte er schließlich. „Kommt Ihnen dieser Name vertraut vor? Mir wurde gesagt, dass sie und Alyssa Freunde waren und sich hier in Santa Rosa begegnet sein könnten."

Schwester Mary-Catherine machte ein ernsthaft bedauerndes Gesicht. „Ich fürchte, dass ich auch sie nicht kenne, Mr. Shaw."

„Was ist mit den anderen Nonnen? Könnte eine von ihnen sie gekannt haben?"

„Bedauerlicherweise sind alle Nonnen, die zur fraglichen Zeit in ‚Our Lady' waren, inzwischen verstorben."

„Oh, das tut mir Leid." Wieder legte er eine angemessene Pause ein, bevor er weitersprach. „Wenn ich Sie fragen darf, Schwester: Was genau tun Sie hier?"

Sie bedachte ihn mit einem milden Lächeln. „Wir unterhalten ein kleines Waisenhaus."

„Ich verstehe."

Schwester Mary-Catherine schob die Hände in die weiten Ärmel. „Ist es Ihnen möglich, mir zu sagen, warum Sie diese Frau suchen, Mr. Shaw? Hat sie irgendein . . . Unrecht begangen?"

Sie sah ihn ohne die mindeste Regung an, und doch hatte er erneut das Gefühl, dass sie ihm nicht alles sagte, was sie wusste. „Es ist mir leider nicht möglich, darüber zu sprechen." Er lächelte sie entschuldigend an. „Ich hoffe, Sie haben Verständnis."

„Natürlich. Mir tut es ja auch Leid, dass ich Ihnen nicht helfen konnte."

„Mir auch." Er reichte ihr seine Visitenkarte. „Falls Ihnen doch noch irgendetwas einfällt, würden Sie mich dann anrufen?"

„Ganz gewiss."

Sie begleitete ihn nicht zur Tür, sondern blieb auf dem Kiesweg stehen. Als er seinen Wagen erreicht hatte und sich umdrehte, stand sie noch immer dort und sah ihm nach.

5. KAPITEL

So oft Gregory seine Tante besuchte, so oft bewunderte er die Schönheit von Sausalito, der kunstversessenen kleinen Stadt auf der anderen Seite der Bucht. Dieses Mekka für Weltkluge erhob sich an der nördlichen Seite der Golden Gate Bridge, pastellfarbene Häuser klebten an den steilen Klippen oberhalb des Hafens.

Kein Wunder, dass Willie McBride sich entschlossen hatte, ihren Ruhestand in dieser edlen Umgebung zu verbringen. Ihre ursprüngliche künstlerische Neigung hatte sie zurückgestellt, als sie 1970 von ihrem Mann den *Sacramento Ledger* erbte. Von dem Augenblick an richtete sie ihre gesamte Energie auf die Zeitung und darauf, die Tradition der Vortrefflichkeit fortzuführen, die ihr Mann begründet hatte. 1997 hatte sie dann nach siebenundzwanzig Jahren und unzähligen Auszeichnungen den *Ledger* verkauft und sich wieder ihrer ersten Liebe gewidmet, der Malerei.

Es gab kaum etwas, das sie über Menschen und Ereignisse nicht wusste, und es war einfach erstaunlich, wie präzise sie sich an Ereignisse erinnerte, selbst wenn sie sich vor einem halben Jahrhundert abgespielt hatten.

Wie stets traf Gregory sie in ihrem sonnendurchfluteten Studio an, von dem aus sie den Hafen überblickte. Willie war eine große, stämmige Frau mit langem grauem Haar, das sie mit einem Gummiband zusammenhielt. Ihre Hände führten kraftvolle, sichere Pinselstriche auf der Leinwand. In ihrem mit Farbspritzer übersäten Kittel stand sie mit dem Rücken zu Gregory und war völlig von ihrer augenblicklichen Arbeit vereinnahmt, einer farbenfrohen und recht modernen Darstellung der schillernden Bucht vor ihr.

„Ich muss es immer wieder sagen", erklärte Gregory, der sich gegen den Türrahmen gelehnt hatte. „Picasso war gegen dich ein Anfänger."

Ein kehliges Lachen seiner Tante war die Reaktion auf seine Worte. „Und dieser Kommentar", sagte sie, während sie die Leinwand mit einem letzten Spritzer Orange versah, „kann nur von meinem Lieblingsneffen kommen, dem Kunstkritiker."

„Soweit ich weiß, bin ich dein einziger Neffe."

„Recht hast du." Nachdem sie den Pinsel zu einem halben Dutzend anderer in eine Kaffeekanne gesteckt hatte, drehte sie sich zu ihm um. Ihre dunklen, intelligenten Augen sprühten vor Humor. „Komm her, du gut aussehender Teufel", sagte sie und streckte ihm die Arme entgegen. „Komm her und gib deiner alten Tante einen dicken Kuss."

Gregory ging auf sie zu und umarmte sie. „Wie gehts dir, Tante Willie?"

„Fit wie ein Turnschuh, wie man heute sagt." Sie klopfte ihm tadelnd auf den Arm. „Aber warum hast du nicht angerufen? Ich hätte dir etwas Feines gekocht."

„Genau darum habe ich nichts gesagt. Du weißt, dass ich es nicht mag, wenn du so einen Aufwand betreibst. Ein Sandwich und ein Bier tun es auch."

„Ach." Sie machte eine wegwerfende Handbewegung. „Ich kann auch ohne Vorwarnung etwas Besseres auf die Beine stellen." Sie hakte sich bei ihm unter. „Aber ein Bier klingt im Augenblick nach einer wunderbaren Idee."

Momente später saß Gregory in Willies Salon, eine eiskalte Flasche Bier in der Hand. So wie der Rest des Hauses wirkte auch dieses Zimmer, das so groß und hell war wie ihr Atelier, wie ein internationaler Basar. Es war bis auf den letzten Zentimeter voll gestellt mit Möbelstücken und Artefakten, die Willie und ihr Ehemann und Starreporter Carl McBride von ihren vielen Reisen mitgebracht hatten: afrikanische Masken, Korbstühle mit hohen Rückenlehnen, Teppiche, die das Stammesleben zeigten, und das eine Objekt, das ihn schon als kleiner Junge begeistert hatte: ein über vier Meter langer Königsdorsch, den sein Onkel vor der Küste von Florida gefangen hatte.

„Also", Willie lehnte sich in ihrem Sessel zurück und legte die Beine auf den Tisch mit den Löwentatzen, „was willst du denn heute wissen?"

Gregory lachte: „Du kennst mich einfach zu gut, Tante Willie."

„Vergiss das bloß nie." Sie nahm einen Schluck Bier, das sie so wie er aus der Flasche trank. „Probleme?"

„Ein Rätsel. Ein ziemlich großes."

„Stell mich auf die Probe."

„Ich muss eine Frau finden, aber ich weiß nur ihren Vornamen, eine Stadt, in der sie möglicherweise mal gelebt hat, und eine Nonne, die etwas wissen sollte, die aber so tut, als hätte sie keine Ahnung."

„Was heißt ,so tut'?" fragte Willie mit einem neckischen Lächeln. „Willst du am Wort einer Nonne zweifeln?"

„In diesem Fall ja. Ich bin sehr sicher, dass sie mir etwas verschweigt."

„Nun, du hast eine gute Menschenkenntnis, also könntest du Recht haben. Wie heißt die Frau?"

„Alyssa. Und die Stadt ist Santa Rosa."

Willie schürzte die Lippen. Gregory war mit ihren Reaktionen gut vertraut und merkte sofort, dass sie etwas wusste. „Sagt dir der Name etwas?"

„Ich denke schon." Willie starrte einen Augenblick lang die Bierflasche an. „Aber die Alyssa, die ich meine, lebte in Winters, nicht in Santa Rosa."

„Erzähl mir von ihr."

„Ihr Name war Alyssa Dassante. Sie . . ."

„Dassante? Die Walnussfarmer?"

Willie nickte. „Die sehr reichen Walnussfarmer. Und ganz sicher nicht die nettesten Leute, die man sich vorstellen kann."

„Wieso? Was ist mit den Dassantes?"

„Salvatore Dassante ist reich geworden, weil er andere ausgenommen hat. Seine Kunden hat er schamlos betrogen, seinen Lieferanten hat er vorgeworfen, ihm zu hohe Preise zu berechnen, und seinen Arbeitern zahlte er einen

Hungerlohn und behandelte sie wie Tiere. Jeder, der im Umkreis von hundert Kilometern um die Dassante-Farm lebte, hasste den Mann aus ganzem Herzen."

„Wieso hat er seine Arbeiter ungestraft so schlecht behandeln können?"

„Geld. Wenn eine Beschwerde eingereicht wurde, kam schon mal jemand von der Behörde vorbei, verdonnerte ihn zu einem minimalen Bußgeld und schloss die Farm für ein oder zwei Tage. Aber die meiste Zeit über haben alle weggeschaut."

„Er hatte sie geschmiert."

Willie nahm wieder einen Schluck Bier. „So arbeitete Sal. Heute ist er wegen der neuen Gesetze natürlich vorsichtiger, aber seinen Ruf als Bastard hat er immer noch weg."

„Und welche Rolle spielt Alyssa?"

„Sie war mit Mario Dassante verheiratet, Sals ältestem Sohn. Sie stammte nicht aus Santa Rosa, sondern aus San Francisco. Sie war eine Stripperin in einem Club in Downtown."

„Und da ist Mario ihr begegnet?"

Willie nickte. „Er ging eines Nachts in den ,Blue Parrot' und verliebte sich sofort in sie. Es heißt, dass Sal nicht erfreut darüber war. Er wollte für seinen Liebling etwas Besseres, also eine Italienerin. Vorzugsweise eine, die wusste, welche Rolle sie einzunehmen hatte, und die ihm viele Enkel schenkte. Aber Mario wollte Alyssa heiraten, und Sal hatte keine andere Wahl, als seinen Segen zu geben. Die Traumhochzeit machte Schlagzeilen von einem Ende Kaliforniens bis zum anderen. Wir hatten im *Ledger* ausführlich darüber berichtet."

„Wann war das?"

Willie dachte kurz nach. „1967. Die beiden waren keine zwölf Monate verheiratet, da brachte sie ihn plötzlich um."

Gregory ließ seine Flasche sinken. „Du machst Witze."

Willie schüttelte den Kopf. „Der Fall machte wochenlang Schlagzeilen. Du erinnerst dich nicht daran, weil du damals noch ein kleiner Junge warst. Aber die Öffentlichkeit konnte nicht genug von dieser Geschichte kriegen. Wenn ich mich richtig erinnere, hatten sich Alyssa und Mario mitten in der Nacht gestritten und sie brachte ihn um."

„Wurde Alyssa festgenommen?"

„Sie wurde nie gefunden. Sie floh von der Dassante-Farm und nahm ihr zwei Wochen altes Baby mit. Sals jüngster Sohn Nico fand seinen toten Bruder. Sal war außer sich vor Trauer und Wut. Als die Polizei von Winters am nächsten Morgen nach Alyssa suchte, wurde ein Unfall auf der Route 1 gemeldet. Ein Wagen, auf den die Beschreibung von Alyssas Mercedes passte, war von der Uferstraße abgekommen und südlich von Bodega Bay in den Pazifik gestürzt."

„Wurden die Leichen gefunden?"

„Nein", sagte Willie. „Der Meeresboden wurde von Tauchern abgesucht, die aber nur ein paar persönliche Gegenstände bargen, die Alyssa und dem Baby gehörten. Sal wollte nicht glauben, dass sie ertrunken war. Er war davon überzeugt, dass sie ihren Tod vorgetäuscht hatte, um mit dem Baby unterzutauchen. Dein Onkel war von der Geschichte so fasziniert, dass er höchstpersönlich Nachforschungen anstellte. Er befragte viele Leute, von Alyssas ehemaligem Chef im ‚Blue Parrot' – einem Mann namens Jonsey Malone – bis hin zu den Tauchern und den Polizisten."

„Und was sagte Jonsey Malone?"

Willie zuckte mit den Schultern. „Das, was er auch der Polizei erzählt hatte. Er hatte Alyssa seit dem Tag nicht wieder gesehen, an dem sie den ‚Blue Parrot' verließ, um zu heiraten."

„Hat Onkel Carl ihm geglaubt?"

„Nein, hat er nicht. Er fand, dass Jonseys Geschichte stank. Immerhin waren er und Alyssa gute Freunde. Aber Jonsey blieb bei seiner Version, und es gab absolut keine Möglichkeit, um irgendetwas in Erfahrung zu bringen."

„Das Baby verschwand also zusammen mit Alyssa."

„Das Baby kam ums Leben", antwortete Willie mit gesenkter Stimme. „Einige Tage, nachdem Alyssas Wagen aus dem Wasser geholt worden war, fand dein Onkel heraus, dass Lillie Dassante bei einem Feuer in einem Waisenhaus in Santa Rosa umgekommen war."

Gregory richtete sich auf. Verdammt, die Nonne hatte ihn tatsächlich angelogen.

„Alyssa hatte sie dort gelassen, bevor sie weiterfuhr", erzählte Willie weiter. „Aber sie kam niemals zurück, um sie abzuholen. Drei Tage lang wurde intensiv nach Alyssa gesucht, jedoch ohne Ergebnis. Die Polizei erklärte sie später für tot. Sal war aber sicher, dass sie ihren Tod vorgetäuscht hatte, und beauftragte sofort einen Privatdetektiv, damit der nach seiner Schwiegertochter suchte. Er setzte sogar eine Belohnung von 50.000 Dollar aus für Hinweise, die zu ihrer Festnahme führten."

„Ich nehme an, niemand reagierte."

Willie musste lachen. „Oh, alle möglichen Leute reagierten. 50.000 Dollar genügen, um die Menschen aufhorchen zu lassen, erst recht in jener Zeit. Aber es gab keine heißen Spuren."

„Wurde jemals eine Nonne mit Namen Schwester Mary-Catherine erwähnt?"

Wieder schürzte Willie die Lippen. „Ich glaube, eine der Nonnen im Waisenhaus berichtete Sal von dem Zwischenfall, aber ich kann mich nicht an ihren Namen erinnern."

„Und der Detective, der die Ermittlungen im Mordfall Mario Dassante leitete? Weißt du, wer das war?"

„Nein, aber das finden wir schnell heraus. Ich rufe Jimmy beim *Ledger* an." Noch während sie sprach, griff sie nach dem schnurlosen Telefon und tippte eine Nummer ein. Als sich ihr ehemaliger Assistent meldete, sagte sie ihm, was sie brauchte, dann wartete sie, während er am Computer die Archive durchsuchte. Augenblicke später bedankte sie sich bei ihm und beendete das Gespräch.

„Der Detective hieß Harold Mertz", sagte sie und blickte Gregory an. „Er ist jetzt bestimmt im Ruhestand, aber ich bin sicher, dass irgendjemand auf der Polizeiwache von Winters weiß, wo du ihn finden kannst." Sie trank das restliche Bier in einem Zug aus.

Gregory konnte am Funkeln in ihren Augen erkennen, dass sie zu gerne erfahren hätte, warum er sich für eine so alte Geschichte interessierte. Aber sie wusste, dass sie ihn nicht fragen konnte.

„Wenn das noch nicht reicht, können wir zur Zeitung gehen und die Archive durchsuchen", bot sie ihm an.

„Danke, Tante Willie, aber du hast mir für den Moment schon genug gesagt. Die Lauferei kann ich jetzt alleine machen", antwortete er grinsend. „Außerdem bist du noch immer die beste Zeitungsfrau, die ich kenne."

Sie lachte auf. „Lass das nicht den neuen Eigentümer des *Ledger* hören. Der wird mich sofort fragen, ob ich nicht für ihn arbeiten möchte. Er hat schon ein-, zweimal Andeutungen in dieser Richtung gemacht. Aber mich wieder auf diese Hetzjagd zu stürzen, wäre das Letzte, was ich wollte." Sie stellte die leere Flasche auf den Tisch, nahm aber den Blick nicht von Gregory. „Hast du in letzter Zeit deinen Vater gesehen?"

Gregory verzog keine Miene. Sie stellte jedes Mal diese Frage, und auch wenn seine Antwort immer gleich ausfiel, konnte er es ihr nicht verübeln, dass sie ihn darauf ansprach. Willie war die geborene Vermittlerin, und sie hielt große Stücke auf ihren Bruder. Seit Jahren versuchte sie jetzt schon, ihre beiden bevorzugten Männer wieder zu versöhnen. „Nein", sagte er beiläufig. „Ich habe vor ein paar Wochen Noelle an einem Sonntag bei ihm abgesetzt, aber er ist nicht nach draußen gekommen."

Willie bewegte ihren Kopf ein paar Mal hin und her, während sie ein nachdenkliches Gesicht machte. Dann stand sie auf, als wüsste sie, dass sie an der Situation ohnehin nichts ändern könnte, und bedeutete ihm, in die Küche zu gehen. „Komm mit. Wollen wir mal sehen, was wir zum Mittagessen auftreiben können."

6. KAPITEL

Ein Anruf bei der Auskunft ergab, dass es den „Blue Parrot" tatsächlich immer noch gab. Und nach einem Anruf in der Bar wusste Gregory, dass sie noch immer Jonsey Malone gehörte, der die Leitung des Nachtclubs allerdings schon vor langem an seinen Sohn übertragen hatte.

Gregory fuhr direkt von seiner Tante zum „Blue Parrot". Nachdem er dem mürrischen Barkeeper einen Fünfzigdollarschein zugeschoben hatte, damit der seinem Boss eine Nachricht überbrachte, bestellte Gregory eine Cola und ließ sich an der düsteren Bar nieder, um darauf zu warten, dass Jonsey ihn auf seinem Mobiltelefon anrief. Als das endlich geschah, erklärte er Gregory wortkarg, dass er seit dem Tag, an dem Alyssa gekündigt hatte, nie wieder etwas von ihr gesehen oder gehört hatte.

„Die Frau ist tot, verdammt noch mal", murmelte Jonsey, als Gregory gerade eine weitere Frage stellen wollte. „Können Sie sie nicht in Ruhe lassen?" Bevor Gregory noch etwas sagen konnte, hatte Jonsey den Hörer aufgeknallt.

Der ehemalige Detective Harold Mertz, den Gregory mit der Hilfe der Polizei in Winters ausfindig gemacht hatte, war entgegenkommender, wenngleich er sich auch für wesentlich wichtiger hielt, als er eigentlich war. Er war ein fülliger Mann mit hängenden Wangen, dicken Tränensäcken und einem Bauch, der die Größe eines Wasserballs hatte. Er lebte allein in einem kleinen Haus an der Anderson Avenue.

Nachdem Gregory sich vorgestellt hatte, führte Mertz

ihn zu einer mit Fliegengitter verkleideten Veranda, hinter der sich ein unkrautüberwucherter Garten erstreckte. Aus seiner Hemdtasche nahm er ein Päckchen Zigaretten, bot Gregory eine an, der höflich ablehnte, und zündete sich dann eine an.

„Warum interessieren Sie sich für Alyssa Dassante?" Der Tonfall des Mannes war ein wenig überheblich, fast so, als wäre er derjenige, der die Fragen stellte.

„Wenn Sie wissen wollen, wer mich beauftragt hat", erwiderte Gregory, „dann kann ich dazu nichts sagen."

„Aber Sie haben gesagt, dass Sie Privatdetektiv sind."

„Das ist richtig."

„Tja . . ." Mertz inhalierte den Rauch seiner Zigarette. „Mrs. Dassante ist tot."

„Das habe ich auch gehört, allerdings ist mir zu Ohren gekommen, dass ihre Leiche nie gefunden wurde."

Mertz beugte sich vor. „Und man wird sie auch nie finden, mein Sohn", sagte er, als würde er mit einem Kind sprechen. „Ich sage Ihnen, die Frau ist tot." Er blinzelte ein wenig, mit einem Mal bekam sein Gesicht einen habgierigen Ausdruck. „Hier geht es nicht zufällig um Geld? Eine Erbschaft oder so? Mit einem Finderlohn für den, der sie aufspürt?"

Gregory reagierte mit einer Gegenfrage. „Erinnern Sie sich vielleicht noch an den Vorfall? Und an die Umstände des Todes von Mrs. Dassante?"

„Verdammt, ja. Natürlich erinnere ich mich." Mertz zuckte leicht, während er sein Bein ausstreckte. Gregory vermutete, dass es Schmerzen verursachte. „Der Vorfall hat diese kleine Stadt schlimmer erschüttert als ein Erdbeben, das können Sie mir glauben."

„Ich habe gehört, dass sie und ihr Ehemann Probleme hatten. Stimmt das?"

Mertz kicherte. „Sie sah verdammt gut aus, und Mario hatte das heißblütige Temperament eines Italieners, darum würde ich schon sagen, dass es Probleme gab." Sein Kichern wurde zu einem lüsternen Lachen. „Aber nichts, was ein bisschen Spaß im Bett nicht beheben könnte, wenn Sie wissen, was ich meine."

Gregory ignorierte die vulgäre Bemerkung. Jahrelange Erfahrung bei Verhören hatten ihn gelehrt, dass Männer wie Mertz mit ihrem aufgeblasenen Ego oft eine Fülle von Informationen besaßen. Um die zu erfahren, war nur ein wenig Geduld erforderlich.

„Hatte sie irgendwelche Freunde?" fragte er. „Jemand, der wissen könnte, wohin sie verschwunden ist?" Mertz warf ihm einen weiteren stechenden Blick zu, woraufhin er anfügte: „Angenommen, sie ist nicht gestorben."

„Tja . . ." Der Excop zog wieder nachdenklich an seiner Zigarette. „Da wäre ihr Boss in San Francisco. Den Namen weiß ich nicht mehr." Kleine Rauchwolken verließen seinen Mund, während er sprach. „Alyssa war eine Stripperin, wissen Sie?" Sein Blick durch die Wolke aus Zigarettenrauch war eine einzige große Anspielung.

Gregory nickte. „Jonsey Malone. Mit ihm habe ich schon gesprochen. Sonst noch jemand?"

„Sie hatte sonst keinen. Die Kleine war eine Einzelgängerin und auch etwas hochnäsig, wenn Sie mich fragen. Ich meine, wenn man bedenkt, dass sie nur eine winzige Stufe über einer Nutte stand, wenn Sie wissen, was ich meine."

Gregory fragte sich, ob der Excop jemals versucht hatte, bei Alyssa zu landen, und sich eine Abfuhr eingehandelt hatte. Das würde seine abfälligen Bemerkungen über die Frau erklären. „Auch keine Eltern? Keine Geschwister?"

„Nichts. Glauben Sie mir, wir haben uns überall umgesehen, weil wir wussten, dass sie Hilfe hätte haben müssen, um dieser dreitägigen Suche zu entkommen. Wir haben überall Suchmeldungen aufgegeben und an der ganzen Küste entlang Plakate mit ihrem hübschen Gesicht an die Wände geklebt. Jede verdammte Zeitung im Staat brachte die Story, Tag für Tag, wochenlang. Sie wurde nie gefunden."

„Aber Sal Dassante glaubte nicht an ihren Tod."

Mertz' Augen wurden schmäler. „Woher wissen Sie das?"

„Ich habe etwas über eine Belohnung gelesen, die er ausgesetzt hatte."

„Ach, das meinen Sie." Er nickte. „Ja, es gab eine Belohnung. Fünfzig Riesen. Ist aber nie was bei rausgekommen."

Gregory lehnte sich nach vorn und zwang sich, seiner

Stimme den Anschein von Respekt zu verleihen. „Was ist mit Ihnen, Chief? Glauben Sie wirklich, dass sie tot ist?"

Die Brust des Exdetective schwoll an, als freue er sich darüber, nach seiner Meinung gefragt zu werden. „Anfangs habe ich das nicht geglaubt. Aber nachdem wir die gesamte Küste durchkämmt hatten und sie nicht finden konnten, wusste ich, dass es sie erwischt hatte. Die Puppe war zwar hübsch, aber viel zu dumm, um ihre Spuren so zu verwischen, wie das nötig gewesen wäre. Außerdem fanden wir im Wagen ihre Handtasche. Mit achttausend Dollar." Er schüttelte den Kopf. „Niemand würde so viel Geld zurücklassen."

Es sei denn, überlegte Gregory, sie war gar nicht so dumm und wollte alle Indizien für ihren Tod sprechen lassen. „Besteht eine Möglichkeit, dass ich eine Kopie der Polizeiakte bekommen könnte?" Während Gregory sprach, zog er mehrere Fünfzigdollarscheine aus der Tasche und zog einen aus dem Bündel heraus.

„Tja, also . . ." Mertz' gieriger Blick wanderte von dem Schein, den Gregory auf den kleinen rostigen Tisch zwischen ihnen gelegt hatte, zurück zu dem Bündel, das er immer noch in der Hand hielt. „Ich bin nicht sicher. Ich meine, das ist schon lange her. Akten verschwinden manchmal, wenn Sie wissen, was ich meine."

Gregory nahm einen weiteren Fünfziger und legte ihn ebenfalls auf den Tisch.

Diesmal begannen Mertz' Knopfaugen zu leuchten. „Ich muss mal eben telefonieren."

Der Dienst habende Beamte, ein Neuling, benötigte einige Zeit, ehe er die einunddreißig Jahre alte Akte über Alyssa Dassante fand. Freundlich und zuvorkommend wischte er den Staub von der Akte, kopierte den Inhalt und gab Gregory die Kopien.

„Hier, Sir."

„Danke, Officer."

Auf dem Parkplatz las Gregory die Akte, während er sich gegen seinen Jaguar lehnte. Abgesehen von den genauen Zeiten und Orten sowie einem umfassenden Bericht der

Taucher fand er nichts, was er nicht schon von Tante Willie und Harold Mertz gehört hatte.

Auf dem Weg zurück nach San Francisco dachte er über Alyssa Dassante nach. Was sollte die Frau, die scheinbar alles hatte, dazu gebracht haben, ihren Ehemann zu töten? Und wohin hatte sie sich begeben, als ihr Wagen ins Meer gestürzt war? Bodega Bay lag nördlich von San Francisco, wo Jonsey Malone lebte. Hatte der alte Kerl die Polizei und auch ihn angelogen? Oder hatte Alyssa anderswo unterkommen können?

Gregory ging diese Fragen durch, als ihm etwas ganz anderes in den Sinn kam. Warum sollte eine Frau vom Stande einer Helen Spaulding mit einer Stripperin befreundet sein?

Gregory war sich nicht im Klaren, warum er auf dem Weg von Winters einen Umweg zum Gerichtsgebäude von San Francisco machte, und noch weniger wusste er, warum er dann auch noch hineinging. Das hatte er zuletzt in seiner Collegezeit gemacht, als er sich auf eine Anwaltskarriere wie sein Vater vorbereitete.

Das aktuelle Verfahren hatte drei Monate lang die Aufmerksamkeit des gesamten Landes auf sich gezogen und war nun im Begriff, sein Ende zu erreichen. Die Presse hatte ein hochkarätiges Drama im Gerichtssaal vorhergesagt, sobald der Verteidiger Milton Shaw sein Plädoyer halten würde.

Wie stets, wenn Gregorys Vater einen Fall übernommen hatte, war der Zuschauerraum überfüllt, und es waren nur noch Stehplätze frei. Gregory schlich sich leise in den Saal und stellte sich an der Wand neben einen jungen Mann, der Notizen machte und wahrscheinlich ein Jurastudent war.

Milton saß am Tisch der Verteidigung, ein Mann mit breiten Schultern und schütterem grauem Haar, das noch immer einen rötlichen Schimmer hatte. Zu seiner Rechten saß seine Assistentin Stella Doan, eine viel versprechende junge Frau, zu seiner Linken Freddy Bloom, der Angeklagte. Freddy, der in den letzten zwei Jahren als „der Schlitzer" bekannt geworden war, hatte zwei Frauen erstochen, während er mit ihnen schlief. Eine dritte hatte mit schweren

Verletzungen davonkommen können. Seine ersten Worte, als er schließlich gefasst wurde, lauteten: „Ich will Milton Shaw."

Es war weithin bekannt, dass Milton Shaw von Pflichtverteidigungen nicht so begeistert war. Er übernahm seinen Anteil, wenn auch mit Widerwillen, und machte keinen Hehl daraus, dass er des Geldes wegen Anwalt geworden war. Und der Beruf brachte ihm einiges ein. Als drittes Kind einer armen Familie hatte er seinen Weg bis an die Spitze seines Berufsstands gemacht, um einer der gefragtesten Strafverteidiger im Land zu werden.

Gregory hatte schnell gelernt, dass Milton in fast allem erstklassig war, einschließlich Golf und Tennis, Kartenspielen, Reiten und sogar als Pilot von einmotorigen Flugzeugen, ein Hobby, dem er sich erst seit gut einem Jahr widmete.

Nur in einem Punkt war er kläglich gescheitert: als Vater.

Soweit Gregory zurückdenken konnte, zeichnete sich sein Vater durch Abwesenheit aus. Sein Ruf als Spitzenanwalt eilte ihm voraus und sorgte dafür, dass er überall im Land gefragt war. Seinen Sohn überließ er den Kindermädchen. Wenn sein Vater dann doch einmal zu Hause war, hatte er meistens zu viel Arbeit, als dass er sich um seinen Sohn hätte kümmern können. Die Wochenenden verbrachte Gregory bei seiner Tante Willie in Sacramento.

Gregory hatte lange Zeit benötigt, um dahinterzukommen, warum die Beziehung zu seinem Vater sich so sehr von den Vater-Sohn-Beziehungen seiner Freunde unterschied. Seine Mutter, die von ihrem Mann angebetet wurde, war im Alter von neunundzwanzig Jahren bei seiner Geburt gestorben. Und Milton hatte Gregory die Schuld an ihrem Tod gegeben.

„Ohne ihn", hatte er Milton einmal zu Willie sagen gehört, „würde Marjory noch leben."

Obwohl er zu der Zeit erst neun Jahre alt war, hatten diese Worte auf Gregory eine verheerende Wirkung. Jahrelang sah er in seinem Spiegelbild nur den Jungen, der seine Mutter getötet hatte. Kein Wunder, dass sein Vater ihn hasste. Manchmal hasste er sich selbst.

Mit den Jahren wurde der Riss zwischen den beiden Männern noch breiter, die gegenseitige Abneigung verstärkte sich. Sein Stipendium für die Yale University hätte das vielleicht ändern können, doch Gregory machte diese Hoffnung zunichte, als er beschloss, auf die U.C.L.A. zu gehen, weil es dort ein besseres Football-Team gab. Als Wiedergutmachung an seinem alten Herrn nahm Gregory Jura als Hauptfach, obwohl er nicht mit Leib und Seele dabei war.

Die Beziehung erlitt einen weiteren massiven Schlag, als die San Francisco 49ers Gregory in dessen letztem Jahr an der U.C.L.A. einen Vertrag anboten, um für sie in der kommenden Season als Zweiter Quarterback zu spielen. Sein Vater tobte eine ganze Woche lang, aber Gregorys Entschluss stand fest. Profi-Football war angesagt, Jura war gestorben.

Profi-Football sollte es dann aber doch nicht sein. Bei seinem letzten Spiel für die U.C.L.A. brach sich Gregory das rechte Knie und musste sich zwei Mal operieren lassen. Dann kam die wirklich schlechte Nachricht: Er würde nie wieder Football spielen können.

Kurz nach dem Abschluss zog er aus dem Haus seines Vaters in Pacific Heights aus und suchte sich ein Einzimmerapartment in North Beach. Voller Wut auf die ganze Welt, ohne Zukunftsplan, ohne Ziel und mit einer Leckmich-Einstellung begann Gregory, durch die Bars zu ziehen. Jede Nacht betrank er sich bis zur Besinnungslosigkeit, bis irgendein guter Samariter ihm endlich ein Taxi bestellte, das ihn nach Hause brachte.

In dieser Verfassung stieß Dylon Cross auf ihn, ein alter Freund von der High School. Gregory tat Dylon Leid, also bot er ihm einen Job in seiner Detektei an, wobei Gregory lernte, wie man vermisste Personen aufspürt und Ehemänner auf Abwegen verfolgt.

Der Job war todlangweilig und weder finanziell noch in anderer Hinsicht einträglich. Doch Gregory hatte ihn aus zwei Gründen angenommen. Zum einen brauchte er Arbeit, und zum anderen war sein Vater darüber so sauer wie noch nie zuvor.

Schließlich erkannte er, dass er in seinem Leben mehr

brauchte, als durch dunkle Seitenstraßen zu schleichen. Im Herbst '85 ging er zurück zur Schule, um Wirtschaftswissenschaften zu studieren, ein Fach, das ihn faszinierte. Die Hoffnung seines Vaters, er könne sich doch noch für Jura entscheiden, erfüllte er nicht. Kurz nach seinem Abschluss begegnete er Lindsay, die im Fach Werbung ihren Abschluss gemacht hatte. Als Weihnachten kam, waren sie verheiratet, und neun Monate später wurde er stolzer Vater eines Mädchens. Als Noelle sechs Jahre alt wurde, gab es zwei große Veränderungen. Gregory hatte die Scheidung eingereicht, und er hatte seinen Job als Investmentberater eingetauscht gegen eine Führungsposition in einem ‚Fortune 500'-Unternehmen, also einem der 500 erfolgreichsten Betriebe in den Staaten. Er stand kurz vor der Beförderung, als ihm klar wurde, dass in seinem Leben ein wenig Aufregung und Abenteuer fehlten.

1995 eröffnete er seine eigene Agentur und kombinierte so sein Wissen über die Finanzwelt mit der Arbeit als Ermittler. Anstatt aber für anstehende Scheidungen Beweise zu sammeln oder nach Vermissten zu suchen, begab er sich in ein neues und rasch wachsendes Gebiet – die Bewertung von Unternehmen und die Untersuchung der Vorgeschichte potenzieller Manager.

Er hatte diesen Entschluss nie bereut. Nach einigen schweren Jahren rangierte Shaw and Associates in der ‚Top 5' derartiger Agenturen im Land.

Seine Tante Willie hatte so wie Gregory gehofft, dass dieser Erfolg Milton endlich zur Besinnung bringen würde, doch das war nicht der Fall. Jedes Mal, wenn Willie versuchte, die beiden Männer zu irgendeiner Art von Kompromiss zu bewegen, begannen sie sich gegenseitig Vorwürfe zu machen, die erst dann ein Ende nahmen, wenn einer von ihnen aus dem Haus stürmte. Für gewöhnlich war das Gregory.

Der war seinem Vater seit nunmehr über sechs Jahren nicht mehr von Angesicht zu Angesicht gegenübergetreten. Sein Kontakt mit dem berühmten Anwalt bestand darin, Noelle am Sonntagmittag zum Haus in Pacific Heights zu fahren und sie einige Stunden später wieder abzuholen.

Noelle hatte Glück, dass Milton als Großvater wesentlich besser war denn als Vater, was auch der Grund dafür war, dass sie ihn vergötterte.

Das Geräusch eines Stuhls, der über den Boden gezogen wurde, riss Gregory aus seinen Gedanken. Er richtete seinen Blick auf den Tisch der Verteidigung und sah, wie sein Vater aufstand und sich den Geschworenen zuwandte.

Milton ließ eine Hand auf Freddys Schulter ruhen, während er begann, die traurige und einsame Kindheit des Jungen zu schildern. „Stellen Sie sich vor, er wäre Ihr Sohn", sagte er und sah nacheinander jeden der Geschworenen an. „Stellen Sie sich vor, *Sie* hätten sich von ihm abgewandt, *Sie* hätten ihn Abend für Abend brutal geschlagen, *Sie* hätten ihn mit der Gewalt auf den Straßen, mit Drogen und mit Betrunkenen konfrontiert. Wären Sie dann nicht auch ein *wenig* dafür verantwortlich, was aus ihm geworden ist? Würden Sie in Ihrem tiefsten Inneren nicht auch denken, dass diese verlorene Seele vielleicht doch gerettet werden könnte? *Wenn* Sie ihr nur die Chance geben würden?"

Bei diesen Worten verzog Gregory seinen Mund zu einem zynischen Lächeln. Warum war sein Vater nur immer so mitfühlend, so nachsichtig, wenn es um eine Ratte wie Freddy ging? Warum hatte er nie seinem eigenen Sohn eine helfende Hand entgegengestreckt?

Gregory hörte sich das komplette Plädoyer an, das wie üblich brillant war und jeden Geschworenen in seinen Bann schlug. Während Milton an seinen Platz zurückkehrte, verließ Gregory den Gerichtssaal so unauffällig, wie er hereingekommen war.

7. KAPITEL

„Warum solltest du dich schuldig fühlen?" fragte Preston. „Du hast genauso ein Anrecht auf das Weingut wie Annie."

Rachels Verlobter war Augenblicke zuvor eingetroffen und hatte sie mit Take-away-Essen aus ihrem bevorzugten Chinarestaurant und einem Strauß Gänseblümchen überrascht.

Er war ein großer, entsetzlich attraktiver Mann, auch wenn sie sich manchmal ein wenig sonderbar vorkam, dass sie sein Aussehen mehr bewunderte als seinen Intellekt. Aber sie konnte nicht anders. Seine blonden Haare, die immer perfekt frisiert waren, seine blassblauen Augen und seine teure Garderobe ließen ihn mehr wie ein Model als wie einen Strafverteidiger aussehen.

Sie hatte ihn ein Jahr zuvor auf einer noblen Party in San Francisco kennen gelernt, die sie widerwillig besucht hatte, um für die Spaulding-Weine zu werben. Preston, der sich gerade an einem hochkarätigen Fall von Brandstiftung versucht und ihn gewonnen hatte, zählte ebenfalls zu den Gästen und war ganz der Mann des Augenblicks. Zu ihrer großen Überraschung hatte er sich plötzlich aus einer Gruppe von einem guten halben Dutzend schöner Frauen gelöst und sich quer durch den Raum zu ihr begeben. Nachdem er sich vorgestellt hatte, lobte er sie für ihre Weine, die er und seine Familie seit Jahren kauften. Und er hatte sie für den nächsten Tag zum Abendessen eingeladen.

Zwei Wochen später hatte ein Klatschkolumnist aus San Francisco die beiden als „das heißeste Paar der Stadt" bezeichnet. Und erst letzten Monat hatte Rachel, die es leid war, Preston immer und immer wieder zu erklären, sie sei noch nicht bereit für eine Ehe, ihrer Unentschlossenheit ein Ende gesetzt und seinen Heiratsantrag endlich angenommen.

Es war nicht so, dass sie Preston nicht liebte oder ihn nicht heiraten wollte. Ganz im Gegenteil, sie liebte und bewunderte ihn, und sie wusste ohne den leisesten Zweifel, dass er ein fürsorglicher Ehemann und Vater sein würde. Manchmal allerdings fragte sie sich, ob er nicht vielleicht eine Spur zu perfekt war. Erst nach Grandmas Tod – als er ihr seine bedingungslose Unterstützung angeboten hatte – hatte sie erkannt, dass sie die richtige Entscheidung getroffen hatte, seinen Antrag anzunehmen.

„Aber ich bin keine geborene Spaulding", erwiderte sie auf seine Bemerkung. „Ich wurde adoptiert. Darum war Annie bei der Testamentsverlesung auch so außer sich."

Preston lachte. „Ich glaube, ‚außer sich' ist kaum die richtige Bezeichnung. Nach allem, was du mir über ihr Verhalten erzählt hast, wäre ‚wutentbrannt' wohl treffender. Aber wen interessiert es, was in ihr vorgeht? Du arbeitest mehr als jeder andere Mensch, den ich kenne. Und du hast ein untrügliches Gespür fürs Geschäftliche. Die Entscheidung deiner Großmutter erscheint mir völlig zutreffend. Außerdem hat Annie das Haus bekommen."

Wenigstens das, dachte Rachel. Annie liebte dieses große verschachtelte Haus. In den acht Jahren vor Rachels Ankunft hatte sie in diesem Haus wie eine kleine Prinzessin geherrscht und war von allen verehrt worden. Als dann Jack und Helen mit dem neuen Baby ins Haus gekommen waren, war diese perfekte Welt nach Annies eigener Aussage in sich zusammengestürzt. Von dem Augenblick hatte sie weder ihren Eltern noch Hannah geglaubt, wenn die beteuerten, dass sie sie noch immer genauso liebten wie früher.

Noch immer in Gedanken, nahm Rachel die Weingläser aus dem Küchenschrank und brachte sie auf die Terrasse ihres am Hügel gelegenen Bungalows. Preston folgte ihr.

Vor drei Jahren war sie aus dem Haupthaus der Spauldings ausgezogen, nachdem sie betrübt festgestellt hatte, dass es unmöglich geworden war, mit Annie unter einem Dach zu leben. Kein Tag war vergangen, an dem ihre ältere Schwester sie nicht in einen Streit verwickelt hatte, indem sie eine abfällige Bemerkung machte, dabei aber stets darauf achtete, sie nicht in Gegenwart von Grandma anzugreifen.

Als Rachel gehört hatte, dass der Bungalow der Dunbars am Silverado Trail frei wurde, hatte sie sofort den Kaufvertrag unterschrieben. Das Haus hatte sie mit der Art von Möbeln eingerichtet, die sie liebte – große Eichentische und Regale, Chintz-Vorhänge in fröhlichen Farben, Navajo-Teppiche und Steingut in einer Vielzahl von Formen und Farben.

Die Terrasse war ihr Lieblingsort. Sie war hoch genug gelegen, um einen überwältigenden Blick über das gesamte Tal zu erlauben, sie bot auch eine der spektakulärsten Attraktionen von ganz Kalifornien – Old Faithful, ein Tausende von Jahren alter Geysir, der alle vierzig Minuten eine kochend heiße Wasserfontäne zwanzig Meter in die Luft schoss.

Preston stand hinter ihr und legte seine Arme um sie. „Denk nicht an Annie", flüsterte er ihr ins Ohr.

„Das geht nicht." Sie trank einen Schluck Wein. „Irgendetwas stimmt nicht mit ihr. Sie benimmt sich sonderbar."

„Sie *ist* sonderbar."

„Ich meine das ernst. Von diesem Wutausbruch bei der Testamentsverlesung abgesehen, ist sie sehr zahm gewesen. Keine spitzen Bemerkungen, keine Beleidigungen, nicht einmal ein böser Blick."

Sie fühlte, dass Preston mit den Schultern zuckte. „Ich schätze, sie ist zu der Einsicht gekommen, dass sie das Testament so akzeptieren muss, wie es ist."

„Da steckt mehr hinter, Preston. Das stumm leidende Opfer zu spielen ist nicht Annies Art. Sie hat irgendetwas vor."

„Wie kommst du darauf?"

„Am Dienstag war sie den ganzen Morgen über nicht da. Ihren Mitarbeitern hatte sie gesagt, sie sei im Schönheitssalon. Als ich da aber um elf Uhr angerufen habe, weil ich sie wegen eines Vertrages mit einem unserer Großhändler fragen wollte, erklärte man mir, sie sei nicht dort gewesen."

„Hast du sie gefragt, wo sie war?"

Rachel musste kichern. „Wie? Damit sie mir sagt, dass es mich nichts angeht? Nein, danke. Ich habe mir von ihr schon mehr als genug anhören müssen."

„Es ist dein gutes Recht, sie zu fragen, das weißt du." Er drückte sie etwas fester an sich. „Du bist jetzt der Boss. Das gefällt mir – Rachel, Lady Boss."

Dass es ihm gefiel, konnte sie sich gut vorstellen. Seine wohlhabenden und einflussreichen Eltern hatten Preston zu dem festen Glauben erzogen, dass Geld und Macht die Welt beherrschten. Manchmal fragte sie sich – wenn auch abermals mit einem gewissen Schuldgefühl –, ob er sie auch gesehen hätte, wenn sie statt einer Erbin von Spaulding Vineyards nur eine einfache Angestellte gewesen wäre.

„Wie kommt die Lese voran?" fragte er und wechselte galant das Thema. „Beabsichtigst du noch immer, die Cabernet-Trauben in dieser Woche zu ernten?"

„Am Freitag, wenn alles glatt verläuft. Heute Morgen lagen die Trauben bei einundzwanzig Brix", fügte sie hinzu, und sprach damit auf die Methode an, wie der Zuckergehalt in den Früchten gemessen wurde. „In ein paar Tagen dürften es zweiundzwanzig sein. Das ist nicht so hoch, wie ich gehofft hatte. Aber mehr ist in diesem Jahr nicht drin."

„Ich weiß, dass du in den nächsten Tagen viel zu tun haben wirst", sagte er und klang ein wenig kleinlaut. „Aber ich hoffe, du hast nicht mein Klassentreffen in der nächsten Woche vergessen."

Verdammt, dachte sie und schloss für einen Moment die Augen. Sie *hatte* es vergessen.

„Rachel?"

Sie hörte die Besorgnis in seiner Stimme und tätschelte seine Hand. „Nein, natürlich nicht", log sie.

Sie fühlte sich versucht, nach einer Ausrede zu suchen. Grandma war erst vor wenigen Tagen gestorben, da fühlte sie sich nicht so sehr in der Stimmung, unter Menschen zu kommen. Aber es war ein wichtiges Ereignis für Preston. Er hatte bereits gesagt, dass er es nicht abwarten konnte, mit ihr anzugeben, und so spät noch abzusagen, wäre unfair gewesen. „Wie viel Uhr war es noch gleich? Um acht?" fragte sie.

„Um sieben."

„Oh." Bevor er sich anbieten konnte, sie abzuholen, sprach sie weiter. „Dann treffen wir uns um kurz vor sieben im ‚Fairmont'."

„Gut", sagte er und küsste sie aufs Haar. „Trägst du dein blaues Kostüm? Das mit den bestickten Revers?"

Sie war daran gewöhnt, dass Preston ihr sagte, was sie tragen sollte, und sie wusste, dass sie sich wahrscheinlich für etwas völlig anderes entschieden hätte. Sie nickte. „Geht in Ordnung." Sie trank den letzten Rest Chardonnay aus, drehte sich zu ihm um und lächelte Preston strahlend an. „Warum fallen wir jetzt nicht über dieses köstliche Abendessen her, das du mitgebracht hast. Sonst wird es noch kalt."

Auch wenn Rachel sich ein paar Tage Zeit genommen hatte, um zu trauern, war die Rückkehr an die Arbeit schwierig. Jede Ecke und jeder Winkel des Weinguts waren voller Erinnerungen an Hannah und an den besonderen Platz, den sie bei den Spauldings und in Rachels Herzen eingenommen hatte.

Da waren die Weinkeller, in denen Rachel und Hannah Seite an Seite gearbeitet hatten. In jedem von ihnen gab es eine Glasvitrine, in der die älteren Jahrgänge von Spaulding und überformatige Flaschen stolz zur Schau gestellt wurden. Und da war der Laufsteg, von dem aus Rachel und Hannah Jahr für Jahr die Traubenpresse beobachtet hatten.

Und natürlich waren da die Weinberge selbst, 200 Hektar reicher, fruchtbarer Boden bepflanzt mit Chardonnay-Trauben, mit Sauvignon Blanc, Pinot Noir, Merlot und dem Stolz von Napa Valley: Cabernet Sauvignon.

Alles ist hier so voller Geschichte, dachte Rachel, als sie in Hannahs voll gestopftem Büro stand, so viele Träume, von denen manche Wirklichkeit geworden waren, während andere noch in den Kinderschuhen steckten. Wie sollte sie es bloß schaffen, sie alle in die Tat umzusetzen, wenn sie nicht mehr Hannahs Rückhalt und ihre ständigen Ermunterungen hinter sich hatte?

Das laute Hupen, das die Ankunft der ersten Wagenladungen mit Cabernet-Trauben ankündigte, riss Rachel aus ihren Gedanken. Sie wischte sich die Tränen fort und verließ Hannahs Büro, um auf den sonnigen Hof zu gehen, wo Father Bertolucci von einigen Arbeitern begrüßt wurde. Der allseits bekannte Priester war gekommen, um den Trauben seinen alljährlichen Segen zu geben, eine althergebrachte Tradition, gegen die kein Winzer verstoßen wollte, ob Katholik oder nicht.

„Wie geht es Ihnen, meine Liebe?" fragte er, als er sie begrüßte. Er war ein kleiner Mann mit freundlich blickenden Augen und einer beruhigenden Stimme.

„Heute nicht so gut, Father. Das wird meine erste Presse ohne Grandma."

Er drückte ihre Hände. „Seien Sie stark, meine Liebe. Ich weiß, dass dies für Sie und Ihre Schwester eine schwere Zeit ist, aber ich habe großes Vertrauen in Sie beide." Er lächelte. „Fast so viel Vertrauen wie Ihre Großmutter."

„Danke, Father", sagte sie und erwiderte das Lächeln. „Ich werde versuchen, keinen zu enttäuschen."

Er stellte sich gerade in Position für die erste Wagenladung, als Sam hinter Rachel trat und sie am Arm fasste. „Da ist ein Gespräch für dich", sagte er leise. „Eine Frau. Sie will nicht sagen, wer sie ist, aber sie behauptet, es sei dringend."

„Sag ihr, sie möchte warten, Sam. Father Bertolucci fängt jeden Moment mit seiner Segnung an."

Rachel wartete geduldig, bis der Priester seinen Segen erteilt hatte und abgefahren war, erst dann ging sie in die Keller zurück. In ihrem Büro nahm sie den Hörer ab. „Rachel Spaulding hier."

Die Stimme am anderen Ende klang leise. „Miss Spaulding, Sie kennen mich nicht", sagte die Frau. „Mein Name ist Schwester Mary-Catherine."

Im ersten Moment dachte Rachel, dass die Kirche, der diese Schwester angehörte, von Hannah in ihrer unendlicher Großzügigkeit Geld erhalten hatte und dass sie ihr Beileid aussprechen wollte.

„Es ist äußerst wichtig, dass ich mit Ihnen rede", fuhr die Nonne in einem drängenden Tonfall fort.

„Wenn es um eine Spende geht, Schwester, werde ich gerne ..."

„Es geht nicht um eine Spende."

Draußen bellte ein Kellerarbeiter eine Anweisung, und ein überladener Aufsatz wurde vom Lastwagen gehoben, hielt über der Presse einen Moment lang inne, um dann zu kippen und die Ladung in die Maschine zu schütten. „Um was geht es dann?" fragte sie, während sie sich bemühte, nicht ungeduldig zu klingen.

„Ich arbeite in ‚Our Lady of Good Counsel' in Santa Rosa", antwortete Schwester Mary-Catherine.

Rachel runzelte die Stirn. „Our Lady of Good Counsel" war der Orden, der sie ihren Eltern zur Adoption vermittelt hatte. „Warum wollen Sie sich mit mir treffen?" fragte sie.

„Am Telefon kann ich darüber nicht sprechen, Miss Spaulding. Ich muss Sie persönlich sehen. Ich verspreche Ihnen, dass ich dann alles erklären werde."

Die Stimme der Nonne hatte etwas Verzweifeltes an sich, das Rachel nicht ignorieren konnte. Sie überlegte kurz. Santa Rosa lag in Sonoma, auf der anderen Seite der Mayacamas und damit knapp zwanzig Minuten von Calistoga entfernt. Heute würde sie es nicht mehr schaffen. Aber wenn sie früh am Morgen aufbrach, konnte sie um neun wieder zurück sein. Die verlorene Zeit würde sie reinholen, indem sie die Pause durcharbeitete. Ohne Grandma hatte das Essen, das sie und ihre Großmutter oft gemeinsam eingenommen hatten, nicht mehr den gleichen Reiz.

„Ich könnte morgen früh um halb acht bei Ihnen sein. Wäre Ihnen das recht?"

Rachel konnte hören, dass die Frau am anderen der Leitung erleichtert aufatmete. „Ja, ja, das ist gut. Vielen Dank, Miss Spaulding. Wir sind fünf Kilometer nördlich der Stadt gelegen, gleich an der Route 12."

8. KAPITEL

„Miss Spaulding!"

Rachel hielt den Hörer noch in der Hand, drehte sich um und sah Joe Brock. Er war über zehn Jahre lang Kellermeister bei Spaulding Vineyards gewesen, vor sechs Monaten hatte Hannah ihn auf der Stelle entlassen, nachdem sie ihn erwischt hatte, wie er mehrere Kisten Spaulding Pinot Noir auf seinen Pick-up lud. Später war sie dahintergekommen, dass er den Wein zu einem Spottpreis an ein Restaurant in San Francisco verkauft hatte.

Hannah hatte ihm fristlos gekündigt, und lediglich aus Rücksicht auf seine Frau und seine vier Töchter – eine von ihnen war eine Freundin von Courtney – hatte sie von einer Anzeige abgesehen.

Nachdem er nirgends einen Job hatte finden können, war Joe in den letzten sechs Monaten zwei Mal zu Spaulding zurückgekommen und hatte hoch und heilig geschworen, er habe seine Lektion gelernt und werde nicht mal mehr eine Büroklammer einstecken. Hannah hatte dagegen ihre Haltung bekräftigt, niemals jemanden wieder einzustellen, der ihr etwas gestohlen hatte.

Dies war nun Joes erster Besuch bei Spaulding, seit Grandma gestorben war. Rachel hatte keine Lust, sich mit einem streitsüchtigen Ex-Angestellten zu beschäftigen.

„Wie gehts Ihnen, Joe?" fragte sie, während sie den Hörer auflegte.

„Hundsmiserabel." Er warf ihr einen von Gewissensbissen geprägten Blick zu. „Ich brauche Arbeit, Miss

Spaulding. Die Schulden häufen sich an, und meine Frau droht mir, mich aus dem Haus zu werfen, wenn ich nicht bald wieder Geld verdiene."

Rachel dachte einen Moment lang über ihn nach. Sie hasste Diebe so sehr, wie es Hannah getan hatte, vor allem solche, die sie gut behandelt hatte. Joe hatte ein großzügiges Gehalt bekommen, das oft erhöht worden war, hohe Prämien und – was mindestens genauso wichtig war – das volle Vertrauen von Rachel und Hannah. „Tut mir Leid, Joe", sagte sie. „Ich kann Ihnen nicht helfen."

„Das können Sie bestimmt", sagte er, während seine Stimme etwas höher wurde. „Sie haben jetzt das Sagen hier, Sie können alles tun, was Sie wollen."

„Es ist nicht möglich, Joe", erwiderte sie diplomatisch. „Der neue Kellermeister leistet hervorragende Arbeit, und es wäre nicht fair, ihn jetzt zu entlassen."

„Nicht fair?" Joe sah aus, als würde er jeden Moment explodieren. „Und was ist mit mir? Ich habe zehn Jahre meines Lebens für dieses Weingut geopfert."

„Von denen Sie die letzten zwei Jahre genutzt haben, um uns zu bestehlen."

„Ich habe gesagt, dass es mir Leid tut." Er stellte sich vor sie, und sein Atem verriet ihr, dass er getrunken hatte. „Wie oft muss ich mich entschuldigen? Wie oft kann man einen Mann niederschlagen, der schon am Boden liegt?"

Seine Nähe war ihr unangenehm, aber sie vermied, ihn das merken zu lassen. „Sie vergreifen sich im Ton, Joe", sagte sie und hielt seinem zornigen Blick stand. „Sie sollten jetzt besser gehen und mich meine Arbeit machen lassen."

„Ich dachte, Sie wären anders", sagte er und sprach die Worte ein wenig undeutlich aus. „Aber offenbar sind Sie das nicht. Sie sind so herzlos wie Ihre Großmutter."

„Auf Wiedersehen, Joe."

Warnend richtete er einen Finger auf sie. „Das wird Ihnen noch Leid tun, das schwöre ich Ihnen."

„Was zum Teufel machst du denn hier?" rief Sam, der in der Tür stand. „Ich hatte dir doch gesagt, dass du Rachel in Ruhe lassen sollst." Er warf ihr einen Blick zu. „Alles in Ordnung?"

„Mir gehts gut", erwiderte sie und warf ihrem früheren Kellermeister einen unmissverständlichen Blick zu. „Joe wollte gerade gehen."

Schwester Mary-Catherine wartete bereits am Haupttor, als Rachel am folgenden Morgen das Kloster „Our Lady of Good Counsel" erreichte. Sie war eine zierliche Frau mit faltigen Wangen und blassblauen Augen, die Rachel mit großem Interesse betrachteten.

„Danke, dass Sie gekommen sind", sagte sie mit ruhiger Stimme. „Würde es Ihnen etwas ausmachen, wenn wir ein wenig spazieren gehen, während wir uns unterhalten?"

„Keineswegs."

„Ich weiß, dass Sie viele Fragen haben", sagte die Nonne, während sie den Kiesweg betraten, „darum will ich ohne Umschweife auf den Punkt kommen." Ihre Finger legten sich um das goldene Kreuz, das sie um den Hals trug. „Vor langer Zeit", begann sie, „unternahm ich einen abendlichen Spaziergang durch genau diesen Garten, als eine verängstigte junge Frau ans Tor kam und um Hilfe rief. Ich kannte sie nicht, aber sie sagte, sie heiße Virginia Potter und sei auf der Flucht vor ihrem gefährlichen Ehemann."

Auch wenn sie nicht wusste, warum die Nonne ihr diese Geschichte erzählte, nickte Rachel.

„Sie hatte ein Baby bei sich", fuhr Schwester Mary-Catherine fort. „Ein kleines Mädchen namens Sarah."

„Ihr Baby?" fragte Rachel.

„Ja. Sie flehte mich an, Sarah so lange zu hüten, bis sie zurückkam. Außerdem sollte ich niemandem davon erzählen, dass Sarah sich hier befand. Die Frau war schrecklich aufgeregt", erzählte die Nonne weiter. „Und sie hatte solche Angst um ihr Baby, dass ich keine andere Wahl hatte, als ihr mein Wort zu geben, niemandem etwas zu sagen, die anderen Schwestern natürlich ausgenommen."

„Kam sie zurück, um Sarah zu holen?" wollte Rachel wissen.

Die Nonne ließ ihren Blick in die Ferne abschweifen. „Nein. Aber am nächsten Morgen fanden wir heraus, dass

Virginia in Wirklichkeit Alyssa Dassante hieß. Und das Baby war nicht Sarah, sondern Lillie. Lillie Dassante."

„Dassante." Rachel verzog die Lippen, während sie überlegte. „Ich habe diesen Namen schon mal gehört."

„Die Dassantes waren und sind die größten Walnussfarmer in Kalifornien. Sie leben in Winters, etwa eine Stunde östlich von hier gelegen."

Rachel nickte, als sie sich an deren Produkte in den Supermärkten und an die Werbung erinnerte.

„Wir erfuhren auch", sagte Schwester Mary-Catherine, während sie den Kopf senkte, „dass Alyssa von der Polizei gesucht wurde."

„Von der Polizei?" Die Geschichte, die diese Nonne erzählte, wurde immer bizarrer. „Warum?"

„Wegen des Mordes an ihrem Ehemann Mario Dassante", flüsterte sie. „Am Tag darauf hörten wir weitere schlimme Nachrichten. Alyssa war auf der Route 1 unterwegs gewesen, als ihr Wagen in den Pazifik stürzte."

Rachel blieb abrupt stehen. „Das ist ja schrecklich."

„Ja." Die Nonne schwieg ein paar Sekunden. „Nachdem ich mit den anderen Schwestern die Situation besprochen hatte, kamen wir zu dem Schluss, dass wir das Kind an die Dassantes zurückgeben mussten."

Obwohl es sie nicht betraf, fühlte sich Rachel von der Geschichte gefesselt. „Natürlich."

„Es ist nie geschehen." Schwester Mary-Catherine ging weiter. „In der Nacht kam es zu einer weiteren Tragödie hier im Kloster. Während alle schliefen, fing unser Heizofen Feuer, ein uraltes Modell, das wir hatten ersetzen wollen. Augenblicke später stand das gesamte Parterre in Flammen. Als die Feuerwehr den Brand gelöscht hatte, waren zwei Nonnen als Opfer zu beklagen. Und ein Kind." Die ältere Frau bekreuzigte sich. „Die kleine Lillie."

Rachel riss entsetzt die Augen auf. „Oh, nein."

Die Nonne nickte. „Es war eine schreckliche Zeit für uns, vor allem für mich. Ich dachte immer wieder daran, dass ich vielleicht nicht so impulsiv hätte handeln sollen. Wenn ich Alyssa näher dazu befragt hätte, warum sie ihre Familie verließ, hätte ich sie vielleicht dazu bewegen können, nach Hause zurückzukehren und sich mit ihrem Mann auszusprechen. Und das Baby", fügte sie mit kummervoller Stimme an, „wäre nicht gestorben."

„Sie haben doch nur versucht zu helfen." Rachel wartete, bis die Nonne ihre Fassung wiedererlangt hatte, dann fragte sie: „Haben Sie den Dassantes die Nachricht vom Tod des Babys überbracht?"

Schwester Mary-Catherine nickte. „Sal Dassante, der Großvater des Babys, nahm die Nachricht sehr schlecht auf. Er hatte gerade seinen Sohn verloren, und da stand ich vor ihm und überbrachte noch mehr schlechte Nachrichten."

„Es tut mir Leid, Schwester. Das ist wirklich eine traurige und tragische Geschichte, aber ich verstehe nicht, was . . ."

„Am Tag nach dem Brand", unterbrach die Nonne sie, „erhielten wir einen verzweifelten Anruf. Es war Alyssa, die wider Erwarten doch nicht tot war. Sie hatte von dem Feuer gehört und wollte hören, wie es Lillie ging."

Mit erstickter Stimme sprach sie weiter: „Ihr zu sagen, dass das tote Baby ihre kleine Tochter war . . . das war für mich der schlimmste Augenblick in meinen neununddreißig Jahren als Dienerin des Herrn. Ich werde niemals dieses herzzerreißende Weinen am anderen Ende der Leitung vergessen. Bevor ich herausfinden konnte, wo sich Alyssa aufhielt, hatte sie schon aufgelegt. Danach hörten wir nie wieder etwas von ihr."

„Haben Sie nicht die Polizei angerufen, um zu melden, dass sie noch am Leben war?"

„Oh, nein", erwiderte die Nonne mit einem energischen Kopfschütteln. „Das konnte ich nicht. Nicht, nach all dem Leid, das ich ihr schon beschert hatte. Nach einiger Zeit wurde dieser Teil des Klosters abgerissen und neu aufgebaut. Die meisten Kinder in unserer Obhut wurden von Familien aus der Gegend adoptiert, darunter auch ein Mädchen, das nur zwei Tage vor Lillie Dassante bei uns abgegeben worden war. Es war ebenfalls zwei Wochen alt . . . wie Lillie. Die Verbindung zwischen den beiden Mädchen wurde mir erst sechzehn Jahre später bewusst, als ich ein Bild des Mädchens in der Zeitung sah. Mir fiel die außergewöhnliche Ähnlichkeit mit Alyssa Dassante auf. In dem

Moment erkannte ich den entsetzlichen Fehler, den wir Schwestern in jener Nacht begangen hatten, als das Kloster in Flammen stand."

„Einen Fehler?" Rachel versuchte zwar, ruhig zu bleiben, aber ihr Mund war wie ausgetrocknet. Die Nonne würde diese Geschichte nicht erzählen, wenn sie – Rachel – nicht in irgendeiner Weise eine Rolle darin spielte.

„Ja. Nicht Lillie war in den Flammen gestorben, sondern das andere kleine Mädchen."

Die drei Glocken des Klosters begannen plötzlich zu läuten, um die volle Stunde zu schlagen. Schwester Mary-Catherine wartete, bis wieder Ruhe eingekehrt war, dann fuhr sie fort. „Die anderen Nonnen und ich waren voller Bedauern wegen des unnötigen Schmerzes, den wir Alyssa bereitet hatten, und da ich das ganze Leid ausgelöst hatte, wurde es mir aufgetragen, mit den Adoptiveltern Kontakt aufzunehmen und die Situation darzulegen. Ich wusste, dass sie über die Mittel verfügten, um nach Lillies leiblicher Mutter suchen zu lassen, und ich hoffte auch, dass sie das machen würden, damit Alyssa erfahren konnte, dass ihre Tochter doch noch lebte. Zuerst wollte man mir nicht glauben. Als ich dann aber ein Foto von Alyssa zeigte, das ich aus einer Zeitung ausgeschnitten hatte, wusste ich, dass sie mir glaubten."

„Konnten die Eltern Alyssa ausfindig machen?" fragte Rachel.

„Nein, sie wollten nicht nach ihr suchen. Sie hatten Angst, dass Alyssa ihr Kind zurückhaben wollte. Sie liebten ihre Tochter zu sehr, um sie fortzugeben."

„Haben Sie in der Sache noch irgendetwas unternommen? Haben Sie mit den Dassantes gesprochen?"

Schwester Mary-Catherine blickte auf das Kreuz, das sie die ganze Zeit über festgehalten hatte. „Ich spielte mit dem Gedanken. Und ich dachte über die Folgen nach, die ein Gespräch mit den Dassantes für die junge Frau haben würde. Sie war so glücklich, sie hatte sich so gut eingelebt. Was hätte ich damit erreichen können, wenn ich ihr gesagt hätte, dass sie die Tochter einer Frau war, die des Mordes verdächtigt wurde?" Sie drückte das Kreuz gegen ihre Brust.

„Also sagte ich nichts, und seit diesem Tag wurde über diese Angelegenheit nie wieder ein Wort verloren. Diese ganzen Jahre über lebten wir Nonnen mit diesem Geheimnis." Sie blickte auf. „Bis jetzt."

Rachel spürte eine plötzliche Vorahnung, eine Gewissheit, dass ihr Leben von diesem Moment an nie wieder so sein würde wie bislang. „Was wollen Sie mir eigentlich damit sagen, Schwester?" fragte sie mit bebender Stimme.

Tränen schossen in Schwester Mary-Catherines blaue Augen. „Sie sind dieses kleine Mädchen. *Sie* sind Lillie Dassante."

9. KAPITEL

Obwohl Rachel die Antwort bereits erwartet hatte, machte ihr Herz einen gewaltigen Satz. Während sie wie erstarrt dastand, betrachtete sie die Nonne mit einer Flut von Gefühlen, die von Schock über Unglauben bis Wut reichten.

Es war einfach zu viel, als dass sie es hätte verstehen, erfassen können. Sie hatte immer geglaubt, dass ihre Mutter bei der Geburt gestorben war. Warum sollte sie jetzt etwas anderes glauben?

„Das kann nicht sein", murmelte Rachel schließlich. „Sie müssen sich irren."

Aus der Tasche ihres schwarzen Gewandes zog Schwester Mary-Catherine ein kleines, gefaltetes Stück Papier hervor. Rachel erkannte, dass es sich um einen Zeitungsausschnitt handelte, der im Lauf der Zeit vergilbt war. „Es ist ein altes Foto", sagte sie und reichte es ihr vorsichtig. „Aber ich glaube, es reicht, damit Sie erkennen können, dass ich die Wahrheit sage."

Rachels Finger zitterten, während sie den Ausschnitt entgegennahm. Sie senkte den Blick und atmete tief ein. Die Frau, die ihr auf dem Foto entgegensah, hätte ihre Zwillingsschwester sein können. Sie hatte das gleiche dichte dunkle Haar, die gleichen großen dunklen Augen, die leicht schräg standen, den gleichen üppigen Mund und den langen Hals. Rechts über ihrer Oberlippe war sogar ein kleines Muttermal zu sehen.

In einer reflexartigen Geste berührten Rachels Finger ihr eigenes Muttermal, das sich an der exakt gleichen Stelle befand. Sie blickte verzweifelt zu Schwester Mary-Catherine. „Alyssa?"

Die Nonne nickte. „Dieses Foto erschien im *Winters Journal*, als bekannt gegeben wurde, dass Alyssa und Mario heiraten würden. Weil die Dassantes so bekannt waren, war das nicht nur für Winters eine große Neuigkeit, überall in Kalifornien wurde darüber geschrieben."

Plötzlich wurde eine Tür geöffnet, lachende und kreischende Kinder drängten sich auf den Spielplatz. Die jüngsten waren vielleicht zwei Jahre alt, die ältesten im Teenageralter. Rachel, die immer noch unter Schock stand, beobachtete ein kleines Mädchen mit dunklen Locken, das zur Schaukel lief. Ein kleines Mädchen, das zu niemandem gehört, dachte Rachel wehmütig. So wie sie selbst damals auch.

„Warum erzählen Sie mir das alles? Und warum jetzt?" fragte Rachel und sah wieder die Nonne an, die neben ihr stand. „Jetzt, nach einunddreißig Jahren?"

„Sie hätten es niemals erfahren sollen, aber gestern kam ein Mann zu mir, der zu wissen schien, dass Alyssa nicht gestorben war. Er wollte etwas über sie in Erfahrung bringen."

„Wer war dieser Mann?"

Die Nonne griff wieder in ihre Tasche und förderte diesmal eine Visitenkarte zu Tage, die sie Rachel gab.

Die warf einen kurzen Blick darauf und spürte einen erneuten Schock, als sie die Schrift in Goldprägung las: Gregory Shaw – Shaw and Associates. „Gregory", murmelte sie.

„Kennen Sie ihn?" fragte die Nonne.

O ja, sie kannte ihn. Ein plötzlich aufbrandendes Schamgefühl ließ sie wegsehen. Sie erinnerte sich nur zu gut an Annies Hochzeit mit Luke Aymes vor sechzehn Jahren, und an Gregory, der sich über sie lustig gemacht hatte.

Am liebsten wäre sie damals im Erdboden versunken, und schließlich war sie zurück ins Haus gelaufen und hatte sich geweigert, Gregorys Entschuldigung anzunehmen. „Ich will dich nie wieder sehen!" hatte sie geschrien, während sie ihm die Schlafzimmertür vor der Nase zugeschlagen hatte.

Dank Annies kurzlebiger Ehe mit Luke hatte sich Rachels Wunsch erfüllt, trotzdem hatte sie Wochen gebraucht, um sich von diesem erniedrigenden Nachmittag zu erholen und wieder unter Leute zu gehen.

Warum interessierte sich Gregory plötzlich für ihre leibliche Mutter? Soweit sie wusste, war er längst kein kleiner Schnüffler mehr, sondern Eigentümer einer sehr erfolgreichen Agentur. Warum sollte er seine Zeit für einen so unbedeutenden Fall vergeuden? Es sei denn, er erwies jemandem einen Gefallen.

Rachel tippte mit der Visitenkarte auf ihren Handrücken. Würde Annie ihn nicht so sehr hassen, dann hätte Rachel darauf getippt, dass sie ihn engagiert hatte. Etwas derart Hinterhältiges passte genau zu Annie. Aber sie mochte Lukes besten Freund so wenig wie sie selbst. Annie hatte sogar einmal sehr überzeugend geäußert, sie würde sich nicht einmal um ihn kümmern, wenn er auf der Straße lag und verblutete.

„Ja, ich kenne ihn", beantwortete sie schließlich die Frage der Nonne. Sie sah auf, besorgt, dass Gregory die Klosterschwester dazu überredet haben könnte, ihm Auskunft zu geben. „Haben Sie Mr. Shaw gesagt, dass ich lebe?" fragte sie.

„Nein, es stand mir nicht zu, ihm irgendetwas zu sagen. Und da ich die einzige noch lebende Zeugin bin, wird er hier nicht hinter die Wahrheit kommen." Sie umfasste wieder ihr Kreuz, als gebe es ihr die Stärke, um der Last ihrer Lüge standzuhalten. „Ich bin allerdings besorgt, dass er für Sal Dassante arbeiten könnte."

„Warum? Hat er Sal erwähnt?"

„Nein. Aber als Ihre Mutter verschwand, war Sal der Einzige, der nicht an ihren Tod glaubte. Er beharrte auf der Ansicht, dass sie den Unfall inszeniert hatte, um entkommen zu können. Er war so entschlossen, sie zu finden, dass er eine Belohnung von 50.000 Dollar aussetzte, damit sie gefasst wurde. Schließlich gab er es auf. Aber jetzt scheint die Suche wieder angelaufen zu sein, sonst wäre dieser Mr. Shaw nicht hergekommen, um nach Alyssa zu fragen."

Warum nur? überlegte Rachel. Und noch wichtiger, was

würde geschehen, wenn er herausfand, dass sie die Tochter von Alyssa Dassante war? Würde er sie bloßstellen? Würde er seinem Auftraggeber seine Erkenntnisse mitteilen?

Rachel fühlte Panik in sich aufsteigen, als sie darüber nachdachte, welchen Schaden das für sie selbst und auch für Spaulding Vineyards bedeuten konnte. Was, wenn sie dadurch das Weingut verlor?

Wieder kam ihr der Gedanke, dass Annie hinter dem Ganzen stecken konnte, und wieder verwarf sie ihn. Annie konnte nichts über Alyssa wissen. Und wenn doch, dann wäre sie niemals zu Gregory gegangen. Zum einen hasste sie ihn, zum anderen wusste sie, dass er sich niemals auf etwas so Schäbiges einlassen würde. Er machte einfach nicht einen solchen Eindruck.

Schwester Mary-Catherine unterbrach als Erste das Schweigen. „Sie verstehen, dass ich Sie warnen musste, nicht wahr, Rachel? Was auch geschehen mag, ich konnte es nicht zulassen, dass Sie von irgendeinem anderen die Wahrheit erfahren würden."

„Ich weiß das zu schätzen, Schwester." Rachel starrte weiter auf den Zeitungsausschnitt, den sie in der Hand hielt. Fragen schossen ihr durch den Kopf, die nach einer Antwort verlangten. Wenn Alyssa Dassante noch lebte, wo hielt sie sich dann auf? Würde sie aus ihrem Versteck kommen, wenn sie hörte, dass ihre Tochter noch am Leben war? Und dann kam ihr die Frage in den Sinn, die zu beantworten sie noch nicht bereit war: Wollte sie diese Frau überhaupt finden?

„Sie sind ein guter Mensch, Schwester", sagte sie und meinte es ehrlich. „Ich glaube, dass ich weiß, warum Alyssa Ihnen ihr Kind anvertraute." Sie wollte beinahe „meine Mutter" sagen, riss sich aber im letzten Moment zusammen. Sonderbar, dachte sie, dass ihr dieses Wort überhaupt in den Sinn gekommen war. Alyssa war eine Frau, die sie nicht kannte und die sie wahrscheinlich nie kennen lernen würde.

Rachel hatte das Gefühl, mehr tun zu müssen, als sich nur bei der Nonne zu bedanken, und holte ihr Scheckbuch aus der Handtasche.

Schwester Mary-Catherine hielt sie zurück. „Das ist nicht nötig, mein Kind."

„Ich möchte es aber, bitte", sagte Rachel, während ihr Blick zum Spielplatz wanderte. Das kleine Mädchen mit den dunklen Locken saß jetzt auf der Schaukel und lachte fröhlich, während ein älteres Mädchen ihm Schwung gab. „Für die Kinder."

Die Nonne zog ihre Hand zurück. „Danke", sagte sie nur.

Auf dem Heimweg dachte Rachel nur an Alyssa. Es gab wohl kaum etwas Tragischeres als den Verlust eines Kindes. Ganz gleich, was Alyssa getan hatte, so etwas hatte sie nicht verdient. Und ihr Baby hatte es nicht verdient, ohne Mutter zu sein. Doch ein Teil von ihr sah es anders.

Vergiss Alyssa Dassante, flüsterte eine wütende Stimme. Sie bedeutet dir nichts. Du bist Rachel Spaulding. Du wurdest von liebenden, fürsorglichen Eltern großgezogen, die dich zu dem gemacht haben, was du heute bist.

Trotzdem konnte Rachel nicht diese Frau ignorieren, die sie auf die Welt gebracht hatte. Und die versucht hatte, sie vor einer Familie zu beschützen, vor der sie offenbar große Angst hatte. Irgendwo da draußen war eine Frau, die ein Teil von ihr war.

Während sie auf der kurvenreichen Straße zurück nach Hause fuhr, dachte sie an Alyssa, die einunddreißig Jahre zuvor auf einer anderen gefährlichen Straße gefahren war. Welche Gedanken mochten ihr in dieser dunklen, furchteinflößenden Nacht durch den Kopf gegangen sein, während sie versuchte, der Polizei zu entkommen?

Als das Schild für die Route 29 in Sichtweite kam, betätigte Rachel den Blinker. „Wo bist du, Alyssa?" sagte sie leise zu sich selbst.

Eine Viertelstunde später hatte Rachel das Weingut erreicht. Nachdem sie einen Arbeitsauftrag unterzeichnet hatte, den ihr Assistent Ryan Cummings ihr gereicht hatte, eilte sie zu Sams Büro. Sam war der beste Freund ihres Vaters gewesen, und er schien ihr der Einzige, der ein wenig Licht in die Angelegenheit bringen konnte.

Sie traf den Winzer vor seinem Computer an, wo er gerade einen Ausdruck durchsah. „Sam, hast du eine Minute Zeit?"

Sam sah auf und lächelte. „Was ist los, Honey? Hast du dich über irgendetwas aufgeregt?"

„Das kann man wohl sagen." Sie schloss die Tür, ging zum Schreibtisch und stützte sich mit der Hüfte an der Tischkante ab. „Dieser Anruf gestern", sagte sie und beobachtete aufmerksam seine Reaktionen, „kam von einer Nonne in Santa Rosa. Schwester Mary-Catherine."

Sam wurde bleich.

„Du kennst sie, nicht wahr?"

Sam sah sie einige Sekunden lang beunruhigt an. Dann ließ er seufzend den Ausdruck auf seinen Schreibtisch sinken. „Was hat sie dir gesagt?"

„Alles. Von der Nacht, in der Alyssa Dassante vor dem Kloster stand, bis zum Anruf am Morgen nach dem Brand." Sie wartete einen Moment, dann fragte sie: „Es stimmt also? Bin ich die Tochter von Alyssa Dassante?"

„Es stimmt." Sam strich sein dichtes graues Haar nach hinten. „Warum hat sie es dir erzählt? Sie hatte versprochen . . ."

„Weil Gregory Shaw ihr einen Besuch abgestattet hat. Ja", fügte sie an, als sie seinen beunruhigten Gesichtsausdruck sah. „Der Gregory Shaw. Irgendwie hat dieses Schwein herausgefunden, dass Alyssa nicht ums Leben gekommen ist. Und jetzt schnüffelt er herum und stellt Fragen. Darum hat Schwester Mary-Catherine mich angerufen. Sie wollte, dass ich die Wahrheit weiß, bevor die Sache an die Öffentlichkeit kommt."

„Aber das ergibt keinen Sinn. Gregory bearbeitet solche Fälle nicht mehr."

„Vielleicht erweist er jemandem einen Gefallen." Sie verzog die Lippen. „Rat mal, welcher Name mir als Erstes in den Sinn kam?"

Sam schüttelte den Kopf. „Nicht Annie, das ist nicht möglich."

„Verdammt, Sam, irgendjemand hat ihn angeheuert."

„Ja, aber nicht Annie. Sie verabscheut den Mann. Bis

zum heutigen Tag ist sie davon überzeugt, dass er für ihre Scheidung von Luke verantwortlich ist. Und woher sollte sie etwas über deine leibliche Mutter wissen? Sie lebte mit Luke in Rutherford, als Schwester Mary-Catherine deine Eltern aufsuchte. Niemand außer ihnen, Tina, Hannah und mir weiß, dass Alyssa Dassante deine . . ."

„*Grandma wusste das?*"

Sam bedauerte augenblicklich, dass er schneller gesprochen als gedacht hatte. „Sei nicht auf Hannah böse, Rachel. Sie wollte dich nur beschützen."

„Kannte sie die Dassantes?"

„Nein, aber nach dem Besuch der Nonne ließ sie Erkundigungen einholen."

„Warum?"

„Weil sie fürchtete, dass Sal herausfand, wer du bist, und dich zurückhaben wollte. Sie wollte so viel Munition wie möglich haben, um gegen die Dassantes antreten zu können."

„Was fand sie heraus?"

„Dass Alyssa als Stripperin gearbeitet hatte, bevor sie Mario heiratete. Und dass dein Großvater Sal von allen gehasst wurde, die ihn kannten, vor allem von seinen Arbeitern."

„Und warum?"

„Miserable Arbeitsbedingungen auf der Farm, niedrige Löhne, schlechte Behandlung der Wanderarbeiter – was dir in den Sinn kommt, er hat es getan. Aber Sal hatte die Taschen voller Geld, so dass er niemals Schwierigkeiten bekam, jedenfalls keine ernsthaften."

Rachel, die versuchte, all die Informationen zu verarbeiten, die sie innerhalb weniger Stunden erfahren hatte, sah auf ihre Fingernägel und erkannte, dass einer abgebrochen war. Plötzlich erinnerte sie sich an den Morgen in Paris, an dem Courtney sie zu einer modebewussten Frau gemacht hatte. Da war alles noch viel einfacher gewesen, und sie hatte sich über nichts weiter als einen gereizten Franzosen Gedanken machen müssen. „Weißt du etwas über die Nacht, in der Alyssa fortlief?" fragte sie.

Sam nickte. „Es gab in dem Jahr kein Thema, das mehr

Aufmerksamkeit erregt hat. Dem Anschein nach hatten sich Mario und Alyssa mitten in der Nacht laut gestritten. Die Dassantes sahen nach und fanden Mario tot vor. Er war gestoßen worden, und bei dem Sturz hatte er sich am Kopf verletzt."

„Und Alyssa?"

„Sie, das Baby und der Wagen waren fort. Am nächsten Morgen wurde ein Unfall auf der Route 1 gemeldet. Es war Alyssas Mercedes, der aus dem Wasser gezogen wurde. Im Wagen befanden sich Kleidungsstücke von ihr und dem Baby. Die Polizei leitete sofort eine Fahndung im gesamten Bundesstaat ein. Sal versprach sogar eine große Belohnung, aber Alyssa wurde nie gefunden."

„Und jetzt will jemand sie finden, dessen Identität wir nicht kennen." Rachel blickte auf. „Warum, Sam? Damit sie festgenommen wird? Hat sie nicht schon genug mitgemacht?"

Sam sah sie überrascht an. „Empfindest du etwas für diese Frau?" fragte er sanft.

„Nein, natürlich nicht", erwiderte sie, mied aber seinen Blick.

„Möchtest du sie finden?" bohrte er nach.

„Das habe ich nicht gesagt." Sie spielte mit der Bügelfalte ihres grauen Hosenanzugs. Sie wusste nicht, was sie eigentlich wollte.

„Ich verstehe." Sam schwieg einen Moment lang. „Ich könnte mit Gregory reden", bot er an. „Ich könnte herausfinden, wie viel er weiß. Wir sind immer gut miteinander ausgekommen."

Rachel schüttelte den Kopf. „Das würde ihn nur auf die Idee bringen, dass wir irgendetwas mit der Sache zu tun haben. Es ist besser, wenn wir nichts sagen."

„Was ist mit den Dassantes?"

„Was soll mit ihnen sein?" erwiderte sie und sah Sam an.

„Willst du dich mit ihnen in Verbindung setzen? Ihnen sagen, wer du bist?"

„Auf gar keinen Fall", erwiderte sie voller Überzeugung. „Ich kenne diese Leute nicht, und ich habe auch nicht den Wunsch, sie zu kennen." Sie machte sich noch immer

Sorgen, dass die Geschichte an die Öffentlichkeit kommen konnte, und stellte ihm die Frage, die sie die ganze Zeit über beschäftigt hatte. „Sam, wenn dieser Skandal publik wird, wenn herauskommt, dass Alyssa Dassante meine Mutter ist . . . könnte ich das Weingut verlieren?"

„Ganz sicher nicht", antwortete Sam und klang fast empört. „Das ist nicht dein Fehler, und Ambrose müsste verrückt sein, diese Möglichkeit überhaupt ins Spiel zu bringen."

Rachel lächelte schwach, auch wenn sie nicht völlig überzeugt von seinen Worten war. „Ich schätze, du hast Recht."

„Gut, und jetzt komm mit." Er legte einen Arm um ihre Schultern und führte sie aus seinem Büro. „Ich möchte dein Urteil über meinen neuesten Sauvignon Blanc hören."

Die Frau rannte. Sie presste ihr kostbares Bündel gegen ihre Brust und rannte durch den Wald, immer schneller und schneller. Jedes Mal, wenn das Geräusch von Schritten näher kam, blickte sie hinter sich, um zu sehen, wie groß der Abstand zu ihren Verfolgern war. Angst stand ihr ins Gesicht geschrieben, und ihr Herz schlug schmerzhaft gegen ihre Rippen.

Bitte, Gott, betete sie. Lass nicht zu, dass sie mich einholen. Nicht, solange mein Baby nicht in Sicherheit ist.

Hinter ihr schloss der Feind auf.

„Alyssa! Es bringt nichts, noch länger fortzulaufen."

„Gib uns das Baby, Alyssa! Es gehört uns, nicht dir!"

„Du bist eine Mörderin, Alyssa! Du hast Lillie nicht verdient!"

Nein! Sie würde ihnen nicht das Baby geben. Niemals. Tränen liefen ihr übers Gesicht, während sie Lillie noch fester an sich drückte. „Weine nicht, mein kleiner Liebling", murmelte sie, als das Baby zu weinen begann. „Und hab keine Angst, du bist in Sicherheit. Niemand wird dich wegnehmen. Wir fangen ein neues Leben an, nur du und ich."

Während sie lief, sah sie sich in Panik um. Wo war das Kloster? Sie rannte schon seit Stunden, sie hätte längst dort ankommen müssen. Was war, wenn sie sich verlaufen hatte? Was, wenn man sie einholen würde?

Dieser Gedanke erfüllte sie erneut mit Panik. Man durfte sie nicht zu fassen bekommen. Sie konnte nicht zulassen, dass diese schrecklichen Menschen ihr Baby großzogen und zu einem von ihnen machten.

Sie keuchte vor Erschöpfung und Angst. Dann sah sie die Lichtung, die wie ein Leuchtfeuer wirkte. Am anderen Ende der Lichtung stand das rosafarbene Gebäude, das sie kannte. Das Kloster! Danke, Gott, danke!

Sie hatte fast das Tor erreicht, als sich eine Hand auf ihre Schulter legte ...

Rachel schreckte aus dem Schlaf hoch. Schweißgebadet und zitternd setzte sie sich auf, schaltete aber das Licht nicht an. Der Geschmack von Angst – Alyssas Angst – war in ihrem Mund. Der Traum war so lebendig gewesen, dass sie noch immer die Schritte hinter sich hören und die unerbittliche Hand spüren konnte, die sich auf Alyssas Schulter legte.

Sie schnappte nach Luft und schob die Decke zur Seite, um aus dem Bett zu klettern, ohne ihren Morgenmantel überzustreifen.

Auf der Terrasse sorgte die kühle Brise dafür, dass ihre feuchte Haut eiskalt wurde, was Rachel aber gar nicht wahrnahm. Im Moment zählte nur der Traum. Oh, Gott, er war so real gewesen, die Frau so lebendig, so sehr ... ein Teil von ihr. Und das Baby! Rachel hatte tatsächlich durch die Decke hindurch die Wärme von Alyssas Körper gespürt, sie hatte das Schlagen ihres Herzens gefühlt und den melodischen Klang ihrer Stimme gehört, als sie ihrem Kind sagte, es müsse sich nicht fürchten.

„Mom."

Das Wort klang nicht länger fremdartig in ihren Ohren. Sie fühlte sich mit Alyssa verbunden, ein Band, das nichts und niemand zerstören konnte. Und mit dieser Erkenntnis ging eine andere einher.

Sie musste Alyssa Dassante finden.

Sie musste ihre Mutter finden.

10. KAPITEL

„Mr. Dassante, hier spricht Harold Mertz."

Sal Dassante, der in seinem Wohnzimmer saß und sich wie an jedem Nachmittag den Sherry gönnte, der ihm eigentlich verboten war, wurde sofort hellhörig. Seit wie vielen Jahren hatte er nichts mehr von dem ehemaligen Cop des Police Department gehört? Fünfzehn, zwanzig Jahre? „Wie geht es Ihnen, Harold?"

„Oh, ich kann mich nicht beklagen. Ich bin jetzt im Ruhestand, wie Sie bestimmt wissen."

„Nein, das wusste ich nicht." Und es interessierte ihn auch nicht wirklich. „Ich hoffe, Sie genießen die viele Freizeit."

„Darauf können Sie wetten. Ab und zu gehe ich angeln, spiele Ball mit meinen Enkeln, mache den Babysitter." Er kicherte. „Sie wissen ja, wie das ist."

Nein, Harold, das weiß ich nicht, wollte Sal sagen. *Mein einziges Enkelkind wurde mir vor einunddreißig Jahren entrissen.* Doch bevor der Hass wieder an die Oberfläche kommen konnte, verdrängte er ihn und konzentrierte sich auf Harold. Die Tatsache, dass der frühere Detective sich so schnell nach dem Anruf seines Privatdetektivs meldete, weckte in ihm die Hoffnung, dass Joe Kelsey tatsächlich Recht gehabt hatte. Alyssa *lebte*. Und Harold Mertz rief an, um das zu bestätigen.

„Der Grund für meinen Anruf", fuhr Mertz fort, „ist der, dass ich heute Besuch hatte von einem Mann namens Gregory Shaw."

Sal schürzte die Lippen und bemühte sein Gedächtnis. „Noch nie gehört."

„Er ist Privatdetektiv und hat eine Agentur, die Unternehmen und Manager ausspioniert."

„Das hat er Ihnen alles erzählt?"

„Natürlich nicht. Über sich hat er gar nichts gesagt. Ich habe ihn über die Dienststelle durchleuchten lassen", fügte Harold stolz an.

Sal nahm wieder einen Schluck Sherry. Wer hätte das gedacht, der alte Mertz war doch nicht so dumm, wie er aussah. „Was wollte er?"

„Informationen." Mertz machte eine kurze Pause, die zu seiner leicht dramatischen Ader passte. „Über Alyssa."

Sal stockte der Atem. Einunddreißig Jahre lang hatte sich außer ihm niemand auch nur im Mindesten darum gekümmert, Alyssa zu finden. Und jetzt schien sich mit einem Mal jeder für die Vergangenheit zu interessieren. „Woher wusste er, dass er sich an Sie wenden muss?"

„Er hatte einige Zeitungen aus der Zeit der Untersuchungen gelesen."

„Was haben Sie ihm gesagt?"

„Die Wahrheit. Dass Alyssa tot ist und er seine Zeit verschwendet."

Ja, das denken sie alle, ging es Sal geringschätzig durch den Kopf. Und sie alle waren im Irrtum. „Hat er Ihnen gesagt, für wen er arbeitet?"

„Ich habe gefragt, aber er wollte nicht mit der Sprache rausrücken."

Sal stellte das Glas neben sich auf den Tisch und begann, es langsam zu drehen. Einen Moment lang überlegte er, ob er Mertz bitten sollte, mehr über diesen Gregory Shaw in Erfahrung zu bringen. Immerhin hatte er diesem dämlichen Cop nach der Ermordung seines Sohnes Mario ein kleines Vermögen gezahlt, damit er nach Alyssa Ausschau hielt. Da Mertz noch immer nichts entdeckt hatte, war er ihm im Grunde noch etwas schuldig. Aber nach ein paar Sekunden änderte er seine Meinung. Er brauchte dafür jemanden mit mehr Geschick und größerer Mobilität. Jemanden wie Joe Kelsey.

„Würden Sie mir die Adresse und Telefonnummer von diesem Shaw geben?" fragte Sal, während er nach einem Notizblock auf dem Tisch neben ihm griff.

„Sicher, Mr. Dassante."

Nachdem er alles notiert hatte, steckte Sal das Blatt in seine Tasche und machte sich eine geistige Notiz, später Kelsey anzurufen. „Sie halten Augen und Ohren offen, ja, Harold? Wenn Sie etwas erfahren, melden Sie sich bei mir."

„Werde ich tun." Wieder machte er eine kurze Pause. „Was ist eigentlich los, Mr. Dassante? Warum sucht dieser Shaw nach Ihrer Schwiegertochter?"

Sal war der Ansicht, dass er ihm weitersagen konnte, was er von Kelsey erfahren hatte. Die ganze verdammte Stadt würde es über kurz oder lang ohnehin wissen. „Mein Detektiv hat herausgefunden, dass sie noch lebt."

„Heilige Scheiße", platzte es aus Mertz heraus. „Das ist ja unglaublich. Und wo zum Teufel steckt sie?"

„Das weiß ich noch nicht."

„Sie werden das doch dem Chief sagen, oder?" fragte Mertz.

„Natürlich werde ich ihm das erzählen. Ich werde ihn mit seiner gottverdammten Nase darauf stoßen. Bis dahin lassen Sie mich wissen, falls Shaw sich noch mal bei Ihnen meldet." Er machte eine kurze Pause. „Natürlich sollen Sie das nicht kostenlos für mich machen." Er hatte ihn schon bezahlt, aber was machte es schon aus. Es konnte nicht schaden, einen Cop auf seiner Seite zu haben, auch wenn es nur ein Excop war.

„Danke, Mr. Dassante, Sie können auf mich zählen."

„Das weiß ich." Nachdem er die Verbindung unterbrochen hatte, ging Sal zum Fenster und sah, wie die Wanderarbeiter langsam, viel zu langsam auf den Walnusshain zugingen, der sich über sein riesiges Grundstück erstreckte.

So wie der Wechsel in den Ruhestand vor zwei Jahren Sals innere Uhr nicht aus dem Takt gebracht hatte – er stand noch immer im Morgengrauen auf –, hatte sich auch sein Vergnügen nicht verändert, das er empfand, wenn er den Pflückern zusah, wie sie die Walnüsse ernteten, die ihn reich gemacht hatten.

So wie immer erfüllte ihn dieser Gedanke mit größter Befriedigung. Wer hätte gedacht, dass Salvatore Pietro Dassante, dieser ungebildete, bettelarme Junge aus Pozzuoli, eines Tages so stinkreich sein würde?

Als Sohn italienischer Eltern, die sich durch den Verkauf von Lumpen ihren Lebensunterhalt verdienten, hatte sich Sal trotz der ärmlichen Verhältnisse nicht davon abhalten lassen, sich seinen Traum zu erfüllen, eines Tages nach Amerika auszuwandern und viel Geld zu verdienen. Doch es war ganz egal, wie hart er arbeitete, wie viele Oliven er pflückte, wie viele Fische er schrubbte oder wie viele Lumpen er wusch, es kam nie genug Geld zusammen, um eine Fahrkarte für eines der eleganten Schiffe zu kaufen, die ein paar Mal im Jahr im Hafen von Neapel anlegten.

Mit fünfzehn Jahren begann er zu fürchten, dass man ihn so wie seinen Vater für den Rest seines Lebens als „Lumpenmann" bezeichnen würde. Also beschloss Sal, sich als blinder Passagier auf eines der Schiffe zu schleichen. Er verkündete seinen Eltern diesen Beschluss, doch die zuckten nicht mal mit der Wimper. Da außer ihm jeden Abend noch zehn Geschwister am Küchentisch saßen, bedeutete ein Kind weniger auch ein hungriges Maul weniger, das gestopft werden musste.

Am 1. September 1939, dem Tag, an dem aus der Gefahr des drohenden Zweiten Weltkriegs bittere Realität wurde, stahl sich Sal auf ein Handelsschiff mit Ziel New York City. Nach etlichen Zwischenstopps und einer Grippeepidemie, der die halbe Crew zum Opfer fiel, lief das Schiff endlich in den Hafen von New York ein, wo der Anblick der Freiheitsstatue Sal zu Tränen rührte.

Nachdem er aber einen Monat in dieser Stadt verbracht hatte, in der eine Hand voll Einwanderer aus der alten Heimat das große Geld gemacht hatte, kam er zu der Ansicht, dass es ihm dort nicht gefiel. Das Wetter war unbarmherzig, und die italienischen Einwanderer sahen sich immer noch mit vielen Vorurteilen konfrontiert, was es schwer machte, Geld zu verdienen.

Mit fünf Dollar in der Tasche und einem kleinen Koffer, der alle seine Besitztümer enthielt, reiste er als Anhalter bis Sacramento, wo Sonnenschein und Arbeit im Überfluss vorhanden waren. Er bekam einen Job in einer Snackbar, wo er Teller waschen, den Boden wischen und so ziemlich alles machen musste, was der Boss von ihm verlangte. Als er sechzehn wurde, zog er weiter nach Winters, einer landwirtschaftlichen Gemeinde im Westen von Sacramento, wo er als Walnusspflücker Arbeit fand.

Die Arbeitstage waren lang, die Bezahlung war schlecht, und die Menschen waren gemein zu ihm. Sie lachten ihn wegen seines italienischen Akzents aus und wegen seines hageren Aussehens. Doch er war derjenige, der zuletzt lachte, denn dieser hagere Junge aus Pozzuoli konnte wie ein Affe auf die Bäume klettern und schneller als jeder andere Walnüsse pflücken. Und da sie nach geernteter Menge bezahlt wurden, konnte er jeden Tag doppelt so viel verdienen wie die anderen. Es dauerte nicht lang, da verlieh er Geld an die anderen Arbeiter, die ihn plötzlich nicht mehr aufzogen, und ließ es sich mit Zinsen von ihnen zurückzahlen. Er war nicht gebildet, aber er war auch nicht auf den Kopf gefallen.

Als der Vorarbeiter, ein gerissener Mann namens Ben Marcione, Sals Potenzial erkannte, stellte er ihn seiner Tochter vor. Nach einem Blick auf das einfache, nicht zu kluge Mädchen sagte Sal zu Ben: „Für hundert Dollar nehme ich sie Ihnen ab."

Ben bezahlte ihm nur zu gerne diese hundert Dollar.

Sal benötigte vierzehn Jahre, um so viel Geld zu sparen, dass er sich eine eigene Walnussfarm kaufen konnte. Weitere drei Jahre verstrichen, dann konnte er das angrenzende Grundstück aufkaufen und expandieren. Und damit begannen die Probleme. Die Nachbarn, die eifersüchtig waren auf den kleinen Spaghettifresser, der es zu etwas gebracht hatte, warfen Sal vor, er habe den früheren Eigentümer des Landes unter Druck gesetzt und ihm nur einen Bruchteil dessen bezahlt, was das Land wert gewesen sei. Was diese Idioten für unmoralisch hielten, betrachtete Sal als gutes Geschäft.

Einige Zeit später behaupteten diese leidenschaftlichen Liberalen, er nutze seine Arbeiter aus. Dieses Gerücht hatte er schnell verstummen lassen, auf die einzige Weise, die er kannte – mit Bargeld in die richtigen Taschen.

Zugegeben, er zahlte seinen Arbeitern weniger als den Mindestlohn, und seine Farm war vielleicht auch nicht gerade das „Ritz", aber die Männer verdienten bei ihm immer noch drei Mal so viel wie in ihrer Heimat. Und sie kehrten jedes Jahr zur Erntezeit zurück. Aus freien Stücken. Das musste doch etwas bedeuten.

Er presste verbittert seine Lippen aufeinander, bis sie eine schmale Linie bildeten. Alyssa war eine dieser leidenschaftlichen Liberalen gewesen. Und sie hatte die Frechheit besessen, ihn vor der ganzen Familie als Tyrannen zu bezeichnen. Da hatte Sal erkannt, dass sie niemals eine echte Dassante werden würde. Aber Mario, der mit seinem Unterleib dachte, wenn es um Frauen ging, wollte ja nicht auf ihn hören.

„Gib ihr Zeit, Pa", sagte er immer. „Sie wird sich schon wieder beruhigen."

Aber dazu war es nicht gekommen. Und als Mario endlich einsah, dass Alyssa eine Unruhestifterin war, da war es schon zu spät.

Der Gedanke an diese Nacht, an den Leichnam seines Sohns, der mit zerschmettertem Schädel am Boden lag, ließ Sal leise aufstöhnen. Es war eine Nacht, die er niemals vergessen würde. Er war früh zu Bett gegangen und schlief fest, als plötzlich an seine Schlafzimmertür geklopft wurde.

„Komm schnell nach unten, Pa!" hatte sein jüngerer Sohn gerufen. „Etwas ist mit Mario passiert."

Sal war in seinem Schlafanzug die Treppe hinunter und nach draußen gerannt, wo er Nico auf dem Boden kniend vorfand, der seinen toten Bruder in den Armen hielt.

„Sie hat ihm umgebracht, Pa", schluchzte Nico, während er sich zu Sal umdrehte. „Das Luder hat meinen Bruder getötet."

Mit Mario war auch ein Teil von Sal gestorben. In dem Moment hatte er geschworen, den Tod seines Sohns zu rächen. Er würde Alyssa finden, und dann würde er sie töten.

Aber allen Bemühungen und allem Geld zum Trotz hatte Alyssa alle an der Nase herumgeführt: die Behörden, Detective Mertz, sogar die beiden Privatdetektive, die Sal auf sie angesetzt hatte, ehe er sich vor zwei Jahren an Joe Kelsey gewandt hatte.

Kelsey, ein FBI-Mann, der wegen Alkoholproblemen vorzeitig in den Ruhestand gegangen war, hatte es geschafft, und er würde es wieder machen. Er würde Alyssa finden. Und mit ein wenig Glück würde Gregory Shaw ihn direkt zu ihr führen.

Mit gesenktem Blick betrachtete Sal seine kräftigen Hände. Der kleine Salvatore ist nicht mehr so hager, dachte er mit einem stummen Lachen. Auch jetzt, mit vierundsiebzig Jahren, rühmte sich Sal, noch immer so stark wie ein Stier zu sein. Jeden Tag stand er um fünf Uhr morgens auf, machte zwanzig Liegestütze und zog zehn Minuten lang seine Bahnen im Pool hinter dem Haus.

Ich sehe nicht nach vierundsiebzig aus, fand er, während er im geöffneten Fenster sein Spiegelbild betrachtete. Auch wenn er fast völlig ergraut war, hatte er noch immer volles Haar, das er mit Pomade streng nach hinten gekämmt trug. Seinen scharfen alten Augen entging nichts.

Jetzt fühlte er sich nach den Mitteilungen von Kelsey und Mertz noch besser – mit neuem Leben erfüllt, versessen darauf, etwas zu tun, so wie nach seiner täglichen kalten Dusche. Alyssa lebt. Diese Worte tanzten in seinem Kopf wie eine Tarantella umher, entwickelten ein Eigenleben und erfüllten ihn mit einer Begeisterung, die er nicht mehr verspürt hatte, seit er siebzehn gewesen war.

Die Zeit war gekommen, um der Familie die gute Nachricht zu vermelden und ihr zu sagen, dass er mit Chief Vernon über eine Wiederaufnahme des Falls reden wollte. Nicht, dass er dafür von irgendjemandem eine Erlaubnis benötigt hätte, doch um des lieben Friedens willen würde er ein Familientreffen einberufen.

Sie kamen sofort zu ihm, sein Sohn Nico und seine Schwiegertochter Erica, die immer noch bei ihm im Haus lebten.

„Pa." Schnell durchquerte Nico den Raum und gab seinem Vater einen Kuss auf die Wange. „Ich dachte, du würdest mit deinen Freunden Boccia spielen."

Der dunkelhaarige Nico, der einen Kopf größer war als Sal, hatte von seiner Mutter das einfache Aussehen und die Dummheit geerbt, während Mario nach seinem Vater gekommen war, scharfsinnig und ungeschliffen.

„Dazu hatte ich heute keine Lust", sagte Sal.

„Warum nicht?" fragte Erica. Die attraktive Brünette mit mütterlichen Instinkten setzte sich neben ihn auf das Sofa und machte ein besorgtes Gesicht. „Fühlst du dich nicht wohl?"

Sal sah seine Schwiegertochter zärtlich an. Sie war eine richtige Dassante – ruhig, liebenswürdig, respektvoll und eine gute Ehefrau für Nico. Zu schade, dass der Schwachkopf unfruchtbar war und nicht den innigsten Wunsch seiner Frau nach einem Kind hatte erfüllen können.

Er sah seinen Sohn an und wartete, bis der auch Platz genommen hatte. Mit langsamen, wohl überlegten Bewegungen öffnete er eine kleine Kiste und wählte eine Zigarre aus.

„Pa", sagte Nico vorwurfsvoll. „Du weißt, was der Arzt gesagt hat: eine Zigarre am Tag. Nach dem Abendessen."

„Und weißt du auch, was *ich* sage? Pfeif auf den Arzt." Er nahm ein Feuerzeug vom Tisch und hielt die Flamme an die Zigarrenspitze, während er einige Male paffte. Beim vierten Zug hielt er den Rauch einige Sekunden lang im Mund zurück, um ihn dann langsam entweichen zu lassen. Er hatte die Spannung lange genug ausgekostet und lehnte sich zurück. „Alyssa lebt." Er sprach langsam und genoss jede einzelne Silbe.

Die Nachricht hatte genau den Effekt, den er erwartet hatte. Erica rang nach Luft und hielt sich die Hände vor den Mund, während sich Nico in seinen Sessel fallen ließ. Sein Gesicht zeigte völligen Unglauben. „Das kann nicht sein", sagte er schließlich.

„Es ist wahr." Wieder zog Sal an der Zigarre. Er genoss das Entsetzen der beiden. Beide hatten so verdammt schnell die Polizeiberichte als die absolute Wahrheit angenommen und Alyssa für tot gehalten. Es bereitete ihm ein unglaubliches Vergnügen, sie alle endlich widerlegt zu haben.

„Woher weißt du das?" fragte Erica, die die Hände mittlerweile gegen ihre Brust gedrückt hielt. „Ich dachte, du hättest vor Jahren die Suche aufgegeben, nachdem der letzte Privatdetektiv dir gesagt hatte, er würde es drangeben."

Sal betrachtete von allen Seiten seine Zigarre, als würde er sie untersuchen. „Ich habe aber nicht aufgegeben, *Cara*. Ich habe mir einfach einen neuen Schnüffler gesucht."

Nico legte die Stirn in Falten. „Davon hast du uns nie etwas gesagt."

„Weil ich keine Lust hatte, mir von dir anzuhören, ich würde mein Geld verschwenden."

Nico machte ein finsteres Gesicht. „Und wo ist sie?"

„*Das* weiß ich nicht." Sal erzählte beiden, was er von Kelsey und Mertz erfahren hatte.

Gerade wollte Nico etwas sagen, da hob Erica ihre Hand. „Sal", fragte sie ruhig, „wie kannst du so sicher sein, dass diese Frau Alyssa ist?"

„Mein Gefühl sagt mir, dass es Alyssa ist." Er sah von ihr zu Nico, der ihn mit ausdruckslosem Blick anstarrte. „Habt ihr mir überhaupt zugehört?" fragte er, verärgert darüber, dass sie sich so dumm anstellten. „Sie benutzte den Namen Virginia Potter. Virginia", wiederholte er, „war der Name ihrer Mutter. Und laut diesem Fälscher hatte sie eine Menge Geld bei sich. Das allein ist doch offensichtlich genug. Ich hatte mich immer gefragt, was mit dem Rest des Geldes geschehen war, das sie uns gestohlen hatte. Dieses Miststück hatte mehr Grips, als wir gedacht hatten. Sie ließ achttausend im Wagen, damit die Polizei das Geld finden konnte, die übrigen zweitausend hatte sie behalten."

Als Nico noch immer skeptisch wirkte, fügte Sal hinzu: „Und nicht mal eine Woche nach Kelseys Anruf taucht dieser feine Detektiv hier in Winters auf und beginnt, Fragen zu stellen." Er deutete auf Nico. „Erkennst du nicht diesen Zusammenhang?"

Nico sah zu seiner Frau, die hilflos mit den Schultern

zuckte. „Für wen arbeitet dieser Gregory Shaw?" fragte er.

„Was sollen diese Fragen?" explodierte Sal. „Was bin ich? Ein verdammter Hellseher? Ich weiß nicht, für wen er arbeitet, aber ich weiß, dass ich Alyssa vor ihm finden werde."

„Ach, Pa!" Nico sprang auf. „Nicht schon wieder!"

„Schon wieder? Was soll denn das heißen?" rief Sal wütend. „Die Frau hat meinen Sohn umgebracht, oder hast du das vergessen?"

„Ich habe es nicht vergessen. Aber verdammt, Pa! Mario ist vor einunddreißig Jahren gestorben. Das ist lange her. Lass es endlich hinter dir."

„Den Teufel werde ich tun." Sal schlug mit der Faust auf die Armlehne. „Sie hat mir meinen Sohn genommen. Meinen Erstgeborenen. Und als wäre das nicht genug, hat sie mir auch meine Enkelin genommen und in einem Kloster gelassen, wo sie ums Leben kam." Er schüttelte den Kopf. „Damit kommt bei mir niemand durch."

„Geht es dir nur darum?" Nicos Stimme zitterte, während er zur gut sortierten Hausbar ging und sich einen Bourbon einschenkte. „Musst du wirklich Marios Tod rächen? Kannst du nicht mit dem glücklich sein, was du hast? Mich, Erica, ein gut gehendes Geschäft?"

Sal atmete tief ein und bemühte sich, Ruhe zu bewahren. Er war nicht überrascht über Nicos Reaktion. Sein jüngerer Sohn hatte nie verstanden, wie Männer in der alten Heimat mit Frauen wie Alyssa umgingen. Nico war nur drei Jahre jünger als Mario, und doch hatte er die typisch amerikanische Mentalität des Vergebens und Vergessens übernommen. Die Traditionen der alten Heimat, die Sal in den Jungs zu verankern versucht hatte, waren von ihm stets verspottet worden. Mario war anders gewesen, ein echter italienischer Sohn mit einem Sinn für Stolz, jener Art von Stolz, für die die Dassantes bekannt waren. Und er hatte Mut gehabt, so wie sein Vater.

„Sie hat meinen Sohn umgebracht", wiederholte Sal verbohrt.

Nico drehte sich um, in einer Hand hielt er das Glas, in

seinen dunklen Augen war die Ablehnung nicht zu übersehen. „Wäre es dir lieber gewesen, wenn *ich* gestorben wäre,
Pa? Hätte dich das glücklich gemacht?"

„Nico!" Erica sah ihren Mann entsetzt an. „Wie kannst
du so was sagen?"

„Kannst du mir das verübeln?" fragte er seine Frau, während sein Blick auf Sal ruhte. „Nach einunddreißig Jahren
stehen wir immer noch da, wo alles angefangen hat. Wir
reden immer noch über Mario und darüber, wie sein Tod
gerächt werden kann, als wäre das das Einzige, was zählt.
Es ist nicht ein Tag vergangen, an dem der Name meines
Bruders mal nicht erwähnt wurde. Weißt du, was das für
mich bedeutet, Pa?" fragte er und blieb vor Sal stehen. „Für
mich heißt das, dass ich immer noch die zweite Geige spiele
und dass ich dir nichts recht machen kann."

„Das ist nicht wahr, Nico", erwiderte Sal gereizt. „Würde
ich dich sonst mein Unternehmen führen lassen?"

„Ich weiß es nicht, Pa." Nicos Worte bekamen einen sar-
kastischen Unterton. „Vielleicht lässt du mich das ja nur
machen, weil sonst niemand da ist."

„Das ist Unfug!"

„Wirklich?" Nicos Augen verengten sich. „Nehmen wir
mal an, Alyssa lebt wirklich noch und du findest sie. Was
wird dann geschehen? Bringst du sie zur nächsten Polizeiwache, damit die Gerechtigkeit ihren Lauf nimmt? Oder
nimmst du das Gesetz selbst in die Hand und legst sie
persönlich um? So wie du es vor einunddreißig Jahren
angekündigt hast?"

Sal paffte weiter an seiner Zigarre und betrachtete Nico
durch den sich kräuselnden Rauch.

„Du kannst mir nicht darauf antworten, stimmts? Weil
wir beide die Antwort kennen. Du wirst erst zufrieden sein,
wenn du sie eigenhändig umgebracht hast. Es interessiert
dich nicht, ob die Familie daran zugrunde gehen wird und
ob du den Rest deines Lebens hinter Gittern verbringen
musst. Es geht nur darum, Mario zu rächen. Es dreht sich
immer nur alles um Mario."

„Bist du fertig?" fragte Sal mit eisiger Stimme.

Nico trank einen letzten Schluck. „Ja, ich bin fertig."

Sal drückte langsam seine Zigarre im Aschenbecher auf dem Tisch neben ihm aus. „Ich dachte, du würdest dich für mich freuen", sagte er. „Ich dachte, du würdest verstehen, wie es für mich all die Jahre gewesen ist." Er schüttelte den Kopf. *„Ma capisci niente."*

„Du irrst dich, Pa. Ich verstehe alles. Aber ich werde nicht so tun, als wäre ich glücklich darüber, dass Alyssa lebt. Denn das bin ich nicht."

„Du willst sie ungeschoren davonkommen lassen?"

„Ich möchte, dass in dieser Familie Frieden herrscht, Pa. Sonst nichts." Etwas leiser sprach er dann weiter: „Ich habe auch um meinen Bruder getrauert, aber ich habe es hinter mich gebracht. Ich habe mich nicht so davon auffressen lassen wie du."

Erica, die nur selten gegen Sal das Wort erhob, legte ihre Hand auf seinen Arm. „Er hat Recht, das weißt du", sagte sie sanft. „Dein Wunsch, Mario zu rächen, *hat* dich aufgefressen. Sieh dich an. Du solltest jeden Tag mit deinen Freunden unterwegs sein, die Sonne genießen, lange Spaziergänge machen. Stattdessen bleibst du die meiste Zeit zu Hause und wirst immer verbitterter. Ich mache dir einen Vorschlag", fügte sie mit ihrem hübschen Lächeln an. „Warum kommst du nicht am Sonntag mit mir zur Messe? Ich mache dich mit der Witwe Cartelana bekannt." Sie gab seinem Ellbogen einen sanften Stoß. „Ich glaube, sie hat was für dich übrig."

Sal blickte zu seiner Schwiegertochter und fühlte sich versucht, sie daran zu erinnern, dass sie keine Predigten zu halten, sondern nur zuzuhören hatte. Aber heute war er viel zu guter Laune, um sie sich durch irgendetwas verderben zu lassen. Also nahm er die Predigt hin und behielt seine Bemerkung für sich.

„Die Witwe Cartelana hat Warzen auf der Nase. Und bei der Sonntagsmesse schlafe ich immer ein." Er sah die Enttäuschung in Ericas Gesicht und tätschelte ihre Wange. „Aber ich nehme deinen Ratschlag zu Herzen, mehr rauszugehen. Ich werde sogar gleich jetzt losfahren." Er stand auf. „Nico, hol den Wagen."

„Wohin fährst du?"

Er wich dem Blick seines Sohns nicht aus. „Zu Chief Vernon. Ich werde ihm sagen, dass Alyssa lebt. Sobald er hört, dass ich Beweise habe, wird er den Fall wieder aufnehmen."

„Oh, Pa, tu das nicht", sagte Nico und klang wie ein weinerlicher Fünfjähriger. „Wenn du das machst, wird uns die Presse Tag und Nacht belagern, so wie damals. Unser Leben wird nie wieder dasselbe sein."

„Und ich werde nie wieder der Alte sein, wenn ich nicht die Frau finde, die meinen Sohn ermordet hat", herrschte Sal ihn an. „*Capisci?*" Mit dem Handrücken schlug er Nico hart in die Magengegend. „Ich hole selbst den Wagen. Aus dem Weg."

11. KAPITEL

Rachel nahm einen Schluck von dem Merlot, der seit achtzehn Monaten gereift war, spülte ihn für einige Sekunden im Mund und spuckte ihn dann in den Eimer, der neben ihr auf dem Boden stand.

Ihr Assistent Ryan Cummings sah aufmerksam zu. „Und was denken Sie?" Er war ein gut aussehender junger Mann mit stahlblauen Augen, blonden Haaren und einem Schmollmund, der ihn wie Brad Pitt aussehen ließ.

Wegen der guten Beziehung, die von Anfang an zwischen ihnen bestanden hatte, verzog Rachel das Gesicht. „Hmm, ich weiß nicht, Ryan. Ich weiß, das ist Ihr erster Wein, und Sie haben auf lobende Kritiken gehofft, aber . . ."

Als sie seinen am Boden zerschmetterten Gesichtsausdruck sah, musste sie laut lachen. „Ich habe Sie nur aufgezogen. Er ist exzellent, Ryan." Sie schnupperte nochmals am Merlot. „Das Kirscharoma ist sehr konzentriert, sehr voll. Außerdem war es eine wundervolle Idee, diesen speziellen Merlot mit ein wenig Cabernet Franc zu mischen. Noch ein paar Jahre im Weinkeller, dann wird er vollkommen sein."

Ryan strahlte. „Danke, Rachel."

Sie wollte gerade zum nächsten Fass gehen, als Sam mit finsterem Gesichtsausdruck auf sie zukam. „Ryan", sagte sie rasch, da sie die nächste Katastrophe herannahen spürte. „Wir sollten das später fortsetzen, ja?"

„Aber sicher, Boss."

Sam achtete darauf, dass Ryan gegangen war, erst dann wandte er sich Rachel zu. „Das wird dir nicht gefallen."

Rachel ließ ihre Schultern herabsacken. „Was jetzt?"

Er zog sie in eine ruhige Ecke. „Ich war bei Murphy, um den *St. Helena Star* zu kaufen. Direkt daneben liegt immer das *Winters Journal*. Das hier ist die Titelseite." Er gab ihr die Zeitung.

Mit einem Aufstöhnen las Rachel die riesige Schlagzeile: *Neue Entwicklung im Fall Alyssa Dassante.*

Der Artikel von einem gewissen Stanley Fox war eine Zusammenfassung der Dassante-Tragödie vor einunddreißig Jahren, sie berichtete vom Tod von Sals Sohn und Enkelin und von seinem Appell an die guten Bürger Kaliforniens, ihm dabei zu helfen, Alyssa vor Gericht zu bringen. Als besonderen Anreiz hatte er die Belohnung von 50.000 auf 100.000 Dollar aufgestockt.

Gregory Shaw hatte es also in die Zeitung geschafft. Dem Artikel zufolge hatte der Besuch eines Privatdetektivs bei einem pensionierten Police Detective aus Winters Sal dazu veranlasst, sich an den Polizeichef und an die Zeitungen zu wenden.

Danke vielmals, Gregory. Deinetwegen zieht sich die Schlinge um meinen Hals noch ein Stück enger.

„Es wird alles herauskommen, nicht wahr?" Rachel stellte ihr Weinglas auf eines der Fässer. „Diese 100.000 Dollar werden jeden im Staat nach Alyssa suchen lassen. Und dabei wird man auch alles über mich herausfinden."

„Dafür gibt es keinen Grund", sagte Sam und versuchte, aufmunternd zu klingen. „Du hast den Artikel gelesen. Der Reporter hat keine Ahnung, dass du die Tochter von Alyssa Dassante bist. Und Sal Dassante weiß das auch nicht."

„Was?"

Rachel und Sam drehten sich erschrocken um und sahen, wer für diesen Ausruf verantwortlich war. Preston stand da, wie vom Donner gerührt, den Mund halb geöffnet, das Gesicht kreidebleich.

Rachel stöhnte auf. Er hatte alles gehört. „Preston", sagte sie und ging auf ihn zu. „Darling . . ."

Er machte einen Schritt zurück, als leide sie an einer ansteckenden Krankheit. „Sag mir, dass das nicht stimmt." Er sah von Sam zu Rachel. „Sag mir, dass ich da etwas missverstanden habe. Oder dass das irgendein schlechter Witz ist."

„Komm mit in mein Büro, dann können wir reden." Rachel ging los und erwartete, dass Preston ihr folgte. Das tat er aber nicht. „Wir reden hier", sagte er barsch.

„Preston, komm schon", sagte Sam und legte ihm eine Hand auf die Schulter. „Wir wollen doch nicht in der Öffentlichkeit über Familienangelegenheiten sprechen."

Prestons Gesicht nahm einen herablassenden Ausdruck an. „Das hier geht nur Rachel und mich etwas an, Sam. Wenn es dir also nichts ausmacht . . ."

Sam zog seine Hand zurück und sah Rachel an, die ihm zunickte. „Ist schon in Ordnung", sagte sie, woraufhin er sich zurückzog.

Rachel wartete, bis der Winzer weiter hinten im Keller verschwunden war, dann wandte sie sich wieder Preston zu. Der hatte zwar seine berühmte Gelassenheit wiedererlangt, doch sein Gesicht war immer noch bleich. Preston war immer ein stolzer Mann gewesen – er war stolz auf das, was er erreicht hatte; auf seinen Status in der Gesellschaft von San Francisco; vor allem aber war er auf seine Herkunft stolz.

„Ich weiß, dass das für dich ein Schock sein muss", sagte sie müde. „Es ist mir nicht anders ergangen."

„Dann stimmt das? Du bist die Tochter von Alyssa Dassante." Er sprach diese Worte mit solchem Entsetzen und Abscheu, dass sie zusammenzuckte.

„Ja, es stimmt", sagte sie schließlich.

„Oh, mein Gott." Er fuhr sich mit den Fingern durchs Haar, wandte sich von ihr ab und ging in einem kleinen Kreis herum, bevor er sich wieder ihr zuwandte. „Aber wie kann das sein? Du hast mir gesagt, dass deine Mutter bei der Geburt gestorben ist."

„Das hatte ich auch immer geglaubt", erwiderte sie und war froh darüber, dass sie sich wenigstens unterhalten konnten. „Das hatte man mir auch so gesagt."

„Wann hast du es erfahren?"

Sie blickte nach unten. „Vor ein paar Tagen."

„*Vor ein paar Tagen?* Und du hast mir nichts davon gesagt?"

„Ich wusste nicht, wie." Sie fühlte sich elend. „Ich stand unter Schock."

„Und wann wolltest du es mir sagen?" Sein Tonfall hatte etwas Vorwurfsvolles angenommen. „Oder wolltest du es mir einfach verheimlichen?"

„Ich weiß es nicht." Plötzlich konnte sie ihm nicht mehr in die Augen sehen. „Ein Teil von mir wollte es dir sagen, aber ein anderer Teil . . ." Sie musste schluchzen und ließ den Satz unvollendet.

„Mein Gott, Rachel. Du erfährst, dass du die Tochter einer Mörderin bist, und du wolltest mir nichts davon sagen?" Er machte einen Schritt auf sie, ließ aber erkennen, dass er dennoch auf Distanz bleiben wollte. „Meinst du nicht, dass ich ein Recht darauf habe, das zu erfahren?"

„Ich wollte dich nicht verletzen. Oder in Verlegenheit bringen. Ich dachte . . . wenn es niemand erfährt, dann . . . geht alles einfach vorüber."

„Ich verstehe. Und es hat dich überhaupt nicht gestört, dass du unsere Ehe auf einem Fundament aus Lügen aufgebaut hättest?"

„Ich habe dich nicht belogen, Preston. Ich habe versucht, diese ganze Situation zu durchdenken. Ich wusste nicht, was ich machen sollte. Darum habe ich niemandem davon erzählt . . ."

„Außer Sam."

„Er ist ein alter Freund der Familie. Und außerdem hatte ich gehofft, er würde mir sagen, dass es nicht stimmte."

„Aber das hat er nicht gemacht, oder?"

Rachel schüttelte den Kopf. „Nein. Er hat es bestätigt."

„Und wie bist *du* dahintergekommen?"

Sie erzählte ihm alles, was sie erfahren hatte, solange sie noch den Mut dazu hatte. Als sie fertig war, wartete sie darauf, dass er ein paar tröstende und verständnisvolle Worte sagte. Und noch mehr wartete sie darauf, dass er seine Arme ausbreitete, damit sie sich an ihn drücken und den Tränen freien Lauf lassen konnte, die sie so verzweifelt zurückhielt.

Er blieb einfach nur da stehen, wie eine Statue. Keine

ausgebreiteten Arme. „Du bist die Tochter einer Mörderin", sagte er abermals, als habe er diese Tatsache immer noch nicht begriffen.

„Wir wissen nicht, ob Alyssa eine Mörderin ist", sagte sie. In einer so dramatischen Situation eine Frau zu verteidigen, die sie nicht mal kannte, erschien ihr irgendwie falsch. „Ich meine, niemand hat jemals ihre Version der Geschichte gehört."

„Weil sie fortgelaufen ist! Ich kenne die Geschichte. Sal hatte Recht. Sie hat den Unfall vorgetäuscht, um untertauchen zu können. Sie ist eine Mörderin und eine Flüchtige."

„Preston", flehte sie ihn an. „Beruhige dich bitte. Wir bringen das hinter uns."

„Und wie?" Er drehte sich und warf ihr einen zornigen Blick zu. „Ich bin ein Farley. Du bist eine . . . Dassante. Du kannst dir gar nicht vorstellen, was das für meine Familie bedeutet. Für die Karriere meines Vaters. Für meine Karriere."

„Wir müssen deinen Eltern davon nichts sagen. Wir müssen es niemandem sagen." Erst als sie diese Worte gesprochen hatte, erkannte sie, dass sie genau das Falsche gesagt hatte.

„Ich soll meine Eltern belügen? Verlangst du das von mir?"

„Nicht belügen", protestierte sie voller Wut darüber, dass er ihr die Worte im Mund verdrehte. „Ich sehe bloß keinen Grund, es in alle Welt hinauszuposaunen, das ist alles."

„Sie würden es herausfinden", erklärte er prompt. „Und sie würden es mir nie verzeihen, dass ich ihnen so etwas verschwiegen habe."

„Dann werden wir es ihnen gemeinsam sagen. Sie werden verstehen, dass ich damit nichts zu tun habe." Sie überlegte, ob sie das wirklich glaubte. Oder war sie einfach nur viel zu optimistisch?

Ihre unausgesprochenen Fragen wurden rasch und kategorisch beantwortet. „Nein, das werden sie nicht. Es war schon schlimm genug, als sie erfahren mussten, dass du adoptiert bist. Weißt du nicht mehr, wie ich tagelang darum gekämpft habe, damit sie dich akzeptierten?"

Sie erinnerte sich, und wegen dieses Widerstands hatte sie es ihrerseits wochenlang hinausgezögert, sich mit den Farleys zu treffen. „Nichts hat sich geändert", erinnerte sie ihn zaghaft. „Ich bin noch immer derselbe Mensch."

„Alles hat sich geändert."

Diese Worte sprach er mit solcher Endgültigkeit, dass sie kaum noch Hoffnung hatte, gemeinsam mit ihm aus dieser Situation herauskommen zu können. Warum tat er ihr das an? Warum war er so ungerecht und so unnachgiebig? Diese Seite kannte sie nicht an ihm. Er schien ihren Schmerz nicht wahrzunehmen. Und selbst wenn, hätte es sicher nichts geändert. Preston war zu sehr mit seinen eigenen Gefühlen beschäftigt, um ihre Empfindungen überhaupt wahrnehmen zu können.

„Ich brauche Zeit zum Nachdenken", sagte er und sah sie distanziert an. „Ich muss mir über einige Dinge klar werden."

Er entfernt sich bereits von mir, dachte sie. Er schloss sie bereits aus seiner Welt aus. Aber auch wenn sie die Zeichen erkannte, machte sie das, was sie von klein auf gelernt hatte: Sie kämpfte um das, was sie wollte. Und jetzt wollte sie nichts mehr, als diesen Mann zu halten, den sie so liebte. „Warum fahren wir nicht ein paar Tage weg?" schlug sie vor und versuchte, locker zu klingen. „Dann haben wir Zeit zum Reden."

Furcht ließ ihren Magen verkrampfen, als er den Kopf schüttelte. „Ich muss allein sein."

Als er auf seine Uhr sah, wusste sie, dass das Gespräch beendet war. Den eigentlichen Grund, der ihn hergeführt hatte, schien er vergessen zu haben. Aber vielleicht war er einfach nicht mehr wichtig. „Preston, geh bitte nicht", flehte sie ihn an. „Ich liebe dich. Und Gott weiß, dass ich dich jetzt mehr denn je brauche. Wir können das durchstehen", wiederholte sie, war aber längst nicht mehr so sehr von ihren Worten überzeugt.

Er sah sie einen Moment lang an, woraufhin sich in Rachel Hoffnung regte. Dann schüttelte er jedoch erneut den Kopf und ging fort. Seine Schritte waren so weit ausholend, als könne er nicht schnell genug nach draußen kommen.

12. KAPITEL

Gregory saß an seinem Schreibtisch, hielt das Mikrofon in der Hand und ging die Zahlen in dem zwölf Seiten langen Bericht durch, bevor er mit dem Diktat weitermachte.

„Die Erträge des Unternehmens sind von 25,2 Millionen im Jahre 1994 auf 39,7 Millionen im Jahr 1998 angestiegen, was einer durchschnittlichen jährlichen Wachstumsrate von 9,5 Prozent entspricht. Daneben verfolgt das Unternehmen ...“

Das Summen der Sprechanlage unterbrach seine Ausführungen. „Ihre Exfrau, Mr. Shaw!“ Phyllis klang aufgeregt. „Sie ...“

Oh, Herrgott! Er hatte Noelle zum Gymnastikkurs fahren sollen. „Sagen Sie Lindsay, dass ich ...“

Aber Phyllis hatte das Gespräch schon durchgestellt. Am anderen Ende hörte er Lindsay, die zum ersten Mal in ihrem Leben völlig unzusammenhängend sprach. Er konnte nur „Unfall“ und „Noelle“ verstehen. Das Blut gefror ihm in den Adern.

„Was für ein Unfall?“ blaffte er sie an.

„Sie wurde von einem Auto angefahren“, schluchzte Lindsay. „Ich bin mit ihr im Krankenwagen, wir sind auf dem Weg zum St. Francis.“

„Wie schlimm ist es?“

„Das wissen sie noch nicht. Sie war eine Zeit lang bewusstlos.“

„Ist sie wieder bei Bewusstsein?“

„Ja. Scheint so, als hätte sie sich nichts gebrochen.“

„Ich bin auf dem Weg."

Er brauchte volle fünfzehn Minuten, um das Krankenhaus in der Hyde Street zu erreichen. In der Notaufnahme wies ihm eine Krankenschwester den Weg zu einem mit Vorhängen abgeteilten Raum.

Noelle lag auf einer Trage – den linken Arm in einer Schlinge, auf ihrer Wange eine hässliche Schramme – und war fast so weiß wie das Laken unter ihr. Von den dunkelblauen Augen abgesehen, die sie von ihm geerbt hatte, sah sie genauso aus wie ihre Mutter, blond, schlank. Aber sie hatte ein wärmeres Lächeln.

Lindsay saß neben dem Bett und hielt Noelles rechte Hand. Sie war eine attraktive Frau mit grünen Augen und hellblondem Haar, das sie immer makellos hochgesteckt trug. Irgendwie hatte diese Frisur ihren Halt verloren und ließ sie zur Abwechslung einmal fast menschlich aussehen.

Als Gregory eintrat, warf sie ihm einen vernichtenden Blick zu. Sie hatte sich offenbar von dem Schock erholt und befand sich wieder auf dem Kriegspfad.

„Das ist alles nur deine Schuld", sagte sie mit giftiger Stimme. „Wenn du nicht zu spät gewesen wärst . . .“

„Mommy, bitte", sagte Noelle, ergriff den Arm ihrer Mutter und rüttelte ihn sanft. „Gib Daddy nicht die Schuld, ja? Ich bin über die Straße gelaufen, ohne nach links und rechts zu sehen. Ich hätte aufpassen müssen." Während Lindsays Gesicht rot anlief, lächelte Noelle Gregory schelmisch an. „Und ich hätte schneller laufen müssen."

Ihr Anflug von Humor wurde von Gregory mit Erleichterung aufgenommen. Wenn sie Witze reißen konnte, dann waren die Verletzungen nicht so schlimm. „Ja", sagte er und verfiel in ihren lockeren Ton. „Was bringt es schon, eine Sportskanone zu sein, wenn du nicht mal ein Auto abhängen kannst?"

„Ja, das ist sehr schön, Gregory", gab Lindsay zurück. „Mach doch gleich eine Comedynummer draus, ja? Ich nehme an, dass dumme Witze die Schuldgefühle wegwischen."

Sechs Jahre unaufhörlicher Kampf hatten Gregory gelehrt, dass Neutralität oft die beste Verteidigung war.

Er ignorierte Lindsays Bemerkung und beugte sich über seine Tochter, um sie auf die Stirn zu küssen. „Wieso die Schlinge?" fragte er. „Ich dachte, du hättest dir nichts gebrochen."

„Das ist nur ein verstauchtes Handgelenk." Seine Tochter hob ihren Arm, um zu zeigen, wie beweglich er war. „Der Doktor meint, ich könnte morgen wieder raus."

„Gut." Gregory warf Lindsay einen Blick zu und stellte zufrieden fest, dass sie sich wieder beruhigt hatte. „Was ist passiert?"

„Du warst zu spät", sagte sie wieder, als wolle sie weiter auf diesem Punkt herumreiten. „Noelle beschloss, draußen auf dich zu warten. Sie meinte, dass sie deinen Wagen gesehen hatte, und wollte dir entgegenlaufen. Dabei übersah sie ein Auto, das aus der anderen Richtung kam. Der Fahrer machte eine Vollbremsung und ist gerutscht, konnte aber den Aufprall nicht mehr verhindern."

„Wie lang war sie bewusstlos?"

„Nur ein paar Sekunden, aber mir kam es wie eine Ewigkeit vor. Sie lag einfach da, und einen schrecklichen Moment lang dachte ich . . ." Sie brach den Satz ab und drückte stattdessen Noelles Hand an ihren Mund. Gregory wusste, dass die Besorgnis nicht gespielt war. Lindsay war vielleicht nicht die beste Mutter der Welt, aber sie liebte ihre Tochter.

„Mommy dachte, ich hätte den Löffel abgegeben", sagte Noelle mit brutaler Präzision.

„Noelle", ereiferte sich Lindsay und ließ die Hand ihrer Tochter los. „Ich möchte nicht, dass du so redest."

Sie zuckte mit den Schultern. „Stimmt doch, oder? Du hast gedacht, dass ich tot bin."

„Du bist aber nicht tot, und jetzt hör mit solchen Gedanken auf." Gregory strich ihr das blonde Haar aus dem Gesicht. „Tut mir Leid, Schatz", fügte er dann an. „Deine Mutter hat Recht. Wäre ich rechtzeitig da gewesen, dann wäre das nicht passiert."

Als würde sie bereits merken, dass sie sich in einer vorteilhaften Lage befand, lächelte Noelle ihn gerissen an. „Also . . . ich schätze, dass ich dir vergeben *könnte*."

„Oh, wirklich?" ging er auf ihr Spiel ein. „Was muss ich tun, damit du mir vergibst?"

„Gehst du mit mir und Zoe nächsten Monat zum Spice-Girls-Konzert?"

Innerlich stöhnte Gregory. Als er das letzte Mal mit Noelle und ihrer besten Freundin zu einem Konzert gegangen war, hatten ihn 18.000 kreischende Fans beinahe zu Tode getrampelt. Außerdem hatte es anschließend zwei Stunden gedauert, bis er wieder richtig hören konnte. „Mal sehen", sagte er und hoffte, dass der Auftritt bereits ausverkauft war. „Erst mal möchte ich aber mit dem Arzt reden. Wie heißt er?"

„Dr. Muldor." Noelle kicherte. „Aber die Schwestern nennen ihn alle Dr. Dreamboat. Hinter seinem Rücken natürlich."

Ein vertrautes Gefühl nagte an seinem Herzen. Sein kleines Mädchen wurde immer schneller erwachsen, und er war nicht sicher, wie er das fand.

Bevor er etwas zu Noelles Bemerkung sagen konnte, zog sie an seinem Ärmel.

„Daddy? Bleibst du heute Nacht hier? Dr. Muldor hat gesagt, du . . ."

„Aber Noelle, Darling", mischte sich Lindsay ein. „Ich dachte . . . ich meine, ich war davon ausgegangen, dass *ich* heute Nacht hierbleibe."

„Du kannst nicht, Mommy. Hast du das vergessen? Du gehst mit einem Kunden essen. Darum sollte Dad mich ja auch zum Gymnastikunterricht bringen."

„Das kann ich absagen."

Jetzt wusste Gregory, dass seine Exfrau tatsächlich zutiefst erschüttert war. Soweit er sich erinnern konnte, hatte Lindsay in ihrer Funktion als erfolgreiche Werbemanagerin noch nie ein geschäftliches Treffen abgesagt. Während ihrer stürmischen, sechs Jahre dauernden Ehe hatte sie fast jeden Abend einen Termin wahrgenommen, während er und Noelle die Abende alleine bestreiten mussten.

„Das ist nicht nötig", sagte er. „Ich bleibe gerne hier." Während Lindsay ihm einen weiteren tödlichen Blick zuwarf, deutete er zur Tür, dann stand er auf. „Entschuldige uns einen Moment, Schatz. Ich muss mit deiner Mutter reden."

Als sie außer Hörweite waren, sagte er zu Lindsay: „Was hast du denn jetzt schon wieder für ein Problem?" Er versuchte, leise zu sprechen, aber es gelang ihm nicht so recht.

„Mein Problem", zischte sie ihn wütend an, „besteht darin, dass du dich vor meiner Tochter mit mir streiten musst. Warum, Gregory? Damit du wie der wunderbare Daddy aussiehst, der du gar nicht bist? Und alles zunichte machst, was ich aufzubauen versuche?"

„Herrgott noch mal, Lindsay. Niemand versucht, irgendwas zunichte zu machen. Das kannst du selbst viel besser."

„Ich wollte bei ihr bleiben."

„Dann bleib. Wir bleiben beide. Ist doch kein Problem."

„Lieber verbringe ich die Nacht mit einer Schlange", erwiderte sie, während sie ihn verächtlich ansah.

Gregory musste lachen. Die menschliche Seite, die sie gerade eben noch gezeigt hatte, war schon wieder verschwunden. „Das würde ich auch. Aber für Noelle bin ich sogar bereit, deine Anwesenheit zu tolerieren. Also tu deiner Tochter einen Gefallen, ja? Hör auf, so egoistisch zu sein, und denk zur Abwechslung mal daran, was *sie* möchte."

Das Gift, das sie versprühte, umgab sie wie eine Aura des Bösen. „Oh, du bist genau der Richtige, der über Egoismus sprechen muss. Wenn du deine Prioritäten richtig setzen würdest, dann würde sie jetzt nicht im Krankenhausbett liegen."

„Wenigstens lasse ich mich blicken. Und ich bin da, wenn es darauf ankommt. Das kann man von dir wohl kaum sagen."

Sie richtete sich vor ihm auf. „Das war eine ganz billige Attacke. Ich bin eine berufstätige Frau. Und wenn ich nicht immer bei ihren Sportveranstaltungen oder bei ihrem Gymnastikunterricht anwesend bin, dann liegt das daran, dass ich den Lebensunterhalt verdienen muss."

Gregory seufzte. Er hatte das alles oft genug gehört, aber diesmal war er nicht bereit, ihr auch die andere Wange hinzuhalten. „Komm mir nicht wieder mit dieser alten Ausrede.

Der Unterhalt, den ich dir zahle, ist so hoch, dass du bequem Teilzeit arbeiten könntest. Aber das wäre wahrscheinlich zu viel von dir verlangt."

„Würde ich *dich* um Teilzeitarbeit bitten? Nein", sagte sie, ohne ihm eine Gelegenheit zu einer Antwort zu geben. „Weil ich weiß, wie wichtig dir deine Arbeit ist. Bei mir ist das nicht anders. Und damit das klar ist: Ich bringe Haushalt und Karriere sehr gut unter einen Hut. Das glaubst du vielleicht nicht, aber was weißt du schon? Du kümmerst dich nur an zwei Wochenenden im Monat um Noelle."

„Ich habe dir gesagt, dass wir unsere Vereinbarung jederzeit ändern können. Ich würde mich freuen, Noelle auf Dauer zu mir zu nehmen."

„Was weißt du denn schon darüber, wie man eine Zwölfjährige erzieht."

„Ach, aber du weißt das?" Er schüttelte den Kopf. „Dass ich nicht lache."

„Ich bin eine hervorragende Mutter."

„Wirklich? Wann hast du denn zum letzten Mal Zeit mit ihr verbracht? Wann hast du ihr etwas Anständiges gekocht? Wann warst du mit ihr zum letzten Mal im Kino?"

Einen Moment lang stand Lindsay einfach nur da und sah ihn mit allem Hass an, den sie gegen ihn aufbringen konnte. Dann drehte sie sich mit hoch erhobenem Kopf um. Im gleichen Moment löste sich das, was von der Hochsteckfrisur noch übrig geblieben war. Mit einem frustrierten Aufschrei zog sie die letzte Haarnadel heraus und ging zurück zu Noelle.

Gregory grinste. Er war froh, dass ihm diese gelegentlichen Ausbrüche nicht mehr an die Nerven gingen, und begab sich auf die Suche nach Dr. Dreamboat.

13. KAPITEL

Preston hatte noch immer nicht angerufen, und nach einer schlaflosen Nacht war Rachel um halb acht aufgestanden. In ihrem himmelblauen Pyjama und mit wirrem Haar schleppte sie sich in die Küche, um sich einen Kaffee zu machen und den Fernseher einzuschalten.

Sie gab gerade einen Löffel coffeinfreien Kaffeepulvers in den Filter, als sie eine vertraute Stimme aus dem Fernseher hörte.

Es war die Stimme von Edwina Farley, Prestons Mutter. Nach der Umgebung zu urteilen, war dieser Bericht am Abend zuvor gefilmt worden, als Edwina gerade das San Francisco Museum of Modern Art verließ, wo sie ein nobles Dinner veranstaltet hatte.

Rachel erinnerte sich vage, dass Preston von dieser Gala gesprochen hatte. Und von der Tatsache, dass seine Mutter als wichtige Gönnerin für eine Ausstellung mit Gemälden von Van Gogh im Museum verantwortlich war.

Die von Reportern umringte Edwina befand sich vollkommen in ihrem Element, sie strahlte und posierte für die Fotografen, während sie wohlwollend jede Frage zu der Ausstellung beantwortete, die sie möglich gemacht hatte.

Preston hat sich geirrt, dachte Rachel, als sie zusah, wie ihre zukünftige Schwiegermutter die Medien verzauberte. Edwina war eine nette, intelligente Frau. Sie würde ihr nicht die Schuld dafür geben, dass sie die Tochter von Alyssa Dassante war. Und sie würde ganz bestimmt nicht . . .

Rachels Gedankengang wurde abrupt unterbrochen, als

119

ein Reporter eine unerwartete Frage stellte. „Mrs. Farley, stimmt es", fragte er, während die Kameras Edwinas lächelndes Gesicht heranholten, „dass Ihr Sohn seine Verlobung mit Rachel Spaulding gelöst hat?"

Fassungslos starrte Rachel auf den Fernseher. Woher kam denn dieser Unsinn? Preston hatte ihre Verlobung nicht gelöst. Der Reporter war verrückt.

Edwina machte auf einmal ein mitleidiges Gesicht. Sie zögerte einen Moment, als sei sie nicht sicher, was sie sagen sollte, dann antwortete sie mit einem leisen Seufzer: „Ja, das stimmt."

Alle stürmten mit Fragen auf sie ein, so dass Rachel kaum noch etwas verstehen konnte.

„Meine Damen, meine Herren, bitte", sagte Edwina und hob die Hand. „Ich weiß, dass Sie alle neugierig sind, und ich werde auch gerne Ihre Fragen beantworten. Aber nur, wenn Sie nicht alle gleichzeitig reden."

„Warum haben sie sich getrennt?" kam eine Frage aus dem Hintergrund.

Edwina ließ ihren Blick über die Menge wandern. „Weil", sagte sie langsam und wägte jedes Wort sorgfältig ab, „mein Sohn vor wenigen Stunden erfahren hat, dass Rachel Spaulding die Tochter von . . . Alyssa Dassante ist."

„Oh, mein Gott", stöhnte Rachel und ließ sich in einen Sessel sinken.

Einen Moment lang verharrte die Menge wortlos. Ein paar Reporter sahen sich an, als würden sie sich fragen, wer Alyssa Dassante sein sollte. Aber der Reporter, der die erste Frage gestellt hatte, wusste genau, wer sie war. „Das ist doch die Frau, die vor einunddreißig Jahren ihren Ehemann umbrachte und dann spurlos verschwand, oder?"

Die Worte schlugen ein wie eine Bombe. Gut die Hälfte aller Journalisten griffen zu ihrem Mobiltelefon, und während sie wild durcheinander redeten, drängten die anderen weiter vor, um so nahe wie möglich an Edwina heranzukommen.

In völligem Schockzustand starrte Rachel auf die Frau, die sie erst einen Monat zuvor mit einer solchen Wärme und Ehrlichkeit in ihrer Familie willkommen geheißen hatte, dass Rachel Tränen in die Augen geschossen waren.

„Paul und ich sind so froh, dass Sie unseren Sohn heiraten, Rachel. Wir hätten uns niemanden wünschen können, der besser zu Preston passen würde."

Und genau diese Frau demontierte sie jetzt in aller Öffentlichkeit.

„Nein", sagte Edwina auf eine Frage, die Rachel nicht gehört hatte. „Mein Sohn ist momentan nicht zu sprechen. Sie können sich bestimmt vorstellen, dass er am Boden zerstört ist."

„Sind Sie sicher, dass Rachel Spaulding die Tochter von Alyssa Dassante ist?" wollte ein Skeptiker wissen. „Haben Sie Beweise?"

Edwina zeigte ihr tolerantes Lächeln. „Würde ich solche Anschuldigungen machen, wenn ich nicht sicher wäre?"

„Also haben Sie einen Beweis, Mrs. Farley?"

„Ja. Miss Spaulding persönlich hat gegenüber meinem Sohn eingeräumt, wer sie ist."

Miss Spaulding. Nicht „die Verlobte meines Sohns", was sie zumindest nach Edwinas Ermessen auch nicht mehr war. Miss Spaulding. Nicht mal mehr „Rachel". Das allein sagte mehr als alles andere genug darüber aus, wie die Farleys zu ihr standen. Der Beitrag endete damit, dass Edwina den Reportern für deren Interesse dankte und zu einer wartenden Limousine eilte.

„Mrs. Farley konnte zum gegenwärtigen Zeitpunkt keine weiteren Erklärungen abgeben", sagte der Nachrichtensprecher, dessen Gesicht nun wieder den Bildschirm ausfüllte. „Wir werden Sie natürlich auf dem Laufenden halten. Und nun weitere Nachrichten. Der Bürgermeister von San Francisco . . ."

Rachel schaltete den Fernseher aus und stand mit dem Rücken zur Küchentheke. Sie fragte sich, von was sie da gerade überfahren worden war. Preston hatte die Verlobung gelöst? Ohne mit ihr darüber zu sprechen? Sie schüttelte den Kopf. So grausam konnte er nicht sein. Sie konnte sich auch nicht vorstellen, dass er die Geschichte an die Medien weitergegeben hatte. Es musste eine andere Erklärung geben.

Jemand klopfte zaghaft an der Tür. Sie warf einen hoffnungsvollen Blick in die Richtung und murmelte: „Bitte, lieber Gott, lass das Preston sein."

Ihre Hoffnung wurde zerschmettert, als sie sah, dass es nicht Preston war, sondern Terrence, seit vielen Jahren der Butler der Farleys. Er stand vor der Tür, sein Gesicht ließ sein Unbehagen erkennen. In den Händen hielt er einen Umschlag.

„Guten Morgen, Miss Spaulding. Ich . . ." Er senkte den Blick auf den Umschlag, als würde es ihm Schwierigkeiten bereiten, ihr ins Gesicht zu sehen. „Mr. Farley hat mich gebeten, Ihnen dies hier zu überbringen." Er reichte ihr den Umschlag.

Sie fuhr sich mit den Fingern durchs Haar, als ihr klar wurde, wie schrecklich sie aussehen musste. „Preston?"

Er nickte. „Er . . ." Terrence räusperte sich. „Er hat mich gebeten zu warten. Er sagte, dass Sie alles verstehen würden, sobald sie den Brief gelesen haben."

Rachel wusste nicht, ob ihre Stimme den Dienst versagen würde, also nickte sie nur und ging zurück ins Haus, während Terrence ihr ins Wohnzimmer folgte.

Ihre Hände zitterten, als sie den Umschlag aufriss und ein einzelnes Blatt cremefarbenes Papier mit eingeprägtem Wappen der Farleys herauszog.

Rachel,
dies ist das Schwerste, was ich jemals tun musste. Aber nach einer langen und schmerzhaften Diskussion bin ich zu dem Schluss gekommen, dass es für uns beide das Beste ist, wenn wir unsere Beziehung beenden. Es tut mir Leid, dass ich dir das auf diesem Weg mitteile. Ich weiß, dass ich persönlich bei dir hätte vorbeikommen sollen, doch ehrlich gesagt bin ich viel zu aufgewühlt, um dich zu sehen. Ich möchte mich auch dafür entschuldigen, dass die Geschichte an die Medien gegangen ist. Ich versichere dir, dass ich damit nichts zu tun hatte. Ein Reporter, der gestern Abend beim Galadinner anwesend war, kam auf die Hochzeit zu sprechen. Da hatte meine Mutter keine andere

*Wahl, als ihm zu sagen, dass sie abgesagt worden war.
Die Nachricht hat sich dann sehr schnell herumge-
sprochen. Gib Terrence bitte den Ring. Er kommt zum
Ende der Woche noch einmal vorbei, um meine Sachen
abzuholen. Danke.*
Preston

Rachel stand einen Moment lang da, unfähig sich zu
bewegen, ein wenig schwindlig. Sie blickte auf und sah
Terrence an, als könne der irgendeine Erklärung liefern,
warum ihr das alles widerfuhr.

Er konnte es nicht. Was sollte der Mann auch sagen?
Es war vorbei. Keine Traumhochzeit, keine Flitterwochen
in einem abgelegenen Bungalow auf Maui, keine kleinen
Farleys, kein Preston. Mit ein paar unpersönlichen Worten
hatte er alle Brücken hinter sich niedergerissen, als hätte
er sie nie geliebt.

Terrence sah sie neutral an, was recht erstaunlich war
angesichts der Tatsache, dass sie vor seinen Augen förmlich
zusammenbrach. Ist das ein Kennzeichen für einen guten
Butler, fragte sie sich, im Angesicht einer Katastrophe nicht
die Fassung zu verlieren? Es musste wohl so sein. Natürlich war Terrence ein guter Butler, genau genommen war er
sogar ein perfekter Butler. Die perfekte Edwina hätte sich
nicht mit weniger zufrieden gegeben.

Sie presste ihre Finger gegen die Stirn und begann sie gedankenverloren zu reiben. Was machte sie? Warum dachte
sie über die Fertigkeiten eines Dieners nach, anstatt sich
mit Prestons Brief zu befassen?

Ein höfliches Räuspern brachte sie aus ihrer Trance.
Der arme Mann wartete wahrscheinlich auf eine Ant-
wort, schriftlich oder mündlich, irgendetwas, das Prestons
Schuldgefühle vermindern konnte.

Eine Reihe von Beleidigungen kam ihr in den Sinn, etwas
Vulgäres und Schockierendes, das den Butler und Preston
aus dieser stoischen Ruhe bringen würde. Aber sie konnte
überhaupt keinen klaren Gedanken fassen. Ihr Gehirn
schien völlig leer zu sein.

Rachel riss sich zusammen und drückte die Schultern

durch, um den Versuch zu unternehmen, einigermaßen würdevoll auszusehen. „Danke, Terrence. Sagen Sie Mr. Farley bitte, dass ich es verstehe."

Terrence verbeugte sich, eine weitere Angewohnheit, die er im Lauf der Jahre bis zur Perfektion weiterentwickelt hatte. Als er sich nicht von der Stelle rührte, ging sie zur Tür und öffnete sie für ihn. Was solls, er hatte das für sie oft genug gemacht.

Er bewegte sich noch immer nicht, sondern räusperte sich abermals. Diesmal ging es mit einem kurzen, verräterischen Blick auf ihre linke Hand einher.

Oh, Gott, der Ring. Darauf hatte er die ganze Zeit gewartet. Fast hätte sie laut losgelacht. Dachte er, dass sie den Ring behalten wollte? Dass er ihn ihr vielleicht mit Gewalt vom Finger reißen musste?

Sie wollte ihm keinen Herzinfarkt bescheren, also zog sie den Ring vom Finger und warf ihn in seine bereits geöffnete und ausgestreckte Hand. „Hier", sagte sie. In der Hoffnung, dass er als perfekter Butler ihre Nachricht auch exakt so weitergeben würde, wie er sie erhielt, fügte sie hinzu: „Sagen Sie Preston, dass er mir sowieso nie gefallen hat."

Rachel stand verloren und fassungslos mitten im Wohnzimmer, nachdem Terrence wieder gegangen war. Wie konnten sich bloß so viele Katastrophen in so kurzer Zeit ereignen? Erst der Tod ihrer Großmutter, dann die Erkenntnis, dass sie die Tochter von Alyssa Dassante war. Und jetzt Preston.

Warum musste sie immer die Menschen verlieren, die sie am meisten liebte? Sie sah sich hilflos um. Sollte ihre eigene Stärke auf die Probe gestellt werden? Oder war irgendeine finstere Verschwörung am Werk, die sicherstellen sollte, dass sie am Ende ganz alleine dastehen würde?

Ihr Blick blieb an dem Regal hängen, das von Wand zu Wand reichte und in dem sich unzählige alte Bücher aneinander drängten, von denen sie einige schon als Kind gelesen hatte. Hier und dort dienten Schnickschnack und Souvenirs als Buchstützen. Ein Seelöwe aus Porzellan, den Preston ihr in Pebble Beach gekauft hatte, ein Kaffeebecher mit einem Foto von seinem Gesicht, eine kleine Standuhr, die er ihr zum Geburtstag geschenkt hatte.

„Damit kannst du die Stunden bis zu unserer Hochzeit zählen", hatte er zu ihr gesagt.

Auf dem mittleren Regalbrett stand ein gerahmtes Foto, das sie und Preston zeigte. Sie blickten sich in die Augen und wirkten unendlich glücklich. Sie strich mit den Fingern über die Konturen des Gesichts ihres Verlobten . . . ihres Exverlobten. Wieso hatte sie sich so in ihm getäuscht? Und wie konnte er sich in einer solchen Zeit von ihr abwenden?

Während sie ein Schluchzen unterdrückte, riss sie das Bild von seinem gemütlichen Platz und schmiss es gegen die Wand. Als Rachel das Geräusch von zersplitterndem Glas hörte, sank sie auf die Knie, vergrub ihr Gesicht in ihren Händen und begann hemmungslos zu weinen.

Einige Minuten verstrichen, dann stand sie auf und beseitigte die Unordnung, die sie selbst verursacht hatte. Das Bücherregal räumte sie so um, dass sie nicht ständig an das Bild erinnert wurde, das dort gestanden hatte.

Sie holte einen alten Koffer vom Dachboden, brachte ihn ins Schlafzimmer und packte Prestons Kleidung zusammen: ein Armani-Jackett, ein Bill-Blass-Anzug, mehrere Hemden, zwei Hosen sowie eine Reihe von Krawatten, T-Shirts, Gürteln und Schuhen. Preston hatte höchstens ein oder zwei Nächte in der Woche hier im Bungalow übernachtet, aber er bevorzugte es, vorbereitet zu sein.

Als nichts mehr übrig war, was ihrem Exverlobten gehörte, ging sie wieder nach unten, suchte im Telefonbuch eine Nummer, nahm den Hörer und tippte sie ein. „Guten Morgen", sagte sie, als eine Frau am anderen Ende den Anruf entgegennahm. „Ich habe hier ein paar Altkleider, die ich gerne spenden möchte. Könnten Sie jemanden vorbeischicken, der sie abholt?" Sie lächelte. „Wunderbar. Ich stelle sie in einem Koffer vor die Tür." Sie gab der Frau ihre Adresse. „Ach ja, könnten Sie mir noch einen Gefallen tun?" fragte sie freundlich. „Könnten Sie die Spendenbescheinigung an Preston Farley schicken?" Sie gab ihr die Adresse der Farleys, bedankte sich und beendete das Gespräch.

Sie fühlte sich schon viel besser, als sie den Koffer vor

die Tür stellte und dann ins Haus zurückkehrte, um sich umzuziehen.

„Joe." Sal begrüßte den Privatdetektiv, der extra den Weg von San Francisco bis hierher unternommen hatte, um ihm etwas zu sagen, das er wahrscheinlich auch am Telefon hätte erledigen können. Er bedeutete seiner Haushälterin, sie könne sich zurückziehen. Nachdem sie die Tür hinter sich geschlossen hatte, zeigte er auf einen Sessel. „Sie haben eine weite Strecke hinter sich, was gibt es Neues?"

Kelsey nahm breitbeinig Platz und ließ seine Arme zwischen den Knien baumeln. Er war ein durchschnittlicher, unscheinbarer Mann um die fünfzig, der auch fünfzehn Jahre nach seiner Zeit beim FBI immer noch so aussah wie ein Beamter. „Ich habe Neuigkeiten, Sal. Unglaubliche Neuigkeiten."

Sal lehnte sich erwartungsvoll vor. „Sie haben Alyssa gefunden."

„Viel besser."

„Was zum Teufel sollte besser sein?"

Kelsey beobachtete ihn einen Moment lang. „Wie wäre es damit, dass Ihre Enkelin noch lebt?"

Sal sackte in seinem Sessel zusammen. „Sie nehmen mich auf den Arm."

„Keineswegs. Ihre Enkelin lebt", wiederholte Kelsey. „Ich weiß, dass es unglaublich klingt, aber es stimmt. Ich habe es überprüft, bevor ich herkam. Ihr Name ist Rachel Spaulding. Sie wurde vor einunddreißig Jahren von Helen und Jack Spaulding adoptiert und lebt in Napa Valley. Sie ist eine Winzerin."

„Woher . . . woher wissen Sie das? Wer hat Ihnen das erzählt?" Von der Nacht abgesehen, in der er seinen Sohn tot vorgefunden hatte, konnte er sich nicht daran erinnern, jemals wieder einen solchen Schock gespürt zu haben. Die Enkelin, von der er all die Jahre geglaubt hatte, sie sei tot . . . sie lebte!

„Sie erinnern sich an meinen Kontaktmann beim *Chronicle?"* Kelsey beugte sich vor. Sal nickte.

„Er hat mir gesagt, dass Edwina Farley, die Mutter des

Mannes, den Rachel Spaulding heiraten sollte, die Medien informiert hat, Rachel Spaulding sei Alyssa Dassantes Tochter. Laut Edwina ist das der Grund, warum ihr Sohn die Verlobung gelöst hat."

„Das ist eine Lüge. Meine Enkelin starb bei einem Feuer. Eine Nonne hat es mir gesagt, und das wissen Sie."

„Lillie ist nicht gestorben, es war eine Verwechslung. Ich bin erst jetzt hergekommen, weil ich sichergehen wollte, dass mein Mann beim *Chronicle* alle Fakten auf dem Tisch hat. Und die hat er. Preston Farley hat später die Erklärung seiner Mutter bestätigt." Kelsey gab ihm die Zeitung. „Hier steht es alles drin, Sal, sehen Sie nur."

Sal nahm die Zeitung. Als er das Foto sah, begann er zu zittern. Die junge Frau auf dem Bild war wunderschön, sie hatte kurzes braunes Haar, große Augen, die direkt in die Kamera blickten, und ein breites, freundliches Lächeln. Auf ihrer Oberlippe sah er das Muttermal, das ihm nur zu vertraut war. „Alyssa", murmelte er.

„Nein", erwiderte Kelsey. „Das ist nicht Alyssa, sondern Rachel Spaulding. Das Foto entstand vor einem Monat, als sie und Preston Farley sich verlobten."

Sals Finger strichen über das Foto. „Das ist mein Enkelin?"

„Ja, Sal, das ist sie."

Er schluckte. Er dachte daran, sich einen Drink einzuschenken, um seine Nerven zu beruhigen, aber er konnte sich nicht vorstellen, dass der sich einen Weg durch seine zugeschnürte Kehle bahnen würde. „Wie alt ist diese . . . Rachel?"

„Einunddreißig. Sie wurde am 14. August 1968 im Kloster ‚Our Lady of Good Counsel' abgegeben und noch im September zur Adoption gegeben."

14. August. Der Tag, an dem Mario gestorben war.

Er schloss seine Augen. Lillie. Lillie lebte.

Lange nachdem Kelsey wieder gegangen war, saß Sal ganz allein in der Dunkelheit in seinem Zimmer, die Zeitung auf seinem Schoß. Der Artikel hatte ihm mitgeteilt, was er wissen musste. Doch es war das Bild von Lillie – Rachel Spaulding –, das ihn davon überzeugt hatte, dass kein Irrtum möglich war. Diese junge Frau war seine Enkelin.

Er hasste es, dass sie ihrer Mutter so ähnlich sah, aber trotz dieser verblüffenden Ähnlichkeit konnte er genug von Mario in ihren stolzen dunklen Augen erkennen, damit sein altes Herz ein wenig schneller schlug.

Diese verdammte Nonne, dachte er und wurde mit einem Mal wütend. Wäre sie nicht gewesen, dann hätte er nicht diese einunddreißig Jahre verloren. Er müsste jetzt nicht hier sitzen und sich Gedanken darüber machen, wie er auf seine Enkelin zugehen sollte. Wollte sie ihn überhaupt sehen?

Zornig stand er auf und begann hin und her zu laufen, während er sich zwang, die Ruhe zu bewahren. Was machte es schon aus, was eine Nonne getan hatte und was nicht? Seine Enkelin lebte. Allein dafür sollte er den Boden küssen.

„Rachel Spaulding." Er verzog das Gesicht, während er versuchte, sich an ihren Namen zu gewöhnen. Kein sehr italienischer Name, na und? Vor allem musste er sich mit ihr treffen und sie kennen lernen. Vielleicht könnte er sie für ein großes Sonntagsessen einladen? Oder sollte er besser warten, bis sie sich bei ihm meldete? Er schüttelte den Kopf. Nein, das war keine gute Idee. Was, wenn sie schüchtern war?

Er lief weiter im Zimmer auf und ab, von Zeit zu Zeit sah er zum Telefon, während er den Wunsch verspürte, sie anzurufen. Aber was sollte er sagen? Was sagte ein Großvater zu seiner Enkelin, die er seit über dreißig Jahren nicht mehr gesehen hatte?

Aus dem Flur hörte er eilige Schritte. Er lächelte. Da würde Nico sein. Und die Tatsache, dass der Junge sonst nie rannte, sich nie beeilte, konnte nur eines bedeuten.

Er hatte die Neuigkeit über Lillie gehört.

14. KAPITEL

Für den Rest des Tages hatte die Arbeit Rachel so in Anspruch genommen, dass sie keine Zeit hatte, über Prestons Verrat und über seinen Umgang mit der Situation nachzudenken. Ihre Mitarbeiter, die ihr Bedürfnis nach Privatsphäre respektierten, ließen kein Wort über die geplatzte Verlobung verlauten, auch wenn sich die Nachricht wie ein Buschfeuer im Tal herumgesprochen hatte. Nur Sam, der sich zu sehr um sie sorgte, als dass er ihr hätte fernbleiben können, war in ihr Büro gekommen, um ihr den Trost zu spenden, den sie bitter nötig hatte.

Sie hatte jedoch seine Einladung, mit ihm und Tina zu Abend zu essen, dankend abgelehnt und stattdessen bis weit nach Feierabend gearbeitet.

Jetzt aber, da sie wieder zu Hause war und ganz allein auf der Terrasse stand, begannen ihre Gedanken erneut um ihren Exverlobten zu kreisen. Sie fragte sich, was sie bloß in diesem Mann gesehen hatte, während sie an ihrem Sauvignon Blanc nippte und in die Nacht hinausblickte. Ließ man sein gutes Aussehen und seinen Charme einmal außer Acht, dann war der Rest so falsch wie ein Dreidollar-Geldschein. Sogar die Stärke, die sie so oft an ihm bewundert hatte, war ein Witz. Preston war nicht stark. Er war eine Marionette, deren Fäden seine Mutter in der Hand hielt. Und er war aus dem gleichen dünnen Holz geschnitzt wie sie.

Und dennoch hatte sie ihn geliebt, und ein Teil von ihr liebte ihn jetzt noch.

Das Telefon klingelte, als sie gerade ihr Glas wieder auffüllte. Sie sah auf die Uhr und stellte fest, dass es kurz nach zehn war. Um diese Zeit konnte das nur Sam oder Tina sein. Oder Preston. Was sie davon halten sollte, wusste sie nicht. Sie vermochte nicht mal zu sagen, ob sie mit ihm reden konnte, ohne wütend zu werden.

Es gab nur eine Möglichkeit, das herauszufinden. Sie stellte die Weinflasche auf den Tisch und nahm das schnurlose Telefon hoch. „Hallo?"

Keine Antwort, nur Schweigen.

„Preston, bist du das?" fragte sie, obwohl sie wusste, dass er es nicht sein konnte. Er war nie um Worte verlegen, auch wenn er nicht im Recht war. „Also gut", sagte sie knapp. „Wer immer das ist, wenn Sie nicht reden wollen, dann werde ich . . ."

Ein leises Klicken beendete die Verbindung.

Rachel sah das Telefon einen Moment lang an, bevor sie es ausschaltete. Wenn Preston nicht angerufen hatte, wer dann? Die Frage ging ihr nicht aus dem Kopf, während sie sich umsah und mit einem Mal erkannte, wie verwundbar sie auf dieser offenen Terrasse war.

Sie spähte hinaus in die Nacht und dachte an Joe Brock und an die Drohungen, die ihr ehemaliger Kellermeister vor ein paar Tagen ausgesprochen hatte. *Das wird Ihnen noch Leid tun, das schwöre ich Ihnen.* Da er zu der Zeit betrunken gewesen war, hatte sie ihn nicht ernst genommen. Was aber, wenn er es ernst gemeint hatte? Und wenn er wütend genug war, um ihr Angst einzujagen? Oder – noch schlimmer – ihr etwas anzutun?

Diese untypische Angst irritierte sie, und sie versuchte, diese Gedanken zu verwerfen. Was war mit ihr los? Das war schließlich nicht der erste anonyme Anruf ihres Lebens, und er würde nicht der letzte sein. Warum sollte sie sich also aufregen?

Ihre aufmunternden Worte schienen zu wirken, dennoch war sie nicht länger in der Stimmung für einen ruhigen Moment auf der Terrasse. Außerdem wurde es allmählich kalt und spät. Sie nahm Weinflasche und Glas in die eine, das Telefon in die andere Hand, trug alles nach drinnen und verriegelte hinter sich die Schiebetür.

Sie wollte den Telefonstecker aus der Wand ziehen, doch dann hielt sie inne. Um Gottes willen, Rachel, dachte sie und lachte über ihre eigene Angst. Geh schlafen, bevor du völlig paranoid wirst.

Obwohl sie für gewöhnlich nicht auf ihre eigenen Ratschläge hörte, schaltete sie das Licht aus und ging durch den Flur ins Schlafzimmer.

Nach ihrer Rückkehr von einem eintägigen Marketingseminar in Dallas saß Annie am Esstisch und blätterte im *St. Helena Star*. Als sie Seite vier erreichte, verschlug es ihr den Atem. Ein Foto von Rachel und Preston starrte ihr entgegen. Über dem Foto stand die Schlagzeile *Alyssa Dassantes Tochter lebt – Verlobung gelöst*.

Annie vergaß ihre halbe Grapefruit und überflog ungläubig den Artikel. Rachels leibliche Mutter war eine Mörderin? Großer Gott.

Nachdem sie den Artikel über den Mord vor einunddreißig Jahren und über Rachels gelöste Verlobung gelesen hatte, schoss Annie ein Gedanke durch den Kopf. Was, wenn Rachel herausfand, dass sie Gregory angeheuert hatte?

Stöhnend stützte sie den Kopf auf ihre Hände. Sie hatte niemals erwartet, dass die Wahrheit über Rachels Herkunft einen solchen Schaden anrichten und zudem so in der Öffentlichkeit breitgetreten werden könnte. Sie wollte nur etwas gegen ihre Schwester in der Hand haben, damit die aus freien Stücken Spaulding Vineyards an sie abgab.

Sie traute sich nicht mal, Gregory anzurufen, der außer sich sein musste vor Wut. Oh, Gott, was hatte sie bloß angerichtet?

„Mom? Gehts dir gut?"

Annie sah erschrocken auf. „Courtney." Sie zwang sich zu einem Lächeln, als ihre Tochter das Zimmer betrat. „Ja, mir gehts gut. Ich habe bloß Kopfschmerzen, weiter nichts. Möchtest du ein wenig Obst, Darling? Ming hat . . ."

„Ich habe keinen Hunger." Courtney nahm am gegenüberliegenden Ende des Tischs Platz. „Hast du gehört, dass Preston mit Rachel Schluss gemacht hat?"

Annie vermied es, ihrer Tochter in die Augen zu sehen. Sie durfte keinen Verdacht schöpfen. Niemand durfte Verdacht schöpfen. „Ich habe es gerade gelesen. Das ist ... schrecklich."

„Ich habe eben bei ihr im Bungalow angerufen, aber sie geht nicht ans Telefon. Ich mache mir Sorgen um sie, Mom. Sie ist nicht zu Hause, nicht auf dem Weingut und auch nicht bei Tina."

„Ich würde mir keine Sorgen machen, Darling." Annie griff nach der silbernen Kanne und goss sich noch eine Tasse Earl Grey ein. Zum Glück verriet ihre Hand nichts von ihrer Nervosität. „Wahrscheinlich will sie im Moment allein sein, um den Schock zu verarbeiten."

Courtney nickte. „Könnte sein." Dann schüttelte sie den Kopf: „Ich kann es nicht glauben. Tante Rachel soll die Tochter einer Mörderin sein? Warum hat uns das niemand gesagt?"

Annie konnte ihre Tochter noch immer nicht ansehen, stattdessen knickte sie die Zeitung um und glättete die Falz mit ihrer Handfläche. „Wahrscheinlich, weil eine Familie solche Dinge nicht verbreiten will."

„Und warum ist Daddys bester Freund in die Angelegenheit verwickelt? Für wen arbeitet er?"

Annie lachte nervös. „Darling, warum stellst du mir all diese Fragen? Ich habe keine Antworten darauf."

„Aber du kennst ihn doch. Gregory Shaw war bei deiner Hochzeit."

„Ich kann den Mann nicht ausstehen, Courtney. Jeder weiß das."

„Tante Rachel hasst ihn auch."

Annie blickte ruckartig auf. „Wann hat sie dir das denn erzählt?"

„Vor einiger Zeit. Du weißt, was damals passierte. Gregory kam dahinter, dass Tante Rachel in ihn verschossen war. Er und Daddy haben sich bei deiner Hochzeit darüber lustig gemacht." Sie sah auf die Zeitung neben Annies Teller. „Ich möchte wissen, was sie jetzt machen wird, wo sie weiß, dass er dafür verantwortlich ist."

Kalter Schweiß rann zwischen Annies Brüsten über die

Haut. Sie wusste genau, was Rachel machen würde. Sie hätte an ihrer Stelle genau das Gleiche getan: Sie würde zu Gregory gehen und ihm so lange zusetzen, bis er ihr erzählte, was sie wissen wollte.

Und wenn Gregory wütend genug war, um Rachel die Wahrheit zu sagen, dann steckte sie – Annie – tief im Dreck. Und das war noch milde ausgedrückt.

Sie merkte kaum den flüchtigen Kuss, den Courtney ihr auf die Wange gab. „Mein Bus ist da. Tschüss, Mom."

„Tschüss, Darling", erwiderte Annie gedankenverloren.

Rachel stand in der mit grünem Marmor ausgekleideten Lobby des Jackson Building in der Montgomery Street, während die Leute an ihr vorbei zu der Reihe von Aufzügen im hinteren Bereich eilten. Sie versuchte, nicht im Weg zu stehen, und ließ ihren Blick über die Liste der Anwaltskanzleien, Makler und anderen ähnlichen Unternehmen wandern, bis sie Shaw and Associates entdeckte: 17. Stockwerk, Suite 1720.

Am Abend zuvor hatte sie den Beschluss gefasst, Gregory Shaw zur Rede zu stellen. Doch jetzt kam ihr der Gedanke, in sein Büro zu stürmen und von ihm zu verlangen, seinen Auftraggeber preiszugeben, völlig lächerlich vor. Das war eine vertrauliche Information. Warum sollte er sie ihr geben? Er mochte unhöflich und grob und noch einiges andere sein, aber er hätte niemals so erfolgreich werden können, wenn er sich nicht an bestimmte Grundsätze hielt.

„Miss? Kann ich Ihnen behilflich sein?"

Rachel drehte sich um und sah, dass ein Wachmann sie anlächelte. Sie erwiderte das Lächeln. „Nein, danke, ich habe schon gefunden, wonach ich gesucht habe."

Der Wachmann tippte an seine Mütze und ging zurück zu seinem Schreibtisch auf der anderen Seite der Lobby.

Rachel blickte wieder auf Gregorys Namen – weiße Buchstaben auf schwarzem Grund. Wer hat dich beauftragt, Gregory? Schwester Mary-Catherine hatte Sal Dassante im Verdacht, aber das ergab keinen Sinn. Warum sollte der sich an Gregory wenden, wenn er schon einen Privatdetektiv beauftragt hatte?

Je länger sie darüber nachdachte, umso überzeugter war sie, dass Gregory den Fall übernommen hatte, um jemandem einen Gefallen zu erweisen. Und egal, wie sehr sie sich auch gegen diesen Gedanken wehrte, dieser Jemand nahm fast unweigerlich die Gestalt ihrer Schwester an. Annie mochte Gregory hassen, aber sie war durchaus fähig, ihre persönlichen Empfindungen zurückzustellen, um das zu bekommen, was sie haben wollte: Spaulding Vineyards.

Die Frage war nur, ob sie jemals herausfinden konnte, dass Annie sie verraten hatte.

Die Lösung zu dieser Frage kam ihr, als sie einen Mann sah, der mit einer Aktentasche in der Hand zu einem öffentlichen Telefon in der Nähe des Wachmanns ging. Lächelnd holte sie ihr Mobiltelefon aus der Handtasche, suchte Gregorys Nummer heraus und wählte.

„Shaw and Associates", sagte eine Frauenstimme am anderen Ende.

„Guten Morgen", erwiderte Rachel und hoffte, dass es ihr einigermaßen gelang, Annies Stimme zu imitieren. „Hier ist Annie Spaulding. Ich glaube, dass ich meine Aktentasche verloren habe, und ich habe überlegt, ob ich sie vielleicht bei Ihnen vergessen habe, als ich letzte Woche im Haus war."

„Ich glaube nicht, Miss Spaulding, aber ich werde in Mr. Shaws Büro nachsehen. Einen Moment bitte." Die Sekretärin war nach wenigen Augenblicken wieder am Apparat. „Es tut mir Leid, Miss Spaulding, aber ich kann sie nicht sehen. Ich bin sogar fast sicher, dass Sie keine Aktentasche hatten, als Sie hier waren, nur Ihre Handtasche."

Rachel atmete tief ein, während sie große Ernüchterung fühlte. Wenn Annie in diesem Augenblick bei ihr gewesen wäre, dann hätte sie sie auf der Stelle erwürgt. Da sie nicht hier war, würde sie sich mit Gregory begnügen müssen. „Danke", sagte sie und bemühte sich, ihren Zorn unter Kontrolle zu halten. „Dann habe ich sie wohl irgendwo anders stehen lassen." Sie machte eine kurze Pause. „Ist Gregory zufällig im Haus?"

„Ich bedauere, nein."

„Wann erwarten Sie ihn zurück."

„Erst am späten Vormittag."

Frustriert bedankte sich Rachel bei der Sekretärin und schaltete ab. Gregory Shaw würde noch warten müssen.

Es war eine lange und ruhelose Nacht gewesen. Noelle hatte sich immer wieder im Bett umhergewälzt, während Gregory darauf geachtet hatte, dass sie ihr Handgelenk nicht weiter verletzte. Um acht Uhr morgens hatte Dr. Dreamboat sie für ansonsten kerngesund erklärt und die Entlassungspapiere ausgestellt.

Sie kamen gerade zu Hause an, als Lindsay, die sich dazu hatte überreden lassen, nach Hause zu gehen, im Begriff war, wieder ins Krankenhaus zu fahren. Die Erkenntnis, dass sie die Entlassung ihrer Tochter verpasst hatte, verursachte einen weiteren Wutausbruch, doch Gregory war zu müde, um darauf einzugehen. Nachdem er seiner Tochter zum Abschied einen Kuss gegeben und ihr versprochen hatte, später am Tag anzurufen, war er gegangen.

Während er losfuhr, fühlte er sich versucht, den versäumten Schlaf nachzuholen. Doch ein Termin um zehn Uhr mit dem Chef von ATC und die Tatsache, dass sein Apartment am anderen Ende der Stadt lag, machten diesen kleinen Luxus unmöglich. Er würde sich mit einer schnellen Dusche und frischer Kleidung im Büro begnügen müssen, bevor er in dieses Meeting ging.

Wenig später stand er vor dem Spiegel im Badezimmer, ein Handtuch um die Hüften gelegt, sein Gesicht mit Rasierschaum bedeckt, als die Sprechanlage summte. „Ja, Phyllis?"

„Ihre Tante, Mr. Shaw."

Gregory nahm sofort den Hörer ab. „Tante Willie. Sag nicht, dass ich dir jetzt schon fehle."

„Du fehlst mir immer, Junge." Sie stockte, dann fragte sie: „Hast du die Zeitungen gesehen?"

„Noch nicht. Ich bin gerade aus dem Krankenhaus zurück ..."

„Aus dem Krankenhaus?" Willies Stimme verriet ihre Besorgnis. „Was ist passiert?"

„Noelle ist vor ein Auto gelaufen, aber es geht ihr gut", sagte er rasch, während Willie einen erstickten Schrei ausstieß. „Ich habe sie gerade nach Hause gebracht." Er wusste, dass Willie unter ihrem schroffen Äußeren ein weiches Herz hatte, also tat er sein Bestes, um sie zu beruhigen. „Sie wollte sogar zur Schule gehen", fügte er an. „Um mit ihrer Armschlinge anzugeben und um von ihrem jungen und attraktiven Doktor zu erzählen."

„Ich sage dir, Noelle ist so schlimm wie du, als du in ihrem Alter warst", seufzte Willie. „Sie zieht Unfälle magisch an und ist eine Draufgängerin. Eine ziemlich schlechte Kombination. Ich hatte immer eine Todesangst."

„Warum? Dad war nie in Sorge." Warum musste er das jetzt sagen?

Willie lachte. „Der hat sich mehr Sorgen gemacht, als du glaubst. Er hat das bloß nie gezeigt."

Anstatt wieder ein Gespräch über seinen Vater zu beginnen, kehrte er zurück zu Willies Grund für den Anruf. „Warum willst du wissen, ob ich die Zeitungen gesehen habe? Irgendetwas, das ich lesen sollte?"

„Die Titelstory des Tages, mein lieber Neffe. Du erinnerst dich an die Frau, nach der du suchst?"

„Alyssa Dassante. Natürlich."

„Ihre Tochter ist aufgetaucht."

„Unmöglich." Er sah auf die Zeitung, die auf seinem Schreibtisch lag, doch die war vom Vortag. „Das Baby ist bei einem Brand umgekommen. Das hast du mir selbst gesagt."

„Das hat man uns allen damals erzählt. Es hat sich aber herausgestellt, dass es ein zweites Mädchen im Kloster gab, das genauso alt war. Die Nonnen hatten die beiden verwechselt. Das andere Mädchen war damals gestorben."

„Also weilt Lillie Dassante unter den Lebenden."

„Genau. Nur, dass sie nicht mehr Lillie heißt, sondern Rachel." Wieder machte sie eine kurze Pause. „Rachel Spaulding."

Einige Sekunden lang stand Gregory einfach nur da. „Was hast du gesagt?" fragte er, als er wieder reden konnte.

„Rachel Spaulding. Die Schwester von Annie Spaulding, der Exfrau deines besten Freundes, ist die Tochter von Alyssa Dassante."

Gregory fuhr sich durch seine feuchten Haare. „Jesus Christus. Bist du sicher? Ich meine, wer hat das erzählt?"

„Laut Edwina Farley war es Rachel selbst. Hol dir eine Zeitung, Gregory, das ist schon eine Story." Sie kicherte. „Jetzt würde ich mir wünschen, noch meine Zeitung zu besitzen."

Nachdem er aufgelegt hatte, rief Gregory seine Sekretärin. „Phyllis, seien Sie doch bitte ein Schatz und bringen mir den *Chronicle* von heute Morgen, ja?"

Augenblicke später betrat sie mit der Zeitung sein Büro und legte sie auf den Schreibtisch, wobei sie vehement darüber hinwegsah, dass er halb nackt dastand. Der Artikel stand auf Seite sechs, als Erstes sah er ein Foto von Rachel, Wange an Wange mit Preston Farley. Das gleiche Foto hatte schon die Runde gemacht, als das Paar seine Verlobung bekannt gegeben hatte.

Genau wie damals konnte sich Gregory nicht von ihrem reizenden Gesicht losreißen. Von dem schüchternen, tollpatschigen Teenager, der auf Lukes Hochzeit die Flucht vor ihm ergriffen hatte, war nichts mehr zu sehen. Sie trug ihre Haare jetzt kurz und in einer Weise zurückgekämmt, dass ihre Wangenknochen betont wurden. Die Zahnklammer trug sie längst nicht mehr, aber die Augen waren noch immer so groß, dunkel und heiter.

Über dem Foto die Schlagzeile *Salvatore Dassantes Enkelin lebt.*

„Du Miststück", murmelte er, als er den Artikel gelesen hatte. Sein Instinkt hatte ihn doch nicht getäuscht, was Annie anging. Sie hatte ihn angelogen. Alyssa Dassante und Helen Spaulding waren nicht alte Freundinnen gewesen. Sie hatten sich nicht einmal gekannt. Das hatte Annie erfunden, damit er den Fall übernahm.

Er schmiss die Zeitung auf den Schreibtisch. So viel zum Thema, nett zu anderen zu sein. Wutschnaubend nahm er den Hörer ab und wählte Annies Nummer. „Du verdammtes kleines Miststück", brüllte er, als sie abnahm. „Du hast es gewusst, oder? Du hast die ganze Zeit gewusst, dass Rachel Alyssas Tochter ist."

„Gregory, lass mich doch erklären . . ."

„Ja oder nein?"

„Ja, aber . . ."

Er knallte den Hörer auf.

15. KAPITEL

Die Stimmung im Büro von Ambrose Cavanaugh war auf dem Nullpunkt, während Rachel und Annie vor dem Schreibtisch des Anwalts saßen. Nach einem Augenblick peinlicher Stille, während der Annie mit den Fingern trommelte, sah Ambrose sie schließlich an.

„Ich bin sehr enttäuscht von Ihnen, Annie", sagte er ruhig. „Und Hannah wäre das auch."

Sofort ging Annie in die Defensive: „Was habe ich denn jetzt getan?"

„Sie haben Gregory Shaw beauftragt, damit er Alyssa Dassante findet. Das haben Sie getan."

Das Funkeln in Annies Augen erlosch, während sie kreidebleich wurde. „Was soll denn das heißen?" Auch diesem Wutausbruch fehlte das Feuer.

„Spiel nicht die Unschuldige, Annie", sagte Rachel scharf. „Ich hatte dich von Anfang an in Verdacht, auch wenn ein Teil von mir nicht glauben wollte, dass du wirklich so tief sinken würdest. Sam hatte das auch nicht glauben können, darum ließ ich es eine Weile auf sich beruhen. Als dann aber die Meldung über meine wirkliche Herkunft an die Öffentlichkeit gelangte, wurde mir klar, dass es nur einen Menschen gab, der von diesem Skandal profitieren konnte. Und dieser Mensch bist du, Annie."

„Das ist ja lächerlich!"

„Wirklich? Du hast tatsächlich nicht darauf gehofft, dass ich wegen der Klausel in Grandmas Testament die Kontrolle über das Weingut abgeben müsste?"

„Nein, daran habe ich nie gedacht!"

„Und warum hast du dann Gregory gebeten, meine leibliche Mutter ausfindig zu machen?"

Annies entsetzter Blick ging von Rachel zu Ambrose und zurück zu Rachel. „Hat er dir das gesagt?"

Rachel konnte sich ein selbstgefälliges Grinsen nicht verkneifen, während sie den Kopf schüttelte: „Nein, das habe ich selbst herausgefunden. Weißt du, Annie, du bist nicht die Einzige in dieser Familie, die schauspielern kann."

„Was soll denn das schon wieder heißen?"

„Das soll heißen, dass ich heute in Gregorys Büro angerufen und mich für dich ausgegeben habe. Ich habe seine Sekretärin gebeten, nachzusehen, ob ich letzte Woche meine Aktentasche bei ihm habe stehen lassen. Weißt du, was sie mir gesagt hat, Annie?"

Annies Gesichtsausdruck wechselte von beunruhigt zu feindselig.

„Sie hat mir gesagt, dass sie meine Aktentasche nicht finden könne, dass sie aber auch sicher sei, mich an dem Tag nur mit einer Handtasche gesehen zu haben."

In der folgenden Stille war lediglich das Ticken von Ambroses alter Uhr zu hören. Annie war unübersehbar geschlagen und schien förmlich kleiner zu werden. „Also gut. Ich habe Gregory gebeten, Alyssa zu finden. Aber ich schwöre, ich habe nichts damit zu tun, dass die Geschichte an die Öffentlichkeit gekommen ist. Ich war ja nicht mal in der Stadt. Ich wollte nur herausfinden, wer diese Alyssa war. Und wo sie war. Und warum niemand jemals von ihr gesprochen hatte."

„Woher wusstest du überhaupt von Alyssa?" fragte Rachel.

„Grandma hat es mir erzählt", flüsterte sie.

„Grandma? Wann?"

Wieder folgte eine Pause, die diesmal noch länger ausfiel. Schließlich atmete Annie tief durch und sah Rachel direkt in die Augen. „Sie hat es mir kurz vor ihrem Tod gesagt."

Ambrose ließ seine Brille auf den Tisch fallen. „Um Himmels willen, Annie!"

Rachel umklammerte die Armlehnen und sagte gar nichts.

Als sie um dieses Treffen bat, hatte sie Ambrose noch versprochen, dass sie ihre Fassung nicht verlieren würde, ganz gleich, welche Ausreden Annie vorbringen würde. Aber jetzt war sie nahe daran, dieses Versprechen zu brechen. Langsam zählte sie bis zehn.

„Was genau hatte Grandma gesagt?" fragte sie, als sie sicher war, dass ihre Stimme ruhig sein würde.

Annie sah hinunter auf ihre Hände, die sie verschränkt in den Schoß gelegt hatte. „Sie sagte: ‚Sag Rachel, dass ihre leibliche Mutter Alyssa lebt.' Und dann sagte sie, dass eine Schwester Mary-Catherine in Santa Rosa weiterhelfen könnte."

Rachel schloss die Augen und stellte sich vor, wie Annie Grandma in den Armen hielt, die im Sterben lag und gegenüber ihrer geliebten Enkelin einen letzten Wunsch aussprach. „Warum musstest du zu Gregory Shaw gehen? Warum bist du nicht selbst nach Santa Rosa gefahren?"

„Ich wollte da nicht persönlich auftauchen. Und ich wusste, dass Gregory diskret sein würde."

„Und er war einfach so einverstanden, dir zu helfen?"

„Nein, nicht einfach so." Wieder sah Annie von Rachel zu Ambrose. „Ich habe ihm nicht gesagt, woher ich von Alyssa wusste. Ich habe ihm erklärt, sie sei eine alte Freundin von Mama gewesen. Und jetzt, nachdem Grandma tot und ich ganz alleine war, wollte ich sie finden."

„Und das hat er dir abgenommen?"

Sie senkte erneut den Blick. „Ich schätze, ich war ziemlich überzeugend."

Ja, dachte Rachel und erinnerte sich an Annies unzählige Tricksereien, als sie gemeinsam aufwuchsen. Überzeugend zu sein, war eine der vielen Begabungen ihrer Schwester. „Du hast also nicht nur den letzten Wunsch von Grandma ignoriert", sagte sie kühl, „sondern du wolltest diese Information auch noch für deine eigenen niederträchtigen Zwecke benutzen."

„Nein", sagte sie starrköpfig. „Ich habe doch gesagt, dass ich daran gar nicht gedacht hatte."

„Und was wolltest du dann mit der Information anfangen?"

Annie rutschte unruhig auf ihrem Platz hin und her. „Ich ... ich weiß nicht. Nichts. Ich war einfach nur neugierig, weiter nichts. Ich wollte wissen, warum Grandma und unsere Eltern uns Alyssas Existenz all die Jahre über verschwiegen hatten."

„Du hast nur gehofft, dass du einen Skandal zutage förderst, der mich zwingt, Spaulding Vineyards aufzugeben."

„Verdammt, Rachel, das ist nicht wahr." Annie gelang ein so entrüsteter Gesichtsausdruck, dass Rachel ihr fast glaubte. „Ich weiß seit einigen Tagen von deiner wahren Identität", fuhr sie fort. „Aber habe ich ein Wort gesagt?" fragte sie und sah Rachel direkt an. „Bin ich vielleicht zur Zeitung gerannt und habe erklärt, dass Lillie Dassante nicht tot ist, sondern hier mitten unter uns im Napa Valley lebt? Oder bin ich vielleicht zu Ihnen gekommen, Ambrose?"

„Warum nicht?" wollte Rachel wissen.

„Weil ich niemandem schaden wollte, erst recht nicht dem Weingut."

Das, so dachte Rachel, war Annies einzige Rettung. Sie liebte Spaulding Vineyards genauso, wie sie selbst es tat. Vielleicht nicht aus den gleichen Gründen, aber sie liebte das Weingut genauso.

Ambrose hatte das offenbar auch bemerkt, denn er sah Rachel an und zuckte hilflos mit den Schultern, als wolle er sagen: *Annie wird sich nie ändern.*

Als Rachel ein Nicken andeutete, setzte er wieder seine Brille auf. „Also gut, bringen wir diese Sache hinter uns. Rachel hat um dieses Treffen gebeten, weil sie Bedenken hatte, was die Bedingungen von Hannahs Testament angeht und wie sich die jüngsten Entwicklungen auf ihr Eigentum an Spaulding Vineyards auswirken könnten. Als Testamentsvollstrecker bin ich fest davon überzeugt, dass von Rachels Seite kein Verstoß begangen wurde. Aus diesem Grund bleibt die bisherige Situation bestehen."

Er blickte über den Rand seiner Brille: „Was Sie angeht, Annie, muss ich sagen, dass ich Ihr Verhalten in dieser Angelegenheit abstoßend finde." Er seufzte. „Da es nicht an mir liegt, darüber zu urteilen, lasse ich Rachel entscheiden, wie sie mit Ihnen verfahren will."

„Was?" Annie sah zu Rachel. „Willst du mich etwa rausschmeißen? Ist das die Absicht hinter diesem Treffen?"

Trotz ihrer Verärgerung musste Rachel lächeln. Egal, wie sehr sich Annie danebenbenahm, sie sah sich immer als das Opfer. Und sie wusste zudem auch noch, wie sie andere dazu bringen konnte, sich ihrer Ansicht anzuschließen.

Der Gedanke, ihr zu kündigen, war verlockend, aber unpraktisch. Annie war eine ausgezeichnete Marketingleiterin, und sie in dieser kritischen Phase zu ersetzen, konnte für das Weingut in einem Desaster enden. Wenn jemand Spaulding unversehrt aus diesem Skandal bringen konnte, dann war es Annie.

„Nein, Annie, ich werde dich nicht rausschmeißen. Im Gegensatz zu dir kann ich Entscheidungen treffen, ohne mich von meinen persönlichen Gefühlen beeinflussen zu lassen. Du bist viel zu wertvoll, als dass ich dich einfach so ersetzen könnte."

Rachel hoffte insgeheim, dass dieses Kompliment bei ihrer Schwester zumindest ein schlechtes Gewissen auslösen würde, doch Annie dachte gar nicht daran, sich zu entschuldigen. Sie war wieder in Höchstform, stand auf und ging zum Fenster. „Was machen wir mit denen?" fragte sie.

Ambrose und Rachel folgten ihrem Blick. Kamerateams und Reporter hatten sich auf der kleinen Rasenfläche vor der Anwaltskanzlei versammelt. Rachel war zwar verärgert, aber es überraschte sie nicht. Bei ihrer Rückkehr aus San Francisco hatte sie die gleiche Gruppe vor dem Weingut gesehen und es gerade noch geschafft zu wenden, ohne entdeckt zu werden. Sie war sicher, dass sie schließlich aufgeben würden.

Offensichtlich hatte sie sie unterschätzt. Die Geschichte von Alyssa Dassante war 1968 eine große Sache gewesen, die jetzt in ihrer neuen, aktualisierten Version noch größer zu werden drohte.

Ambrose schloss rasch die Jalousien. „Jemand muss ihnen gesagt haben, dass ihr beiden hier seid."

„Sieh mich nicht so an", sagte Annie, als Rachel ihr einen misstrauischen Blick zuwarf. „Ich habe nichts damit zu tun."

„Ich könnte nach draußen gehen", schlug Ambrose vor, „und versuchen, sie mit ein paar Erklärungen ruhig zu stellen, während ihr durch die Hintertür . . ." Er brach seinen Satz ab und schüttelte den Kopf, dann sah er zu Rachel. „Damit würden wir das Unvermeidbare nur weiter hinauszögern."

„Du möchtest, dass ich mit ihnen rede." Es war keine Frage. Rachel wusste seit Stunden, dass eine Konfrontation mit den Medien unumgänglich war.

„Ich denke, das solltest du machen. Du musst nicht alle Fragen beantworten, nur die, die dir zusagen. Glaub mir, Rachel, anders wirst du diese Typen nicht los."

„Er hat Recht", sagte Annie, die rasch ihr Make-up kontrollierte. „Könnte bei den Medien sogar gut ankommen." Sie richtete eine rote Locke. „Du weißt nie, wann du sie mal brauchen kannst."

So sehr Rachel es auch hasste, das zuzugeben, so sehr wusste sie, dass Annie und Ambrose Recht hatten. Je eher sie das hinter sich brachte, umso eher konnte sie wieder ihr normales Leben führen.

Sie drückte ihre Schultern durch und nickte Ambrose zu, der an der Tür bereitstand, den Griff mit einer Hand umschlossen. Gemeinsam gingen sie nach draußen, um sich der Meute zu stellen.

Annie war verärgert, dass die Medien sie ignorierten und sich stattdessen völlig auf ihre Schwester konzentrierten. Sie stand einfach nur da und sah mit an, wie Reporter sie umrannten, um an Rachel heranzukommen.

Gleichzeitig musste sie die Gelassenheit ihrer Schwester bewundern. Für eine Frau, die immer wieder behauptet hatte, den Umgang mit den Medien nicht zu mögen, schlug sie sich verdammt gut. Sie verfiel nicht mal auf den alten Trick, die Reporter mögen doch ihre Fragen wiederholen, um für sich selbst ein paar Sekunden herauszuholen und über die Antwort nachzudenken. Rachel beantwortete jede Frage knapp, aber erschöpfend. Es gelang ihr sogar, den einen oder anderen Scherz einzubauen, was bei der Gruppe augenblicklich gut ankam.

Sie ist gut, das musste Annie zugeben. Und klug. Aber Gott sei Dank nicht klug genug, um zu erkennen, dass sie sie belogen hatte. Eine Weile war es eng geworden. Da Rachel und Ambrose sie wie unter einem Mikroskop beobachteten, war es gar nicht so einfach gewesen, Empörung vorzutäuschen.

Annie hing immer noch ihren Gedanken nach, als Rachel plötzlich den Arm in ihre Richtung ausstreckte. „Genau genommen", sagte sie als Antwort auf eine Frage der Reporter, „fällt der Herbstball mehr in die Zuständigkeit meiner Schwester. Ich bin sicher, dass sie ihnen gerne erzählen wird, was sie geplant hat." Sie drehte sich um zu ihr. „Annie? Würdest du bitte?"

Während sich alle Augen auf sie richteten, lächelte Annie bezaubernd und trat vor.

16. KAPITEL

Im Labor, wo sie mehrere Stunden am Tag verbrachte, hielt Rachel eine Pipette in der Hand und wandte sich an Vince, Spauldings Cheflaboranten „Wir sollten hier noch ein wenig Merlot beimischen", schlug sie vor. „Höchstens zwei Prozent, und dann wollen wir doch mal sehen, was passiert."

Während Vince die Anweisung notierte, blickte Rachel auf und sah Courtney vor dem Fenster stehen. In ihrer ausgebleichten Jeans und ihrem rosa Twinset und mit den Schulbüchern unter dem Arm sah sie einfach reizend aus. Und ein wenig rot im Gesicht.

Rachel stellte das Reagenzglas zu den anderen in den Ständer, entschuldigte sich bei Vince und ging nach draußen, um ihre Nichte zu begrüßen. „Courtney! Das ist aber eine angenehme Überraschung."

„Hi, Tante Rachel. Wenn du zu beschäftigt bist, kann ich später wiederkommen."

„Auf keinen Fall. Vince kommt ein paar Minuten auch ohne mich zurecht." Sie nahm die Nichte an der Hand. „Komm mit in mein Büro. Wie gehts dir überhaupt?"

„Ich sollte eigentlich diese Frage stellen." Rachel bemerkte, dass Courtney sich umsah, als suche sie jemanden. „Ich habe dich ein paar Mal angerufen", fuhr sie fort. „Aber ich habe immer nur deinen Anrufbeantworter erreicht."

Rachel führte sie in ihr Büro, schloss aber nicht die Tür hinter sich. „Das tut mir Leid, ich bin in letzter Zeit ziemlich gedankenlos." Sie nahm ihre Lieblingsposition ein, indem

146

sie sich mit der Hüfte gegen ihren Schreibtisch lehnte. „Um ehrlich zu sein, ich habe mir in den letzten Tagen ein wenig selbst Leid getan. Aber jetzt geht es wieder. Ich werde dich nie wieder ignorieren, das verspreche ich dir."

Courtney schüttelte kurz den Kopf. „Das habe ich nicht gemeint. Es ist nur so . . . ich wollte dir helfen, aber ich wusste nicht, wie."

Rachel war gerührt von Courtneys Mitgefühl. „Du hilfst mir jetzt, Süße, indem du hier bist."

„Oh, Tante Rachel", sagte Courtney, dann schossen ihr die Tränen in die Augen. „Es tut mir so Leid, was alles geschehen ist, vor allem mit Preston. Ich kann einfach nicht glauben, dass er mit dir Schluss gemacht hat. Das war so gemein."

„Eigentlich hat er mir damit einen Gefallen getan", sagte Rachel schulterzuckend. „Er hat mir die Augen geöffnet, und ich habe eingesehen, dass er mich in Wahrheit gar nicht liebte. Stell dir vor, ich hätte das nach unserer Hochzeit herausgefunden."

„Dann . . .", fragte Courtney vorsichtig, „ . . . bist du über ihn hinweg?"

„Nicht ganz, aber . . . ich bin auf dem besten Weg."

„Du glaubst gar nicht, wie froh ich darüber bin", sagte Courtney und lehnte sich vor. „Stimmt es, dass du seine Sachen in die Altkleidersammlung gegeben hast?"

„Jawohl."

Courtney unterdrückte ein Lachen. „Auch den Armani?"

„Ja, den auch. Mit allem anderen, was er bei mir gelassen hatte."

„Oh, Mann", rief Courtney lachend. „Weiß er das schon?"

„Er hat es gestern Abend erfahren, als er in seiner Post einen Brief von der Altkleidersammlung erhielt . . . ein freundliches Dankeschön für seine großzügige Spende."

„Hat er dich angerufen? War er wütend?"

„Er hat gedroht, mich zu verklagen", sagte Rachel und dachte an das kurze Telefonat am Vorabend zurück. „Ja, ich würde sagen, dass er leicht verärgert war. Ich habe mir seine Beschimpfungen ungefähr fünf Sekunden lang angehört, dann habe ich aufgelegt."

„Und? Hast du dich besser gefühlt? Nachdem du seine Kleidung weggegeben hast, meine ich?"

Rachel kicherte. „Um ehrlich zu sein, ist es mir inzwischen ein wenig unangenehm. Aber in dem Augenblick hatte es sehr gut getan."

Als hätte ein Radar etwas aufgefangen, fuhr Courtney herum und ließ beinahe ihre Bücher fallen. Rachel folgte ihrem Blick und sah, dass Ryan Cummings vor ihrem Fenster stand und mit dem Kellermeister sprach.

Sie musste lächeln. So sehr sich Courtney auch bemüht hatte, bei jedem Zusammentreffen mit Ryan ruhig und gelassen zu bleiben, waren ihre Gefühle für Rachels attraktiven Assistenten einfach nicht zu übersehen. Das Mädchen war Hals über Kopf in ihn verliebt, aber das war auch nur zu verständlich. Ryan war einfach hinreißend.

Als sich Rachel zurückhaltend räusperte, lief Courtney hochrot an und sah rasch wieder zu ihrer Tante.

„Du magst Ryan, oder?" fragte Rachel sanft.

Courtney reagierte mit einem beifälligen Schulterzucken. „Er ist in Ordnung."

„Er ist außerdem ungebunden, was bedeuten dürfte, dass er für den Herbstball keine Begleiterin hat. Der steht uns ja bald bevor, wie du weißt."

Der Herbstball, der in diesem Jahr von Spaulding Vineyards veranstaltet wurde, war eine alljährliche Wohltätigkeitsveranstaltung von Winzern aus der Umgebung und Weingroßhändlern aus aller Welt. In wenigen Tagen würden die Vorbereitungen bei Spaulding in die hektische Phase eintreten, und Annie als die Hauptorganisatorin würde noch unausstehlicher als üblich sein.

„Willst du damit sagen, ich soll mit ihm zum Ball gehen?" fragte Courtney mit noch röterem Kopf.

„Das ist doch das, was du möchtest."

„N. . . natürlich n. . . nicht", stotterte sie verlegen. „Wie kommst du auf die Idee, dass . . ." Dann ließ sie sich in den Sessel fallen und seufzte. „Ja, Tante Rachel", gab sie schließlich zu, weil sie einfach nicht lügen konnte. „Ich würde gerne mit Ryan zum Ball gehen, bloß weiß er ja nicht mal, dass ich überhaupt lebe."

„Natürlich weiß er das. Er ist nur in den letzten Tagen sehr beschäftigt gewesen . . . und damit auch ein wenig vergesslich. Warum gehst du nicht einfach raus und fragst ihn, ob er schon eine Begleiterin hat. Wenn er . . .“

„Du meinst . . . *ich* soll *ihn* fragen?“ Courtney sah ihre Tante entsetzt an, dann schüttelte sie energisch den Kopf. „Auf gar keinen Fall, Tante Rachel.“

„Nun komm schon.“ Rachel tippte Courtneys Fuß mit der Spitze ihres Stiefels an. „Wo ist dein Kampfgeist abgeblieben?“

Courtney warf Ryan einen weiteren, kurzen Blick zu. „Der löst sich in Luft auf, wenn ich Ryan sehe.“

Rachel erkannte, dass das Gespräch ihres Assistenten mit dem Kellermeister fast beendet war, stieß sich vom Schreibtisch ab und ergriff die Hand ihrer Nichte. „Komm mit.“

„Warum?“ fragte Courtney und umklammerte ihre Bücher, damit sie nicht zu Boden fielen. „Was hast du vor?“

„Ich muss Ryan etwas fragen, und du kannst die Gelegenheit nutzen, ihn wegen des Balls zu fragen.“ Lachend zog sie noch einmal an Courtneys Arm und schleppte sie hinter sich aus dem Büro.

Als sich die beiden Frauen näherten, sah Ryan auf und grinste. „Hi, Courtney“, sagte er. „Machst du heute blau?“

Zu Rachels Überraschung verlor Courtney völlig die Fassung. Mit hochrotem Gesicht murmelte sie ein flüchtiges „Hallo“, sagte irgendetwas von einem Bus, den sie nicht verpassen dürfe, und dann eilte sie davon.

Ryans freundliches Lächeln verschwand. „Was habe ich denn jetzt gemacht?“

„Nichts“, erwiderte Rachel rasch. „Courtney hat im Moment viel um die Ohren, das ist alles.“ Sie drückte kurz aufmunternd Ryans Arm, bevor sie ihrer Nichte nachlief.

Als sie den Hof erreichte, hatte Courtney bereits die halbe Strecke der Zufahrtsstraße zurückgelegt und war auf dem Weg zu der Stelle, wo jeden Morgen ihr Schulbus anhielt. In Höhe des Telefonmastes drehte sie sich um und hob hilflos die Schultern, so als wolle sie sich entschuldigen.

Rachel nickte verständnisvoll, sie wusste genau, wie sich Courtney fühlte. Der Herbstball fand erst in drei Wochen statt, bis dahin würde es noch genug Gelegenheiten geben, um Courtney und Ryan wenigstens für diesen einen magischen Abend zusammenzubringen.

Als der gelbe Schulbus anhielt, winkte Courtney ihr zu. Rachel winkte ebenfalls und fragte sich, wie ein so warmherziges, wunderbares Mädchen die Tochter eines Menschen wie Annie sein konnte. Gott sei Dank musste sie nichts davon wissen, dass ihre Mutter hinter dem ganzen Schlamassel mit Gregory steckte. Um Courtneys willen hatten sie sich darauf geeinigt, diese Tatsache für sich zu behalten und niemals zur Sprache zu bringen.

Während sie in Gedanken bereits wieder bei den Mischungen war, die sie und Vince getestet hatten, drehte sie sich um und ging zurück ins Labor.

Als Rachel am Abend ihr Haus betrat, blinkte das rote Licht an ihrem Anrufbeantworter. Reflexartig drückte sie auf die Wiedergabetaste und ging durchs Zimmer, um die Fenster zu öffnen und das Licht anzuschalten.

Sie blieb stehen, als sie eine fremde und etwas zaghafte Stimme vom Band hörte: „Rachel, hier ist Sal Dassante . . . dein Großvater."

Sie kehrte langsam zurück zum Telefon und starrte auf den Anrufbeantworter. „Ich bin sicher, dass du sehr viele Fragen an mich hast", fuhr Sal fort. „Und ich möchte sie dir gerne alle beantworten. Jederzeit." Wieder eine Pause. „Komm und triff dich mit mir." Sal räusperte sich. „Meine Nummer hier auf der Farm ist 555-6214. Ich . . . ich warte auf deinen Anruf." Dann legte er abrupt auf. Er fühlte sich offensichtlich unwohl, auf einen Anrufbeantworter zu sprechen.

Rachel biss sich auf die Unterlippe, dann spulte sie das Band zurück, um sich die Aufnahme noch einmal anzuhören. Sal sprach mit tiefer, rauer Stimme, die zu dem Foto passte, das sie von ihm in den Zeitungen gesehen hatte: durchfurchte Züge, ein kräftiger Kiefer, stechende Augen.

Er wollte sie also sehen. Das überraschte sie nicht. Vielmehr hatte sie sich bereits gefragt, wann er sich bei ihr melden würde und was sie zu ihm sagen sollte.

Der Anruf war ein wenig beunruhigend. Rachel trat ans Fenster und sah hinaus in die sternlose Nacht, die zu kalt war, um nach draußen auf die Terrasse zu gehen. Sie atmete tief durch und blieb am Fenster stehen, da sie nicht wusste, was sie machen sollte. Als sie Sam vor kurzem gesagt hatte, dass sie nicht daran interessiert sei, sich mit den Dassantes zu treffen, hatte sie jedes Wort auch so gemeint. Allerdings war da die Neuigkeit noch nicht an die Öffentlichkeit gelangt. Jetzt hatten sich die Umstände geändert, und nach allem, was sie über Sal gehört hatte, würde er nicht nach nur einem Anruf aufgeben.

Ihr Blick wanderte zurück zum Anrufbeantworter. Sie hatte das Unterschwellige im Ohr, das Zögern in seiner Stimme, als rechne er bereits damit, dass sie nichts mit ihm zu tun haben wollte.

Während sie überlegte, wie sie mit seinem Anruf umgehen sollte, rief sie sich alles in Erinnerung, was sie in den letzten Tagen über Sal erfahren hatte: die Anschuldigungen, die er nie bestritten hatte, sein unverhohlener Hass auf ihre Mutter, seine unaufhörliche Suche und seine neuerlichen Bemühungen, sie aufzuspüren. Rachel schauderte. Von dem Blut abgesehen, das durch ihre Adern floss, hatte sie mit diesem Mann nichts gemeinsam. Und selbst das reichte nicht aus, um sie zu einem Rückruf zu veranlassen.

Sie fasste ihren Entschluss, ging zurück zum Telefon und löschte Sals Nachricht. Sie musste gar nichts unternehmen. Er würde schon früh genug verstehen, dass sie von ihm nichts wissen wollte. Und dann würde er sie in Ruhe lassen. So einfach war das.

Zufrieden mit sich, dass sie die richtige Entscheidung getroffen hatte, ging sie in die Küche, um das Abendessen zuzubereiten.

Das silberne Licht der Mondsichel bahnte sich seinen Weg durch die Jalousien und fiel schließlich auf das grüne Laken auf dem großen Bett. Annie kicherte, als sie fühlte, wie sich der feste Körper ihres Liebhabers an sie schmiegte

„Hör auf damit", sagte sie, als er von hinten seine Hände auf ihre Brüste legte.

„Warum?" fragte er, während er an ihrem Ohrläppchen knabberte.

„Weil ich jetzt nach Hause muss, um ein wenig zu schlafen. Ich muss morgen früh raus."

Sie konnte bereits seine Erektion fühlen, ließ sich aber nicht erweichen. Sie spürte, dass sie älter wurde. Diese langen Nächte forderten ihren Preis – in ihrem Gesicht und bei ihrer Arbeitsleistung. „Komm schon", sagte sie und versuchte, sich aus seiner Umarmung zu lösen. „Lass mich gehen."

„Nicht, solange wir uns nicht noch einmal geliebt haben."

„Gott, du bist unersättlich."

Er lachte: „Was soll ich sagen? Du weckst das Tier in mir."

Sie liebte es, so etwas von ihm zu hören. Sie liebte die Leidenschaft in seiner Stimme, und vor allem liebte sie die Macht, die sie über ihn hatte. Mit neununddreißig Jahren und damit kurz vor dem nächsten runden Geburtstag war diese Macht über einen sechsundzwanzig Jahre alten Hengst wie Ryan Cummings etwas, von dem viele Frauen in ihrem Alter nur träumen konnten.

Aber es gab einen kleinen Haken in dieser fast vollkommenen Beziehung. Ryan hatte sich verändert. Zunächst war es ihr kaum aufgefallen. Sein plötzliches Interesse an ihren Aktivitäten hatte sie als amüsant und sogar schmeichelnd empfunden. Doch inzwischen kam es ihr einengend vor. Und vor wenigen Tagen hatte er ihr dann gesagt, dass er sie liebte.

Das hatte ihr eine Höllenangst eingejagt. Sie wollte nicht, dass diese Beziehung zu einer Liebe führte. Spaß, ja. Guter Sex, keine Frage. Aber Liebe? Auf keinen Fall.

Während er ihren Rücken streichelte, schloss sie die Augen. Sie hasste es, sich von ihm zu trennen. Von seiner Besessenheit abgesehen war Ryan ein fantastischer Liebhaber. Und erst mal diese Hände, o Gott.

Fest entschlossen, nicht nachzugeben, setzte sie sich auf und bedeckte ihre nackten Brüste mit dem grünen Bettlaken. „Später, Ryan."

„Okay." Unbeeindruckt stützte er sich auf einen Ellbogen und zog die Konturen ihres Mundes mit seinem Finger nach. „Was machst du morgen Abend?"

„Arbeit nachholen", sagte sie. Es war die Wahrheit. „Dieser ganze Mist mit Rachel hat alle Zeitpläne durcheinander gebracht. Ich muss die Einladungsliste für den Herbstball durchgehen und eine ganze Reihe von Anrufen erledigen."

„Mitten in der Nacht?"

„Wenn es bei uns Nacht ist, sitzt man in Europa bereits beim Frühstück, mein Lieber."

„Hm, daran hatte ich gar nicht gedacht." Plötzlich strahlten seine Augen vor Begeisterung. „Ich hatte gerade eine geniale Idee. Lass uns zusammen zum Herbstball gehen!"

Sie sah ihn entsetzt an: „Bist du verrückt? Das hätte mir gerade noch gefehlt."

„Was ist daran so verkehrt? Darfst du keinen Begleiter mitbringen?"

„Ich kann mir nicht vorstellen, dass es Rachel gefallen würde, wenn ich mit ihrem Schützling aufkreuze. So paranoid, wie sie im Moment ist, würde sie das als einen weiteren Verrat auslegen."

„Das ist albern. Es ist doch nichts falsch, dass wir eine Beziehung haben. Wir begehen schließlich kein Verbrechen."

„Glaub mir, es würde Aufmerksamkeit erregen. Und das möchte ich nicht."

„Früher oder später müssen wir es ohnehin publik machen."

Annie versteifte sich. Da war wieder so eine Bemerkung, die auf etwas viel Ernsteres anspielte, als ihr lieb war. „Warum?"

„Weil", sagte er, zog das Bettlaken ein wenig herunter und küsste den Ansatz ihres Busens, „ich dich heiraten möchte und ..."

„Hey! Einen Augenblick mal!" Sie riss das Laken an sich und sprang aus dem Bett. „Wer hat hier jemals ein Wort von Heirat gesagt?"

Offensichtlich verletzt, sah Ryan sie mit seinem traurigen Dackelblick an. „Wir haben nie wirklich darüber gesprochen, aber ... darauf läuft es doch hinaus, oder? Ich meine ... ich liebe dich, Annie. Das weißt du."

„Wie kannst du mich lieben? Wir sind erst seit zwei Wochen zusammen."

„Oh, Annie", antwortete er lachend. „Ich war schon verrückt nach dir, als ich noch bei den Pfadfindern war. *Du* bist der einzige Grund, warum ich bei Spaulding angefangen habe, Baby. Du kannst dir gar nicht vorstellen, wie oft ich dir das in den letzten zwei Jahren hatte sagen wollen. Ich war nur nicht sicher, ob es dir auch so ging. Also bin ich auf Distanz geblieben."

Das stimmte. Ryan war stets der perfekte Gentleman gewesen. Erst in der Nacht nach Grandmas Beerdigung hatte sich ihre Beziehung geändert. Er hatte bei ihr zu Hause vorbeigeschaut, um zu sehen, ob es ihr gut ging, und sie allein und in Tränen aufgelöst im Garten vorgefunden.

Als sie ihm erzählte, dass Rachel das Weingut geerbt hatte, war er liebevoll und tröstend gewesen. Schließlich hatten sie sich unter freiem Himmel geliebt, nur beobachtet von den Sternen, ohne daran zu denken, dass jeden Moment jemand aus dem Haus kommen und sie eng umschlungen vorfinden könnte. Die Gefahr, ertappt zu werden, hatte ganz im Gegenteil sogar dazu geführt, dass ihrem Liebesspiel ein prickelndes Element der Gefahr hinzugefügt worden war, ein erotischer Kick, der den Moment noch aufregender gemacht hatte.

Der Erinnerung an diese erste und jede der folgenden Nächte erweichte sie ein wenig. „Du bist ein wunderbarer Mensch, Ryan", sagte sie und hoffte, es nicht ganz so verletzend ausdrücken zu können. „Und du bist ein wundervoller Liebhaber, aber ich bin noch nicht bereit für eine Ehe."

„Warum? Etwa wegen Rachel?"

„Wegen vieler Dinge. Eines dieser Dinge ist, dass ich im Moment sozusagen auf Bewährung bin."

Sofort machte sich der Beschützerinstinkt in ihm bemerkbar. „Warum? Was machen sie mit dir?"

„Oh, es ist eigentlich nur eine kleine Familienangelegenheit, aber meine Schwester hat wie üblich aus einer Mücke einen Elefanten gemacht."

„Was für eine Familienangelegenheit?"

„Ich kann es dir nicht sagen, doch ich kann dir versichern, dass ich erledigt bin, wenn es auch nur die winzigste Störung oder den Hauch eines Skandals von meiner Seite gibt."

„Aber das ist doch nicht fair!" Ryans Empörung war so ehrlich, dass sie lächeln musste. „Du hast für Spaulding Vineyards mehr getan als Rachel, Sam und Hannah zusammen. Ohne dich wäre das Unternehmen in den letzten Jahren niemals so immens gewachsen."

Annie strich ihm über die Wange. Endlich mal jemand, der ihren Wert zu schätzen wusste. Wie reizend. Vielleicht sollte sie ihn noch eine Weile bei sich halten, schließlich tat er ihrem Ego gut. „Danke, dass du das sagst, Darling. Glaub mir, nach dem heutigen Tag musste ich so etwas hören."

Er fasste ihre Hand und drückte sie an seine Lippen. „Sag mir wenigstens, dass eine Hochzeit nicht völlig außer Frage steht."

Sie seufzte. „Ryan, hast du mir überhaupt zugehört? Ich kann es mir im Augenblick nicht leisten, meine Schwester zu verärgern." Sie küsste ihn flüchtig auf den Mund. „Warum tust du mir nicht den Gefallen und lässt dieses Thema im Augenblick ruhen? Ich muss mich fertig machen."

Sie ignorierte seinen Schmollmund und ging ins Badezimmer, um zu duschen.

17. KAPITEL

Gregory war seit Lukes Hochzeit nur ein paar Mal in Napa Valley gewesen, davon einmal mit Lindsay und ein anderes Mal mit Noelle. Wie zu erwarten, hatte Lindsay Napa Valley gehasst. Sie hatte sich über alles beklagt – die Hitze, das fehlende Nachtleben und die Leute, die sich ihrer Ansicht nach nur über Wein unterhalten konnten. Um sich ihr Gezeter nicht allzu lange anhören zu müssen, hatte er den Aufenthalt kurzerhand abgebrochen und war danach mit ihr nie wieder dorthin gefahren.

Jetzt war er auf der Route 29 in nördlicher Richtung nach Calistoga unterwegs und bestaunte die schier endlosen Weinberge, die malerischen kleinen Pensionen, die die Landstraße säumten, und die himmlische Ruhe, die nach der Presse wieder Einzug gehalten hatte.

Die beiden majestätischen Ponderosa-Pinien, die die Zufahrt zu Spaulding Vineyards flankierten, standen immer noch dort, ebenso das handgemalte Schild, das den Verkehr in zwei Richtungen lenkte – nach rechts für diejenigen, die mit der Gondel die Bergspitze erreichen wollten, nach links für die, die auf dem Weg nach oben lieber mit beiden Füßen auf dem Boden blieben.

Während Gregory seinen Jaguar auf der kurvenreichen Strecke bergauf lenkte, überlegte er, wie man ihn wohl empfangen würde. Zwar hätte er Annie für ihre gigantische Lüge am liebsten den Hals umgedreht – und wenn sie das Pech hatte, ihm über den Weg zu laufen, würde er das vielleicht tatsächlich machen –, dennoch übernahm er die volle Verantwortung dafür, dass er Rachels Leben in einen solchen Scherbenhaufen verwandelt hatte.

Aus Neugier hatte er gestern die Bibliothek aufgesucht, um sich über die Spauldings auf den neuesten Stand zu bringen, vor allem natürlich über Rachel, der Frau, der er vor langer Zeit so wehgetan hatte.

Es wäre untertrieben gewesen, wenn er gesagt hätte, dass er beeindruckt war. Nach einem summa cum laude mit einem Abschluss in Önologie hatte Rachel den Sommer in Burgund verbracht, um auf einem kleinen, aber angesehenen Weingut den letzten Schliff zu bekommen. In einem Artikel, der später im *American Wine Journal* nachgedruckt wurde, hatte der Eigentümer zu einem Reporter gesagt: „Diese Frau besitzt ein unglaubliches Talent für Weine. Sie ist noch ein wenig grün, so wie ein junger Wein, aber sie wird wunderbar und sehr schnell reifen."

Innerhalb weniger Jahre hatte sich diese Vorhersage erfüllt. 1996 wurde Rachels Cabernet bei einem nationalen Wettbewerb für eine herausragende Leistung ausgezeichnet, was sie zur jüngsten Winzerin des Landes machte, der je eine so große Ehre zuteil geworden war.

Gregory wusste nur zu gut, wie massiv sich die Publicity rund um ihre biologische Familie auf ihr Privatleben ausgewirkt hatte. Wenigstens hatte aus der Sicht der Medien ihre Karriere nicht darunter gelitten. Die hatten sie überwiegend in Ruhe gelassen, und die wenigen, die sich mit ihr beschäftigten, zeigten sich ihr gegenüber mitfühlend.

Wenn er sie jetzt dazu bewegen konnte, seine Entschuldigung anzunehmen, wäre er noch glücklicher gewesen. Allerdings konnte er es ihr nicht verdenken, dass sie ihn nach dem ersten Blick mit einem Tritt talwärts schicken würde.

Die vorhergesagten Regenwolken hatte im letzten Moment die Richtung geändert und waren in Richtung Norden gezogen; stattdessen hatte sich eine kühlere Brise aufs Landesinnere zu bewegt, die die Luft unangenehm kalt werden ließ und jeden Winzer aufatmen ließ, dass die Weinlese vorüber war.

Vor einem Weinstock hockend, inspizierte Rachel den Stamm nahe der Wurzel und kratzte mit dem Fingernagel über die Rinde, um nach Anzeichen für Zerfall zu suchen. Diese Reihe Chardonnay-Trauben war so wie Dutzende andere auch vor über drei Jahrzehnten von ihrem Vater angepflanzt worden, und obwohl sie noch immer reichlich Früchte trugen, war es an der Zeit, sie zu ersetzen.

Sie beschäftigte sich gerade mit einem weiteren Weinstock, als sie hinter sich Schritte hörte. Da sie annahm, dass es sich um den Manager des Weinguts handelte, drehte sie sich mit einem Lächeln um. Zunächst hatte sie keine Ahnung, wer der attraktive Mann sein konnte, der ihr Lächeln erwiderte. Er trug eine lässige khakifarbene Hose, ein rotes Polohemd mit irgendeinem Designerlogo auf der Brusttasche und bequeme Mokassins, insgesamt die typische Kleidung für viele Winzer im Tal.

„Hallo, Rachel", sagte der Fremde mit tiefer, volltönender und irgendwie vertrauter Stimme.

Sie stand auf, klopfte sich die Erde von ihrer Jeans und erwiderte: „Ich fürchte, Sie sind mir gegenüber im Vorteil, Mister . . .?"

„Shaw. Gregory Shaw."

Der Schlag, der sie traf, ließ sie fast nach hinten stolpern. Sie war nicht sicher, wie lange sie dort wie angewurzelt gestanden hatte, während er sie ansah mit dem altvertrauten Lächeln. Ihr Herz schlug ein wenig schneller.

Verärgert darüber, dass sie noch immer so auf ihn reagierte, gab sie sich einen geistigen Tritt in den Allerwertesten und sah ihn lange an. Auch wenn er seit Annies Hochzeit vor sechzehn Jahren kaum gealtert war, stellte sie einige Veränderungen fest. Der Schnäuzer, der sie an Tom Selleck erinnert hatte, war verschwunden, und sein Haar trug er jetzt kürzer, doch es war immer noch schwarz und dicht, wie sie es in Erinnerung hatte. Seine Augen, die so blau wie der Ozean waren, hatten nichts von ihrer Wachsamkeit verloren. Auf irgendeine Weise sah er klüger, gebildeter aus, obwohl er lässige Kleidung trug.

Ihr erster Impuls riet ihr, ihm zu erklären, er befinde sich auf Privatbesitz und solle sich zum Teufel scheren, bevor sie den Wachdienst rief. Diese Unverfrorenheit, hier unangemeldet aufzukreuzen. Vielleicht sollte sie sich die Warnung schenken und sofort den Wachdienst rufen, um ihn hinauswerfen zu lassen.

Diese Möglichkeit war zwar sehr verlockend, hatte aber einen großen Fehler: ihre Reaktion auf seine Anwesenheit. Sie war nicht auf dieses absolut begeisterte Lächeln gefasst gewesen, das er präsentierte, während er sie von Kopf bis Fuß betrachtete. Und sie war nicht auf diesen Schwall von Gefühlen gefasst, der von ihr Besitz ergriff, während sie ihn ansah. Was war los mit ihr? Sie benahm sich so irrational wie damals als Fünfzehnjährige, als sie sich am Tag von Annies Hochzeit in ihn verliebt hatte.

„Was willst du hier, Gregory?" fragte sie, während sie sich abwandte und wieder mit den Weinstöcken befasste.

„Ich wollte dich sehen. Wir müssen uns unterhalten."

„Nein, das müssen wir nicht. Und wenn du mich erst angerufen hättest, dann hätte ich dir das direkt sagen können."

„Aus exakt diesem Grund habe ich nicht angerufen. Ich wusste, dass du mich nicht sehen wolltest."

Sie sagte nicht, dass sie ihn sehr gerne hätte sehen wollen, dass er aber nicht anwesend gewesen war. Und nachdem sie herausbekommen hatte, dass Annie ihn unter Vorspiegelung falscher Tatsachen dazu bekommen hatte, ihr zu helfen, war ihr Ärger größtenteils verflogen.

Sie war aber nicht bereit, ihn so leicht davonkommen zu lassen, und warf ihm einen herausfordernden Blick zu. Das war die Gelegenheit, um festzustellen, aus welchem Holz Gregory Shaw wirklich geschnitzt war. „Also gut, Gregory", sagte sie. „Wenn du dich mit mir unterhalten willst, dann machen wir das. Ich fange an. Wer hat dich angeheuert, damit du Alyssa findest?"

Sein Gesicht verriet sofortiges Bedauern. „Tut mir Leid, Rachel, aber dazu kann ich nichts sagen."

Ob verärgert oder nicht, sie konnte nicht anders, als die Tatsache zu bewundern, dass er nicht den leichten Ausweg gewählt und Annie angeschwärzt hatte. Er besaß doch Moral.

„Na, mach schon", fügte er hinzu, als sie ihn weiter ansah. „Werd es endlich los. Auch wie grob und gedankenlos ich bei Lukes Hochzeit war. Du warst damals wütend auf mich, und du bist jetzt wieder wütend auf mich. Ich kann es dir nicht verdenken. Es sieht so aus, als würde ich immer nur zu dem Zweck in dein Leben kommen, um dir wehzutun. Das tut mir von Herzen Leid. Als ich den Fall übernahm, hatte ich keine Ahnung, dass du die Tochter von Alyssa Dassante bist."

Sie ging zum nächsten Weinstock und hockte sich hin, um auch dort die gründliche Untersuchung wie bei allen anderen vorzunehmen. „Hätte es irgendeinen Unterschied gemacht?"

Er hockte sich neben sie, so nahe, dass sie sein After Shave riechen konnte. „Ja. Egal, wie du über mich denkst, ich bin kein Dreckskerl. Ich benehme mich vielleicht manchmal so, aber ich bin keiner."

Sie unterdrückte ein Lachen. Ein Dreckskerl, ein *gefühlloser* Dreckskerl, genau genommen – das war exakt das gewesen, was sie von ihm nach Annies Hochzeit gedacht hatte.

„Ich wollte dich nicht verletzen, Rachel", sagte er wieder. „Und ich wollte dich auch nicht in Verlegenheit bringen, das musst du mir glauben."

Sie richtete sich auf und steckte ihre Hände in die Taschen. „Warum?"

„Weil es mir sehr wichtig ist."

Als sie den Kopf hob, um ihn anzusehen, musste sie blinzeln, da die Morgensonne ihr in die Augen stach. Es wurde allmählich Zeit, ihn von seinem Elend zu befreien, aber erst wollte sie sich noch ihren Spaß haben. „Dann erzähl mir eine Sache. Wenn du schlau bist, wie jeder sagt, wie konntest du dann auf diese rührselige Geschichte hereinfallen, die dir meine Schwester aufgetischt hat?"

Sie verspürte eine gewisse Befriedigung, als sie seinen überraschten Gesichtsausdruck bemerkte. „Deine Schwester?" fragte er leise.

„Ja, meine Schwester, die liebreizende Annie. Ich habe

dich vorhin nur auf die Probe gestellt. Ich weiß, dass sie dich gebeten hat, Alyssa zu finden."

„Das hat sie dir gesagt?"

„Nein, ich habe es selbst herausgefunden."

Einen Moment lang sah er aus, als überlege er, wie sie das bewerkstelligt haben sollte, dann huschte ein amüsierter Ausdruck über sein Gesicht. „Du warst das also."

„Wie meinst du das?" fragte sie unschuldig.

„Die Geschichte mit der Aktentasche. Annie hatte sie nicht liegen lassen, und sie hatte gestern auch nicht angerufen, sondern du."

Rachel ging zum nächsten Weinstock. „Sehr gut, Sherlock."

Er musste herzhaft lachen. „Weiß Annie das?"

„Ja. Allerdings fand sie meinen Trick nicht annähernd so lustig wie du."

„Das kann ich mir gut vorstellen."

„Du hast meine Frage nicht beantwortet."

Sie sah in seine dunkelblauen Augen und entdeckte, dass sie vor Humor sprühten.

„Ich hatte ihr die Geschichte nicht völlig abgenommen", erwiderte er. „Nur insoweit, dass sie mir Leid tat, was offensichtlich ein Fehler gewesen war."

Vielleicht hatte Sam ja Recht gehabt, vielleicht war Gregory tatsächlich ein netter Kerl. Aber das war auch ein Gedanke, mit dem sie sich jetzt noch nicht befassen wollte.

Sie ging die Weinstockreihe entlang und bemerkte, dass er ihr folgte.

„Das mit Hannah tut mir Leid", sagte er sanft. „Sie war eine richtige Lady."

Wieder war sie von seiner Aufrichtigkeit gerührt. „Sie war die Beste." Einen Moment lang sahen die beiden sich abermals in die Augen, dann wanderte ihr Blick wieder zu den Hügeln vor ihr. „Sie hat dich gemocht. Sie fand zwar, dass du ein wenig wild und nicht sehr sesshaft warst, aber sie hat dich immer zu den Guten gerechnet."

„Und du?" fragte er. „Hast du deine Meinung über mich schon geändert?"

„Die Jury berät noch darüber."

„Dann werde ich etwas machen, um das Urteil schneller zu hören", sagte er spielerisch. „Ich werde dir beweisen, dass deine Großmutter Recht hatte."

Sie blieb stehen. „Und wie stellst du dir das vor?"

„Ich weiß nicht", antwortete er schulterzuckend. „Warum gehst du nicht mit mir essen, damit wir darüber diskutieren können?"

Sie lächelte und dachte an seine letzte Liaison, die Schlagzeilen gemacht hatte. „Hätte Alexandra Bimmington nichts dagegen, wenn du eine andere Frau zum Essen einlädst?" fragte sie.

Seine Augen funkelten vor Begeisterung und Bewunderung. „Alexandra und ich sind nicht mehr zusammen. Wieso weißt du von ihr?"

„Ich mache eben meine Hausaufgaben. Nachdem ich herausgefunden hatte, dass du dich in mein Leben einmischst, bin ich in die Bibliothek gegangen, um zu sehen, was ich über dich in Erfahrung bringen kann."

Er lachte auf die gleiche herzliche, ansteckende Weise wie früher.

„Was gibt es da zu lachen?"

„Ich bin auch in die Bibliothek gegangen und habe alles gelesen, was ich über dich finden konnte." Er hielt kurz inne. „Warum vergleichen wir nicht unsere Aufzeichnungen und stellen fest, wie viel davon stimmt und wie viel die Journalisten dazugedichtet haben? Wir könnten das bei einem Abendessen machen."

„Und hartnäckig ist dieser Mensch auch noch."

„Ist das ein Ja?"

Die Frage löste bei ihr abermals ein Lächeln aus. „Tut mir Leid, aber für das Weingut ist das jetzt gerade eine hektische Zeit."

„Du musst trotzdem was essen."

„Das mache ich üblicherweise alleine, in der Gesellschaft meines Computers."

„Dann sag mir, was ich tun kann, um Wiedergutmachung zu leisten."

Das fand sie recht nett. Sie war es nicht gewöhnt, dass Männer etwas für sie tun wollten. Bei Preston war es genau umgekehrt gewesen. „Mal überlegen", sagte sie und tat so, als denke sie angestrengt nach. „Kannst du mir meinen Verlobten zurückbringen?"

Diesmal hatte sein Gesichtsausdruck einen leicht herablassenden Zug. „Nein, und selbst wenn ich es könnte, würde ich es nicht machen."

Rachel blieb abrupt stehen. „Hast du etwas gegen Preston Farley?"

„Du meinst, abgesehen von der Tatsache, dass er ein Mistkerl ist?"

Sie musste lachen. „Du klingst so, als würdest du ihn kennen."

„In gewisser Weise, ja."

Sie war an ihrem Exverlobten nicht interessiert genug, um Gregory zu fragen, wie er zu dem Schluss gekommen war, dass Preston ein Mistkerl war. „Keine Sorge, ich würde ihn nicht mal haben wollen, wenn er auf Händen und Füßen zurückgekrochen käme."

„Gut."

Sie sah auf ihre Uhr. „Ich muss zurück in die Keller, sonst schickt Sam ein Suchteam los. Leb wohl, Gregory." Sie wollte anfügen: *Es war gut, dich zu sehen*, aber sie entschied sich dagegen.

„Leb wohl, Rachel." In seiner Stimme schwang Bedauern mit, und seine Augen hatten einen wehmütigen Ausdruck.

Rachel ignorierte beides und ging fort. Die positiven Signale, die ihr Gehirn aussandte, gefielen ihr nicht. Nach der herben Enttäuschung mit Preston konnte sie eine neue romantische Beziehung beim besten Willen nicht gebrauchen.

Während sie wegging, lauschte sie auf das Geräusch sich entfernender Schritte, auf das Schlagen der Wagentür, auf irgendetwas, das andeutete, dass er sie verließ. Sie hörte nichts in dieser Art, und als sie sich schließlich umdrehte, stand er noch immer da, wo sie ihn hatte stehen lassen. Die Hände in den Taschen vergraben, sah er sie mit Bedauern an. Als hätte er darauf gewartet, dass sie sich umdreht, winkte er und machte sich erst dann auf den Weg zu seinem Wagen.

Es war besser so. Sie hatten sich endlich ausgesprochen, und jetzt konnte wieder jeder sein eigenes Leben weiterleben.

„Warte!" Dieses eine Wort war über ihre Lippen, bevor sie etwas dagegen machen konnte.

Er drehte sich um.

Sie sah ihn an und fragte sich, ob sie den Verstand verloren hatte. „Kannst du mir helfen, meine Mutter zu finden?"

Sie saßen an einem Picknicktisch, unterhielten sich und tranken Orangenlimonade, während um sie herum das hektische Treiben abebbte, da es auf die Mittagspause zuging. Es fiel ihm nicht leicht, Rachel nicht anzustarren. Ihr Gesicht war so lebendig und ausdrucksvoll, dass Gregory davon gefesselt war. Ihr Haar, das früher einen Allerweltsbraunton hatte, war zu einem satten Kastanienton gedunkelt, dazwischen flammten kupferfarbene Strähnen auf, wenn die Sonne auf sie schien.

Ihren Körper zu ignorieren, fiel ihm sogar noch schwerer. Als sie ihn zu diesem ruhigen, schattigen Plätzchen geführt hatte, war er hinter ihr gegangen. Ihre schlanke Taille und ihre wohlgeformten Hüften hatten ausgereicht, um ihn den Grund für seine Anwesenheit vergessen zu lassen.

„So viele Leute haben schon versucht, Alyssa zu finden", sagte sie und ahnte offenbar nichts davon, in welche lüsterne Richtung seine Gedanken abschweiften. „Wahrscheinlich ist es ein sinnloses Unterfangen."

Er schüttelte den Kopf, um wieder ins Hier und Jetzt zurückzukehren. „Vielleicht nicht", sagte er, während sein Blick auf ihrem Hals ruhte, als sie den Kopf zurücklegte, um einen Schluck Limo zu trinken. „Ich habe schon ein paar Ideen, vor allem jetzt, nachdem ich ihr Foto gesehen habe."

„Was für Ideen sind das?"

„Die Ähnlichkeit zwischen dir und deiner Mutter ist verblüffend, aber das hat man dir ja bestimmt schon gesagt. Diese Ähnlichkeit könnte sich als nützlich erweisen."

„Und wie?"

Er berichtete ihr davon, dass Jonsey Malone nicht mit ihm hatte reden wollen, und von der Tatsache, dass sein

Onkel Jahre zuvor davon überzeugt gewesen war, dass der Nachtclub-Besitzer ihn angelogen hatte.

Ihr Gesicht nahm einen hoffnungsvollen Ausdruck an. „Glaubst du, dass er weiß, wo Alyssa ist?"

„Könnte sein. Allerdings hatte ich erwartet, dass er sich bei mir meldet, nachdem er dein Foto in den Zeitungen gesehen hat."

„Vielleicht hat er keine Zeitung gelesen."

„Das bezweifele ich. Es gefällt dir bestimmt nicht, aber jede Zeitung von Mendocino bis San Diego hat über dich berichtet. Wenn er lesen kann, dann hat er das auch mitbekommen."

Sie zuckte mit den Schultern. „Dann hat er Angst."

„Darum werde ich ihn auch noch einmal anrufen. Wenn er einverstanden ist, sich mit uns zu treffen, und wenn er uns vertraut, ändert er vielleicht seine Meinung." Er beugte sich nach vorn und stützte seine Ellbogen auf den Tisch. „Bis dahin kann es sicher nichts schaden, so viel wie möglich über Alyssa Dassante in Erfahrung zu bringen."

„Steht in den Zeitungen und in dem Polizeibericht nicht alles, was wir über sie wissen müssen?"

„Manchmal graben Zeitungen und sogar Cops nicht tief genug vor. Ich schon."

„Wie?"

„Indem ich mich an die Quelle wende." Er betrachtete sie einen Moment lang und erkannte, dass es ihm nichts ausmachen würde, das für den Rest des Tages zu tun. „Hast du dich schon mit den Dassantes getroffen?"

Sie versteifte sich unübersehbar. „Nein, warum sollte ich?"

„Sal hat sich nicht bei dir gemeldet?"

Sie mied seinen Blick. „Vier Mal. Ich habe nicht zurückgerufen."

„Kann ich gut verstehen. Nach allem, was ich über die Dassantes gehört habe, könnten sie wohl nicht als Familie des Jahres kandidieren." Er machte eine kurze Pause. „Aber Sal wird seine Enkelin nicht aufgeben." Er schob seine Dose auf dem Tisch hin und her. „Es hätte noch etwas Gutes, mit Sal Bekanntschaft zu schließen."

„Und das wäre?"

„Du könntest wertvolle Dinge über Alyssa erfahren, entweder von ihm oder von einem anderen Familienangehörigen."

Sie nickte kurz. „Ich werde darüber nachdenken."

„Gut, lass es mich wissen, wenn du dich entschieden hast."

„Und du lässt mich wissen, wenn sich etwas mit Jonsey ergibt."

Er lächelte. Sie war zielgerichtet, das gefiel ihm an ihr. Zum Teufel, alles an ihr gefiel ihm. „Mach ich."

Nachdem er in seinen Wagen gestiegen und abgefahren war, betrachtete er sie im Rückspiegel so lange, wie die kurvenreiche Straße es zuließ. Als er sie nicht mehr sehen konnte, dachte er auf dem Weg zurück nach San Francisco ausschließlich an sie.

18. KAPITEL

Rachel saß in ihrem Jeep Cherokee und betrachtete das beeindruckende dreistöckige Gebäude. Jetzt, da sie wusste, dass sie hier geboren war, wartete sie auf ein Kribbeln, auf ein Gefühl in ihrem Bauch, auf irgendein Signal, das ihr sagte, dass sich ihre Vergangenheit hier befand, dass dies der Ort war, an dem ihr Leben begonnen hatte.

Aber sie spürte lediglich eine tief sitzende Angst und das Verlangen, das Treffen so schnell wie möglich hinter sich zu bringen. Als sie Sal endlich zurückgerufen hatte, war es ein kurzes und nüchternes Telefonat gewesen, und nichts, nicht einmal die emotionsgeladene Stimme des Mannes hatte bewirken können, dass sich ihre Gefühle ihm gegenüber änderten.

Sie war nur aus einem einzigen Grund hergekommen: Sie wollte mehr über Alyssa erfahren, und wenn sie Glück hatte, konnte sie Sal dazu bewegen, dieser lächerlichen Blutrache ein Ende zu setzen, die er ihrer Mutter geschworen hatte.

Im Parterre bewegte sich eine Gardine. Rachel spürte einen eisigen Hauch auf ihrer Haut, als sie bemerkte, dass sie beobachtet wurde. Augenblicke später wurde die Haustür geöffnet, und eine alte, grauhaarige Frau mit Schürze und Haarnetz kam heraus, um auf den Jeep zuzugehen.

„Miss Spaulding?" fragte sie.

Rachel kam sich ein wenig albern vor, dass sie sich von einer alten Frau abholen lassen musste, und stieg aus dem Wagen. „Ja, ich bin Rachel Spaulding."

„Wenn Sie mir bitte folgen würden."

Rachel wurde in ein weitläufiges Foyer mit polierten Holzböden geführt, durch einen Flur und schließlich in einen großen Raum mit kunstvoll geschnitzten Möbeln aus massivem Holz, alten Teppichen und Sitzmöbeln in dunklem Kastanienrotbraun. Zigarrenrauch hatte sich in den Wänden festgesetzt und vermischte sich mit dem Geruch von Zitronenöl, das die alte Haushälterin vermutlich benutzte, um das Holz zu polieren.

„Hallo, Lillie."

Erschrocken drehte sie sich um und erblickte einen Mann, der Sal Dassante sein musste. Er saß in einem ausladenden Sessel, seine Hände ruhten auf den Armlehnen. Er war kräftig gebaut, schien dabei aber nicht allzu groß zu sein. Tiefe Falten verliefen zu beiden Seiten seines Munds, er hatte volles graues Haar, das auf eine altmodische Weise mit Pomade nach hinten gekämmt war. Seine Augen waren nussbraun und betrachteten sie in diesem Moment mit einer solchen Intensität, dass sie sich noch unbehaglicher fühlte.

„Guten Tag." Sie wusste nicht, wie sie ihn nennen sollte. „Mr. Dassante" wäre wahrscheinlich eine Beleidigung, „Sal" zu vertraut gewesen, und „Großvater" stand gar nicht zur Debatte. „Wenn es nichts ausmacht", fügte sie dann hinzu, weil sie das Gefühl hatte, rechtzeitig ihre Grenzen aufzeigen zu müssen, „ist mir Rachel lieber."

Er stand auf und kam auf sie zu. „Dann soll es Rachel sein. Ich habe den Namen Lillie ohnehin nie gemocht. Deine Mutter hat diesen Namen nur ausgewählt, um mich zu ärgern." Er sah sie forsch an und studierte aufmerksam ihr Gesicht. „Du weißt bestimmt, dass du deiner Mutter aufs Haar gleichst."

„Das habe ich bereits gehört."

Er verzog seinen Mund zu einem humorlosen Lächeln. „Das ist schon in Ordnung, ich werde es dir nicht vorhalten."

Er nahm sie am Ellbogen und führte sie zu einem der Sofas. Auf dem niedrigen Ebenholztisch standen eine Kanne und zwei passende Tassen. „Lass uns einen Kaffee trinken." Er sagte es mit dem Tonfall eines Mannes, der es gewohnt war, dass seine Wünsche ausgeführt wurden. „Maria macht ihn gerne aromatisch und stark."

„Danke", sagte Rachel und war froh, dass sie irgendetwas in ihren Händen halten konnte. Sie nahmen Platz, Rachel auf dem Sofa, Sal ihr gegenüber in seinem Sessel. „Weißt du", sagte er, während er den Kaffee einschenkte, „mein Sohn Nico meinte, du solltest einen Bluttest machen, damit wir sicher sein können, dass du diejenige bist, die du angeblich bist."

„Ich bin nicht diejenige, die den ersten Schritt unternommen hat", erinnerte sie ihn.

„Ich weiß das, aber Nico ist nicht besonders helle." Er stellte die Kanne ab. „Darum habe ich es ihm erklärt. Ich habe ihm gesagt: 'Nico, sei nicht so dämlich. Ich brauche keinen Test, der mir sagt, dass dieses Mädchen mein eigen Fleisch und Blut ist.'" Er tippte mit dem Zeigefinger auf seine linke Brusthälfte. „Das sagt mir alles, was ich wissen muss."

Sie lächelte. „Und was hat Nico dazu gesagt?"

„Wen kümmert es, was Nico sagt? Als ich dein Foto in der Zeitung gesehen habe, wusste ich, dass du meine Enkelin bin. Das ist das Einzige, was zählt." Er gab ihr die Tasse. „Milch und Zucker?"

„Nein, danke, einfach nur schwarz."

Ihre Antwort schien ihm zu gefallen. „Ah, siehst du? Du bist schon jetzt eine Dassante. Wir trinken ihn alle schwarz, außer Erica, die tonnenweise Süßstoff reinkippt." Er nahm einen Schluck und schlürfte laut. „Manchmal frage ich mich, ob das Mädchen wirklich eine Italienerin ist oder ob sie das nur gesagt hat, damit sie Nico heiraten konnte."

„Erica ist deine Schwiegertochter?"

Sal nickte. „Und deine Tante. Du wirst sie mögen. Sie macht mich mit ihrem Kirchenkram verrückt, aber sie ist in Ordnung. Und Nico ist dein Onkel." Er betrachtete sie weiterhin eindringlich. „Der jüngere Bruder deines Vaters."

Rachel trank einen Schluck Kaffee, der tatsächlich sehr gut schmeckte. „Werde ich Nico und Erica heute auch kennen lernen?"

„Später. Ich dachte mir, dass wir beide uns erst einmal

näher kennen lernen sollten. Ich weiß nicht viel über dich, außer dass du Wein herstellst." Er verzog seinen Mund zu etwas, das als Lächeln durchgehen konnte. „Guter Wein?"

Sie erwiderte das Lächeln. „Der beste."

„Das ist gut so. Das gefällt mir. Wenn man etwas macht, dann soll man es auch richtig machen und viel Geld verdienen. Das ist das Motto der Dassantes." Er lehnte sich zurück und hielt Tasse und Untertasse fest. „Erzähl mir etwas über dich."

Rachel fühlte, dass sie sich entspannte. Seine unerwartete Offenheit brachte die Unterhaltung voran und machte das Treffen nicht so unbehaglich, wie sie befürchtet hatte. Während sie immer wieder an der Tasse nippte, erzählte sie ihm von ihrem Leben bei den Spauldings, von ihrem frühen Interesse am Wein, davon, wie viel sie darüber von ihrem Vater und ihrer Großmutter gelernt hatte.

Er hatte viele Fragen, die sie beantwortete, so gut sie konnte. Sie musste sogar lachen, als er ihr sagte, die Herstellung von Wein sei etwas für Männer.

„Heute können Frauen alles machen, was sie wollen", erinnerte sie ihn. „Und manchmal machen sie es sogar besser als die Männer."

Er lachte seltsam und kurz, was sie zu der Vermutung brachte, dass er nicht oft lachte. „Erzähl mir von dem Kerl, der dich hat sitzen lassen. Benson?"

„Preston. Du weißt von ihm?"

„Ich weiß alles. Liebst du ihn noch?"

Sie zuckte mit den Schultern. „Es ist ziemlich schwer, einen Menschen zu lieben, der diese Liebe nicht erwidert."

„Du hast meine Frage nicht beantwortet."

„Nein, ich liebe ihn nicht mehr. Und ich möchte auch nicht darüber reden."

„Dann werden wir das auch nicht tun. Und mach dir keine Sorgen ...", fügte er an und erhob seinen Zeigefinger in ihre Richtung. „So ein hübsches Mädchen wie du muss nicht lange allein bleiben. Wir werden für dich einen netten italienischen Jungen finden."

„Ich habe es nicht so eilig, einen anderen Mann zu finden."

Er machte eine wegwerfende Geste. „Recht hast du. Vergnüg dich erst eine Weile. Und nimm dir etwas Zeit für mich", schob er augenzwinkernd nach. „Ich möchte dich gerne oft hier sehen, Rachel. In diesem Haus wirst du immer willkommen sein."

„Das ist sehr großzügig von dir."

Er warf die Hände in die Luft. Überhaupt schien es so, als könne er kaum etwas tun, ohne dabei seine Hände permanent zu bewegen. „Was heißt hier großzügig? Du bist meine Enkelin. Denkst du, ich würde auf irgendwelchen Formalitäten bestehen?"

Da er äußerst guter Laune zu sein schien, hielt Rachel es für den besten Augenblick, um das Gespräch auf Alyssa zu lenken. „Sal", sagte sie. Sein Gesicht bekam einen zufriedenen Ausdruck, als sie zum ersten Mal seinen Namen aussprach. „Ich würde dich gerne um etwas bitten."

„Du kannst mich um alles bitten."

„Ich weiß nicht, ob es dir gefallen wird. Es geht um Alyssa."

Seine Miene versteinerte sich unmerklich. „Was ist mit ihr?"

„Ich weiß, dass du wieder angefangen hast, nach ihr suchen zu lassen, und dass du die Belohnung auf hunderttausend Dollar erhöht hast."

Er sah sie weiter an, sagte aber noch immer nichts.

Sie räusperte sich. „Ich möchte dich bitten, diese Suche abzubrechen und die Belohnung zurückzuziehen."

„Warum?" fragte er ohne Umschweife.

„Weil ich wieder mein normales Leben führen möchte. Ich möchte nicht jeden Tag von Reportern belauert werden, wenn ich nach Hause komme. Ich möchte nicht den Fernseher einschalten und auf jedem Kanal in den Nachrichten mein Gesicht sehen und hören, dass wieder irgendein geldgieriger Typ Alyssa irgendwo gesehen hat. Sie hat genug mitgemacht, Sal. Und ich habe auch genug mitgemacht. Kannst du das verstehen?"

Eine Weile schwieg er und betrachtete sie wachsam mit zusammengekniffenen Augen. „Sicher, das kann ich verstehen." Er stellte seine Tasse auf den Tisch. „Kannst du verstehen, wie es mir ging, als mir mein Sohn genommen wurde? Und meine Enkelin? Kannst du verstehen, wie es mir ging, all die Jahre ohne sie zu leben?"

„Ja", erwiderte sie. „Ich glaube, das kann ich."

Er betrachtete sie nachdenklich. „Bist du deshalb hergekommen?" fragte er. „Um mich zu bitten, dass ich Alyssa in Ruhe lasse?"

Er war klug, zu klug, um sich eine Lüge aufbinden zu lassen. „Zum Teil."

„Und was ist der andere Teil?"

Sie beschloss, bei der Wahrheit zu bleiben, sie ihm aber nicht vollständig zu offenbaren. „Ich hatte das Gefühl, dass ich herkommen sollte."

Langes Schweigen folgte. Sie konnte an seinem Gesichtsausdruck erkennen, dass ihre Antwort ihm nicht gefiel. Es hätte sie nicht gewundert, wenn er sie im nächsten Moment gebeten hätte, das Haus zu verlassen. Doch das machte er nicht. Stattdessen stellte er ihr eine weitere Frage, und diesmal war das Schneidende aus seinem Tonfall verschwunden: „Und wenn ich das mache, worum du mich bittest ... wärst du dann glücklich?"

„Ja", sagte sie und sah ihn an und hielt seinem Blick stand. „Sehr sogar."

Er nickte knapp. „Okay, wenn es dich glücklich macht."

„Wirklich?" Der Schock ließ sie fast stottern, da sie sich auf einen Kampf eingestellt hatte.

„Ja, wirklich." Er lachte bellend, als würde es ihm gefallen, sie so sehr zu verblüffen. „Du siehst, der alte Sal ist gar kein so schrecklicher Kerl, oder?"

„Das habe ich nie gesagt."

„Nein, aber ich weiß, was du gehört hast. Ich weiß, was die Leute über mich sagen." Während er sprach, griff er zum Telefon und wählte eine Nummer. Sie hörte, wie er nach Stanley Fox fragte, und erinnerte sich daran, dass es sich um den Reporter handelte, der die ursprüngliche Geschichte im *Winters Journal* geschrieben hatte.

Sal wartete einige Sekunden, dann sprach er voller Energie in den Hörer. „Stan, hier ist Sal Dassante. Ja, ja, habe ich gesehen. Gute Story, Stan. Aber du musst mir einen Gefallen tun." Er winkte ihr zu. „Ich suche ab sofort nicht mehr nach Alyssa, Stan. Und ich möchte, dass du das in deiner Zeitung bringst. Ja, das ist richtig." Er lachte. „Warum? Weil ich ein alter Mann bin, da darf ich meine Meinung ändern. Außerdem", fügte er an und sah wieder zu Rachel, „habe ich meine Enkelin gefunden, mehr brauche ich nicht. Nein, auch keine Belohnung, keinen Cent. Druckst du das, Stan?" Er nickte. „Gut. *Arrivederci.*"

Er legte auf. „Und? Wie war das?"

„Danke, Sal", sagte Rachel einfach nur.

„Du hast nicht geglaubt, dass ich das machen würde, stimmts?"

„Nein . . . jedenfalls nicht so schnell."

Bevor sie noch etwas sagen konnte, schlug Sal auf die Armlehne. „Komm, wir suchen den Rest der Familie. Die anderen können es nicht erwarten, dich kennen zu lernen."

Rachel konnte Nico vom ersten Moment an nicht leiden, und nach dem finsteren Blick zu urteilen, den er ihr zuwarf, nachdem Sal sie miteinander bekannt gemacht hatte, beruhte diese Abneigung auf Gegenseitigkeit. Bei Erica Dassante war es eine andere Sache. Im Gegensatz zu Sal, der nicht davon angetan war, dass sie Alyssa so ähnlich sah, war Erica vollkommen begeistert.

„Du bist genauso schön wie deine Mutter", sagte sie und empfing sie mit offenen Armen.

„Danke."

Rachel verbrachte eine weitere halbe Stunde in dem großen Wohnzimmer, während Nico schmollend dasaß, Sal zufrieden dreinblickte und Erica fröhlich drauflosredete und Rachel über ihre Arbeit auf dem Weingut ausfragte. Von Zeit zu Zeit warf Sal Nico einen bösen Blick zu, woraufhin der eine Frage stellte, um dann wieder in Schweigen zu versinken.

Nachdem eine vertretbare Zeit verstrichen war, stand Rachel auf und war froh, dass die Tortur vorüber war. Zu Sals offensichtlicher Enttäuschung schlug sie sein Angebot aus, sie durch die Produktionsanlage zu führen.

„Dann eben ein anderes Mal", sagte er und ignorierte Nicos tödliche Blicke. „Dassante Farms ist jetzt deine Heimat, vergiss das nicht."

Während sie, Sal und Erica zur Tür gingen, begann Nico, in die entgegengesetzte Richtung zu gehen. Doch sein Vater bekam ihn am Ärmel zu fassen und hielt ihn mit eisernem Griff zurück. „Wir begleiten Rachel nach draußen", sagte er leise.

In ihrem Cherokee sitzend, sah Rachel in den Rückspiegel. Alle drei standen vor der Tür, Sal und Erica winkten ihr nach, während Nico dastand und aus seiner Wut keinen Hehl machte.

Sie wischte den Eindruck beiseite, dass sich etwas Unangenehmes an ihr festgesetzt hatte, startete den Jeep, gab Gas und fuhr davon.

Sal saß allein im Wohnzimmer und starrte auf den Platz, an dem Rachel gesessen hatte. Er fühlte ein plötzliches Stechen in seinem Magen. Sie war nicht hergekommen, weil sie ihn sehen wollte, nicht mal, weil sie neugierig war. Das Einzige, was sie interessiert hatte, war Alyssa.

Er war enttäuscht, aber zugleich war er auch froh, dass sie die Wahrheit gesagt hatte. Er hätte viel weniger von ihr gehalten, wenn sie gelogen hätte, was sie einen Augenblick lang auch in Erwägung gezogen hatte.

Insgesamt war das Treffen gut verlaufen, und er war froh, dass er so hartnäckig gewesen war und sie immer wieder angerufen hatte. Er kicherte, als er an den ersten Anruf zurückdachte. Er hatte sie noch an dem Abend angerufen, an dem er erfahren hatte, dass sie seine Enkelin war, aber er war so gerührt gewesen, als er ihre Stimme hörte, dass er nicht ein einziges Wort hatte herausbringen können. Er hatte einfach wieder aufgelegt, so wie ein alberner anonymer Anrufer. Vielleicht würde er ihr das eines Tages erzählen, aber noch nicht. Sie war noch zu steif, zu reserviert, vielleicht war sie sogar ein wenig misstrauisch.

Dieses Misstrauen war das, was ihn am meisten störte. Hoffentlich würde sich das legen. Der Anruf beim *Journal* hatte ihm bereits ein paar Bonuspunkte eingebracht. Natürlich hatte er nicht die Absicht, Rachels Bitte zu folgen und die Suche nach Alyssa aufzugeben. Er mochte das Mädchen, doch niemand würde sich ihm in den Weg stellen, den Tod seines Sohnes zu rächen, nicht einmal seine eigene Enkelin.

„Sal?"

Er drehte sich um und sah Erica hinter ihm stehen.

„Maria hat gesagt, dass du mich sprechen wolltest."

„Wo ist Nico?"

„Er musste zu einem Treffen mit einem Kunden."

„Das ist gut. Ich wollte mich ohnehin eigentlich mit dir unterhalten." Er verschränkte seine Arme vor der Brust. „Was hältst du von meiner Enkelin?"

Erica lächelte. „Sie ist reizend, Sal. Und sehr klug."

„Ich glaube, sie mag mich nicht."

„Sie kennt dich bloß nicht, Sal. Gib ihr Zeit. Gib ihr die Gelegenheit, dich und uns alle hier kennen zu lernen."

„Sie mag dich."

Erica zuckte mit den Schultern. „Das liegt daran, dass ich eine Frau bin. In einer unbekannten Umgebung ist eine Frau für eine Frau immer die erste Verbündete."

„Es ist mehr. Ich habe gesehen, wie sie dich ansieht, wie ihr beide gelacht habt. Wie alte Freundinnen. Das ist in Ordnung", sagte er, als sie etwas dagegen einwenden wollte. „Ich bin nicht verärgert. Darum habe ich dich ja kommen lassen." Er deutete auf einen Sessel. „Bitte, *Cara*, setz dich doch."

„Sal?" Erica klang auf einmal misstrauisch. „Mir gefällt dein Blick nicht. Was ist los? Was hast du vor?"

Als Geste völliger Unschuld breitete er seine Arme aus und ließ sie zur Seite fallen. „Warum glaubt eigentlich jeder, dass ich immer irgendwas vorhabe?"

Erica reagierte mit einem toleranten Lächeln. „Warum bin ich hier, Sal?"

Sal nahm sich Zeit, um eine Zigarre auszusuchen. „Ich möchte, dass du dich mit Rachel anfreundest."

„Was?"

„Du hast mich schon verstanden. Ich möchte, dass du ihre Freundin wirst. Und ich möchte, dass du für mich hin und wieder ein gutes Wort einlegst."

„Ach, Sal, ich weiß nicht. Das klingt so hinterhältig."

Er fuchtelte mit seiner Zigarre umher. „Oh, jetzt erzähl mir nichts von diesem Zeugs, mit dem sie dich in der Kirche bombardieren. Wir sind eine Familie. Und was ich von dir möchte, dient dem Wohl der Familie. *Capisci?*" Er baute sich vor ihr auf. „Was ist los? Magst du sie nicht?"

„Doch. Und darum . . ."

„Willst du nicht mehr über sie erfahren? Über ihre Arbeit? Über ihre Hobbys? Solche Dinge."

„Ja, aber . . ."

„Also, wo ist das Problem?"

„Das Problem, Sal, liegt darin, dass wir sie in keiner Weise unter Druck setzen wollten."

„Wer redet hier von Druck? Ich bitte dich nur, ihr einen Besuch abzustatten, sie zu fragen, wie es ihr geht, zu sehen, ob sie irgendetwas braucht. Kannst du mir diesen Gefallen tun?"

„Ich weiß nicht, Sal."

„Dann begleite ich dich am Sonntag auch in die Kirche."

Das genügte. Nichts gefiel Erica besser, als Seelen zu retten.

„Oh, Sal", sagte sie kopfschüttelnd. „Du gehst ja mächtig ran."

Als Rachel die Außenbezirke von St. Helena erreicht hatte, hatten sich Dämmerung und leichter Nebel über das Tal gelegt. So wie sonst auch, wenn sie aus dieser Richtung gefahren kam, mied sie die viel befahrene Route 29 und nahm stattdessen den Silverado Trail, der direkt zur hinteren Einfahrt von Spaulding Vineyards führte.

Kurz vor einer Reihe von gefährlichen Kurven bremste sie den Cherokee ab, während sie gleichzeitig in den Rückspiegel sah. Der Pick-up war noch immer hinter ihr. Zuerst war er ihr kurz hinter Winters auf der Route 128 aufgefallen, ein alter, verdreckter Pick-up, wie man ihn in dieser landwirtschaftlich geprägten Gegend zu Dutzenden sehen konnte.

Dass sie ihn bemerkt hatte, lag daran, dass er sie zu verfolgen schien. Wenn sie langsamer wurde, bremste auch der

Fahrer des Pick-up ab, und wenn sie Gas gab, beschleunigte er ebenfalls. Obwohl er mehr als einmal die Gelegenheit gehabt hätte, hatte er sie nicht überholt.

Zunächst hatte sie überlegt, ob es sich vielleicht um Nico handelte, auch wenn sie keine Ahnung hatte, warum er ihr folgte. Als der Fahrer aber keine Anstalten machte, sie zum Anhalten zu bewegen, war sie zu dem Schluss gekommen, dass sie ihre Abneigung gegenüber diesem Mann auf den Fahrer übertragen hatte, und damit hatte sie sich nicht weiter um ihn gekümmert.

Jetzt aber befand sich außer ihnen beiden niemand auf der Straße, diesmal hielt der Pick-up weniger Abstand zu ihrem Cherokee. Rachel seufzte gereizt. Was war mit diesem Kerl los? Konnte er nicht die Schilder lesen, die eine Höchstgeschwindigkeit von 40 Stundenkilometern vorschrieben? Und wenn er es so eilig hatte, warum hatte er sie dann nicht überholt, als es ihm möglich gewesen war?

Sie versuchte, den Fahrer zu erkennen, aber abgesehen von einer tief ins Gesicht gezogenen weißen Baseballkappe konnte sie nichts erkennen. Um ihm zu signalisieren, dass er zu dicht hinter ihr war, trat sie kurz auf die Bremse. Sie sah in den Rückspiegel, doch der Fahrer hatte den Abstand nicht um einen Zentimeter vergrößert.

„Dich werde ich anzeigen, Freundchen", murmelte sie, aber als sie versuchte, im Spiegel sein Nummernschild zu entziffern, musste sie feststellen, dass es schlammverschmiert war.

Unter anderen Umständen hätte sie angehalten, um dem abenteuerlustigen Fahrer die Meinung zu sagen, doch dieser Straßenabschnitt war viel zu schmal und zu kurvenreich, um den Wagen sicher anzuhalten. Vielleicht sollte sie die Polizei anrufen und . . .

Der plötzliche Aufprall traf sie völlig unvorbereitet. Schockiert wurde ihr klar, dass der Pick-up ihren Wagen gerammt hatte. Der Cherokee brach gefährlich aus, und Rachel lenkte fluchend gegen. Erst als die Reifen wieder griffen, gestattete sie sich ein erleichtertes Ausatmen.

„Was für ein Spielchen spielst du mit mir?" schrie sie und sah wieder in den Spiegel.

Bevor sie sich entscheiden konnte, ob sie anhalten oder weiterfahren sollte, trat der Fahrer hinter ihr in dem Moment wieder aufs Gas, als sie gerade auf eine noch schärfere Kurve zufuhren. „Pass bloß auf!"

Ihre Warnung verhallte ungehört, der Wagen kam näher und näher, während Rachel spürte, dass Panik von ihr Besitz ergreifen wollte. Dieser Vollidiot spielte kein Spielchen, er wollte sie von der Fahrbahn in den Abgrund drängen.

Diesmal war der Aufprall richtig heftig. Der Jeep schoss nach vorne und näherte sich bis auf wenige Zentimeter dem steilen Straßenrand. Rachels Kopf schlug hart gegen die Kopfstütze.

Alle Ratschläge ihres Vaters und ihrer Großmutter über das Fahren im Gebirge schossen ihr durch den Kopf. Sie trat stotternd auf das Bremspedal, während sie gegen die Drehrichtung lenkte. Wieder gelang es durch ihre Entschlossenheit, den Wagen auf der Straße zu halten.

Sie sah, dass der Pick-up abermals beschleunigte, und ihre Panik wich einer simplen, unverfälschten Furcht. Der Bastard würde nicht aufgeben, ehe er ihren Wagen in den Abgrund geschoben hatte.

Zu ihrer großen Überraschung und Erleichterung wurde er plötzlich langsamer, und im nächsten Moment erkannte sie den Grund. Zwei weitere Wagen fuhren bergauf, ihre Nebelscheinwerfer erhellten den Dunst.

Sie gab Gas, wobei sie die Geschwindigkeitsbeschränkung ignorierte. Sie wollte nur diesem Wahnsinnigen entkommen.

Als er sie wieder eingeholt hatte, befand sie sich bereits kurz vor der Einfahrt zu Spaulding Vineyards. Mit quietschenden Reifen bog sie von der Straße ab, während der Pick-up weiterfuhr, und wurde erst langsamer, als sie den Parkplatz auf dem Hof erreichte. Noch immer erschüttert von dem Vorfall, saß sie im Wagen, atmete schwer und hatte den Kopf auf das Lenkrad gelegt.

„Rachel?"

Als sie Sams besorgt klingende Stimme hörte, hob sie den Kopf.

„Was ist los?" fragte er und öffnete die Fahrertür.

Rachel nahm seine Hand und stieg aus, um ihm dann zu erzählen, was geschehen war.

Mit finsterem Blick blinzelte Sam in Richtung der Gebirgsstraße. „Wieder diese Halbstarken", murmelte er.

„Welche Halbstarken?"

„Letztes Wochenende wurden zwei Teenager festgenommen, die auf der Oakville Grade das gleiche Spiel veranstaltet haben. Sie haben einen alten Mann fast zu Tode erschreckt. Die Eltern haben dann ein paar hochkarätige Anwälte aufgefahren, und die Kids wurden prompt wieder freigelassen."

„Ich habe nur den Fahrer im Wagen gesehen."

„Wie sah er aus?"

Sie schüttelte den Kopf. „Ich konnte ihn nicht erkennen. Und das Nummernschild war praktischerweise völlig verdreckt."

Sie ging mit Sam um den Wagen, um den Schaden zu begutachten. Die hintere Stoßstange war demoliert, und beide Rückleuchten waren zersplittert.

„Wir müssen das melden", sagte Sam. „Der Polizei und der Versicherung." Er ging wieder nach vorne, um Rachels Autotelefon zu benutzen, aber sie hielt ihn zurück. „Ich möchte nicht, dass das publik wird, Sam."

„Warum denn das nicht? Du könntest jetzt ebenso gut tot sein, Rachel!"

„Ich weiß, aber ich möchte den Betrieb des Weinguts nicht noch weiter stören. Alles normalisiert sich im Augenblick wieder, Sam. Lass es uns dabei belassen."

„Willst du diese Rabauken ungeschoren davonkommen lassen?"

„Wenn sie es waren, natürlich nicht. Aber ich möchte es auf die leise Tour machen."

„Und wie soll das gehen?"

„Ich rufe Rick an."

Minuten später hielt ein uniformierter Officer neben dem Cherokee. Ricardo Torres, den Rachel seit der dritten Klasse kannte, ging um den Jeep herum und inspizierte ihn kurz. „Du bist okay, Rach?" fragte er.

„Mir gehts gut."

Er schrieb alles auf, was sie ihm sagen konnte, doch als Sam erwähnte, dass es sich um dieselben Teenager handelte, die am vergangenen Wochenende verhaftet und gleich wieder freigelassen worden waren, schüttelte Rick den Kopf. „Sie sind zwar wieder raus, aber ihre Fahrerlaubnis wurde bis auf weiteres einbehalten. Und ihr Pick-up wurde beschlagnahmt. Ich glaube nicht, dass sie es waren."

„Aber du wirst es überprüfen?" fragte Sam.

„Selbstverständlich. Ich werde auch die graue Farbe am Jeep im Labor untersuchen lassen, um festzustellen, ob sie zu irgendeinem anderen Wagen passt, den die Kids haben könnten."

Er holte ein Taschenmesser hervor und kratzte einige der Lackspuren ab, um sie in eine Plastiktüte zu verpacken. „Ich rufe in den Werkstätten rund, ob irgendwo ein Pick-up mit beschädigter Frontpartie angemeldet wurde. Ich glaube allerdings nicht, dass jemand so dumm ist und den Wagen in eine Werkstatt bringt. Außerdem fürchte ich, dass wir ohne das Nummernschild nie dahinterkommen werden, wer der Kerl war."

Rachel nickte. Damit hatte sie schon gerechnet. „Tu einfach, was du kannst, Rick."

„Das mache ich." Er küsste sie auf die Wange. „Ich lasse dich wissen, was ich herausgefunden habe. Und ich halte das so weit unter Verschluss, wie es geht."

„Das wäre mir sehr recht."

Nachdem er sich verabschiedet hatte, lehnte Rachel Sams Angebot an, sich von ihm nach Hause fahren zu lassen. Stattdessen fuhr sie selbst mit dem Jeep zu ihrem Bungalow. Von dort rief sie ihren Versicherungsvertreter an, der ein alter Freund von Hannah war und der versprach, umgehend einen Gutachter zu ihr zu schicken.

Während sie auf dessen Ankunft wartete, fragte sie sich, ob der Zwischenfall das Werk irgendeines Verrückten war, dem es gefiel, anderen Leuten Angst einzujagen, oder ob es sich um jemand handelte, der einen persönlichen Rachefeldzug gegen sie führte.

Die Idee erschien ihr völlig absurd. Die Bewohner des Tals bildeten eine Gemeinschaft, die zusammenhielt, die von einem freundlichen Wettbewerb und einer Kameradschaft geprägt war, wie sie so nirgendwo sonst im Land zu finden war. Sie konnte sich nicht vorstellen, wen sie kannte, der ihr etwas antun wollte, und trotzdem . . .

Wieder musste sie an Joe Brock denken und an seinen unübersehbaren Zorn auf sie. Vielleicht war dieses Unübersehbare aber auch nur der Grund, warum er ihr so schnell als Verdächtiger in den Sinn kam.

Ehe sie sich weiter mit ihren Verdächtigungen beschäftigen konnte, klingelte es an der Haustür. Der Gutachter war eingetroffen.

19. KAPITEL

Der Frühnebel hatte sich verzogen und einem kobaltblauen Himmel mit nur wenigen verstreuten Wolken Platz gemacht. Rachel ging zügig über den Hof in Richtung Verkaufsbüro, um eine Bestellung eines Restaurantbesitzers aus Sonoma zu überprüfen, der behauptete, keine Lieferung erhalten zu haben. Normalerweise überließ sie solche Angelegenheiten ihrem Abteilungsleiter, doch der Kunde hatte bei ihr angerufen, also hatte sie ihm versprochen, sich persönlich um den Fall zu kümmern.

Früh am Morgen hatte Rick Torres angerufen und ihr die Resultate aus dem Polizeilabor mitgeteilt. Die graue Farbe war ein Standardprodukt, das in den siebziger Jahren von verschiedenen Fahrzeugherstellern verwendet worden war. Er hatte ihr vorgeschlagen, die Proben an ein Labor in San Francisco zu schicken, wo mit präziseren Tests Jahr und Hersteller leichter ermittelt werden konnten. Rachel war damit einverstanden gewesen, solange der Zwischenfall nicht publik wurde.

Nach dem, was Rick am Abend zuvor gesagt hatte, war es keine große Überraschung gewesen, dass in keiner Werkstatt ein grauer Pick-up zur Reparatur abgegeben worden war. Und was die beiden Teenager anging, die Sam im Verdacht hatte, war herausgekommen, dass keiner von ihnen noch einen weiteren Wagen besaß.

Das einzig Positive war, dass Chuck Willard, der Gutachter von der Versicherung, volles Verständnis gezeigt hatte, den Zwischenfall nicht an die Öffentlichkeit zu bringen.

Er hatte ihr versprochen, dass er mit niemandem außerhalb der Schadensregulierungsabteilung darüber sprechen würde. Und die befand sich zum Glück in San Francisco. Der Cherokee würde frühestens innerhalb einer Woche repariert sein, was für sie bedeutete, dass sie so lange einen Mietwagen nehmen würde.

Sie hatte fast die Tür des Verkaufsbüros erreicht, als sie sah, wie ein schwarzer BMW auf den Parkplatz fuhr. Sie sah genauer hin und erkannte, dass Erica Dassante hinter dem Lenkrad saß.

„Rachel!" Erica hupte zwei Mal und winkte ihr durch das offene Seitenfenster zu.

Rachel hatte nicht erwartet, so kurz nach ihrem Besuch bei den Dassantes jemanden aus der Familie wieder zu sehen. Sie ging hinüber zu Erica und fragte sich, warum die Frau hergekommen sein mochte.

„Ich hoffe, es macht dir nichts aus, dass ich ohne Voranmeldung hier reinplatze", sagte Erica, während sie ausstieg. „Das war ein spontaner Einfall . . ." Sie seufzte. „Nein, das war es eigentlich nicht. Die Wahrheit ist, dass ich hier bin, weil Sal mich geschickt hat", gab sie mit einem schuldbewussten Gesichtsausdruck zu.

„Aha", entgegnete Rachel und lächelte, während sie sich über ihre Ehrlichkeit freute. „Setz dich doch", sagte sie und deutete auf den Picknicktisch, an dem sie gestern mit Gregory gesessen hatte. „Ich muss schnell etwas nachprüfen, aber das dauert nur ein paar Minuten."

„Oh, ich habe wohl einen ungünstigen Augenblick erwischt."

„Nein, überhaupt nicht", sagte Rachel, obwohl das nicht stimmte. Kurz nach der Weinlese ging es keine Spur ruhiger zu als unmittelbar davor, aber sie brachte es nicht übers Herz, Erica das zu sagen. „Wie wärs mit etwas zu trinken? Ist Ginger Ale in Ordnung? Ich fürchte, dass der Getränkeautomat heute nichts anderes zu bieten hat."

„Ja, das ist okay, Rachel. Danke."

Rachel benötigte länger als erwartet, um den Verbleib der zwölf Kisten Spaulding Merlot ausfindig zu machen und die Lieferung umzuleiten. Nachdem das erledigt war, holte sie eine Hand voll Münzen aus ihrer Hosentasche, fütterte den Getränkeautomaten und ging mit zwei Dosen Ginger Ale zum Picknicktisch zurück.

„Es ist sehr schön hier oben", sagte Erica und nahm die Dose, die Rachel ihr gab. „So friedlich." Ihr Blick wanderte über das Tal, das sich vor ihnen erstreckte. „Ich war sogar versucht, mit der Seilbahn zu fahren, aber in letzter Minute habe ich dann Angst bekommen und bin über die Straße hergekommen." Sie grinste Rachel verlegen an. „Ich habe Höhenangst."

„Oh, da gibt es nichts, wovor man Angst haben müsste", erwiderte Rachel. „Die Fahrt dauert nur drei Minuten, und man kann so wunderschön die Weinberge sehen. Beim nächsten Mal rufst du mich vorher an, dann treffen wir uns unten und fahren gemeinsam rauf. Einverstanden?"

Erica wirkte nicht sehr überzeugt. „Mal sehen. Ich kann nichts versprechen."

Während sie sie ansah, fühlte sich Rachel auf eine unerklärliche Weise mit dieser Frau verbunden, zwar nicht so stark wie mit Alyssa nach ihrem Traum, aber doch stark genug, dass sie ihr das Gefühl geben konnte, willkommen zu sein.

„Und", begann Rachel mit neckischem Tonfall, „auf welche Geheimmission hat Sal dich geschickt?"

Erica legte eine Hand an ihre Wange. „Ich kann es nicht glauben, dass ich das verraten habe. Er würde mich umbringen, wenn er es wüsste."

„Dann bleibt es unser Geheimnis."

Erica wurde mit einem Mal ernst. „Er befürchtet, dass du ihn nicht magst."

„Ich kenne ihn nicht gut genug, um ihn zu mögen. Und auch nicht, um ihn *nicht* zu mögen."

„Das habe ich ihm auch gesagt, aber Sal ist ein Mann, der sofortige Dankbarkeit erwartet." Sie öffnete ihre Dose Ginger Ale und nahm einen großen Schluck. „Er ist nicht so schlecht, musst du wissen. Versteh das nicht falsch, er hat seine Fehler. Er ist aufbrausend, schwierig und manchmal auch egoistisch. Aber er kann auch liebevoll und witzig sein. Und seine Familie ist sein Ein und Alles, das wirst du auch noch feststellen."

Ihre Stimme wurde sanfter, und Rachel erkannte, dass Erica auf den Mann wirklich stolz war. „Wusstest du, dass seine Eltern ihn mit neun Jahren aus der Schule genommen haben, weil er seine zehn Geschwister mit ernähren musste?" fragte sie. „Oder dass er sich mit fünfzehn Jahren auf einem Schiff als blinder Passagier versteckt hatte, das nach New York fuhr? Oder dass seine Frau starb, als die Jungs noch klein waren?"

Rachel fühlte sich mit einem Mal schuldig, weil sie Sal nichts gefragt hatte, was ihn oder seine Familie betraf. „Nein, das wusste ich nicht."

„Das überrascht mich nicht. Er ist ein sehr verschlossener Mann. Darum mögen die Leute ihn nicht. Sie kennen ihn einfach nicht."

„Er macht aber nicht den Eindruck, dass ihm das schlaflose Nächte bereitet."

„Den Eindruck hat er noch nie gemacht", sagte Erica und trank wieder aus der Dose. „Bis gestern."

Erica sah einem Pick-up nach, der mit Weinkisten beladen in Richtung Zufahrtsstraße abfuhr. „Er hat dich sehr geliebt, weißt du?" fuhr sie fort. „In den zwei Wochen nach deiner Geburt hat er immer nach dir gesehen und mit dir gesprochen. Mario war sein Lieblingssohn, und darum warst du auch etwas Besonderes."

Sie senkte den Blick. „Dann starb Mario, und aus seiner Liebe wurde Hass. Hass auf deine Mutter, weil sie seinen Sohn umgebracht hatte. Hass auf die Polizei, weil sie sie nicht finden konnte. Er war sogar auf Nico und mich wütend, obwohl wir wirklich alles taten, um ihn zu trösten."

Rachel hatte Mitleid mit der Frau. Das Leben in diesem Haus konnte nicht einfach gewesen sein. „Die ersten Wochen müssen für dich bestimmt schwierig gewesen sein."

„Für jeden von uns. Vor allem aber für Sal. Er war damals erst zweiundvierzig, aber über Nacht alterte er bestimmt um zwanzig Jahre. Er verlor das Interesse an seinem Geschäft, an den wenigen Freunden, die er hatte, und an seiner Familie. Ohne Mario hörte er sozusagen auf zu existieren."

„War das der Augenblick, in dem Nico das Geschäft übernahm?"

Sie lachte. „Oh, Himmel, nein. Sal hatte in Nico nie das Vertrauen, das Mario genossen hatte. Er hatte sich nur für einige Zeit zurückgezogen. Nach wenigen Monaten hatte er das Ruder wieder fest in der Hand, und von dem Moment an war die Farm das Einzige, was ihm etwas bedeutete."

„Und Alyssa", fügte Rachel an. „Soweit ich weiß, hat er das nie vergessen."

„Das stimmt. Nico und ich haben immer und immer wieder versucht, ihn dazu zu bringen, Alyssa endlich zu vergessen. Ich wusste, dass uns das nur mit einem Enkel gelungen wäre, der die Enkelin ersetzt hätte, die er verloren hatte." Sie seufzte lange und traurig. „Nach einigen Monaten stellte sich heraus, dass wir niemals Kinder bekommen konnten. Nico ist unfruchtbar."

„Oh, Erica", sagte Rachel betroffen. „Das tut mir Leid."

„Mir auch. Bis Alyssa dich zur Welt brachte, war mir nie klar gewesen, wie sehr ich selbst ein Kind haben wollte."

Rachel dachte an das hübsche kleine Mädchen, das sie im Kloster gesehen hatte. „Habt ihr nie an eine Adoption gedacht?"

„Nico wollte davon nichts wissen. Sal auch nicht. Und damit gingen die Jahre ins Land, und Sals Verbitterung und der Hass auf Alyssa wurden immer stärker."

„Ich könnte mir ein solches Leben nicht vorstellen", sagte Rachel kopfschüttelnd. „Mit einer solchen Wut, die tagein, tagaus an mir nagt."

Erica stützte ihre Ellbogen auf den Tisch und strich eine Strähne ihres ebenholzschwarzen Haars hinter ihr Ohr. „So ist Sal nun mal."

„Aber er sucht nicht länger nach Alyssa, oder?" fragte Rachel ein wenig zaghaft. „Ich meine, er hat mir versprochen, die Suche aufzugeben."

„Das hat er auch. Das wissen ebenfalls nicht viele Menschen, aber Sal hält sein Wort."

„Da bin ich froh", sagte Rachel, die von seiner Ernsthaftigkeit nicht völlig überzeugt gewesen war und seinen Anruf beim *Winters Journal* zunächst für eine Farce gehalten hatte, mit der er sie hatte beeindrucken wollen. Sie war erleichtert, dass Erica ihm so bedingungslos vertraute. „Du magst Sal sehr, nicht wahr." Es war mehr eine Bemerkung als eine Frage.

Erica nickte. „Mein Vater starb, als ich noch ein Teenager war. Als ich Nico heiratete, wurde Sal mein Ersatzvater." Sie lächelte. „Und als Alyssa einzog, wurde sie für mich zu der Schwester, die ich nie hatte."

„Ich habe gleich gemerkt, wie viel du für sie empfindest", sagte Rachel und dachte daran, wie warmherzig Erica sie willkommen geheißen hatte.

„Es war einfach unmöglich, Alyssa nicht zu mögen. Sie war hübsch, witzig und immer nett und hilfsbereit. Als sie in dieses große alte Haus einzog, war sie wie ein frischer Wind. Sie lachte und sang immer – unanständige Lieder, die sie aus dem Striplokal kannte, in dem sie gearbeitet hatte." Erica musste lachen. „Wenn wir allein waren, bewegte sie sich ab und zu so wie früher auf der Bühne. Das habe ich immer gemocht."

Ericas Finger bewegten sich über eine abgesplitterte Stelle im Holz und zeichneten die Kanten auf der Oberfläche nach. „Aber der Spaß hielt nicht lange an."

Vielleicht war das jetzt die Gelegenheit, mehr über Alyssa zu erfahren. „Ich habe in einer Zeitung gelesen, dass sie und Sal von Zeit zu Zeit aneinander gerieten."

„Von Zeit zu Zeit?" Erica rollte mit den Augen. „Sie stritten sich ständig. Sal mag es nicht, wenn man seine Entscheidungen in Frage stellt, und genau das machte Alyssa ziemlich oft. Ihr missfiel die Art, wie er seine Wanderarbeiter behandelte, was wiederum Sal rasend machte."

„Er misshandelte seine Arbeiter?"

Erica zuckte mit den Schultern. „Ich weiß es nicht, ich war damals gerade zweiundzwanzig. Ich habe mich nicht so sehr darum gekümmert, was sich auf der Farm abspielte. Aber deine Mutter schon. Sie war eine Idealistin, sie hat sich für die Unterdrückten eingesetzt. Die Arbeiter wussten das und bewunderten sie dafür. Nur machte das die Situation noch angespannter."

„Hat Sal jemals versucht, sich zu ändern?"

Sie lachte. „Du machst wohl Witze. Sal soll sich von einer Frau etwas sagen lassen? Er soll sich vorschreiben lassen, wie er sein Unternehmen führt?" Sie schüttelte nachdrücklich den Kopf. „So was macht er nicht mit. Er hatte Mario vielmehr gesagt, er solle seine Frau unter Kontrolle haben. Aber Alyssa ließ sich nicht kontrollieren, erst recht nicht mit Drohungen."

Ein Windstoß wehte ihr das schwarze Haar ins Gesicht, und sie strich es wieder zurück. „Schließlich wurde ihr Leben so unerträglich, dass sie genug davon hatte und Mario um die Scheidung bat. Mario wollte davon aber nichts hören."

Von Ericas Enthüllungen ermutigt, stellte Rachel die Frage, die ihr nicht aus dem Sinn ging. „Erzähl mir etwas über die Nacht, in der sie . . . fortging." Sie wollte nicht „in der sie Mario umbrachte" sagen, da sie mittlerweile immer weniger daran glaubte, dass ihre Mutter eine Mörderin sein sollte. „Ich habe viel in den Zeitungen darüber gelesen, aber ich würde es gerne von jemandem hören, der dabei war."

Erica sah sie einen Moment lang an, dann sprach sie mit gedämpfter Stimme weiter. „Es war eine entsetzliche Nacht. Finster und stürmisch, voller Vorboten eines drohenden Unheils. Ich konnte nicht schlafen. Stürme machen mich nervös. Ich stand auf und ging in den kleinen Salon neben unserem Schlafzimmer und begann zu lesen. Da hörte ich, dass sich Alyssa und Mario stritten. Unser Zimmer liegt direkt über der Garage, und als ich ans Fenster ging, sah ich den Mercedes von Alyssa in der Einfahrt. Lillie . . . dich", berichtigte sie sich, „hatte sie auf den Beifahrersitz gestellt. Der Streit wurde immer heftiger, und ich bekam Angst, weil Mario ein sehr aufbrausendes Temperament hatte. Ich fürchtete, er könne Alyssa etwas antun. Ich weckte Nico auf und wir liefen nach unten."

Wieder sah sie matt zur Seite. „Es war zu spät", sagte sie fast tonlos.. „Mario war bereits tot."

Den Rest der Geschichte kannte Rachel. „Glaubst du, dass sie ihn umgebracht hat?" fragte sie leise.

Erica seufzte. „Ich weiß es wirklich nicht, Rachel. Ich habe mir diese Frage hundert Mal gestellt. Aber in einer Sache bin ich mir ganz sicher. Wenn sie ihn getötet hat, dann war es ein Unfall. Ich bin sicher, dass sie fortgehen wollte und Mario sie daran hinderte."

„Hast du das der Polizei gesagt?"

„Natürlich. Sal war außer sich. Er sagte, ich hätte die Familie verraten. Eine Zeit lang dachte ich, er würde mich rauswerfen, aber dazu kam es nicht." Ihr Gesicht nahm wieder sanfte Züge an. „Er ist einer von diesen Hunden, die bellen, aber nicht beißen."

Erica öffnete ihre Tragetasche und suchte etwas. „Ich weiß, dass du die Fotos in den Zeitungen gesehen hast", sagte sie. „Aber ich dachte mir . . ." , sie zog ein Farbfoto aus der Tasche, „dass dir das gefallen würde."

Der Schnappschuss zeigte Alyssa in ihrer ganzen Schönheit. Braun gebrannt und strahlend stand sie auf einem Segelboot, hielt sich am Mast fest, ihr langes Haar wehte im Wind. Sie trug einen Badeanzug mit einem tief ausgeschnittenen Rücken und einem aufgestickten Anker auf der rechten Hüfte. Neben ihr lächelte eine schlanke Erica in die Kamera und hatte einen Arm um Alyssas Schultern gelegt.

Rachels Kehle zog sich zu. Sie stellte sich vor, wie dieselbe wunderschöne Frau Lillie in ihren Armen hielt, ihr ein Lied sang und wie in ihrem Traum beruhigend auf sie einredete. „Sie sieht so glücklich aus", sagte Rachel.

„Das war sie auch. Das Foto entstand, kurz nachdem sie und Mario aus den Flitterwochen zurückgekehrt waren."

Rachel blickte auf. „Du siehst gut aus."

Erica schüttelte den Kopf. „Deine Mutter war die, die gut aussah. Wenn sie da war, nahm von mir niemand Notiz."

In Ericas Stimme war keine Feindseligkeit zu hören, nicht die Spur von Eifersucht oder Verärgerung.

„Nach Marios Tod", fuhr sie fort, „verbrannte Sal alle Fotos, auf denen sie zu sehen war. Dieses hier konnte ich retten. Nico nahm es bei einem Segelausflug nach Tiburon auf der anderen Seite der San Francisco Bay auf. Niemand wusste, dass ich dieses Foto besaß, und mir war nie so richtig klar, warum ich es behalten habe." Sie gab es Rachel. „Jetzt weiß ich es."

„Danke", erwiderte Rachel, die den Blick nicht von Alyssa abwenden konnte.

Nach langem Schweigen beugte sich Erica vor. „Du möchtest sie finden, nicht wahr?"

Rachel zögerte und überlegte, ob Erica ihre Antwort an Sal weitererzählen würde. Was würde er machen, wenn er wusste, dass sie ihre Mutter finden wollte? Würde er es verstehen, oder würde es ihn verärgern und dazu veranlassen, sein Versprechen zu brechen?

Sie beschloss, Erica so zu vertrauen, wie sie ihr vertraute. „Ja", sagte sie und beobachtete Ericas Reaktion. „Ich würde sie sehr gerne finden."

„Das habe ich mir gedacht." Erica trank den Rest ihres Ginger Ale. „Ich würde dir gerne helfen, aber ich habe keine Ahnung, wie man so etwas machen sollte."

„Ich auch nicht. Aber zum Glück hat Gregory Shaw versprochen, mir zu helfen."

„Gregory Shaw ist doch ein Privatdetektiv, richtig?"

Rachel nickte. „Vermisste Personen aufzuspüren, ist eigentlich nicht mehr das, was er macht, aber er weiß, wo und wie man Informationen bekommt. Allerdings ist das alles sehr lange her, und die Spuren dürften nur noch schwer zu entdecken sein." Sie lächelte Erica hoffnungsvoll an. „Ich kann wohl nicht annehmen, dass du irgendjemanden kennst, der etwas wissen könnte? Ein entfernter Cousin, eine Tante in einem Altersheim?"

„Ich fürchte nicht. Soweit ich weiß, hatte Alyssa niemanden. Darum gefiel ihr der Gedanke einer ‚Fertigfamilie' so sehr. Jedenfalls anfangs."

„Hat sie Mario geliebt?"

Ericas Blick schweifte wieder in die Ferne ab. „Ja. Bis er anfing, sie zu schlagen."

„Er hat sie geschlagen?"

Erica nickte. „Ich wollte es dir eigentlich nicht sagen, aber du hast die volle Wahrheit verdient."

„Wusste Sal davon?"

„Ja", seufzte sie. „Aber er sah fort. So wie immer, wenn es um Mario ging." Als hätte sie mit einem Mal gemerkt, dass sie mehr gesagt hatte, als sie sollte, sah sie auf ihre Armbanduhr. „Oh, mein Gott, ist es schon so spät?"

„Ich bin froh, dass du hergekommen bist", sagte Rachel und stand auf. „Beim nächsten Mal gehen wir essen."

Erica strahlte. „Einverstanden."

20. KAPITEL

„Und?" fragte Sal beim Abendessen. „Wie war dein Besuch bei Rachel?"

„Sehr gut, aber ich muss dich warnen, Sal. Ich konnte sie nicht anlügen. Ich habe ihr gesagt, dass du mich geschickt hast."

Wütend legte Sal seine Gabel auf den Teller. „Wie kannst du nur etwas so Dummes machen?"

„Weil sie nicht auf den Kopf gefallen ist. Sie hätte mich sofort durchschaut."

„Okay, okay", sagte er, nahm seine Gabel wieder auf und fuchtelte damit in der Luft herum. „Was hat sie gesagt? Will sie mich wieder sehen?"

„Vielleicht, wenn wir sie nicht zu sehr unter Druck setzen. Sie ist eine sehr unabhängige junge Frau, Sal. Sie trifft ihre eigenen Entscheidungen."

„Hat sie dich nach ihrer Mutter gefragt?" wollte Nico wissen.

Sal bemerkte, dass Erica zögerte. „Sie hat Fragen gestellt."

Nico sah von seinem Teller auf. „Siehst du, Pa? Sie hat Fragen gestellt. Was sagt dir das?"

„Halt den Mund, Nico. Was wollte sie wissen?"

„Sie wollte wissen, wie Alyssa war", erwiderte Erica beiläufig. „Was ich von ihr hielt und alles solche Dinge."

„Und was hast du gesagt?"

„Ich habe ihr erzählt, was ich weiß. Und sieh mich nicht so an, Sal", sagte sie im gleichen Atemzug. „Was hätte ich machen sollen? Sollte ich so tun, als hätte ich die Frau nicht gekannt, mit der ich ein Jahr lang unter einem Dach gelebt habe?"

„Ich habe gewusst, dass es keine gute Idee war, Erica zu schicken", murmelte Nico.

Sal warf ihm einen eisigen Blick zu. „Halt verdammt noch mal deine Klappe, Nico." Dann sah er zu Erica. „Hat sie irgendetwas darüber gesagt, dass sie ihre Mutter finden will?"

„Nein."

Erica vermied es, in dem Moment Sal anzusehen. Er wusste, dass sie log, aber das war in Ordnung. Es genügte, dass er es wusste.

„Ich war sehr beeindruckt von ihr", fuhr sie fort. „Sie hat viel Arbeit mit Spaulding Vineyards. Und sie arbeitet hart." Sie nahm einen Happen von ihrer Pasta. „Sie arbeitet fast jeden Tag von sieben Uhr morgens bis zehn oder elf Uhr abends. Manchmal sogar noch länger."

Sal war sofort besorgt. „Ist sie dann ganz allein dort?"

„Ich schätze ja, aber es scheint ihr nichts auszumachen." Erica brach ein Stück Brot ab und tunkte es in die Tomatensauce. „Sie sagt, dass sie abends besser arbeiten kann, weil dann niemand mehr da ist."

„Das gefällt mir nicht", sagte Sal, während er eine Flasche Spaulding Pinot Noir nahm, den er nach Rachels Besuch gekauft hatte, und sein Glas auffüllte. „Eine Frau, die nachts alleine arbeitet, fordert Probleme regelrecht heraus. Ich werde mit ihr darüber reden müssen."

„Um Gottes willen, Pa", sagte Nico mit vollem Mund. „Sie ist eine erwachsene Frau. Warum willst du dich in ihr Leben einmischen und ihr Ratschläge geben, die sie ohnehin nicht befolgen wird?"

„Woher willst du wissen, dass sie das nicht machen wird? Bist du auf einmal ein Experte für das Verhalten von Enkelinnen?"

„Ich bin ein Experte, was dich angeht, Pa, und ich sage dir, dass du dich zum Narren machst, was diese Frau angeht. Sie wird dieser Familie nur Probleme bereiten. So wie ihre Mutter."

„Pass auf, was du sagst, Nico."

„Warum? Hast du Angst, dass ich die Wahrheit sagen könnte?"

„Ich habe Angst, dass mir die Hand ausrutschen könnte."

Erica stieß ihren Mann dezent gegen den Arm, war aber nicht dezent genug, als dass Sal es nicht bemerkt hätte.

Nico verstand die Botschaft, richtete den Blick auf seinen Teller und aß schweigend weiter.

„Und . . . ist es schon Wein?"

Rachel erkannte Gregorys tiefen Bariton und drehte sich um, während sie das Glas in der Hand hielt, aus dem sie gerade gekostet hatte. „Der ist noch ein paar Jahre lang kein Wein, jedenfalls kein großartiger Wein." Sie ging zu ihm und nahm überrascht zur Kenntnis, dass sein Besuch sie aufmunterte. „Was führt dich her?"

„Ich wollte dich zu einer kleinen Fahrt ins Blaue einladen."

„Musst du nicht irgendeinen Manager vernichten?" Sie hielt das Glas ins Licht und prüfte die tiefrote Farbe des Weins. „Oder ein Unternehmen unter die Erde bringen?"

Er lachte. „Denkst du so über mich?"

„Ich habe Gerüchte gehört. In Finanzkreisen nennt man dich den Hai. Du stürzt dich auf die Verwundeten und frisst sie roh." Sie hielt das Glas an ihre Nase und inhalierte den Geruch tief, während Gregory jede einzelne ihrer Bewegungen beobachtete.

„Du darfst nicht alles glauben, was du hörst. Wenn du mich erst mal richtig kennen gelernt hast, wirst du merken, dass ich kein Hai bin, sondern eher ein Guppy."

Rachel schnupperte noch mal an dem Cabernet. „Eine Fahrt ins Blaue? Wohin genau?"

„San Francisco. Jonsey Malone möchte dich sehen."

Rachels Herz machte einen kleinen Satz. „Wirklich."

„Mhm."

„Wann?"

„Jetzt sofort, wenn du Zeit hast."

Sie stellte das Glas auf ein Holzbrett, das am Fass angebracht war. „Ich muss mich nur schnell frisch machen und meinem Assistenten Bescheid sagen, dann bin ich sofort da."

Minuten später saß Rachel in Gregorys Jaguar, den er mit viel Geschick lenkte. Rachel war dankbar für die Pause und für die Gelegenheit, den Zwischenfall auf dem Silverado Trail zu vergessen. Sie lehnte sich zurück und erzählte ihm, was sie von Erica erfahren hatte. „Alyssa hatte keine Verwandten", sagte sie seufzend. „Und von Jonsey abgesehen, hatte sie auch keine Freunde."

„Vielleicht brauchen wir nur Jonsey ...", entgegnete Gregory, unterbrach aber seinen Satz abrupt, um das Radio lauter zu drehen. Rachel bemerkte, dass sich sein Ausdruck verhärtet hatte. „Heute Morgen", sagte der Sprecher, „wurde Freddy Bloom, besser bekannt als der Schlitzer, des Mordes an zwei Studentinnen aus Marin County für schuldig befunden. Wir schalten jetzt um zu unserem Korrespondenten vor dem Gerichtsgebäude, wo Blooms Anwalt Milton Shaw jeden Augenblick eine Erklärung verlesen wird."

Genauso abrupt, wie er lauter gestellt hatte, schaltete Gregory das Radio aus. Rachel sah ihn erstaunt an. „Was sollte das? Milton ist doch dein Vater, oder?"

„Ja, und?"

„Er sollte etwas sagen. Warum hast du ausgemacht?"

„Mich interessiert nicht, was er zu sagen hat. Ich wollte nur das Urteil hören. Jetzt weiß ich, dass Freddy das bekommen hat, was er verdient. Aber ich will nichts davon hören, wie mein Vater in Berufung gehen will."

So wie er sprach, wurde ihr klar, dass etwas zwischen ihm und seinem Vater nicht stimmte. „Tut mir Leid. Habe ich irgendetwas Falsches gesagt?"

„Nein."

Die Neugier siegte. „Du verstehst dich nicht sehr gut mit deinem Vater?"

Er überholte einen Lastwagen, dann erwiderte er: „Sagen wir mal so: Ich habe ihn schwer enttäuscht."

„In welcher Hinsicht?"

„In jeder. Von meiner Geburt an." Er schwieg sekundenlang. „Meine Mutter starb bei der Geburt."

„Oh, Gregory, das tut mir Leid." Sie betrachtete sein Profil. „Willst du sagen, dass er dir dafür die Schuld gibt?"

„Ich will gar nichts damit sagen. Ich weiß, dass er mir die Schuld gibt. Ich habe gehört, wie er das zu Tante Willie sagte, als ich noch klein war."

Sie konnte sich nicht vorstellen, wie ein Kind mit derartigen Schuldgefühlen groß werden musste. „Das ist schrecklich."

„Ich habs überlebt, aber danach zerfiel unsere Beziehung ziemlich schnell. Es wurde noch schlimmer, als ich beschloss, statt Anwalt Privatdetektiv zu werden."

„War das denn so schlimm?"

Er lachte. „Mein Vater war jedenfalls der Ansicht."

„Aber er ist doch heute bestimmt stolz auf dich, wenn er sieht, was du aus deinem Leben gemacht hast."

„Das bezweifele ich", sagte er, während er sich auf die Straße konzentrierte. „In seinen Augen werde ich immer ein Feigling sein."

Unter der Verbitterung entdeckte Rachel ein viel tiefer sitzendes Gefühl: Traurigkeit. „Wie oft siehst du ihn?" fragte sie sanft.

„So selten wie möglich. Einmal im Monat setze ich meine Tochter sonntags zum Mittagessen bei ihm ab, und ein paar Stunden später hole ich sie wieder ab. Ich gehe nicht ins Haus, er kommt nie raus." Er zuckte mit den Schultern. „Auf diese Weise ist es leichter."

„Für dich vielleicht. Aber was ist mit deiner Tochter?"

Gregorys Stimme wurde sanfter. „Je älter Noelle wird, umso schwieriger wird es. Sie weiß, dass mein Vater und ich unsere Meinungsverschiedenheiten haben, und sie sagt, dass sie das versteht. Aber ich bin nicht sicher, dass sie es wirklich versteht."

Rachel lächelte. „Klingt nach einer bemerkenswerten jungen Frau."

„Das ist sie auch, du würdest sie mögen", sagte er, während Stolz in seinen Augen aufflackerte.

„Das glaube ich auch. Wie alt ist sie?"

Er überholte wieder einen Wagen. „Zwölf." Eine entgegenkommende beigefarbene Limousine betätigte die Lichthupe und warnte vor einer Radarfalle auf der Strecke. Gregory erwiderte das Signal als Dankeschön und ging vom Gas. „Sie lebt bei ihrer Mutter, aber an den Wochenenden ist sie bei mir. Ich versuche, auch in der Woche etwas mit ihr zu unternehmen, die kleinen Dinge, die Lindsay nicht erledigen kann. Indem ich sie beispielsweise zum Gymnastikunterricht oder zu einer Freundin bringe."

Seine Stimme war voller väterlichem Stolz, während er über Noelle sprach. Rachel konnte nicht verstehen, wie irgendeine Frau Gregory gehen lassen konnte. „Du und deine Exfrau, ihr scheint mit Noelle wunderbare Arbeit geleistet zu haben", sagte sie.

„Ich hoffe es." Sie hatten Oakland erreicht, und Gregory fädelte den Wagen in den dichten Verkehr auf der Brücke ein.

„Ich wünschte, Courtneys Vater würde in ihrem Leben eine größere Rolle spielen", sagte Rachel mit einem leisen Seufzer. „Er fehlt ihr sehr, auch wenn sie sich daran gewöhnt hat, dass er nur so selten zu Besuch kommt." Sie klappte die Sonnenblende herunter. „Hörst du ab und zu mal was von Luke?"

„Nichts mehr seit letztem Jahr, als er herkam, um ein weiteres Filmteam zusammenzustellen."

Rachel nickte. „Ja, da haben wir ihn auch zum letzten Mal gesehen." Sie musste lachen. „Zuerst habe ich ihn gar nicht erkannt. Mit seinen langen Haaren, dem Bart und seiner Safarikleidung sah er völlig anders aus als der gepflegte junge Mann, der meine Schwester heiratete."

Einen Moment lang schwiegen sie, aber als sie die Brücke verließen, warf Gregory ihr einen kurzen Blick zu. „Rachel, was diesen Abend angeht . . . ich hatte nie die Gelegenheit, mich bei dir zu entschuldigen."

„Vergiss es", sagte sie und merkte, dass ihre Wangen rot anliefen. „Ich habe es jedenfalls vergessen."

Er schüttelte den Kopf. „Ich kann es nicht vergessen. Ich fühlte mich hundeelend, als mir bewusst wurde, dass du hinter uns gestanden hattest. Ich hätte einige dieser Dinge nicht sagen sollen, und ich kann es nur damit entschuldigen, dass wir einfach nur zwei Dummköpfe mit zu großem Ego und mit einem miesen Sinn für Humor waren."

„Ich habe überreagiert."

„Ich wollte dich stoppen, aber . . ." Er musste kichern. „Du bist so verdammt schnell gerannt, und ich bin mit meinen neuen Schuhen immer wieder auf dem feuchten Rasen ausgerutscht."

Rachel spürte, dass ihre Mundwinkel zuckten. „Wirklich?"

Er nickte. „Irgendwann verlor ich dann das Gleichgewicht und fiel genau vor dem Champagnerbrunnen zu Boden. Alle starrten mich an, schüttelten den Kopf und meinten, ich hätte zu viel getrunken. Ein Ober half mir auf, aber als ich erklären wollte, dass ich nicht betrunken war, wollte mir niemand glauben."

„Schade, dass ich das verpasst habe", sagte Rachel lachend.

Sie mussten noch immer lachen, als er sich auf den Embarcadero Freeway einfädelte.

Jonseys Haus lag in der Nähe des McLaren Park und damit hoch genug, um ungehindert auf das Candlestick Park Stadium und weiter auf die Bucht von San Francisco blicken zu können. Ein schwergewichtiger Mann, dessen Kopf nahtlos in bemerkenswert breite Schultern überging, öffnete die Tür. Als Gregory seinen Namen nannte, führte der Mann sie wortlos in den hinteren Teil des Hauses, hin zu einem üppigen Garten, in dem im Überfluss Zitronenbäume, Wildblumen und Rosen von jeder erdenklichen Sorte wuchsen.

Ein dünner Mann mit hängenden Schultern, in weiter Hose und mit einem zerfledderten Strohhut auf dem Kopf beschnitt gerade einen wuchernden Busch. Seine Bewegungen waren knapp und präzise.

„Mr. Malone", sagte der mürrische Mann. „Ihre Gäste sind hier."

Jonsey Malone legte eine Hand auf seinen Nacken, drückte den Rücken durch und wandte sich um. Seine Augen, die so blau wie die weit entfernte Bucht waren, blieben sofort auf Rachel haften und betrachteten sie mit einer Mischung aus Interesse und leichtem Unglauben.

„Das darf nicht wahr sein", sagte er, während er mit der Schere in der Hand auf sie zukam. „Das Foto in der Zeitung hat nicht gelogen. Sie sehen wirklich aus wie sie. Sogar das kleine Muttermal ist da."

Nach einer Weile deutete er mit einer Kopfbewegung auf Gregory. „Er sagte, Sie wollen Alyssa finden?"

„Das stimmt."

„Und warum?"

„Weil sie meine Mutter ist", sagte Rachel. „Und weil sie mich auch finden wollte, wenn sie wüsste, dass ich noch lebe."

Jonsey schwieg eine Weile und sah abwechselnd Rachel und Gregory an. „Ja", sagte er schließlich. „Das glaube ich auch. Sie hat Sie sehr geliebt."

„Lebt sie, Mr. Malone?"

„Sagen Sie Jonsey", erwiderte er und nickte. „Ja, Alyssa lebt."

Rachel drückte Gregorys Hand. „Wissen Sie, wo sie ist?"

„Keine Ahnung. Wir waren beide der Ansicht, dass es sicherer sei, wenn ich es nicht weiß."

Rachel ließ die Schultern sinken. Sie hätte es besser wissen müssen und nicht all ihre Hoffnung von einem einzigen Menschen abhängig machen dürfen.

Gregory legte einen Arm um ihre Schultern. „Was *können* Sie uns denn über sie sagen?" fragte er. Als der Mann schwieg, senkte Gregory seine Stimme. „Ich gebe Ihnen mein Wort, dass niemand von dieser Unterhaltung erfahren und dass Alyssa nichts zustoßen wird."

Jonsey sah Rachel nachdenklich an, dann endlich nickte er. „Also gut", sagte er und hob warnend den Zeigefinger. „Aber ich verlasse mich auf Ihr Wort. Wenn dem Mädchen irgend etwas zustößt . . ."

Er führte den Satz nicht zu Ende, sondern sagte nach einer kurzen Pause: „Nachdem Alyssa erfahren hatte, dass ihr Baby in den Flammen umgekommen war, drehte sie fast durch. Es kümmerte sie nicht, ob sie lebte oder ob sie tot war. Ich brauchte einige Tage, ehe ich sie davon überzeugen konnte, dass es am besten für sie war, das Land zu verlassen, solange es noch ging."

„Sie ging also ins Ausland", sagte Rachel.

Jonsey nickte. „Ich habe für sie den Kontakt zu einem Mann hergestellt, der ihr einen Pass und andere Dokumente fälschte. Als die Papiere fertig waren, flog sie unter dem Namen Virginia Potter außer Landes. Ich habe sie nie wieder gesehen."

„Könnte der Fälscher wissen, wohin sie flog?"

„Auf gar keinen Fall. Ich hatte ihr gesagt, wie wichtig es sei, mit niemandem darüber zu sprechen. Und sie war schlau genug, um das zu verstehen."

Rachel fühlte sämtliche Hoffnung schwinden. „Und sie hat nie angerufen? Oder geschrieben?"

„Sie ruft mich jedes Jahr zu Weihnachten an", erklärte er lächelnd und zeigte seine kleinen gelblichen Zähne. „Sie sagt mir, dass es ihr gut geht. Sie ist verheiratet, und sie ist glücklich. Mehr weiß ich nicht, und mehr will ich auch nicht wissen."

„Hatte die Polizei nicht Ihr Telefon abgehört?" fragte Gregory. „Für den Fall, dass sie mit Ihnen Kontakt aufnahm?"

„Natürlich, aber nachdem alle davon überzeugt waren, dass sie ertrunken war, ließen sie mich in Ruhe."

Rachel ging durch den Kopf, dass Weihnachten nur noch gut zwei Monate entfernt war. Da es nicht so aussah, als würde sie Alyssa vorher ausfindig machen, hatte sie keine andere Wahl, als zu warten. Gregory war dagegen nicht so schnell zu entmutigen.

„Hat sie jemals von einem besonderen Ort gesprochen?" fragte er. „Ein Land, das sie immer schon mal hatte besuchen wollen?"

Jonsey lächelte wieder. „Tahiti. Als sie für mich arbeitete, sagte sie immer, dass sie nach Tahiti auswandern würde, sobald sie reich genug war."

„Und Verwandte?" bohrte Gregory nach. „Oder Freunde?"

Er schüttelte den Kopf. „Sie hatte niemanden. Sie ist von

zu Hause weggelaufen, als sie sechzehn war, und sie hat nie zurückgeschaut. Ich komme für sie einem Verwandten am nächsten."

Gregory schüttelte dem Mann die Hand. „Sie waren eine große Hilfe, Jonsey. Danke."

Rachel reichte ihm ebenfalls die Hand. „Wenn wir sie nicht finden und sie zu Weihnachten anruft, könnten Sie ihr sagen, dass ich sie suche?"

„Da können Sie Gift drauf nehmen."

Spontan gab Rachel ihm einen Kuss auf die Wange, womit sie ein Lächeln auf das zerknautschte Gesicht des alten Mannes zauberte.

„Viel Glück, Mädchen."

„Tja", sagte Rachel, als sie wieder neben Gregory in dessen Jaguar saß. „Wie siehst du denn unsere Chancen?"

„Nicht so hoffnungslos, wie du vielleicht glaubst. Wir wissen, dass Alyssa lebt, und wir wissen, welchen Namen sie angenommen hat."

„Und das wärs auch schon. Jonsey hat uns überhaupt nicht helfen können." Sie seufzte. „Jetzt müssen wir erst mal bis Weihnachten warten."

„Vielleicht auch nicht." Sein unbegründeter Optimismus begann sie zu irritieren.

„Wie kannst du nur so zuversichtlich sein, wenn unsere Spuren eine nach der anderen zunichte gemacht werden?"

„Weil ich einen Freund habe, der bei Interpol arbeitet. Ich habe mich schon bei ihm gemeldet. Wenn Alyssa Dassante alias Virginia Potter irgendwo in Europa ist, wird Todd sie finden."

„Gut, Europa wäre damit abgedeckt, aber was ist mit Tahiti?"

„Das überprüfe ich auch."

Sein amüsierter Tonfall ließ sie erkennen, was sie da machte. „Du denkst, dass ich dir auf die Nerven gehe, stimmts?" fragte sie.

Gregory reagierte mit einem schiefen Grinsen. „Warum? Weil du mir sagst, wie ich meine Arbeit machen soll?"

„Mache ich das?"

„Ja, aber keine Sorge, ich bin aufdringliche Weiber gewohnt."

Sie nickte. „Ich schätze, das musste jetzt kommen."

Sal hatte gerade das Telefonat mit seinem Anwalt beendet, als Nico hereingestürmt kam.

„Habe ich das richtig gehört?" brüllte er. „Du lässt dein Testament ändern und teilst alles zwischen mir und Rachel auf?"

Nicos Wutausbruch führte bei Sal zu keinerlei Reaktion. Er hatte im Augenblick Wichtigeres zu tun, als sich über seinen Sohn zu ärgern. „Ist das für dich ein Problem?"

„Das ist für mich ein verdammtes Problem. Glaubst du vielleicht, dass ich die ganzen Jahre über geschuftet habe, damit jetzt die Hälfte meines Erbes an eine Fremde geht?"

„Sie ist keine Fremde, sie ist deine Nichte. Und sie ist mein Fleisch und Blut."

„Ach ja? Und wie oft ist dein Fleisch und Blut seit ihrem ersten Besuch hier gewesen? Oder wie oft hat sie wenigstens angerufen? Nicht einmal! Und weißt du, warum? Weil sie sich einen Teufel um uns schert und darum, Teil dieser Familie zu sein. Sie mag uns ja nicht mal, Pa. Hast du das nicht gemerkt? Hast du nicht gemerkt, wie sie uns angesehen hat? Als wären wir nicht gut genug, so hat sie uns angesehen."

„Du hast nur Scheiße im Kopf. Sie braucht Zeit, das ist alles."

„Quatsch. Sie will nichts mit uns zu tun haben, und das weißt du ganz genau. Du willst es nur nicht zugeben. Du lässt dich von der Tatsache blenden, dass sie Marios Tochter ist. Und wenn sie wieder da ist, dann ist das für dich, als wäre ein Teil von Mario wieder da. Du kannst nicht darüber hinwegkommen, um deinen toten Sohn zu trauern, nicht wahr?"

Sal hatte genug von Nicos Gejammere. „Hör zu, Junge." Er ließ sich von der körperlichen Größe seines Sohnes nicht einschüchtern und baute sich direkt vor ihm auf. „Zunächst einmal ist das mein verdammtes Geld, also mache ich damit, was ich will. Und zum anderen ist Rachel ein Teil dieser Familie und meine Erbin. Wenn ich sterbe, bekommt sie die Hälfte von allem, was ich besitze. Es ist ihr Geburtsrecht. Hast du das verstanden?"

Nicos Gesicht lief so rot an, dass Sal einen Moment glaubte, eine Ader müsse platzen. Dann schüttelte sein Sohn den Kopf und verließ mit einem tiefen Grollen den Raum.

21. KAPITEL

In ihrem Landhaus tief in der gebirgigen Gegend der Auvergne warf Ginnie Laperousse eine Werbung fort, in der Sofas zum halben Preis angeboten wurden, und begann, die Post durchzusehen, die sich in den letzten drei Wochen angesammelt hatte.

Das war eines der Probleme, die mit einem Urlaub einhergingen. Man musste sich nicht nur wieder an die tägliche Routine gewöhnen, sondern brauchte mindestens genauso lang, um die Post zu sichten.

Auf dem Stapel, der noch gelesen werden musste, zog sie eine Ausgabe des wöchentlich erscheinenden *Paris Match* heraus und begann sie durchzublättern, während sie in Gedanken noch im Urlaub war. Sie dachte zurück an die herrliche Zeit, die sie und Hubert in Venedig verbracht hatten. Sie waren Hand in Hand wie zwei Frischverliebte durch die Straßen dieser zauberhaften Stadt spaziert, hatten die faszinierenden Ansichten genossen, waren mit Gondeln gefahren und hatten in kleinen, unbekannten Trattorias gegessen, in denen Hubert Gott sei Dank nicht erkannt worden war.

Sie musste lachen, während sie eine Seite umblätterte. Sie hatten sich sogar unter der Seufzerbrücke geküsst und den Gondoliere dazu veranlasst, „O Sole Mio" zu schmettern.

Während die Erinnerung sie lächeln ließ, drang eine Pianoadaption von Beethovens Fünfter Symphonie aus dem Musikzimmer an ihr Ohr und erfüllte den Salon mit den reichen, kraftvollen Klängen von Huberts gewaltigem Talent.

Ginnie legte das Magazin einen Moment lang aus der Hand, um seinem Klavierspiel zu lauschen. Mit achtundsechzig Jahren und einer fünfunddreißig Jahre umspannenden Karriere als Konzertpianist hatte er nie besser geklungen, und nie hatte er mit mehr Inbrunst gespielt, oder wie ein Kritiker es beschrieben hatte: mit mehr Herz. Kein Wunder, dass sich die größten Konzerthallen Europas um ihn rissen und er Abend für Abend Standing Ovations erhielt.

Ginnie nahm das Magazin wieder in die Hand und blätterte gedankenverloren weiter. Sie war froh, dass Huberts nächste Tournee erst im November beginnen würde. Sie hatte ihn lieber bei sich zu Hause, um ihn am Nachmittag mit einem Tee zu überraschen – und mit den sündigen Hörnchen, einer Spezialität der Auvergne, nach der sie süchtig geworden war.

Sie sah auf die Uhr und bemerkte, dass es fast Zeit war. Auch Hubert musste es gemerkt haben, da er zu spielen aufgehört hatte. Gerade wollte sie ihre Haushälterin Mademoiselle Desforges rufen, um sie wissen zu lassen, dass sie bereit waren, da fiel ihr Blick auf die aufgeschlagene Seite der Zeitschrift. Im gleichen Moment schien ihr das Blut in den Adern zu gefrieren.

Das Gesicht, das sie von einem der Fotos anstarrte, war das einer hübschen jungen Frau, die einer gut dreißig Jahre jüngeren Ginnie so ähnlich gesehen hätte, dass sie ihre Zwillingsschwester hätte sein können. „Oh, mein Gott!"

Bevor Ginnie nach ihrem Mann rufen konnte, kam der schon mit besorgtem Gesichtsausdruck aus dem Musikzimmer geeilt. Er war ein großer, gut aussehender Mann mit silbergrauem Haar, einem schmalen schwarzen Schnäuzer und eleganten, aristokratischen Gesichtszügen.

„*Chérie*, was ist los?" fragte er mit seinem von einem leichten französischen Akzent geprägten Englisch. „Du hast geschrien, hast du dich verletzt?" Besorgt setzte er sich neben sie und nahm ihre Hand.

Sie schüttelte den Kopf und gab ihm das Magazin.

Sein Blick blieb kurz auf dem Foto hängen, dann sagte er irritiert: „Sie sieht genauso aus wie du. Das heißt, so wie du ausgesehen hast, als ich dich zum ersten Mal gesehen habe." Er sah wieder auf das Foto. „Wer ist das?"

„Ich weiß es nicht."

Hubert hatte bereits begonnen, den kurzen Artikel rechts vom Bild zu lesen. „Hier steht, dass sie Rachel Spaulding heißt. Sie ist eine amerikanische Winzerin, die als Erste ihre Weine über Supermarchés Fronsac verkauft. Darum ist sie in *Paris Match.*"

Ginnie fühlte, dass sie zitterte. „Wo ... wo lebt sie?" fragte sie, dann presste sie ihre Hände vor den Mund.

Er überflog den Text. „In Napa Valley."

Napa Valley. Ginnies Herz begann zu rasen.

„*Chérie*, was ist los mit dir? Du zitterst ja!" Hubert legte die Zeitschrift zurück auf den Tisch und hielt Ginnie fest. „Warum regst du dich so über dieses Foto auf?"

„Weißt du das nicht?"

Er wollte wieder den Kopf schütteln, doch dann sah er noch einmal auf das Foto und dann zu Ginnie. „*Mon Dieu*, du glaubst doch nicht etwa ..."

„Sieh sie dir an, Hubert", sagte sie und war überrascht, dass sie überhaupt einen Ton herausbringen konnte. „Ihre Augenfarbe, die Form ihres Mundes, ihres Kiefers. Und das Muttermal auf der Oberlippe." Sie berührte die Stelle, an der sich früher einmal ihr Muttermal befunden hatte, bevor sie sich entschlossen hatte, es entfernen zu lassen.

„Das könnte aber ein Zufall sein", meinte er. „Du weißt doch, dass jeder Mensch irgendwo auf der Welt einen Doppelgänger haben soll."

„Sie ist meine Doppelgängerin", flüsterte sie.

Huberts Augen sahen sie forschend an. „Oh, Ginnie, ich glaube nicht ..."

Ihre Stimme wurde mit einem Mal schneidend. „Findest du es nicht ein wenig seltsam, dass eine junge Frau, die mir so ähnlich sieht, ausgerechnet in Napa Valley lebt? Nur ein paar Kilometer von dem Kloster in Santa Rosa entfernt, in dem ich damals meine Tochter zurückgelassen habe?"

„Denkst du wirklich, diese junge Frau könnte ... Lillie sein?"

„Wäre das wirklich so unvorstellbar?" Ihr Blick wanderte zurück zu dem Foto. „Zudem diese Frau in etwa so alt ist, wie Lillie heute wäre?"

„Aber Lillie kam bei einem Feuer ums Leben. Das hast du mir selbst gesagt."

Ginnie konnte sich nicht von dem Foto losreißen, nahm die Zeitschrift noch einmal an sich und betrachtete das Gesicht eindringlich. Ein Gefühl erfüllte sie, das sie nicht richtig zuordnen konnte. Verlangen, Hoffnung, Furcht. „Das hat man mir so gesagt. Aber stell dir vor, sie wäre nicht gestorben, Hubert. Was, wenn irgendetwas geschehen wäre?"

„Beispielsweise was?"

„Ich weiß es nicht!" Sie stand plötzlich auf, während sie das Magazin gegen ihre Brust drückte. „Eine Verwechslung, ein Versehen, irgendwas."

Hubert ließ ein paar Sekunden verstreichen, dann sagte er ruhig: „Warum rufst du nicht im Kloster an? Dann wirst du es bestimmt erfahren."

Von einer plötzlichen Hoffnung erfüllt, sah Ginnie auf das Telefon, als sei es eine Rettungsleine. „Meinst du, das kann ich machen, Hubert? Glaubst du, dass Schwester Mary-Catherine noch immer dort ist? Nach all den Jahren?"

„Es gibt nur einen Weg, um das herauszufinden."

„Ja, ja, ich weiß. Du hast Recht." Ihre Hand zitterte so sehr, dass sie die Nummer der Auslandsauskunft zwei Mal wählen musste, weil sie die Ziffern nicht richtig tippen konnte. Minuten später hatte sie die Nummer des Klosters in Santa Rosa notiert. Ginnie sah auf ihre Uhr. Drei Uhr am Nachmittag. Damit wäre es an der Westküste jetzt sechs Uhr morgens. Die Schwestern würden wach sein. Nach einem ermutigenden Kopfnicken von Hubert sprach sie ein stummes Stoßgebet und begann zu wählen.

Angenommen wurde der Anruf von einer Schwester Carmela. Als Ginnie fragte, ob Schwester Mary-Catherine noch im Kloster lebe, bejahte die Nonne. Ginnie war so erleichtert, dass ihr fast die Tränen kamen. „Könnte ich sie bitte sprechen?" fragte sie, während sie bemüht war, ihre Stimme ausgewogen klingen zu lassen.

„Natürlich. Darf ich fragen, wen ich ihr melden soll?"

„Eine alte Freundin", erwiderte sie und hoffte, dass das genügte. „Sagen Sie ihr bitte, dass ich Ihnen nicht mehr sagen kann."

Möglicherweise waren die Nonnen an sonderliche Bitten gewöhnt, jedenfalls fragte Schwester Carmela nicht weiter nach, sondern sagte: „Einen Augenblick, bitte."

Nervenaufreibende Minuten verstrichen, ehe eine ältere Stimme am anderen Ende der Leitung zu hören war, eine Stimme, die Ginnie sofort erkannte. „Oh, Schwester Mary-Catherine." Sie war zu erschüttert, um noch ein Wort zu sagen, und biss sich auf die Lippe.

„Ja", erwiderte die Nonne. „Hier ist Schwester Mary-Catherine. Wer spricht da? Wie kann ich Ihnen helfen?"

„Schwester, ich . . ."

Hubert stellte sich neben sie und legte seinen Arm um ihre Schultern. Diese kleine Geste gab Ginnie die Kraft, weiterzureden und Worte zu sprechen, die sie außer gegenüber ihrem Mann seit einunddreißig Jahren nicht mehr ausgesprochen hatte: „Hier ist . . . Alyssa. Alyssa Dassante."

Sie hörte deutlich, wie die Frau am anderen Ende nach Luft rang. Dann fragte die Nonne so leise, dass Ginnie sie kaum hören konnte: „Mrs. Dassante? Sind Sie das wirklich?"

„Ja." Tränen liefen über Ginnies Gesicht. Die Stimme der Nonne brachte so starke Erinnerungen zurück, dass keine noch so vollkommene Selbstbeherrschung diese Emotionen unterdrücken konnte. „Ich bin es wirklich. Ich war nur nicht sicher, ob Sie noch im Kloster sind. Ich hatte befürchtet, dass man Sie vielleicht versetzt hatte."

„Mein liebes Kind." Auch die Stimme der Nonne war jetzt voller Emotionen. „Wie wunderbar, von Ihnen zu hören. Ich hatte mich auch schon gefragt, ob . . ." Sie führte den Satz nicht zu Ende, aber Ginnie wusste, was sie dachte.

Schwester Mary-Catherine wurde erneut leiser, und diesmal musste sich Ginnie noch mehr anstrengen, um sie zu verstehen. „Lillie lebt", sagte sie. „Ihr kleines Mädchen lebt."

In dem Moment versagten ihre Beine ihr den Dienst, und

Ginnie sank in den Sessel neben dem Telefon. „Wirklich, Schwester? Sind Sie da ganz sicher?"

„So sicher wie ich auf Gottes grüner Erde stehe. Sie war erst vor wenigen Tagen auf meine Bitte hin bei mir."

Ginnie wischte die Tränen fort und zwang sich, ruhig zu sprechen. „Auf Ihre Bitte hin? Ich verstehe nicht."

In den folgenden Minuten erfuhr Ginnie alles über die Verwechslung, die sich im Kloster ereignet hatte. „Ich brachte es nicht übers Herz, zur Polizei zu gehen", sagte Schwester Mary-Catherine schließlich. „Ich hatte an dem Tag das Haus der Spauldings verlassen und wusste, dass Lillie dort gut aufgehoben war. Sie hatte Eltern und eine Großmutter gefunden, die sie liebten, eine Schwester, Freunde. Es wäre zu grausam gewesen, sie dort herauszureißen."

„Das verstehe ich, Schwester." Ginnie drückte Huberts Hand. „Erzählen Sie mir von ihr, erzählen sie mir alles."

Wieder vergingen einige Minuten, in denen die Nonne der von ihren Gefühlen hin- und hergerissenen Ginnie alles erzählte, was sie aus der Zeitung über Lillies bemerkenswerte Leistungen erfahren hatte.

„Ist viel über sie berichtet worden, nachdem die Wahrheit ans Tageslicht gekommen ist?" fragte Ginnie.

„Meiner Meinung nach zu viel. Aber Sie müssen sich keine Sorgen machen, Rachel wird damit bewundernswert gut fertig. Sie ist eine starke und wundervolle junge Frau. Sie können sehr stolz auf sie sein."

„Das bin ich, Schwester, das bin ich wirklich. Und was ist mit Ihnen?" fragte sie etwas ruhiger. „Hat die Polizei Sie schon befragt? Sind Sie in irgendwelchen Schwierigkeiten?"

„Ihre Tochter hat mich angerufen, weil sie das Gleiche befürchtete. Erfreulicherweise genießt die Kirche eine gewisse Nachsicht, wenn es um solche Dinge geht. Die Polizei hat mich zwar ausführlich befragt, aber sie hat eingesehen, dass ich niemandem hatte schaden wollen."

„Da bin ich froh", erwiderte Ginnie, um dann aufgeregt zu sagen: „Ich möchte meine Tochter sehen, Schwester." Die Worte stürzten wie ein Wasserfall aus ihr heraus, und obwohl sie den kurzen Augenblick der Besorgnis in den Augen ihres Mannes sah, wusste sie tief in ihrem Herzen, dass sie so lange nicht mehr glücklich sein konnte, wie sie ihre Tochter nicht gesehen hatte. „Wo liegt Spaulding Vineyards?"

„In Calistoga." Es folgte eine kurze Pause. „Sie müssen gut auf sich aufpassen, Alyssa. Sal Dassante sucht noch immer nach Ihnen und andere Leute auch."

Ginnie überraschte es nicht, dass Sal es nicht aufgegeben hatte, sie zu finden. Er war der starrköpfigste und rachsüchtigste Mann, den sie kannte. Aber warum sollte sonst noch jemand nach ihr suchen? „Welche anderen Leute sind das?" fragte sie.

„Vor nicht allzu langer Zeit kam ein Mann her. Ich weiß nicht, wieso er von mir wusste und für wen er arbeitet, aber er wollte wissen, ob ich Sie kenne. Ich verneinte, und nachdem er wieder gegangen war, rief ich Rachel an."

„Ich bin froh, dass Sie diejenige waren, die es ihr gesagt hat, Schwester." Sobald es unbedenklich war, würde sie dem Kloster eine großzügige Spende zukommen lassen. „Wie hieß dieser Mann?"

„Gregory Shaw."

Ginnie durchforstete ihr Gedächtnis, konnte sich aber an niemanden erinnern, der so hieß. „Danke, Schwester", sagte sie erneut. „Danke für diese wunderbare Neuigkeit, und danke, dass Sie den Behörden nichts davon gesagt haben, dass ich gar nicht tot bin. Ich weiß, dass Sie ein großes Risiko eingegangen sind."

Die Nonne sprach mit ruhiger Stimme, als sie antwortete. „Sie müssen sich nicht bedanken. Ich habe das getan, wofür ich auf dieser Erde bin: Menschen in Not zu helfen. Und als Sie in jener Nacht vor unserer Tür standen, hatten Sie Hilfe nötig."

„Ich werde niemals vergessen, was Sie für mich getan haben."

„Leben Sie wohl, mein Kind, und möge Gott mit Ihnen sein."

Ginnie legte auf und musste sich einen Moment lang am Tisch festhalten.

„Komm, *Chérie*", sagte Hubert und half ihr zurück zum Sofa. „Möchtest du ein Glas Wasser? Oder lieber etwas Hochprozentiges?"

Sie schüttelte den Kopf. „Es geht mir gut." Sie sah auf, und Tränen vollkommener Freude schossen ihr in die Augen. „Oh, Hubert, mein Baby lebt. Mein wundervolles kleines Mädchen lebt."

Auch Hubert standen die Tränen in den Augen, als er sie liebevoll ansah. „Ich weiß, Darling, es ist eine wunderbare Nachricht. Einfach unglaublich."

„Ich muss sie sehen, Hubert. Ich muss nach Kalifornien."

Wieder zeigte sich Besorgnis in Huberts Augen. „Ist das klug?"

„Es interessiert mich nicht, ob es klug ist. Ich muss meine Tochter sehen, und ich brauche deinen Rückhalt dabei, Hubert. Sag bitte, dass du mich verstehst und dass du mich begleiten wirst."

„Natürlich komme ich mit. Es ist nur . . ."

„Was?"

„Sucht jemand nach dir? Hat die Schwester das gesagt?"

Ginnie nickte. „Sal Dassante sucht noch immer nach mir. Und ein anderer Mann namens Gregory Shaw."

„Sollten wir uns seinetwegen Sorgen machen?"

„Ich weiß nicht, ich habe noch nie von ihm gehört." Vielleicht arbeitet er für Sal, ging es ihr plötzlich durch den Kopf. Sie erinnerte sich daran, dass Jonsey bei ihrem letzten Telefonat erzählt hatte, Sal habe einen neuen Privatdetektiv angeheuert.

Hubert lief eine Weile im Zimmer umher, die Arme vor der Brust verschränkt, und tippte mit dem Zeigefinger gegen seinen Mund, so wie er es machte, wenn er an einem Arrangement arbeitete. „Also gut", sagte er schließlich. „Wir fliegen, aber wir übernachten weder in einem Hotel noch in einer Pension. Wir mieten uns irgendwo im Napa Valley ein Haus und halten uns bedeckt. Ich kann das Risiko nicht eingehen, dass dich jemand erkennt oder deine Ähnlichkeit mit Rachel Spaulding bemerkt."

Ginnies angespannte Nerven begannen sich zu beruhigen.

Der gute, wunderbare Hubert. Er hatte in all den Jahren einen so positiven, beruhigenden Einfluss auf sie ausgeübt, und das würde er auch weiterhin machen, ganz gleich, welche Krisen noch vor ihr liegen mochten.

Während Hubert am Telefon alle notwendigen Reisevorbereitungen traf, stand Ginnie am Fenster und hielt das gerahmte Foto ihres zwei Wochen alten Babys fest an sich gedrückt.

Auf der grünen, freien Weide sammelte sich ein Dutzend Kühe, die früher am Tag gelangweilt gegrast hatten. Dass sie sich jetzt sammelten, war ein Zeichen für einen nahenden Sturm. In der Ferne war Rocher St. Michel, überragt von der kleinen Kapelle gleichen Namens, die durch den Dunst noch gerade zu erkennen war. Noch weiter dahinter, am anderen Ufer des Allier, zogen schwere Regenwolken zusammen und kamen rasch näher. In der Auvergne wurde es früh Winter, und es würde nicht mehr lange dauern, dann wäre das Cantal-Gebirge schneebedeckt.

Vor einunddreißig Jahren hatte es Ginnie in diesen zerklüfteten Teil Mittelfrankreichs verschlagen, zu einer Zeit, als sie immer noch einen entsetzlichen Verlust zu verarbeiten versuchte. Zu ihrer Überraschung hatte sie hier Frieden und Glück gefunden, beides verdankte sie Hubert.

Der drohende Sturm erinnerte sie an jene grauenvolle Nacht in Winters, eine Nacht, die sie in Gedanken Tausende Male durchgespielt und sich gewünscht hatte, sie hätte sich anders verhalten.

Sie konnte sich nicht daran erinnern, wann ihr bewusst geworden war, dass sie Mario nicht mehr liebte. Inzwischen war sie sich gar nicht sicher, ob sie ihn überhaupt jemals wirklich geliebt hatte. So, wie sie Hubert liebte. Sie hatte sich zu Mario hingezogen gefühlt, aber welcher Frau wäre es nicht so ergangen. Er hatte eine solche Ausstrahlung, wenn er den Raum betrat. Und er war so anders gewesen als die lauten, nach ihr grapschenden Männer, die den „Blue Parrot" Nacht für Nacht besuchten. Von seinem Charme fasziniert, hatte sie sich von ihm verzaubern lassen. Erst als sie aus den Flitterwochen zurückgekehrt waren, war ihr klar, wie sehr er sich von dem Mann unterschied, den sie bis dahin gekannt hatte – oder wenigstens zu kennen geglaubt hatte.

Zu ihrem Entsetzen hatte sich der aufmerksame, verführerische Mann, in den sie sich verliebt hatte, mit einem Mal als ein gemeiner, aufbrausender und fordernder Schläger entpuppt. Sal und Nico waren nicht viel besser gewesen. Der einzige Mensch, dem sie sich einigermaßen verbunden fühlte, war Nicos junge Ehefrau Erica.

Die Situation zwischen Alyssa und den Dassante-Männern begann sich rapide zu verschlechtern, als sie auf die erbärmlichen Arbeitsbedingungen der Wanderarbeiter auf Dassante Farms aufmerksam wurde und sich bei Sal darüber beschwerte.

„Diese Menschen werden von deinen eigenen Vorarbeitern wie Tiere behandelt", hatte sie eines Abends beim Essen ihrem Schwiegervater auf den Kopf zugesagt. „Sie dürfen keine Pausen machen, sie müssen stundenlang in der brütenden Sonne arbeiten und bekommen nicht genug Wasser. Das ist unmenschlich."

Zunächst kümmerte sich niemand um ihre Vorwürfe, dann erklärte Mario, die Leitung der Farm gehe sie nichts an. Doch Alyssa war zu leidenschaftlich in ihren Ansichten, um ihren Kreuzzug aufzugeben. Eines Abends, kurz nach Lillies Geburt, brachte sie das Thema wieder zur Sprache und ließ Mario wissen, dass sie ihr Kind nicht in einer solchen Umgebung aufwachsen lassen wolle.

Mario beendete die Auseinandersetzung mit einer Ohrfeige, die sie beinahe stürzen ließ. In dem Moment verschwanden die Gefühle, die sie für ihn empfunden hatte – ob es Liebe, Anziehung oder vielleicht nur Zuneigung war. Sie wusste, dass sie ihn verlassen musste, doch als sie eine Scheidung ansprach, lachte er nur.

„Mach ruhig", sagte er. „Lass dich ruhig scheiden, aber ich warne dich: Lillie bleibt bei mir."

Sie wusste, dass es sinnlos war, mit ihm zu diskutieren, und begann, sorgfältig ihre Flucht mit Lillie zu planen. Am 14. August, als alle anderen schliefen, nahm Ginnie zehntausend Dollar aus dem Safe ihres Ehemannes, packte für sich und für Lillie ein paar Habseligkeiten zusammen und schlich zur Garage.

Sie hatte den Ablauf ein Dutzend Mal geprobt, jedes Detail, jeder Augenblick ihrer Flucht war sorgfältig geplant. Doch dann ging alles schief. Während sie ihren Koffer in den Mercedes packte, tauchte plötzlich Mario auf. Wutentbrannt versuchte er, Lillie aus dem Auto zu holen, doch Alyssa ließ ihn nicht. Es kam zu einem Gerangel, bei dem Mario stolperte, nach hinten fiel und mit dem Kopf gegen den Traktor schlug.

Einen Moment lang befürchtete sie, er könnte tot sein, doch dann rührte er sich wieder, schimpfte und drohte ihr, sie zu erwürgen, woraufhin sie die Flucht antrat. Sie wollte nach San Francisco fahren und ihren Freund Jonsey Malone bitten, ihr und Lillie eine Zeit lang Unterschlupf zu gewähren, damit sie sich Gedanken über ihr weiteres Vorgehen machen konnte.

Als sie eine Stunde später die Außenbezirke von Vallejo erreichte, hörte sie im Autoradio eine Meldung, die ihr Leben für immer verändern sollte. Mario Dassante war tot aufgefunden worden, und die Polizei war auf der Suche nach seinem Mörder: Alyssa Dassante.

Alyssa war fassungslos. Wieso sollte Mario tot sein? Als sie abgefahren war und er sie beschimpft hatte, war es ihm gut gegangen. Vielleicht war er noch ein wenig benommen, aber er hatte gelebt. Da sie fürchtete, dass die Polizei ihr um keinen Preis glauben würde, änderte Alyssa ihren Plan und fuhr zunächst nach Santa Rosa zu einem kleinen Kloster. Obwohl es mitten in der Nacht war, verhielt sich die Nonne, die auf ihr Klingeln reagierte, freundlich und verständnisvoll. Sie stellte keine Fragen und versprach, Alyssas Baby für ein paar Tage aufzunehmen, bis sie es wieder abholte. Um sicherzugehen, dass Sal Lillie nicht finden würde, sagte Alyssa der Nonne, das Kind heiße Sarah.

Vom Kloster aus fuhr sie dann bis zu einem Gebiet südlich von Bodega Bay. Dort stieg sie aus dem Mercedes aus und schob ihn im strömenden Regen über die Klippen, um die Polizei glauben zu machen, dass sie und Lillie bei einem Unfall umgekommen waren. Um die Tarnung noch glaubwürdiger zu machen, ließ sie bis auf zweitausend Dollar fast das gesamte Geld im Wagen, das sie Mario abgenommen hatte.

Jonsey, der zahlreiche Verbindungen hatte, bot ihr an, sie zu einem Fälscher zu bringen, der für sie und Lillie Papiere herstellen würde, damit sie beide das Land verlassen konnten.

Da erfuhr sie, dass im Kloster ein Feuer ausgebrochen war. In Panik rief sie Schwester Mary-Catherine an, um zu hören, ob es Lillie gut ging, doch zu ihrem Entsetzen begann die Nonne zu weinen. Der Brand hatte nicht nur einen Teil des Klosters zerstört, sondern auch zwei Nonnen und Lillie das Leben gekostet.

Tagelang rannte Alyssa wie ein Zombie durch Jonseys Haus und gab sich die Schuld an Lillies Tod. Am liebsten wäre sie selbst tot gewesen, und ohne ihren alten Freund hätte sie sich wahrscheinlich den Behörden gestellt und jede Strafe hingenommen. Jonsey benötigte eine Woche, bis er sie davon überzeugt hatte, die Staaten zu verlassen, solange es noch möglich war.

Zwei Wochen nach Marios Tod stieg Alyssa unter dem Namen Virginia Potter in eine Maschine der Air France mit Ziel Paris. Kurz nach ihrer Ankunft in der französischen Hauptstadt fand sie in einer billigen Pension am linken Seineufer eine Unterkunft, und im Olympia, der weltbekannten Pariser Konzerthalle, bekam sie einen Job als Platzanweiserin.

Dort fiel sie Hubert Laperousse ins Auge, einem äußerst begabten Konzertpianisten mit einem großen Herzen. Obwohl er leidenschaftlich um sie warb, wollte sich Alyssa nicht wieder auf eine Beziehung einlassen – nicht nach allem, was sie dank Mario durchgemacht hatte. Doch Hubert war ein hartnäckiger Mann, und schließlich hatte sie eingewilligt, ihn zu heiraten. Zuvor hatte sie ihm jedoch die Wahrheit über ihre Vergangenheit gebeichtet.

An einem strahlend blauen Herbsttag verließ Virginia Potter ihr Quartier in Paris und zog in Huberts schönes und friedliches Landhaus am Rand von Le Puy. Dort, so versprach er ihr, würde sie in Sicherheit sein.

Sie gewöhnte sich langsam, aber kontinuierlich an das Leben auf dem Land, und sie lernte nicht nur die Sprache, sondern auch die Bräuche dieser Region, die sich erheblich von allem unterschied, was sie bis dahin kennen gelernt hatte.

Ginnie hatte alles, was ihr Herz begehrte, doch auch wenn ein nahezu vollkommener Tag nach dem anderen verstrich, ließ die Trauer sie nie los, die sich tief in ihr Herz gebrannt hatte. Etwas in ihrem Leben fehlte ihr.

Sie blickte liebevoll auf das Foto des Babys, das sie immer noch liebte. Ihre Lillie. Kein Tag verstrich, an dem sie nicht an sie dachte, sich an ihren süßen Babygeruch erinnerte, an ihre blütenweiche Haut. Wäre sie doch bloß in dieser Nacht weitergefahren, anstatt an dem Kloster zu halten . . .

„Très bien. Merci, Madame."

Ginnie wandte sich mit Tränen in den Augen ihrem Mann zu, der soeben den Hörer auflegte. „Und?" fragte sie.

„Es ist alles vorbereitet. Wir reisen am Dienstag ab."

22. KAPITEL

Rachel liebte es, spät am Abend in den menschenleeren Kellern zu arbeiten. Kein Telefon klingelte, kein Problem musste gelöst werden, niemand störte sie. Sie saß am Computer, neben sich den Rest eines Schinken-Käse-Sandwichs, und betätigte eine Taste, um dann darauf zu warten, dass auf dem Monitor die aktuellen Verkaufszahlen erschienen.

Sie hatte den größten Teil ihrer Büroarbeit aufgeholt und konnte sich nun selbst davon überzeugen, inwieweit sich Sams Vorhersage erfüllte, dass sich der Dassante-Skandal nicht auf das Geschäft auswirken würde.

Als die Zahlen erschienen, gab sie einen unerfreuten Laut von sich. Die Verkäufe waren im Vergleich zum Vormonat um fünfzehn Prozent gesunken, und wenn sich das Geschäft in den nächsten Wochen nicht aus eigener Kraft erholte, würde die Weihnachtszeit eine Katastrophe werden. Sie und Annie würden sich dann zusammensetzen müssen, um nach Mitteln und Wegen zu suchen, damit die Kunden zurückgewonnen werden konnten.

Vielleicht konnten sie den Anzeigen, die Spaulding Vineyards in Fachzeitschriften wie *Wine Spectator* veröffentlichte, ein moderneres Aussehen verleihen. Vielleicht sollten sie auch an dem Verkaufsdisplay arbeiten, das Annie vor einigen Monaten vorgeschlagen hatte und das von Grandma als zu teuer abgelehnt worden war. Es war offensichtlich an der Zeit für eine aggressivere Werbekampagne.

Rachel unterdrückte ein Gähnen und sah auf ihre Armbanduhr. Elf Uhr. Sie hatte seit der Rückkehr von Jonsey ohne Unterbrechung gearbeitet und sollte jetzt wirklich Feierabend machen.

Aus dem Nebenraum hörte sie mit einem Mal ein ungewohntes Geräusch. Ohne sich von ihrem Platz zu erheben, spähte sie hinaus in den nur schwach beleuchteten Keller und überlegte, ob Sam vielleicht das Licht gesehen hatte und auf dem Weg zu ihr war, um sie nach Hause zu schicken.

Schließlich stand sie auf, reckte sich und verließ ihr Büro. „Sam?"

In der gespenstischen Stille war das laute Klicken ihrer Stiefelabsätze auf dem Betonboden das einzige Geräusch. Sie war sicher, dass sie es sich nicht nur eingebildet hatte, durchschritt einen Bogengang und trat in den kleineren Keller ein. In mehreren Reihen waren gesäuberte 60-Gallonen-Fässer aufeinander gestapelt worden und warteten darauf, mit dem diesjährigen Merlot gefüllt zu werden, der noch immer fermentierte. Gleich neben dem nächsten Bogengang lag Hannahs glasverkleidetes Büro ebenfalls in völliger Dunkelheit da.

„Sam?" rief sie erneut. „Ryan?"

Als sie das Licht einschaltete, hörte sie das Geräusch abermals, konnte es aber nicht einordnen. Ihr Magen verkrampfte sich, während sie daran dachte, dass sie in all den Jahren bei Spaulding Vineyards nie einen Grund gehabt hatte, sich zu fürchten. Von Joe Brock abgesehen, hatte es niemals einen Grund gegeben, dass die Polizei einschreiten musste.

Dennoch war sie nervös genug, um nicht weiterzugehen. Sie würde die Polizei anrufen, damit die dem Geräusch nachgehen konnte. Vielleicht hatte sich nur ein Tier in den Keller verirrt und fand nun den Ausgang nicht mehr wieder, aber nach dem furchterregenden Vorfall auf dem Silverado Trail wollte sie kein Risiko eingehen.

Sie wollte gerade in ihr Büro zurückkehren, als sie hinter sich das Poltern hörte – das unheilvolle, unverkennbare Geräusch von herabstürzenden Fässern.

Instinktiv rannte Rachel los, während eine zweite Lage Fässer in Bewegung geriet. Sie rannte, so schnell sie konnte, und hielt ihren Blick fest auf den zweiten Bogengang gleich hinter Hannahs Büro gerichtet. Sie atmete schnell und kurz, während sie verzweifelt versuchte, sich vor den Fässern in Sicherheit zu bringen.

Sie stürmte um die Ecke und presste sich gegen die Wand, während eine Lawine aus Weinfässern auf Hannahs Büro zuraste und die Glasscheibe mit einem ohrenbetäubenden Geräusch zerbarst.

Rachel hielt die Augen geschlossen und bewegte sich nicht, sondern drückte sich mit dem Rücken so fest gegen die raue Steinwand, wie es nur ging.

Dann endlich war auch das letzte Fass zur Ruhe gekommen, und im Keller herrschte wieder völlige Ruhe. Rachel sank langsam zu Boden. Ihr Körper war schweißgebadet, ihre Lungen schmerzten bei jedem Atemzug, und sie benötigte einige Zeit, ehe sie sich sicher genug fühlte, um wieder aufzustehen.

Unter dem Steinbogen stehend, begutachtete sie den Schaden. Es sah aus wie nach einem Erdbeben. Mehr als zwei Dutzend Fässer lagen zerschmettert und ineinander verkeilt vor ihr, eines hatte die Glasscheibe vor Hannahs Büro durchschlagen und den Computer auf dem Schreibtisch in tausend Stücke zerlegt, ehe es an der Wand zerschellt war.

Sie sah sich die Katastrophe noch einmal an und zwang sich, tief durchzuatmen. Im Keller herrschte wieder Totenstille, dennoch war sie sicher, dass irgendjemand dort gewesen war.

Während ihr Herzschlag allmählich auf ein ruhiges Niveau zurückkehrte, begann sich ein Furcht erregender Gedanke bei ihr einzuschleichen: Hatte da gerade jemand versucht, sie umzubringen?

Sam und Tina kamen sofort nach Rachels Anruf zu ihr geeilt. In dem Augenblick, in dem sie eintrafen, hatte Sam bereits die Situation begutachtet.

„Allmächtiger!" Mit schnellen Schritten gelangte er zu Rachel, fasste sie an den Schultern und betrachtete sie von oben bis unten: „Bist du verletzt?"

„Tante Rachel!" Courtney kam in ihrem rosa gestreiften Schlafanzug in Rachels ausgestreckte Arme geeilt. „Mom und ich haben einen entsetzlichen Lärm gehört . . ."

„Mir gehts gut, Liebling."

Hinter Courtney kam Annie in einem schwarzen Seidennegligé zu ihnen und sah entsetzt auf das Durcheinander um sie herum. „Mein Gott, was ist passiert?"

Rachel hielt noch immer Courtney im Arm, ihre Angst war einer Übelkeit gewichen. „Ich weiß nicht. Ich war in meinem Büro und habe mir die Verkaufszahlen für den letzten Monat angesehen, da hörte ich plötzlich etwas. Ich verließ mein Büro, um nachzusehen . . ."

„Warum?" fragte Sam und sah sie vorwurfsvoll an. „Warum bist du nicht nach draußen gerannt und zu mir gekommen? Warum hast du nicht die Polizei angerufen?"

„Ich habe nicht nachgedacht, Sam. Ich dachte, du wärst da oder Ryan. Als das Geräusch wieder zu hören war, wollte ich die Polizei anrufen. Und im nächsten Moment stürzten zwei Reihen Fässer auf mich nieder."

„Du könntest jetzt tot sein", sagte Tina und sah sich um

Annie ließ ein kurzes, spöttisches Lachen ertönen. „Wem hast du denn diesmal auf die Füße getreten?"

Sam warf ihr einen wütenden Blick zu. „Hör auf, Annie."

Draußen quietschten Autoreifen. Sekunden später stürmte Officer Ricardo Torres herein, der Nachtdienst hatte. Nachdem er sich davon überzeugt hatte, dass es Rachel und den anderen gut ging, sah er sich um und zog seinen kleinen schwarzen Notizblock aus der Gesäßtasche. „Jesus, wie ist denn das passiert?"

Rachel erzählte die Geschichte ein weiteres Mal und beantwortete seine Fragen. Ja, sie hatte die Tür zum Keller offen gelassen. Das tat jeder von ihnen, wenn sie noch spät am Abend arbeiteten, weil es nie einen Anlass gegeben hatte, etwas anders zu machen. Nein, sie hatte kein Auto gesehen oder gehört. Sie hatte sich viel zu sehr auf ihre Arbeit konzentriert.

Als sie geendet hatte, ging Sam durch das Chaos und blieb

vor Hannahs Büro stehen. Mit entschlossenem Gesichtsausdruck drehte er sich um.

„Das war kein Unfall, Rick."

Der junge Officer blickte von seinen Notizen auf. „Wie kommen Sie darauf?"

„Wir drei", sagte Sam und bahnte sich vorsichtig seinen Weg durch das Wirrwarr. „Rachel, Ryan und ich selbst, wir verbringen den größten Teil des Tages in diesen Kellern. Wenn diese Fässer nicht ordentlich aufgestapelt worden wären, hätte es einer von uns gemerkt."

Annie sah Rachel an. „Ich dachte, das Stapeln von Fässern sei Aufgabe des Kellermeisters."

„Ist es auch", erwiderte Sam. „Aber jeder ist mit dafür verantwortlich, dass die Sicherheitsvorschriften eingehalten werden. Für uns drei ist es eine Selbstverständlichkeit, bei den Fässern darauf zu achten, wie sie gestapelt sind. Wir machen das so automatisch, dass wir gar nicht erst darüber nachdenken müssen. Wenn hier in den Kellern irgendetwas nicht stimmt, merken wir das sofort. Außerdem", fügte er hinzu, „wurden diese Fässer vor Wochen hergebracht. Wenn sie nicht richtig gestapelt worden wäre, dann hätte es dieses Unglück schon längst gegeben. Jemand hat das absichtlich gemacht. Jemand wollte Rachel umbringen."

„Rachel?" Rick wandte sich ihr zu. „Siehst du das auch so? Glaubst du, dass dir jemand Schaden zufügen wollte?"

Wieder bäumte sich ihr Verstand gegen diese Möglichkeit auf. Was hatte sie getan, um einen solchen Gewaltausbruch zu provozieren? „Ich glaube, dass es kein Unfall war, aber ich möchte nicht so weit gehen wie Sam und sagen, dass mich jemand umbringen wollte. Das ist ein wenig zu drastisch."

„Auch nach dem Vorfall auf dem Silverado Trail?" fragte Sam.

Im gleichen Augenblick sahen alle Rachel an. „Was für ein Vorfall?" fragte Annie fordernd.

Mit einem leisen Seufzer fügte sich Rachel der Tatsache, dass es jetzt keinen Sinn machte, den Vorfall noch länger zu verschweigen. „Jemand wollte mich von der Straße drängen", erwiderte sie.

Courtney schnappte nach Luft. „Tante Rachel! Warum hast du uns davon nichts gesagt?"

„Ich wollte niemanden beunruhigen oder die Arbeit unterbrechen."

Tina ging zu ihr und umarmte sie. „Oh, Honey. Du musst schreckliche Angst gehabt haben. Ist dir etwas zugestoßen?"

„Nein."

Tina wandte sich an Rick. „Ich nehme an, die Täter sind nicht gefasst worden."

Rick schüttelte den Kopf. „Wir arbeiten dran." Wieder sah er zu Rachel, seine Sorge um sie war nicht zu übersehen. „Angenommen, jemand wollte dich umbringen. Hast du irgendeine Idee, wer es sein könnte?"

Sie hatte sich diese Frage schon längst gestellt. Ihres Wissens nach hatte sie keine Feinde, von Annie vielleicht abgesehen, die aber zu etwas Derartigem nicht fähig war. Außerdem hätte sie die Fässer nicht aus eigener Kraft von der Stelle bewegen können. Ein Mann, ein starker Mann hätte das machen können. „Nein", antwortete Rachel schließlich. „Ich habe keine Ahnung."

„Aber ich", warf Sam ein. „Joe Brock."

„Oh, nein", murmelte Courtney. „Nicht Joe."

Rachel umfasste ihre Nichte fester, als ihr einfiel, dass Courtney mit Joes ältester Tochter befreundet war. „Joe würde das nicht machen", sagte sie.

Der Officer war sofort hellhörig geworden. „Wer ist Joe Brock?"

„Unser ehemaliger Kellermeister."

„Er arbeitet nicht mehr hier?"

„Nein, Grandma hat ihn im Juli rausgeworfen, nachdem sie ihn dabei erwischt hat, wie er unsere Weine stehlen wollte."

Rick sah auf. „War er wütend, als er entlassen wurde?"

„Er hat Gift und Galle gespuckt", gab Sam zurück. „Und er war sehr ausfallend gegenüber Hannah und Rachel, die die Entscheidung ihrer Großmutter befürwortet hatte. Er war erst letzte Woche wieder hier gewesen und hat eine

Szene gemacht, weil Rachel ihn nicht wieder einstellen wollte."

„Er war betrunken", sagte Rachel zu Joes Verteidigung.

„Ja." Sam sprach gepresst, während er seine Wut unterdrückte. „Betrunken und bösartig und rachsüchtig."

Rick klappte sein Notizbuch zu. „Ich werde Detective Crowley informieren. Er sollte sich um diesen Fall kümmern. Bleiben Sie alle so lange hier und fassen Sie nichts an. Er wird hier nach Fingerabdrücken suchen wollen."

Nach gerade mal zehn Minuten war Crowley, ein schmaler Mann um die vierzig, mit einem Labormitarbeiter eingetroffen, weitere zehn Minuten später hatte Rachel ihm alles über den aktuellen Zwischenfall und über ihr Erlebnis auf dem Silverado Trail berichtet.

Crowleys Fragen gingen wesentlich stärker ins Detail als das, was Rick hatte wissen wollen, und er schonte auch nicht die anderen Anwesenden, nicht einmal Courtney. Mit einem stets gleichbleibenden Gesichtsausdruck wollte er von allen wissen, wo sie sich zur Zeit des Unfalls aufgehalten und ob sie irgendetwas Ungewöhnliches wahrgenommen hatten. Von Annie und Courtney abgesehen, die beide von dem Lärm aus dem Schlaf gerissen worden waren, konnte niemand etwas sagen.

Zwanzig Minuten nach Mitternacht beendete Crowley sein Verhör und warf dem Labormitarbeiter einen Blick zu, der daraufhin kurz nickte. „Wir sind hier fertig", sagte der Detective zu Rachel. „Ich werde mich am Morgen mit Ihren Mitarbeitern unterhalten."

Rachel stöhnte innerlich auf, als sie daran dachte, welche Störung der Arbeitsabläufe das bedeuten und welche Spekulationen es auslösen würde, sagte aber nichts. Wenn ihr wirklich ein Killer nachstellte, war ihr genauso wie Detective Crowley daran gelegen, ihn zu fassen.

Sanft, aber bestimmt führte Tina Rachel zur Tür. „Komm, Honey, du schläfst heute Nacht bei uns im Haus. Sam wird abschließen."

„Wir sollten hier erst noch aufräumen . . ."

Tina ließ sie den Satz nicht bis zu Ende führen. „Morgen, Rachel. Jetzt legst du dich erst mal hin."

„Tina hat Recht, Tante Rachel", sagte Courtney. „Du siehst aus, als würdest du jeden Moment umfallen."

„Ich bin durchaus in der Lage, nach Hause zu fahren."

„Oh, verdammt noch mal", herrschte Annie sie nun auch an. „Rachel, tu einmal in deinem Leben das, was man dir sagt."

Dann stolzierte sie mit ihrem wallenden schwarzen Negligé nach draußen.

23. KAPITEL

Stimmen und das Klappern von Pfannen und Töpfen holten Rachel aus einem tiefen Schlaf. Sie versank tiefer in die kokonartige Wärme der nach Lavendel duftenden Bettwäsche, öffnete die Augen und versuchte, sich mit ihrer Umgebung vertraut zu machen. Nachdem ihr die Ereignisse des vergangenen Abends wieder ins Gedächtnis kamen, riss sie ihre Augen weit auf.

Sie befand sich im Gästezimmer von Sam und Tina Hughes, und am Abend hatte jemand versucht, sie umzubringen.

Zumindest glaubte das jeder.

Ein dezentes Klopfen an der Tür riss sie aus ihren morbiden Gedanken. „Ja?"

Tina, die in einem Kattunkleid und weißer Schürze gemütlich aussah, öffnete die Tür und steckte den Kopf ins Zimmer. „Gut geschlafen, Honey?"

Das köstliche Aroma von frisch aufgebrühtem Kaffee zog aus der Küche in das Gästezimmer, Rachel atmete es tief ein. „Unanständig gut, angesichts der Umstände."

„Gut, du hast nämlich einen Besucher."

Rachel blinzelte zu der antiken Uhr auf dem Nachttisch. „Detective Crowley?" stöhnte sie. „Um halb neun morgens?"

„Nicht Detective Crowley." Tinas Augen funkelten vor Begeisterung. „Es ist Gregory Shaw."

„Gregory? Hier?" Automatisch fuhr sich Rachel durchs Haar. „Was will er?"

„Dich sehen, natürlich. Und fragen, ob es dir gut geht."

„Oh, Tina, du hast ihn doch hoffentlich nicht angerufen?"

„Natürlich nicht." Tina ging zum Fenster und zog die schweren blauen Vorhänge auf. Die Morgensonne fiel ins Zimmer. „Sam wars."

„Warum?"

„Darum", erwiderte Tina und drehte sich zu ihr um. „Sam meinte, Gregory sollte wissen, was passiert ist."

„Und du hast ihm zugestimmt?" Rachel versuchte, vorwurfsvoll zu klingen, was ihr aber nicht wirklich gelang.

„Warum auch nicht? Gregory ist ein guter Mensch, und er fühlt sich schuldig, dass er dein Leben so in Unordnung gebracht hat."

„Das hat er dir gesagt?"

„Nein, aber Sam wusste, wie er sich fühlen muss." Die ältere Frau stützte ihre Hände auf das Gitter am Fuß des Betts, beugte sich vor und flüsterte: „Also, was ist? Bist du bereit, mit dem armen Mann ein wenig Mitleid zu haben?"

Rachel hielt sich die Hand vor den Mund und gähnte. „Sag ihm, ich bin gleich da."

„Gut." Tina deutete auf das Badezimmer. „Da findest du alles, was du brauchst. Zahnbürste, Bademantel, Hausschuhe." Sie grinste. „Und einen Kamm, falls du dich ein wenig herrichten möchtest."

„Will ich nicht. Er wird mich so akzeptieren müssen, wie ich bin."

Tinas Blick war eine einzige Anspielung. „Oh, ich bin sicher, das wird er, Honey. Ohne zu zögern." Sie zog die Tür hinter sich leise ins Schloss.

Gregory stand in der Küche und sah aus dem Fenster, in der Hand den Kaffeebecher, den Tina ihm gegeben hatte. Vor dem Weingut parkte der Van einer Reinigungsfirma, die drei Leute in Overalls geschickt hatte, um die Überreste vom Vorabend beiseite zu schaffen.

Sams Anruf hatte ihn erreicht, als er gerade duschen wollte. Als er hörte, dass jemand versucht hatte, Rachel umzubringen, war ihm ein eisiger Schauder über den Rücken gelaufen. Gregory hatte seit jeher eine Abneigung gegen Männer, die Frauen angriffen, und wenn die Frau auch noch jemand war, der ihm zunehmend mehr zu bedeuten begann, wurde aus dieser Abneigung etwas weitaus Gefährlicheres.

Jetzt, da er in Tinas gemütlicher Küche stand, wich dieser Zorn einem anderen Gefühl: Schuld. Was, wenn der Anschlag auf Rachels Leben in Verbindung mit Sal Dassante stand? Sal war ein verhasster Mann. War es da so weit hergeholt zu glauben, dass jemand ihn verletzen wollte, indem er seine Enkelin ins Visier nahm?

„Hi."

Er wirbelte herum. Als er Rachel in einem weißen Frotteebademantel dastehen sah, unverletzt und mit einem Lächeln auf dem Gesicht, musste er sich mit aller Macht daran hindern, zu ihr zu eilen und sie bis zur Besinnungslosigkeit zu küssen.

„Auch ,hi'." Anstatt ihr zu zeigen, dass er sich um sie sorgte, beschloss er, seine Besorgnis unter ein wenig Humor zu verstecken. „Ich habe gehört, du hast dir ein neues Hobby zugelegt? Weinfässer jonglieren?"

Sie hatte sofort eine passende Erwiderung auf Lager. „Und mit ein wenig Übung könnte ich eines Tages vielleicht sogar zum Zirkus gehen." Sie sah sich um und fragte: „Wo sind die anderen?"

„Sam hilft beim Aufräumen. Und Tina ist zum Markt gefahren." Er deutete auf den runden Ahorntisch, auf dem ein Körbchen mit Blaubeermuffins bereitstand. „Sie sagte, wenn wir nichts essen, würde sich das bitter rächen."

Rachel ging hinüber zum Tisch. „Da bin ich sicher. Tinas Lebenszweck – abgesehen davon, meine Freundin zu sein – war es schon immer, mich gut zu ernähren. Sie sagt, Essen sei gut für die Seele."

Gregory folgte ihr und sah zu, wie sie die Kaffeekanne nahm und zuerst seinen und dann ihren Becher auffüllte.

„Du hättest nicht extra herkommen müssen, um festzustellen, wie es mir geht, weißt du?" sagte sie, während sie die Kanne zurückstellte. „Ein Anruf hätte es auch getan."

„Ich wollte mich persönlich davon überzeugen, dass es dir gut geht." Er betrachtete sie eindringlich. „Geht es dir gut, Rachel? Manchmal kommt die Reaktion auf eine Begegnung mit dem Tod mit einiger Verspätung."

„Körperlich bin ich okay. Emotional bin ich immer noch ein wenig wacklig." Sie nahm einen Muffin, zerteilte ihn in mehrere kleine Stücke und verteilte sie auf ihrem Teller. „Einen solchen Unfall hat es bei Spaulding noch nie gegeben."

„Sam hat es nicht als Unfall bezeichnet. Vor allem, weil es nicht der erste Zwischenfall ist." Als sie nichts dazu sagte, fuhr er fort: „Warum hast du mir nicht erzählt, dass dich jemand von der Straße drängen wollte?"

„Weil ich keinen Sinn darin gesehen habe, es dir zu sagen", sagte sie schulterzuckend.

Sie ist hart, aber auch erschrocken, dachte er. „Tina meint, du solltest noch eine Weile hier bleiben."

Sie schüttelte entschieden den Kopf. „Das kann ich nicht."

„Sie hat mich gewarnt, dass du das sagen würdest. Ihr zufolge bist du der starrsinnigste Mensch, den sie kennt."

Rachel lächelte. „Man muss schon selbst starrsinnig sein, um das zu erkennen."

Ihr Verleugnen der Gefahr, in der sie geschwebt hatte und vielleicht immer noch schwebte, störte ihn. „Das ist nicht witzig, Rachel. Zwei Mal bist du nur knapp dem Tod entkommen. Zwei Mal!"

„Das sagt mir jeder." Sie sah, dass er weiterhin missbilligend dreinblickte, und fügte hinzu: „Hör zu, ich will nicht den Eindruck erwecken, dass ich das auf die leichte Schulter nehme, was gestern Abend passiert ist."

„Genau das machst du aber."

„Nein. Ich bin nur davon überzeugt, dass Spaulding insgesamt Schaden zugefügt werden sollte, nicht mir persönlich."

„Schaden zufügen? Indem ein paar leere Fässer zertrümmert werden?"

„Vielleicht wussten die Täter nicht, dass sie leer waren. Wenn sie voll gewesen wären, dann hätte sich der Schaden auf einige hunderttausend Dollar belaufen können."

„Und was ist mit dem Wagen auf dem Silverado Trail? Glaubst du auch, dass das Spaulding insgesamt gelten sollte?"

„Wir wissen ja nicht mal, ob die beiden Vorfälle zusammenhängen."

Sein Gefühl sagte ihm, dass es so war. „Sam meint, dass dieser ehemalige Angestellte für letzte Nacht verantwortlich sein könnte."

Ihr Blick wurde ärgerlich. „Er irrt sich. Joe Brock würde so etwas niemals machen. Dafür respektiert er viel zu sehr die Arbeit, die hier geleistet wird."

„Aber er hat dir gedroht, als er letzte Woche auf dem Gut war."

Sie nahm ein Stück Muffin und kaute es langsam. „Er war an dem Tag nicht er selbst. Er hatte getrunken. Die Leute reden viel, wenn sie getrunken haben, ohne dass sie das auch meinen."

„In dem Fall hast du wohl nichts dagegen, wenn ich ihn überprüfe, oder?"

Ihr scharfer Blick verriet ihm, dass sie sehr wohl etwas dagegen einzuwenden hatte. „Warum willst du das machen?"

„Weil ich nicht untätig rumsitzen werde, während irgendein Verrückter da draußen herumläuft und darauf wartet, den nächsten Anschlag zu unternehmen."

„Wenn du mir Angst machen willst, dann funktioniert das." Sie sah ihn düster an, während sie das nächste Stück aß. „Aber ich werde trotzdem in meinem Haus schlafen."

Wie konnte man nur so verbohrt sein? „Unter einer Bedingung", kam er ihr entgegen. „Du arbeitest nicht mehr bis in die Nacht. Du machst um fünf Uhr Feierabend, so wie alle deine Angestellten."

Ein Lächeln umspielte ihren Mund. „Du machst dich allmählich richtig unbeliebt, weißt du das?"

„Gewöhn dich lieber dran." Er trank seinen Kaffee aus. „Willst du heute arbeiten?"

„Natürlich." Sie war entsetzt, dass er etwas anderes erwarten konnte.

„Gut, ich komme mit. Du kannst mich herumführen und mit den Leuten bekannt machen, die für dich arbeiten."

Das schien sie nicht sonderlich zu freuen. „Du meinst, du fragst meine Angestellten aus?"

„Wie soll ich sonst herausfinden, wer dir das angetan hat?"

„Detective Crowley wird das nicht sehr freuen, dass sich auch ein Privatdetektiv in die Sache reinhängt."

„Soll ich dir was sagen?" Er nahm ein Stück Muffin von ihrem Teller und fütterte sie damit, während sie ein wenig die Augen zusammenkniff. „Es schert mich einen Dreck, was Crowley freut oder nicht freut."

Sie gab ein leises Schnaufen von sich. „Und mich nennt man aufgeblasen."

Während er dasaß und sie ansah, wurde ihm klar, dass sein Vorsatz, Geschäft und Vergnügen nie miteinander zu verbinden, längst Vergangenheit war. Er beugte sich über den Tisch, fasste mit zwei Fingern ihr Kinn und küsste sie auf den Mund.

Bevor sie reagieren konnte, hatte er sie bereits losgelassen. „Mach dich fertig. Ich muss um zehn im Büro sein."

24. KAPITEL

Rachel war erschöpft. Neben ihren normalen täglichen Aufgaben musste sie sich mit Leuten von der Versicherung treffen, die den Schaden der letzten Nacht begutachten wollten, mit Handwerkern und natürlich mit Detective Crowley, dessen Gespräch mit Joe Brock wenig ergeben hatte. Joe hatte kategorisch abgestritten, am Vorabend auch nur in der Nähe von Spaulding Vineyards gewesen zu sein. Er behauptete, er sei zu Hause gewesen und habe geschlafen, was seine Frau bestätigte. Was den Vorfall auf dem Silverado Trail betraf, so hatte er zwar mal einen Pick-up besessen, doch den hatte er vor einigen Monaten für einen Van in Zahlung gegeben.

Rachels erste Aufgabe, mit der sie Spekulationen vorbeugen wollte, hatte darin bestanden, die Spaulding-Angestellten im Hof antreten zu lassen und ihnen zu erklären, warum die Polizei sie befragen mussten.

„Niemand hier wird als Verdächtiger betrachtet", hatte sie erklärt, um die Besorgnis zu nehmen, die sich auf den Gesichtern abzeichnete. „Detective Crowley benötigt Informationen, sofern Sie welche haben, und Ihre Kooperation, weiter nichts."

Nun lag der Arbeitstag hinter ihr, und sie fuhr in dem Leihwagen nach Hause, einem weißen Jeep, während ihre Gedanken um ein Glas kalten Chardonnay, um ein heißes Schaumbad und um ihr bequemes Bett kreisten. So sehr sie es auch liebte, bei Tina und Sam zu sein, so freute sie sich doch auch auf ein wenig Ruhe.

Diese Ruhe war ihr aber nicht vergönnt. Als sie durch die letzte Kurve fuhr und der Bungalow in Sichtweite kam, bemerkte sie Ericas BMW. Und diesmal war sie nicht allein, sondern hatte einen Begleiter mitgebracht: Sal.

Rachel stöhnte frustriert auf. Einen Moment lang war der Gedanke verlockend, auf der Stelle zu wenden, ob sie sie nun gesehen hatten oder nicht. Doch sie verwarf die Möglichkeit im gleichen Augenblick. Es war nicht ihre Art, unhöflich zu sein. Sie mussten von dem Zwischenfall am gestrigen Abend gehört und sich Sorgen gemacht haben. Und wenn sie sich extra bis zu ihrem Haus bemühten, dann konnte sie sie wenigstens freundlich behandeln.

Mit gezwungenem Lächeln auf den Lippen stieg sie aus dem Jeep. „Hallo, Sal, wie gehts?" fragte sie, als er auf sie zukam, um sie zu begrüßen.

Er sah sie lange und vorwurfsvoll an. „Ich bin sehr unglücklich. Ich muss aus den Fernsehnachrichten erfahren, dass meine Enkelin gestern Abend beinahe ums Leben gekommen wäre."

„Tut mir Leid, Sal, aber ich fand nicht, dass ich dich beunruhigen sollte." Rachel ging voraus zur Haustür. „Mir gehts gut, siehst du?" Sie drehte sich um und streckte ihre Arme aus. „Nicht mal ein Kratzer."

Trotz seiner unübersehbaren Verärgerung blitzte auch etwas anderes in seinen schlauen alten Augen auf. „Du bist eine Draufgängerin", sagte er. „So wie dein Vater."

„Und du machst dir zu viele Sorgen."

„Vielleicht. Haben sie den Wahnsinnigen gefasst?"

Sie trat zur Seite, um ihn und Erica ins Haus zu lassen. „Nein, die Polizei ermittelt noch."

„Es wurde von einem wütenden Arbeiter gesprochen", sagte Erica.

Rachel ging an ihnen vorbei und öffnete ein Fenster. Ein kühler Wind von der Küste hatte sich in Richtung Osten verlagert und die Temperaturen um einige Grad mehr sinken lassen als vorhergesagt. „Er wars nicht. Er war gestern Abend zu Hause. Seine Ehefrau hat es bestätigt."

Sal schnalzte mit der Zunge: „Ehefrauen lügen."

Erica stellte sich neben ihren Schwiegervater und legte

eine Hand auf seinen Arm. „Sal, du wolltest dich persönlich davon überzeugen, dass es ihr gut geht. Das hast du jetzt, also lass uns wieder gehen. Rachel ist geschafft. Merkst du das nicht? Sie braucht Ruhe."

Sal ignorierte sie. „Du solltest nicht bis in die Nacht arbeiten. Damit forderst du Schwierigkeiten nur heraus. Habe ich dir das nicht gesagt, Erica?" fragte er, während sein Blick auf Rachel ruhte. „Hab ichs nicht gesagt?"

Erica verdrehte die Augen. „Das hast du gesagt, Sal."

„Komm und hilf mir auf der Farm", fuhr er todernst fort. „Dann musst du nachts nicht arbeiten. Was?" fragte er, als er sah, dass sie die Mundwinkel verzog. „Glaubst du, ich meine das nicht ernst? Ich meine das ernst. Sag ihr, dass ich es ernst meine, Erica."

„O ja, er meint es ernst. Auf dem Weg hierher hat er nur davon gesprochen."

„Jawohl", bestätigte Sal und nickte. „Eine Farm unterscheidet sich nicht von einem Weingut. Du kümmerst dich um das Land, und das Land kümmert sich um dich."

Ein einfacher Ansatz, dachte Rachel, der so schlicht wie richtig war. „Das ist ein großzügiges Angebot, Sal, und ich weiß es zu schätzen . . ."

„Aber du willst nicht."

„Tut mir Leid. Mein Herz schlägt für Spaulding. Da tue ich das, was ich am besten kann und was ich die meiste Zeit meines Lebens gemacht habe."

„Ich weiß, ich weiß. Erica hat mir gesagt, dass du in deinem Job gut bist." Er sah sich um. „Schönes Haus. Gehört es dir?"

„Sal", ging Erica dazwischen. „Das geht dich doch gar nichts an."

„Sie ist meine Enkelin", erwiderte Sal mit einer Spur von Verärgerung in der Stimme. „Willst du mir weismachen, meine Enkelin geht mich nichts an? Okay, okay." Er machte eine ungeduldige Handbewegung. „Du musst nicht antworten." Seine Stimme klang wieder sanfter, als er sich erneut Rachel zuwandte. „Mir gefällt dein Haus. Passt zu dir."

„Danke, Sal, ich betrachte das als Kompliment."

„Jetzt sollten wir aber wirklich gehen", drängte Erica. „Nico regt sich auf, wenn das Abendessen nicht zeitig auf dem Tisch steht." Sal rührte sich nicht, also versetzte sie ihm einen kleinen Stoß. „Sal?" Sie sprach seinen Namen etwas länger aus und forderte eine Antwort von ihm.

„Ich habe dich gehört, ich bin ja nicht taub. Und du . . ." Er zeigte mit dem Finger wieder auf Rachel. „Wenn du irgendetwas brauchst, dann kommst du zu mir, hörst du? Wir sind eine Familie, und Familien halten zusammen." Er machte eine Handbewegung, die besagen sollte, dass er fertig war, drehte sich um und ging zur Tür. „Was ist? Kommst du, oder was?" sagte er, als er an Erica vorbeieilte.

Erica verdrehte wieder die Augen und gab Rachel einen Kuss auf die Wange. „Sei ihm nicht böse", sagte sie leise. „Und mir bitte auch nicht, weil ich ihn mitgebracht habe. Er hat sich wie ein verletzter Löwe aufgeführt, als er hörte, was geschehen war. Ich fand, dass er viel zu aufgeregt war, um alleine zu fahren, darum hatte ich mich angeboten."

„Ich bin nicht böse, Erica. Ganz im Gegenteil, es war nett von dir, ihn herzubringen."

Rachel stand auf der Veranda, bis der BMW außer Sichtweite war. Es war kein Wort darüber gefallen, ob sich Nico auch Sorgen gemacht hatte. Wenn sie daran dachte, mit welcher unausgesprochenen Ablehnung er sie angesehen hatte, dann konnte sie sich allerdings auch nicht vorstellen, dass ihre Sicherheit ihm wirklich am Herzen lag.

Das gleiche unheimliche Gefühl wollte sich wieder breit machen, doch sie schüttelte es ab und ging zurück ins Haus.

Gregory stand in der Küche seiner in einem Hochhaus gelegenen Eigentumswohnung, füllte eine Schale mit Cornflakes und gab Milch dazu. Nur in seine grün gestreiften Boxershorts gekleidet, stand er gegen den Tresen gelehnt und studierte die Karte, die er an die Wand gehängt hatte.

Bereits früh in seiner Karriere hatte er gelernt, dass er auch den komplexesten Fall entwirren konnte, wenn er alles zusammenstellte und mit angemessenem Abstand betrachtete.

Auf der Karte verteilt waren fünf Quadrate, in jedem Quadrat stand der Name eines möglichen Verdächtigen, geschrieben mit einem abwischbaren Fettstift. Wenn er auf Verbindungen zwischen den Verdächtigen stieß, verband er die Quadrate mit einer Linie. Ein Außenstehender hätte die Karte durchaus für ein missratenes Spinnennetz halten können. Für Gregory war es dagegen der Schlüssel, um einen Fall zu lösen. Mit Fortschreiten der Ermittlungen kamen neue Namen hinzu, während andere weggewischt wurden.

Er nahm einen Löffel Cornflakes und sah sich jeden der Namen aufmerksam an: Joe Brock, Nico Dassante, Erica Dassante, Annie und seit neuestem auch Ryan Cummings.

Gregory mochte Ryan. Der junge Assistent war hilfsbereit gewesen, und er hatte volles Verständnis dafür gehabt, dass er die Mitarbeiter des Weinguts befragen musste. Aber jahrelange Erfahrung hatte Gregory gezeigt, dass bei einem Kriminalfall fast jeder Befragte irgendetwas zu verbergen hatte. Es musste nicht zwangsläufig mit dem Fall zu tun haben. Es genügte, dass es irgendetwas gab, das niemand erfahren sollte.

Nachdem er Ryan Cummings beobachtet und sich dessen Antworten angehört hatte, war Gregory zu dem Schluss gekommen, dass Rachels Assistent etwas verschwieg. Solange er nicht wusste, um was es dabei ging, blieb der junge Mann auf seiner Liste der Verdächtigen.

Was Joe Brock betraf, interessierte sich Gregory für ihn nicht annähernd so sehr wie für Nico Dassante. Für den stand ein beträchtlicher Geldbetrag auf dem Spiel, wenn Sal sich plötzlich entschließen sollte, seine wieder gefundene Enkelin zur rechtmäßigen Erbin zu machen.

Annie stand aus gutem Grund auf der Liste. Sie wollte Spaulding an sich reißen, und dafür würde ihr so gut wie jedes Mittel recht sein, auch wenn sie in seinen Augen nicht zu einem Mord fähig war. Für Erica gab es kein erkennbares Motiv, aber er hatte sie mit auf die Liste gesetzt, weil sie Nicos Frau war.

Er schob sich den letzten Löffel Cornflakes in den Mund und stellte die Schale in die Geschirrspülmaschine. Vielleicht sollte er Detective Crowley anrufen, um nachzufragen, ob das Labor schon irgendwelche Fingerabdrücke hatte auswerten können.

Eine Stunde später beendete Gregory in seinem Büro soeben eine Konferenzschaltung mit einem voraussichtlichen Klienten, als sein Vizepräsident Ed Summer zur Tür hereinsah. „Ich habe die Karten, die du haben wolltest."

Gregory legte den Hörer auf und stöhnte. „Was denn, das Konzert war doch nicht ausverkauft?"

Ed, ein großer, schlaksiger Mann mit einer randlosen Brille, lachte, während er sich in einen Sessel fallen ließ. „Machst du Witze? Das ist seit zwei Wochen ausverkauft. Aber wenn man zwei Kinder hat, dann lernt man schnell, die richtigen Verbindungen aufzubauen."

Er zog drei Eintrittskarten aus seiner Brusttasche und legte sie auf Gregorys Schreibtisch. „Mit freundlichen Grüßen von ATC für hervorragende Arbeit. Buzz Felman persönlich hat sie mir gegeben."

„Wow, jetzt bin ich aber richtig beeindruckt. Danke, Ed. Ich werde dafür sorgen, dass sich meine Tochter persönlich bei dir bedankt." Er steckte die Karten in seine Hemdtasche, dann fügte er an: „Wie kommt die Bewertung von Tyler Communications voran?"

„Gerade abgeschlossen. Du hast sie noch vor fünf Uhr auf deinem Schreibtisch."

„Und das Resultat?"

Ed seufzte. „Für Tyler Communications nicht gut. Die vorgeschlagenen Regierungsmaßnahmen werden die Expansion ernsthaft behindern und die Erträge allein im ersten Jahr um fünfzehn Prozent niedriger ausfallen lassen. Damit ist es höchst unwahrscheinlich, dass Brechner Technologies den Kauf durchziehen wird."

„Hast du mit ihnen gesprochen?"

„Vor einer Minute. Sie sind enttäuscht, aber auch froh, dass wir so gründlich sind. Sie werden uns auf jeden Fall wieder einen Auftrag geben."

„Gut." Gregory öffnete eine andere Akte. „Noch etwas zu der Überprüfung der Vergangenheit dieses Finanzabteilungsleiters von Prentis Enterprises. Ich möchte, dass du dir die Akte ansiehst und prüfst, was ich bislang zusammengetragen habe. Es könnte sein, dass du den Fall von mir übernehmen musst."

„Klar. Verreist du?"

„Nein, aber in den nächsten Wochen werde ich immer wieder außer Haus sein. Ich untersuche den Vorfall bei Spaulding Vineyards."

„Ich habe davon gehört. Kann ich dir irgendwie dabei behilflich sein?"

Gregory schüttelte den Kopf. „Ich glaube nicht, aber vielen Dank für das Angebot, Ed."

Die anschließenden Stunden gingen die beiden neue Projekte durch, steckten zeitliche Rahmen ab, legten fest, wer von Shaws drei anderen Teilhabern welchen Auftrag übernehmen würde und wie viele Arbeitsstunden jeder Auftrag in Anspruch nehmen würde.

Um acht Uhr am Abend klingelte Gregorys Telefon – das Gespräch, auf das er die ganze Zeit über gewartet hatte. In Paris war es zwar fünf Uhr morgens, doch Todd Stark, sein Freund bei Interpol, klang frisch und munter. „Dich bekommt man aber auch nur schwer ans Telefon", sagte Gregory nach der Begrüßung.

Todd lachte. „Das wäre bei dir nicht anders, wenn du einer richtigen Arbeit nachgehen würdest, anstatt den ganzen Tag nur in deinem Hochhaus zu sitzen und Zahlen zu studieren."

„Richtige Arbeit? Du meinst durch ganz Europa stolzieren, mit schönen Frauen ausgehen, teuren Champagner schlürfen, und das alles für Gott und Vaterland?"

Am anderen Ende der Leitung war ein leises Lachen zu hören. „Die letzte schöne Frau, mit der ich ausgegangen bin, hat mich aus einem Balkonfenster im dritten Stock gestoßen."

Gregory musste lachen. Schon auf dem College war ihre freundschaftliche Beziehung davon geprägt gewesen, den jeweils anderen auf eine nette Weise aufzuziehen.

„Na gut", sagte Todd dann. „Wirst du mich auch aufklären, warum du mir in ganz Frankreich hinterhertelefonierst?"

Gregory wurde ernst und sagte ihm, was er über Alyssa Dassante alias Virginia Potter wusste.

„Die Namen sagen mir auf Anhieb nichts", erwiderte Todd, während Gregory hörte, wie er auf einer Computertastatur tippte. „Und in meinem Datenbestand tauchen sie auch nicht auch. Seit wann ist sie verschwunden?"

„Seit einunddreißig Jahren."

„Hast du eine Sozialversicherungsnummer? Oder ein Geburtsdatum."

„Nein, aber die Information kann ich dir innerhalb einer Stunde beschaffen. Bist du dann noch wach?"

Todd gähnte übertrieben laut und vernehmlich. „Kaum, aber für dich mache ich eine Ausnahme. Ach ja, der Mädchenname ihrer Mutter wäre auch hilfreich."

Gregory erreichte Jonsey zu Hause und bekam einen Teil der benötigten Informationen, allerdings nicht Alyssas Sozialversicherungsnummer. Der Personalbogen, den sie bei ihrer Einstellung ausgefüllt hatte, war vor langer Zeit weggeworfen worden.

„Das reicht schon", sagte Todd, als Gregory zurückrief. „Das kann ich von hier aus erledigen. Kann aber ein paar Tage dauern. Ist das okay?"

„Kein Problem, danke, Todd."

„Das wird dich übrigens einiges kosten, mein Freund. Und glaub nicht, dass du mit einem Fajita-Essen bei deinem Lieblingsmexikaner davonkommst."

„Nicht mal, wenn ich gebackene Bohnen spendiere?"

Todd lachte. „Das klingt schon besser. Grüße deine reizende Tante von mir."

„Werde ich machen. Und du halt dich besser von hohen Balkonfenstern fern."

„Was sollen wir bestellen?" Noelle, die sich für eine Expertin für chinesisches Essen hielt, studierte die Speisekarte mit dem geübten Blick eines Kenners. „Kantonesisch oder Szechuan?"

„Ist mir egal", sagte Gregory. „Hauptsache, es ist Chow Mein."

Sie verzog das Gesicht. „Oh, Daddy, niemand isst noch Chow Mein."

„Steht aber auf der Speisekarte, oder?"

Diese Logik ging über ihren Verstand hinaus. „Chow Mein ist etwas, das die Leute in den fünfziger Jahren bestellt haben. Heute sind Amerikaner viel weiter entwickelt."

Amüsiert betrachtete Gregory seine Tochter. Sie hatte sich rasch von ihrem Unfall erholt und war wieder in Hochform, was bei einer Tochter wie Noelle recht anstrengend sein konnte. „Woher weißt du denn das?"

„Das habe ich auf dem Kochkanal gehört."

„Interessierst du dich jetzt fürs Gourmetkochen?"

Wieder verzog sie das Gesicht. „Nein, aber Mom. Seit meinem Unfall kocht sie wie eine Wilde. Es schmeckt nicht immer so gut, und es sieht nie so aus wie im Fernsehen. Aber sie macht sich. Emeril Lagrasse ist ihr Lieblingskoch."

Erstaunlich, dachte Gregory. Wunder gibt es tatsächlich immer wieder. Vielleicht hatte sein Gespräch mit Lindsay doch etwas bewirkt.

Noelles Blick wanderte wieder über die Speisekarte. „Mal sehen . . . Als Erstes nehmen wir frittierte Knödel, danach Kung Pao-Shrimps und Hühnchen in Sesam. Dann können wir teilen." Sie sah auf. „Okay?"

„Klingt gefährlich", erwiderte Gregory lachend. „Aber was solls? Man lebt nur einmal."

Noelle kicherte. „Oh, Daddy, du bist so witzig."

„Was macht das Handgelenk?"

„Ist in Ordnung", sagte sie, legte die Speisekarte beiseite und bewegte ihre Hand hin und her. „Ich wollte schon wieder den Rasen mähen, aber Mom hat es mir nicht erlaubt. Sie sagt, dass es noch zu früh ist."

„Das stimmt. Warte noch ein oder zwei Wochen."

„Aber Dad", sagte Noelle mit einem gepeinigten Zug auf ihrem ausdrucksstarken Gesicht, „die Zeit zum Rasenmähen ist bald vorbei, und ich will vor Weihnachten noch etwas Geld verdienen."

„Was ist denn mit den zehn Dollar Taschengeld, die ich dir jede Woche gebe?"

„Mit zehn Dollar komme ich nicht aus, Daddy. Es ist alles so teuer. Außerdem mähe ich gerne den Rasen. Dann kann ich einen Blick auf den neuen Jungen von nebenan werfen."

Gregory hielt inne. „Der Junge von nebenan?"

Noelle lächelte ihn beruhigend an. „Das ist nur eine gesunde Neugier, Daddy. Kein Grund zur Sorge."

„Da bin ich ja erleichtert", erwiderte er, obwohl er keineswegs erleichtert war. Bevor er sich aber in das Thema verrennen konnte, wechselte er das Thema. „Wirst du am 6. November auch Rasen mähen?"

„6. November, 6. November", sagte sie nachdenklich, während sie mit einem Finger auf ihre Lippen tippte. „Könnte sein. Ist das ein Samstag?"

„Als wir uns das letzte Mal unterhalten haben, war das für dich ein sehr wichtiger Samstag." Mit einem aufgesetzt wichtigtuerischen Gesichtsausdruck holte er die drei Konzertkarten aus seiner Hemdtasche und hielt sie ihr vor die Nase. „Aber wenn du was Wichtigeres zu tun hast ..."

Sie öffnete vor Schreck den Mund. „Du hast Karten für die Spice Girls? Oh, Daddy, du bist der coolste Dad auf der ganzen Welt." Zum Vergnügen der anderen Gäste sprang sie auf und umarmte Gregory. „Danke, danke, danke!"

„Dank lieber Ed, wenn du ihn das nächste Mal siehst. Er hat seine Beziehungen spielen lassen, um die Karten zu bekommen."

„Das mache ich, Daddy. Und du hast sogar drei Karten", rief sie völlig begeistert. „Dann kann ich Zoe auch mitnehmen?"

Er grinste. „Wenn du nicht den Jungen von nebenan mitnehmen möchtest."

„Nee", sagte sie. „Der steht mehr auf Hanson als auf die Spice Girls."

Nachdem eine Bedienung die Bestellung aufgenommen hatte, brachte Noelle Gregory auf den neuesten Stand über alles, was sich in ihrem Leben ereignete, vom bevorstehenden Gymnastikturnier bis zu ihren Noten, die weiterhin hervorragend waren.

„Aber mit Mathe hab ich immer noch Probleme", sagte sie und sah ihn von unten herauf an. Es signalisierte ihm, dass sie ein anderes schwieriges Thema ansprechen wollte: ihr Einzug bei ihm.

„Warum setzt du dich nicht mit deiner Mutter zusammen und lässt es dir von ihr erklären? Sie ist wirklich gut."

„Nicht so gut wie du, Daddy", sagte sie süßlich, während die Kellnerin das Essen auf den Tisch stellte. „Bei dir klingt das alles so einfach."

„Mathematik ist einfach, wenn du einmal die Theorie verstanden hast. Wenn du das nächste Mal bei mir bist, werde ich es dir zeigen."

„Aber das ist es ja, Daddy." Ihre Stimme nahm einen leicht melodramatischen Tonfall an. „Wenn ich bei dir bin, will ich nicht Mathe lernen. Dann möchte ich Spaß haben."

Sie tauchte eine trockene Nudel in einen höllisch scharfen Senf und aß sie, ohne mit der Wimper zu zucken. „Wenn ich immer bei dir leben würde", fügte sie an und warf ihm einen ihrer gefährlichen Blicke zu, „hätten wir viel mehr Zeit für Mathe."

„Ich hätte dich sehr gerne bei mir, Schatz", sagte er ernsthaft. „Und das weißt du auch. Aber deine Mutter würde sich niemals darauf einlassen."

„Meine Freundin Clarisse hat auch bei ihrer Mutter gelebt, und dann fing sie an, Freunde mit nach Hause zu bringen. Der Vater von Clarisse ist vor Gericht gegangen, und jetzt lebt sie bei ihm."

„Bringt deine Mutter Freunde mit nach Hause?"

Noelle lachte auf. „Nein."

„Und wo ist das Problem?"

„Sie arbeitet immer nur."

„Ich dachte, sie verbringt jetzt mehr Zeit mit dir und kocht Gourmetmahlzeiten."

„Macht sie ja auch. Gestern war sie vor mir zu Hause." Ihr Tonfall wurde schmeichlerisch. „Aber mit ihr es nicht so lustig wie mit dir, Daddy."

„Mit mir zu leben wäre auch nicht so lustig, wie du

glaubst. Ich muss auch lange arbeiten, und manchmal bin ich nicht in der Stadt. Dann müsste ich jemanden finden, der auf dich aufpasst."

„Nein, müsstest du nicht. Im Februar werde ich dreizehn. Ich kann auf mich selbst aufpassen. Das mache ich doch sowieso schon."

Das, so dachte Gregory, wird mein wichtigstes Argument sein, wenn ich mich dazu entschließe, mich ernsthaft um das Sorgerecht für Noelle zu bemühen.

Während der gut einstündigen Fahrt zurück nach Calistoga hatte Sal viel über Rachel nachgedacht. Es machte ihm nichts mehr aus, dass sie nach ihrer Mutter suchte. Verdammt, das Kind hatte völlig Recht. So wie er im Recht war, das Beste aus einer Situation herauszuholen, über die er keine Kontrolle hatte. Er hätte sich nur gewünscht, dass sie ihm genug vertraut hätte, um ihm davon zu erzählen.

Als sie zu Hause angekommen waren, bedankte sich Sal bei Erica, dass sie ihn gefahren hatte, dann ging er direkt in sein Wohnzimmer, um Joe Kelsey anzurufen. „Joe", sagte er zu dem Privatdetektiv, „ich habe einen Auftrag für Sie."

„Außer der Suche nach Alyssa?"

„Ja. Ich möchte, dass Sie sich an meine Enkelin hängen. Ich will wissen, wohin sie geht, wen sie trifft und so weiter. Nehmen Sie so viele Männer, wie Sie für nötig halten, aber machen Sie Ihre Arbeit ordentlich."

„Wollen Sie Rachel vor den Leuten beschützen, die sie letzte Nacht umbringen wollten?" fragte Kelsey. „Dann habe ich nämlich Bodyguards, die . . ."

„Darum geht es nicht. Ich möchte, dass sie beobachtet wird, weil sie versucht, Alyssa zu finden. Wenn ihr das gelingt, wird sie Sie zu ihr führen."

„Verstanden."

„Sie ist sehr helle, Joe. Passen Sie auf, dass sie Sie nicht bemerkt."

„Ich bin kein Anfänger", sagte Joe und klang beleidigt. „Ich mache das hier schon eine Weile, und man hat mich noch nie bemerkt."

„Dann sorgen Sie dafür, dass sich das auch nicht ändert", sagte Sal, bevor er auflegte.

Einen Moment lang stand er lächelnd da und fühlte sich gut. Es war ihm egal, wer Alyssa als Erster fand – Kelsey oder Rachel –, solange sie nur gefunden wurde.

Dann würde er einschreiten.

Und dann würde Gott jedem beistehen müssen, der sich ihm in den Weg stellte.

25. KAPITEL

Rachel hatte gerade gebadet und stand nun in der Küche, um eine Dose Tomatensuppe zu erhitzen, als das Telefon klingelte.

„Na, da bin ich ja froh, dass du dein Wort hältst", sagte Gregory, als sie den Hörer abnahm.

Der Klang seiner Stimme weckte schöne Erinnerungen. „Hast du daran gezweifelt?"

„Wenn es darum geht, um fünf Uhr Feierabend zu machen, dann habe ich meine Zweifel."

Lachend drehte Rachel die Herdtemperatur herunter, nahm ihr Glas Chardonnay und lehnte sich gegen die Küchentheke. „Aber um dich zu beruhigen: Ich habe versucht, wenigstens eine Stunde länger zu arbeiten. Sam hat es mir nicht gestattet. Er sagte, wenn ich nicht wie alle anderen Feierabend machen würde, dann würde er mich aus dem Büro tragen und meine Schlüssel wegwerfen."

„Sam ist ein guter Mann."

„Was sollst du auch anderes sagen? Ihr seid doch beide aus dem gleichen Holz geschnitzt."

„Das kommt dadurch, dass wir uns Sorgen machen. Was machst du gerade?"

„Mein Abendessen."

„Und das wäre?"

„Tomatensuppe."

„Köstlich."

Sie musste lachen: „Das sagt der Richtige. Der König des Take-away."

„Nicht heute. Heute war ich mit meiner Tochter essen."

„Wie geht es ihr?"

„Viel besser. Vor allem, nachdem ich die Konzertkarten für die Spice Girls aus der Tasche gezogen hatte."

„Du bist ein guter Vater, Gregory."

„Danke, aber ich habe eigentlich nicht angerufen, um zu prahlen." Er wurde ernst. „Ich habe mit meinem Freund bei Interpol gesprochen. In ein paar Tagen sollte er mehr wissen. Bei Joe Brock bin ich dagegen nicht weitergekommen. Oder besser gesagt, bei seiner Frau."

„Teresa hatte viel um die Ohren."

„Mag sein. Auf jeden Fall hat sie mich nicht mit ihm reden lassen."

„Das macht auch nichts, Gregory. Joe steht nicht mehr unter Verdacht. Er war in der Nacht zu Hause, außerdem hat die Polizei von ihm keinen Fingerabdruck finden können. Von Nico übrigens auch nicht."

„Ich weiß", sagte er und klang enttäuscht. „Ich habe mit Crowley gesprochen."

„Willst du sagen, dass er dir diese Informationen freiwillig gegeben hat?" fragte sie überrascht, da sie wusste, wie mürrisch der Detective war.

„Machst du Scherze? Ich musste ihm jedes Wort aus der Nase ziehen. Ich habe ja schon sture Cops erlebt, aber der übertrifft sie alle."

„Ich habe dich gewarnt."

Nach einer kurzen Pause fragte er: „Wie lange arbeitet Ryan Cummings schon für dich?"

Die Frage irritierte sie. „Zwei Jahre. Wieso?"

„Ich glaube, er verschweigt etwas."

„Oh, Gregory, du kannst ihn unmöglich verdächtigen. Ich kenne Ryan, seit er ein Teenager war. Er ist mir und Spaulding völlig ergeben."

„Ich will auch nicht sagen, dass er versucht hat, dich umzubringen. Aber es war ihm unübersehbar peinlich, als ich ihn befragt habe. Vor allem, als ich wissen wollte, wo er in der Nacht gewesen ist."

„War er nicht zu Hause?"

„Das erklärt er zwar, aber er war ziemlich wortkarg."

Rachel seufzte. „Ich glaube, ich kenne auch den Grund", sagte sie zögernd. Sie wollte nicht über ihre Mitarbeiter herziehen, aber sie konnte auf der anderen Seite auch nicht Ryan als Verdächtigen dastehen lassen, wenn er damit nichts zu tun hatte.

„Ich lausche", sagte Gregory.

„Courtney ist in Ryan verknallt, und sie hofft seit Wochen, dass er sie fragt, ob sie mit ihm zum Herbstball geht. Als mir klar wurde, dass er das nicht machen würde, wollte ich herausfinden, ob er eine Freundin hat, von der ich nichts weiß."

„Ich wusste gar nicht, dass Verkuppeln zu deinen Begabungen gehört."

„Das ist auch nicht der Fall. Und nach diesem Fiasko werde ich mich nie wieder in das Liebesleben anderer Leute einmischen."

„Was war denn los?"

„Ich habe Ryan ohne Umschweife gefragt, ob er eine Freundin hat. Er lief knallrot an, sagte Nein, und dann verdrückte er sich, weil er angeblich irgendetwas Wichtiges zu tun hatte."

„Du hast ihm nicht geglaubt?"

„Nein." Sie trank einen Schluck Wein. „Ich glaube, er hat eine Affäre mit einer verheirateten Frau."

„Und wenn er in der Nacht bei dieser Frau war", sagte Gregory nach einer kurzen Pause, „würde er sie nicht als Alibi nennen wollen. Warum bin ich nicht darauf gekommen?"

„Weil Männer oft über das Offensichtliche hinwegsehen." Sie hörte ihn lachen. „Und Frauen nicht?"

„Das habe ich doch gerade bewiesen, oder? Aber Spaß beiseite. Mein kleiner Verdacht stellt mich vor ein großes Problem."

„Und das wäre?"

„Sage ich Courtney etwas davon, oder halte ich den Mund?"

„Sag ihr nichts", erwiderte Gregory. „Erstens weißt du nicht, ob du mit deiner Vermutung richtig liegst. Zweitens ist es nicht deine Sache, ihr das zu sagen. Das Schlimmste, was passieren kann, ist, dass er sie nicht zum Ball einlädt, was sie wahrscheinlich ohnehin schon vermutet."

Er ist nicht nur ein guter Dad, dachte Rachel lächelnd, er ist auch ein intuitiver Dad. „Ich glaube, du hast Recht."

Sie unterhielten sich noch einige Minuten, wobei sie ihm auch erzählte, dass JoAnn die Grippe hatte und nicht wie sonst üblich die Führung über das Gut übernehmen konnte. Rachel hatte sich bereit erklärt, für sie einzuspringen. „Ich habe eine entsetzliche Angst", gab sie zu und lachte nervös. „Ich habe seit meinem zehnten Lebensjahr keine Führung mehr geleitet."

„Du schaffst das schon, Spaulding."

„Danke."

„Guten Morgen, mein Name ist Rachel Spaulding." Sie lächelte freundlich, während sie in die Runde der kleinen Menschenmengen blickte, die sich für die erste Morgenführung angemeldet hatten. „Ich bin eine der Winzerinnen hier, und da unsere eigentliche Führerin heute wegen Krankheit ausfällt, springe ich für sie ein."

Ihre Kehle war mit einem Mal wie ausgetrocknet, und Ginnie drückte Huberts Hand ganz fest. Dass sie ihrer Tochter so von Angesicht zu Angesicht gegenüberstehen würde, hätte sie niemals erwartet, als sie und Hubert sich für eine Führung durch Spaulding Vineyards angemeldet hatten. Als Rachel wenige Minuten zuvor den Raum betreten hatte, war der Schock so gewaltig gewesen, dass es Ginnie einen Moment lang schwindlig wurde.

Dank Huberts Arm, den er um sie gelegt hatte, war sie wieder Herr über ihre Sinne geworden, und nun betrachtete sie aus der Ferne und mit stolzgeschwellter Brust durch die getönten Gläser ihrer Brille ihre Tochter. Was für eine hübsche und freundliche junge Frau war doch aus ihr geworden. Ein Lächeln, ein freundliches Wort, und sofort fühlten sich die Fremden wohl.

„Ruhig, *Chérie*", flüsterte Hubert ihr ins Ohr, während sie seine Hand nach wie vor fest umschlossen hielt. „Verrat dich nicht."

Rachel führte die kleine Gruppe bereits zu einem weitläufigen Hof voll mit schwerem Gerät. „Wie Sie sehen können, ist die Presse vorüber", sagte sie, während sie sich umdrehte und rückwärts gehend weitersprach. „Aber hier findet sie statt. Die Trauben werden mit Lastwagen von den Bergen hergebracht, die Ladung wird in diese Presse abgeladen, die auch als Entstieler dient."

Während Rachel mit der flachen Hand den großen Metallcontainer berührte, zog Ginnie an dem Schal, den sie sich um den Kopf gelegt hatte, und prüfte, ob er nicht verrutscht war. Im Sonnenschein wies Rachels Haar die gleichen roten Farbtupfer auf wie ihr eigenes. Es war zwar ein Detail, das ihr gefiel, das ihr zugleich aber auch Angst einjagte. Wie schwierig würde es für einen übereifrigen Reporter sein, die Ähnlichkeit zu erkennen und zu spekulieren? Entspann dich, dachte sie und versuchte, sich auf das zu konzentrieren, was Rachel sagte. Hier sind keine Reporter.

Sie ließ Huberts Hand los und folgte der Gruppe, während sie versuchte, angemessenen Abstand zu ihrer Tochter zu wahren. Es fiel ihr nicht leicht. Sie konnte ihren Blick einfach nicht von Rachel abwenden, sie bekam nicht genug von ihrer Stimme, von ihrem Lachen, von ihrer Art, wie sie jeden in der Gruppe direkt ansah.

„Ignorieren Sie bitte den Staub", sagte Rachel, als sie im zweiten Keller einen kleinen Bautrupp passierten. „Wir bauen hier ein wenig um."

Ginnie fühlte Wut in sich aufsteigen. Hier wurde nicht nur umgebaut. Der Zeitung zufolge hatte jemand vor wenigen Nächten versucht, Rachel zu töten. Und obwohl die Polizei sich nach Kräften bemühte, lief der Täter immer noch frei herum.

„Irgendwelche Fragen?" Rachel hatte sich wieder der Gruppe zugewandt und sah Ginnie direkt an.

Die schluckte und schüttelte den Kopf, dankbar darüber, dass ein Mann vor ihr die Hand hob und eine Frage stellte, die sie nicht mitbekam.

„Nein." Rachel legte ihre Hand auf eines der riesigen Rotholzfässer. „Wir lagern den Wein nicht mehr in diesen Fässern. Die erfüllen heutzutage nur noch eine dekorative und vielleicht auch eine etwas sentimentale Funktion", sagte sie mit einem weiteren bezaubernden Lächeln. „Mein Urgroßvater ließ sie um die Jahrhundertwende herstellen, also lange, bevor sich herausstellte, dass Wein in Eichenfässern viel besser reift."

Ginnie hatte inzwischen den Schreck verarbeitet, als Rachel sie direkt angesehen hatte. Das Mädchen war ein Genuss. Sie war nicht nur intelligent, mitteilsam und witzig, sie war auch auf ihre Arbeit und auf den Platz stolz, den Spaulding Vineyards in der Weinbranche einnahm.

„Wir produzieren im Jahr insgesamt fünfhunderttausend Kisten Wein", fuhr Rachel fort, während sie durch einen weiteren Keller gingen. „Und nachdem wir gerade damit begonnen haben, unsere Weine auch in Übersee zu vertreiben, gehen wir davon aus, dass sich die Produktion in den nächsten fünf Jahren verdoppeln wird."

Während die Gruppe weiterging, blieb Rachel stehen. Beunruhigt stellte Ginnie fest, dass sie darauf wartete, dass sie und Hubert zur Gruppe aufschlossen.

„Es ist schon eine ganze Menge Information für einen einzigen Besuch, nicht wahr?" fragte Rachel und lächelte sie beide an.

Darüber besorgt, dass sie sich verdächtig machen könnte, wenn sie die Frage nicht beantwortete, erwiderte Ginnie das freundliche Lächeln ihrer Tochter und sagte: „Nicht, wenn Sie es erklären."

„Da muss ich zustimmen", erwiderte Hubert. „Sie lassen die Herstellung von Wein einfach und aufregend zugleich klingen. Bei den meisten anderen Führungen versteht man nicht so viel."

„Dann sind Sie nicht zum ersten Mal auf einem Weingut zu Besuch?" Rachel sah die beiden abwechselnd an.

„Wir haben Weingüter im Ausland besucht", antwortete Ginnie und fügte an. „Mein Mann und ich kommen aus Frankreich."

„Frankreich?" Rachels Augen strahlten vor Begeisterung. „Wie wunderbar. Ich liebe Frankreich. Wir haben dort einen neuen Kunden, Anatole Fronsac. Sie kennen ihn vielleicht?"

„Der Eigentümer von Supermarchés Fronsac", sagte Hubert und nickte anerkennend. „Er ist uns bekannt. Ich muss Ihnen gratulieren, Mademoiselle. Sie müssen einen sehr tiefen Eindruck bei ihm hinterlassen haben. Ich glaube, in den Geschäften von Monsieur Fronsac habe ich noch nie einen kalifornischen Wein gesehen."

Sie lachte. „Ich weiß. Während unserer Vertragsverhandlungen hat er mir das mehr als einmal gesagt."

„Wenn wir wieder zu Hause sind, werden wir nach Ihren Weinen fragen."

Rachel schien erfreut und stellte Ginnie noch eine Frage: „Aus welcher Region Frankreichs kommen Sie?"

„Mittelfrankreich."

„Sie sprechen fehlerlos Englisch."

„Danke", erwiderte Ginnie und hielt es für besser, nichts darüber zu sagen, dass sie eigentlich keine Französin war.

„Werden Sie länger im Tal bleiben?"

Ginnie warf ihrem Ehemann einen flüchtigen Blick zu. Auch wenn es ihr gefiel, war sie ein wenig nervös, von den anderen Besuchern getrennt zu sein.

„Ein paar Wochen", sagte Hubert und machte einen völlig gelassenen Eindruck. „In der Zeit möchte ich so viele kalifornische Weine kosten, wie ich kann."

„In diesem Fall kann ich es kaum abwarten, dass Sie unsere Weine zuerst kosten und mich Ihren Eindruck wissen lassen."

Ginnies Kompliment kam von Herzen: „Wir haben bereits einen Ihrer Weine versucht, Miss Spaulding. Ein wundervoller Cabernet, der dem Margaux in nichts nachstand, den wir sonst zu Hause trinken. Nicht wahr, Liebling?"

„Meine Frau hat Recht. Dieser Cabernet war superb."

Rachels Wangen wurden vor Stolz ein wenig rot. „Vielen Dank. So etwas von Besuchern aus Frankreich zu hören, ist alles andere als ein alltägliches Kompliment."

Durch beschlagene Brillengläser sah Ginnie ihrer Tochter nach, wie die sich wieder an die Spitze der Gruppe begab.

Im Verkaufsraum, in dem zugleich Weinproben stattfanden, stellte sich Rachel hinter die Theke und begann, die Weine einzuschenken, die sie für die Besucher des heutigen Tages ausgewählt hatte. Während sie die jeweiligen Kennzeichen beschrieb, wenn sie einen Wein einschenkte, sah sie immer wieder hinüber zu dem Paar aus Frankreich, vor allem zu der Frau.

Abgesehen von der Tatsache, dass sie aus Frankreich kam, hatte sie über sich nichts Näheres sagen wollen. Nicht, dass die Lebensgeschichte der Frau Rachel irgendetwas anging. Die Menschen hatten ein Recht auf ihre Privatsphäre, das hatte in den letzten drei Wochen wohl kaum jemand besser schätzen lernen können als sie selbst.

Eine gute halbe Stunde später nahmen sie und der Chef-verkäufer die Bestellungen der Besucher auf, als Rachel plötzlich von ihrem Formular aufsah und bemerkte, dass die Frau aus Frankreich sie anstarrte. Zwar konnte sie ihre Augen hinter den dunklen Brillengläsern nicht erkennen, aber aus irgendeinem Grund wusste sie, dass die Frau sie durchdringend ansah.

Urplötzlich hatte sie die gleiche Vorahnung wie vor ein paar Tagen im Kloster, sie durchfuhr sie, als würde sich jeden Moment etwas unfassbar Entscheidendes ereignen.

Rachel schüttelte das Gefühl erfolgreich ab und konzen-trierte sich wieder auf das Bestellformular. Sie verhielt sich albern, sie war überreizt durch den Zwischenfall im Keller. Obwohl sie sich nicht so leicht erschrecken ließ, hatte die Tatsache, dass irgendwo da draußen jemand umherlief, der ihr etwas antun wollte und sich möglicherweise auf einen dritten Versuch vorbereitete, dafür gesorgt, dass sie alle fünf Minuten hinter sich blickte.

Als sie wieder aufschaute, war das Paar aus Frankreich verschwunden.

26. KAPITEL

„Oh, Hubert." Als sie wieder in dem kleinen gelben Cottage angekommen waren, das Hubert über ihr Reisebüro gebucht hatte, warf Ginnie ihre Sonnenbrille auf den Tisch und ließ sich auf das Sofa fallen. Sie fühlte sich emotional ausgelaugt. „Ist sie nicht absolut wundervoll? Ist sie nicht die warmherzigste, intelligenteste und schönste Frau, die du jemals gesehen hast?"

„Also da bin ich nicht so sicher." Hubert ging zu einem Schrank, um zwei Gläser herauszuholen, die er mit Mineralwasser füllte. „Ich kann mich daran erinnern, dass ich mal einer mindestens genauso hübschen Frau begegnet bin." Ginnie nahm das Glas, das er ihr reichte, und nahm den Schal ab, den sie um den Kopf gewickelt hatte. Ihr Haar fiel ihr über die Schultern. „Nicht so wie sie, Hubert", sagte sie und verspürte den gleichen mütterlichen Stolz, den sie empfand, als sie mit Schwester Mary-Catherine gesprochen hatte. „Ich musste mich mit aller Kraft dagegen wehren, sie nicht in die Arme zu schließen und ihr alles zu sagen."

„Das habe ich gemerkt, und einen Moment lang habe ich befürchtet, dass du dich verraten könntest."

„Ich war versucht, es zu tun."

„Versprich mir, dass du keine Dummheiten machen wirst, Ginnie." Hubert setzte sich neben sie. „Wir wissen nicht, wie Rachel reagieren würde oder was sie von dir denkt, nachdem sie jetzt die Wahrheit weiß. Sie könnte verärgert sein. Sie könnte sich an die Polizei wenden. Oder an Sal."

„Nein", entgegnete Ginnie kopfschüttelnd. „Das glaube

ich nicht. Diese junge Frau, die wir heute gesehen haben, könnte nicht so grausam sein. Ich weiß nicht, ob es dir aufgefallen ist, Hubert, aber als sie die Bestellungen aufnahm, hat sie mich einmal angesehen und gemerkt, dass ich sie angestarrt habe. In dem Augenblick ist irgendetwas geschehen, Hubert, das habe ich gespürt. Und sie hat es auch gespürt."

Sie strich mit einem Finger über seine Wange. „Mach dir keine Sorgen, Liebling. So gerne ich ihr sagen möchte, wer ich bin, werde ich es nicht machen. Jedenfalls noch nicht."

Sie trank einen Schluck Wasser. „Um ehrlich zu sein, bin ich auch ein wenig nervös. Ich fühle mich so . . . so verwundbar. Ständig rechne ich damit, dass jemand mit dem Finger auf mich zeigt und ruft: ,Da ist sie! Das ist die Frau, die Mario Dassante ermordet hat!'"

Hubert schüttelte nachdrücklich den Kopf. „Das wird nicht geschehen. Jedenfalls nicht, solange wir uns bedeckt halten."

Sie spielte mit einem Ende ihres Schals. „Das ist nicht immer einfach. Hier ist jeder so freundlich und so ernsthaft interessiert." Sie lächelte. „Jedes Mal, wenn mir eine Frage gestellt wird und ich antworte nicht, habe ich das Gefühl, das Vorurteil der Amerikaner zu untermauern, die Franzosen seien unfreundlich."

„In dem Fall", erwiderte Hubert philosophisch, „würde man unser Verhalten aber nicht für ungewöhnlich halten, nicht wahr?" Er tätschelte ihre Hand. „Beruhige dich. Das hier ist nicht das Territorium der Dassantes. Niemand hier interessiert sich für Sals Exschwiegertochter."

„Journalisten vielleicht schon. Das wäre doch eine große Story für sie, wenn sie mich ausfindig machen, Hubert. Vielleicht die größte Story ihrer Karriere. Du hast doch den Artikel gestern Abend in der Lokalzeitung gesehen. Seit die Presse weiß, dass Lillie lebt, macht mein Verschwinden wieder Schlagzeilen. Ein Reporter hat sogar vorgeschlagen, die Polizei sollte Rachel benutzen, damit sie Alyssa in eine Falle lockt." Sie musste sarkastisch lachen. „Wenn sie wüssten, dass Alyssa schon längst öffentlich aufgetaucht ist."

„Darum habe ich auch darauf bestanden, dass wir dieses Haus mieten, anstatt in einer der reizenden Pensionen zu wohnen", erwiderte Hubert. „Wir sind einfach nur ein ganz normales Paar aus Frankreich, das in einem Weinland Urlaub macht."

Er hatte Recht. Das kleine Cottage, das Hubert gemietet hatte, war an einem Hügel am nördlichen Ausläufer des Tals gelegen, fernab der Hauptstraße und gut dreißig Meter vom nächsten Nachbarn entfernt.

Ginnie sah sich um in dem kleinen, aber gemütlichen Wohnzimmer mit den altmodischen braun-gelb karierten Polstermöbeln und Schlingenteppichen. Sie hätte hier bis in alle Ewigkeit bleiben können, aber sie wusste, dass das nicht möglich war.

„Glaubst du, wir haben genug Wein gekauft?" fragte sie plötzlich, als ihre Gedanken zu Rachel zurückkehrten.

Hubert lachte. „Wir haben sechs Kisten gekauft, *Chérie*. Sechs Mal so viel wie alle anderen."

„Wir sollten vielleicht doch noch ein oder zwei Kisten mehr holen ... wir könnten sie an unsere Freunde verschenken."

„Bist du sicher, dass du nicht nur nach einem Vorwand suchst, um nach Spaulding Vineyards zurückzukehren?"

Ginnie lächelte. „Bin ich so durchschaubar?"

Hubert hob sein Glas und hielt es gegen Licht. „So wie dieses Wasser." Er stellte das Glas zurück und nahm ihre Hand. „Wir werden wieder hinfahren", sagte er sanft. „In ein paar Tagen. Auf diese Weise werden wir keine Aufmerksamkeit erregen. Einverstanden?"

„Ja, das ist perfekt." Ginnie ließ ihren Kopf auf das Kissen sinken und schloss die Augen. „Alles ist perfekt."

Gegen dreizehn Uhr kehrte Rachel in die Keller zurück und traf dort zu ihrer Überraschung auf Detective Crowley, der auf sie wartete.

„Gibt es Neuigkeiten?" fragte sie und hoffte darauf, dass er nicht nur gekommen war, um noch mehr Fragen zu stellen. Bei Spaulding war die Routine wieder eingekehrt, und sie konnte sich nicht vorstellen, dass sie und ihre Mitarbeiter eine weitere Störung hinnehmen sollten.

„Ich habe Neuigkeiten", sagte er mit finsterem Gesichtsausdruck. „Allerdings nicht das, was Sie erwarten."

„Wieso? Was ist passiert?"

„Joe Brock ist verschwunden."

Obwohl sie nicht glauben wollte, dass Joe der Täter war, verspürte sie ein Gefühl der Besorgnis. „Verschwunden? Wie meinen Sie das?"

„Seine Frau rief in der Wache an und meldete, er sei verschwunden. Offenbar ist er irgendwann in der Nacht abgehauen. Sie hat nicht mal mitbekommen, dass er aufgestanden ist. Als sie am Morgen in den Schrank sah, stellte sie fest, dass seine Kleidung verschwunden war. Außerdem hat er in den letzten zwei Tagen an einem Geldautomaten insgesamt sechshundert Dollar abgehoben. Offenbar hatte er alle Vorbereitungen getroffen, um die Stadt zu verlassen."

„Oh, Joe", sagte sie, ohne zu merken, dass sie seinen Namen laut gesprochen hatte.

„Es kommt noch schlimmer", sagte der Detective und wartete, bis ein Arbeiter außer Hörweite war. „Er hat seine Waffe mitgenommen."

Sie wusste nicht, ob es ihre Nerven waren oder das melodramatische Element der Situation war, das sie auflachen ließ. „Wollen Sie sagen, dass er diese Waffe auf mich richten wird? Dass er es zwei Mal nicht geschafft hat, mich umzubringen, und mich jetzt erschießen will? So wie in einem schlechten Western?"

Crowley fand es nicht lustig. „Sie können über Brock denken, wie Sie wollen, aber ich bin davon überzeugt, dass er die Stadt verlassen hat, weil er Angst vor etwas hat."

„Würde es Ihnen nicht genauso ergehen, wenn die Polizei plötzlich bei Ihnen vor der Tür steht und Sie mit einem Mord in Verbindung bringt?"

„An Ihrer Stelle würde ich nicht zu selbstgefällig werden", sagte Crowley säuerlich. „Wir wissen nicht, was in Brocks Kopf vor sich geht oder was er plant. Vielleicht will er sich umbringen, vielleicht ist er aber auch so wütend, dass er es auf Sie abgesehen hat."

„Ich kann das einfach nicht glauben", sagte sie, während

sie noch immer Schwierigkeiten hatte, den Zwischenfall mit den Fässern als Anschlag auf ihr Leben zu betrachten. Es war einfach zu bizarr.

„Glauben Sie es. Was Joe Brock angeht, könnten Sie der Grund für seine jetzige Verfassung sein."

Rachel blickte nervös über seine Schulter auf den Hof, wo man sich problemlos verstecken konnte.

„Tagsüber ist das weniger ein Problem", sagte Crowley, der ihren Blick richtig gedeutet hatte. „Er wird nicht so dumm sein und hier auftauchen, wo gleich ein halbes Dutzend Augenzeugen anwesend sind. Abends ist das eine andere Sache. Sie leben allein, richtig?"

„Ja."

„An Ihrer Stelle würde ich bei den Hughes einziehen. Ich habe bereits mit Sam darüber gesprochen, er ist meiner Meinung."

„Wie lange wird es dauern, bis Sie Joe gefunden haben?" fragte sie, was er mit einem Schulterzucken quittierte. „Schwer zu sagen. Wenn er geflohen ist, dann kann er inzwischen schon einige hundert Meilen entfernt sein. Aber wenn er nur untergetaucht ist, kann er sich praktisch überall aufhalten."

Und sich an ihre Fersen heften.

„Brennan's" auf der Hauptstraße von Calistoga war bereits brechend voll, als Gregory und Rachel zum Abendessen eintrafen. Wie meist drehten sich die Gespräche der Gäste um Wein – die gestiegenen Holzpreise, wie viel im Frühjahr zurückgeschnitten werden musste, neue Marketingstrategien. Zu jeder anderen Zeit hätte es Rachel Spaß gemacht, die anderen ein wenig zu belauschen. Immerhin konnte es nie schaden, wenn man wusste, was die Konkurrenz so trieb. Aber heute Abend war sie mit ihren Gedanken anderswo.

„Crowley war heute da", sagte sie, nachdem sie die Getränke bestellt hatten. „Joe Brock hat die Stadt verlassen."

Gregory versteifte sich sichtlich. „Die Stadt verlassen?"

Sie nickte. „Mitten in der Nacht. Er hat seine Kleidung mitgenommen, sein Auto, Geld und ist ... abgehauen." Sie benetzte ihre trockenen Lippen. „Und seine Waffe hat er auch mitgenommen." Sie erzählte ihm von Crowleys Vorschlag, sich bei den Hughes einzuquartieren.

„Und genau das wirst du auch machen", sagte Gregory. „Und wenn ich dich persönlich hintragen und anbinden muss."

Das Bild, das vor ihrem geistigen Auge entstand, weckte in ihr den Wunsch, seine Drohung auf die Probe zu stellen. „Habe ich schon gemacht. Sam wollte mich nicht mal darüber nachdenken lassen. Er ist mit mir nach Hause gefahren, damit ich ein paar Dinge einpacken kann, dann sind wir direkt zurückgefahren." Sie sah hinüber zur Bar, wo einige ihr bekannte Winzer laut lachten. „Ich komme mir so feige vor."

Gregory nahm ihre Hand. „Du bist nicht feige, Rachel." Sein Tonfall war so überzeugend, dass sie ihm fast glaubte. „Du triffst Vorsichtsmaßnahmen, sonst nichts. Crowley hat Recht. Wir wissen nicht, was Brock vorhat. Er könnte verzweifelt sein, und verzweifelte Menschen sind gefährlich."

„Wenn er mich umbringen will, dann macht er das so oder so, egal, wo ich bin."

„Vielleicht, aber warum willst du es ihm leicht machen? Von jetzt an gehst du nirgendwo alleine hin . . ."

„Einen Moment", sagte sie und wartete, bis der Ober zwei Bier auf den Tisch gestellt hatte und gegangen war, dann sprach sie weiter. „Ich werde nicht paranoid werden. Und ich werde auch nicht mit einem ganzen Tross durch die Gegend laufen. Ich muss ein Unternehmen führen und Leute beaufsichtigen."

„Ich lasse es nicht zu, dass du dich noch einmal zur Zielscheibe machst."

„Wir wissen ja nicht mal, ob ich überhaupt das Ziel war", warf sie ein, war aber insgeheim angenehm davon angetan, dass er sich um sie sorgte.

„Sicher. Und derjenige, der sich in der Nacht in den Keller geschlichen hatte, wollte nur warten, bis du gerade im Weg gestanden hast, um die Fässer umzustürzen. Und der alte Pick-up, der dich fast in den Abgrund gedrängt hätte, war auch einfach nur da." Er schüttelte den Kopf. „Das sind für meinen Geschmack keine Zufälle, Rachel."

Wenn er es so darstellte, konnte sie nicht viel erwidern.

Seine Stimme wurde sanfter, als er sich zu ihr vorbeugte. „Ich weiß, wie sehr du deine Leute in Schutz nimmst", sagte er. „Auch die, die längst nicht mehr für dich arbeiten. Das ist bewundernswert, aber dies hier ist eine ernste Angelegenheit, Rachel. Dein Leben könnte auf dem Spiel stehen."

Sie nickte. „Ich verspreche dir, dass ich aufpasse."

Er setzte sich gerade hin und war offensichtlich zufrieden. „Gut."

Sie trank einen Schluck Bier, stellte das Glas aber fast sofort wieder hin. Seit der Begegnung mit dem französischen Ehepaar am Morgen war ihr Magen so verkrampft, dass ihr nichts richtig schmecken wollte. Vermutlich war sie nicht mal in der Lage, etwas zu essen. „Ich wollte dich noch aus einem anderen Grund sprechen", sagte sie und starrte in ihr Glas.

„Noch mehr schlechte Neuigkeiten?"

„Nein." Sie sah ihn an. „Du weißt, dass ich heute morgen für JoAnn eingesprungen bin."

Er nickte. „Die Führerin mit der Grippe. Ich erinnere mich. Und wie ist es gelaufen?"

„Gut. Ich hatte auch ein Ehepaar aus Frankreich in der Gruppe."

„Sag nichts", erwiderte er mit neckischem Lächeln. „Sie haben alle amerikanischen Weine schlecht gemacht."

„Nein, ganz im Gegenteil. Sie haben sechs Kisten gekauft." Sie zögerte, weil sie sich fragte, ob sie sich wohl völlig verrückt anhören würde. „Irgendetwas war komisch, was die Frau anging. Irgendetwas seltsam . . . Vertrautes."

Gregory legte die Stirn in Falten. „Vertraut? Wie?"

„Ich weiß nicht, so ein Gefühl von Déjà vu. Eine Verbindung."

„Vielleicht, weil sie aus Frankreich kommt?" fragte er. „Du hast mir gesagt, dass du eine starke Anziehung zu Frankreich empfindest."

„Ja, schon . . . aber es war mehr als nur das. Und die Frau hat es ebenfalls gespürt. Ich habe gemerkt, dass sie mich angestarrt hat. Ich kann es nicht mal im Ansatz beschreiben oder erklären." Sie sah Gregory an. „Ich hatte das Gefühl, dass sie Alyssa war."

Er betrachtete sie lange und eindringlich. „Hat sie dir ähnlich gesehen?"

„Nein", antwortete Rachel und schüttelte den Kopf. „Das heißt, ich weiß es nicht. Sie hatte einen Schal um den Kopf gelegt, ich konnte von ihren Haaren kaum etwas erkennen. Und sie trug eine Brille mit dunklen Gläsern."

„In einem dunklen Keller? Das ist allerdings merkwürdig."

„Die Gläser waren nicht richtig dunkel, sie waren so getönt, dass ich ihre Augen nicht sehen konnte. Aber ich hatte das Gefühl, dass ich sie schon einmal gesehen hatte."

„Kannst du sie beschreiben?"

„Sie war Mitte bis Ende fünfzig, würde ich sagen. Sie sah gut aus, elegant angezogen. Aber sie hatte kein Muttermal auf der Oberlippe."

„Muttermale kann man chirurgisch entfernen. Hatte sie einen französischen Akzent?"

„Nicht die Spur. Ich fand vielmehr, dass ihr Englisch völlig fehlerlos war. Ich habe sie sogar darauf angesprochen."

„Und was hat sie gesagt?"

„Sie hat sich bedankt."

Gregory stellte sein Glas ab und sah es an. „Hmm. Gut aussehende Frauen verstecken sich normalerweise nicht so, es sei denn, sie wollen nicht erkannt werden. Und das Alter passt auch."

Rachel faltete ihre Hände. „Oh, Gregory, du glaubst doch hoffentlich nicht, dass ich verrückt oder besessen bin, weil ich glaube, dass diese Frau Alyssa sein könnte?"

„Nein. Ich glaube an Instinkte. Und ich glaube, dass sich Menschen auf ihre Instinkte verlassen sollten, wenn die Situation das rechtfertigt."

„Aber warum sollte sie nach so vielen Jahren zurückkommen? Und dieses Risiko eingehen? Schwester Mary-Catherine hatte ihr doch gesagt, dass ich bei dem Feuer umgekommen war."

„Das kann ich dir nicht sagen", erwiderte er nachdenklich. „Es sei denn, Schwester Mary-Catherine wusste die ganze Zeit über, wo sie sich aufhielt, und hat sie angerufen."

„Vielleicht sollte ich noch mal nach Santa Rosa fahren."

„Nein, fahr nicht allein dahin. Ruf sie lieber an. Wie heißt das Ehepaar?"

„Laperousse. Unser Verkaufsleiter hat ihre Bestellung aufgenommen, aber ich habe es überprüft, nachdem sie gegangen waren. Sie haben die Adresse hinterlassen, wo sie zur Zeit wohnen. Und die Telefonnummer." Sie sah aus dem Fenster. „Es ist direkt hier in Calistoga, nur ein paar Minuten entfernt."

„Ich rufe Todd an, sobald ich in San Francisco bin", sagte er. „Mit dem Namen wird er viel leichter etwas herausfinden können."

Der Ober war an den Tisch zurückgekehrt, um ihre Bestellung für das Essen aufzunehmen. Keine Sekunde zu früh, dachte Rachel. Mit einem Mal war sie ausgehungert.

„Schwester Mary-Catherine", sagte Rachel, als die Nonne den Hörer abgenommen hatte. „Hier ist Rachel Spaulding."

Der Tonfall der Frau wurde im gleichen Moment milder. „Hallo, Rachel. Wie geht es Ihnen, meine Liebe?"

„Schwester, ich . . . ich muss Sie etwas sehr Wichtiges fragen. Können Sie reden?"

„Ja."

„Haben Sie seit unserem letzten Gespräch etwas von meiner Mutter gehört?"

Die Nonne machte eine kurze Pause. „Warum fragen Sie?"

Rachel sah sich vorsichtig um. „Weil", begann sie, als sie sicher sein konnte, dass sich niemand in Hörweite aufhielt, „gestern eine Frau eine Führung durch das Weingut mitgemacht hat. Ich konnte sie nicht sehr gut erkennen, weil sie eine Brille trug und einen Schal um den Kopf gelegt hatte. Aber ich bin fast sicher, dass es Alyssa war."

„Oh."

Dieser kurze, atemlose Ausruf war alles, was Rachel hören musste. „Bitte sagen Sie es mir, Schwester. Hat sie sich bei Ihnen gemeldet?"

„Ja", antwortete die Nonne schließlich. „Sie hat mich angerufen. Ich weiß nicht, von wo und warum sie mich anrief. Das ist nicht zur Sprache gekommen, denn in dem Moment, in dem ich wusste, dass sie es ist, habe ich ihr gesagt, dass Sie leben. Ich kann Ihnen gar nicht sagen, was das bei ihr bewirkt hat. Sie war so glücklich, sie hat gleichzeitig gelacht und geweint, und sie hat mir unzählige Fragen über Sie gestellt."

„Hat sie gesagt, dass sie mich sehen wollte? Dass sie nach Napa Valley kommen wollte?"

„Oh, sie wollte Sie unbedingt sehen. Sie hat mich sogar gefragt, wo Spaulding Vineyards liegt. Ich habe gesagt, sie solle vorsichtig sein, weil Sal Dassante noch immer nach ihr sucht. Aber das schien sie nicht zu stören."

Rachels Mund war wieder trocken geworden. Sie war es, sie musste es einfach sein. „Vielen Dank, Schwester, Sie können tatsächlich Wunder wirken."

Rachel und Sam saßen in ihrem Büro und begutachteten die Skizze eines Künstlers aus der Gegend für das Etikett, das Spaulding auf den Sauvignon Blanc kleben würde, der zur Abfüllung anstand. Ihr Telefon klingelte. Es war Gregory.

Nachdem sie sich entschuldigt und außer Hörweite begeben hatte, sagte er: „Madame Laperousse hieß vor ihrer Hochzeit Virginia Potter."

Rachel umfasste den Hörer ein wenig fester. „Bist du sicher?"

„Hundertprozentig. Hubert Laperousse ist ein in ganz Europa bekannter Konzertpianist. Er war sogar schon in den USA auf Tournee, allerdings noch nie in Kalifornien. Nach dem Bericht zu urteilen, den mein Freund bei Interpol bekommen hat, begegneten sich Hubert und Alyssa im August 1968 in Paris. Zu dem Zeitpunkt hatte sie sich erst einige Wochen in Frankreich aufgehalten."

Rachel verkniff sich die Tränen. Allmählich fanden alle Stücke des Puzzles ihren Platz. „Ich habe auch etwas erfahren", sagte sie mit zitternder Stimme. „Alyssa hat sich bei Schwester Mary-Catherine gemeldet und von ihr erfahren, dass ich noch lebe."

„Also gut, jetzt hör mir zu", sagte Gregory mit diesem

ernsten Tonfall, der ihr in den letzten Tagen so vertraut geworden war. „Unternimm nichts auf eigene Faust, und sag niemandem ein Wort, nicht mal Sam und Tina."

„Ist klar."

„Ich hole dich morgen früh ab und bringe dich zum Haus der Laperousses. Geh nicht allein dorthin. Hast du mich verstanden?"

„Normalerweise lasse ich mir von Schlägertypen nichts sagen." Sie lächelte. „Ich habe dich verstanden."

27. KAPITEL

„Wohin fährst du?" fragte Rachel, als Gregory auf der Route 29 in Richtung Süden fuhr. „Das Haus der Laperousses liegt in der anderen Richtung."

„Ich will nur sicher gehen, dass uns niemand folgt."

„Warum sollte uns jemand folgen?"

„Vielleicht derjenige, der dich umbringen will. Vielleicht jemand anderes. Vielleicht auch niemand. Ich will nur kein Risiko eingehen."

Sie unterdrückte ein Lächeln. „Sagst du mir, wohin wir fahren, oder ist das ein Staatsgeheimnis?"

Er fuhr etwas langsamer als erlaubt, was angesichts seiner Fahrweise, die Rachel inzwischen kennen gelernt hatte, nicht freiwillig geschah, sondern damit zusammenhing, dass der Berufsverkehr um diese Zeit auf der Route 29 nur im Schneckentempo vorankam.

„Wir fahren zum Frühstück ins ‚The Diner'."

„The Diner", das zu niedrigen Preisen riesige Portionen servierte, war ein Restaurant im Stil der fünfziger Jahre und eines der beliebtesten Lokale in Napa Valley. „Das ist eine hervorragende Idee, um in der Menge unterzutauchen. Aber wenn du einen Tisch bekommen willst, musst du lange warten."

Wie vorhergesagt, wartete eine lange Schlange hungriger Touristen darauf, einen freien Tisch zu finden. Aber wie aus heiterem Himmel tauchte eine attraktive Kellnerin auf, begrüßte Gregory wie einen seit langem verschollenen Freund

und führte die beiden rasch zu einer kleinen Sitzgruppe im hinteren Teil des Lokals.

„Ist das so in Ordnung, Mr. Shaw?"

„Perfekt, Thelma. Vielen Dank."

Rachel wartete, bis die Kellnerin gegangen war, dann beugte sie sich über den Tisch. „Mr. Shaw? Thelma? Was läuft hier?"

Gregory nahm seine Speisekarte. „In Ermittlerkreisen nennt man das Aufklärungsarbeit. Ich kam, ich sah, ich buchte."

„Wie kannst du einen Tisch buchen? Hier bekommt man keine Reservierungen."

„Wenn man so charmant ist und ein so dickes Trinkgeld gibt wie ich, dann geht das schon." Er lachte und war erkennbar mit sich zufrieden. „Mach den Mund zu, Spaulding. Man sieht dir deine Bewunderung an."

Rachel machte ihren Mund zu. „Lass dir das bloß nicht zu Kopf steigen."

„Keine Sorge. Such dir was zu essen aus."

Rachel studierte die Speisekarte. „Wenn du mir gesagt hättest, dass wir frühstücken, dann hätte ich Tinas Gebäck sausen lassen."

Er sah sich unauffällig um. „Wir werden nicht frühstücken."

„Aber du hast doch gerade gesagt ..."

Die Kellnerin war zurückgekehrt. Während Gregory sie wieder anlächelte, nahm sie einen Stift, den sie sich hinter das Ohr geklemmt hatte. „Und, Leute, was darfs sein?"

„*Huevos rancheros* für mich." Gregory hob eine Augenbraue. „Rachel? Du wolltest die deutschen Pfannkuchen?"

„Ähm ..." Völlig verwirrt lächelte sie die Kellnerin nichts sagend an, um dann wieder auf die Speisekarte zu sehen. „Ich ... ja, das ist gut."

„*Huevos rancheros* und deutsche Pfannkuchen. Kommt sofort."

Während sie der Kellnerin nachsah, beugte sich Rachel vor. „Hast du nicht gerade eben gesagt, wir würden nicht frühstücken?"

„Machen wir auch nicht. Wir tun nur so, für den Fall, dass uns jemand beobachtet."

„Bist du nicht ein wenig paranoid? Erst glaubst du, dass man uns nachfährt. Jetzt denkst du, dass wir beobachtet werden. Was kommt als Nächstes?"

„In Ermittlerkreisen . . ."

„Lass mich raten", unterbrach sie ihn. „Das nennt man Vorsichtsmaßnahmen."

Er grinste sie an. „Du lernst schnell."

„Ich werde mir das merken. Wenn ich irgendwann mal keine Lust mehr auf Wein habe . . ."

Sie konnte den Satz nicht beenden, da Gregory sie an der Hand nahm und von ihrem Platz zerrte. „Komm, wir müssen los."

Sprachlos ließ sie sich von ihm durch eine Tür hinterher ziehen, auf der „Nur für Personal" stand. Drinnen herrschte hektisches Treiben, an dem sich wenig änderte, als sie beide eintraten. Thelma hängte gerade eine Bestellung an ein überhängendes Gestell, sah sie und blinzelte ihnen zu.

„Danke, Schatz", sagte Gregory und steckte etwas in ihre Tasche, das wahrscheinlich noch ein großzügiges Trinkgeld darstellte.

„Und wie kommen wir jetzt nach Calistoga?" fragte Rachel, als sie durch die Hintertür das Lokal verließen. „Ich nehme ja nicht an, dass wir mit deinem Jaguar fahren werden. Ach, sag nichts. Zu deiner Ausbildung zum Privatdetektiv gehörte auch das Kurzschließen von Autos."

„Stimmt, aber das ist heute nicht erforderlich." Auf dem kleineren Parkplatz hinter dem Gebäude standen Wagen der verschiedensten Marken und Typen. Und Rachels geliehener Jeep stand ebenfalls dort, zwischen einen Kombi und einen Lieferwagen geparkt.

Sie konnte nicht anders, wieder klappte ihr der Mund auf. „Wie hast du denn das geschafft?"

„Mit Sams Hilfe. Ich habe ihn gebeten, den Wagen herzubringen, und er hat es gemacht. Das muss ich dem Mann ja lassen. Er muss vor Neugier gestorben sein, aber er hat nicht eine einzige Frage gestellt." Gregory öffnete die Beifahrertür. „Beeil dich, steig ein."

Während ihr Herz wegen der abenteuerlichen Verwicklungen etwas schneller als gewöhnlich schlug, tat sie, was er ihr sagte. Sie erlaubte sich sogar einen kleinen Scherz, als er auf der Fahrerseite Platz nahm. „Wie soll ich mich bei einer Verfolgungsjagd verhalten? Soll ich auf die Reifen zielen? Oder lieber genau zwischen die Augen unseres Verfolgers?"

In der Morgensonne leuchteten Gregorys Augen amüsiert auf. „Wie es dir am liebsten ist, Baby."

Nachdem sie sich wieder auf der Route 29 befanden, sah er immer wieder in den Rückspiegel, und Rachel machte das Gleiche mit dem rechten Außenspiegel. Niemand schien ihnen zu folgen. Die Täuschung, die wohl überlegt und perfekt ausgeführt worden war, hatte entweder funktioniert oder war eine völlige Zeitverschwendung gewesen.

Zehn Minuten später hatten sie Calistoga erreicht, als Rachel die Nerven verlor. Was, wenn Alyssa oder Virginia oder wie sie sich nannte, noch nicht so weit war, sich zu erkennen zu geben? Was, wenn ihnen allen Vorsichtsmaßnahmen zum Trotz doch jemand gefolgt war?

Als sie sich diese Frage stellte, bog Gregory in die Pickett Road ein. Sie erblickte das kleine gelbe Cottage, und ihr Herz begann zu rasen.

„Du gehst rein", sagte Gregory, als er den Jeep anhielt. „Ich warte hier draußen auf dich."

„Ich sehe keinen Wagen. Vielleicht sind sie nicht zu Hause."

„Warum klingelst du nicht und findest das selber heraus?"

Noch immer unentschlossen, stieg Rachel aus dem Cherokee aus und betrachtete das Haus. Und jetzt? fragte sie sich. Sollte sie einfach klingeln und erklären: „Ich bin deine totgeglaubte Tochter." Oder sollte sie irgendeinen Vorwand vorschieben, der sie hergeführt hatte, um Virginia Laperousse die Chance zu geben, von sich aus etwas zu sagen?

Ihre Überlegungen fanden ein jähes Ende, als die Haustür geöffnet wurde und Madame Laperousse mit einem Bastkorb und einer Gartenschere herauskam. Sie trug keinen Schal, ihr langes braunes Haar fiel ihr sanft wallend über die Schultern. Als sie die letzte Stufe erreicht hatte, blickte sie plötzlich auf.

Die Schere fiel zu Boden, als Virginia ihre Hand an die Brust drückte. Einige Sekunden lang konnte sie nichts sagen. „Miss Spaulding." Ihre dunklen, leuchtenden Augen betrachteten Rachel mit einer Mischung aus Freude und Furcht.

Rachel konnte sich weder bewegen noch ein einziges Wort herausbringen. All die intelligenten Sätze, die sie die halbe Nacht über einstudiert hatte, waren wie weggewischt.

Die Frau, die sich Virginia nannte, kam langsam näher. Rachel konnte jetzt sehen, dass sie auch bleich geworden war. „Stimmt etwas nicht mit unserer Bestellung?" fragte sie schließlich.

Ohne den Blick vom Gesicht der Frau zu nehmen, schüttelte Rachel den Kopf.

Virginia deutete auf das Haus. „Möchten Sie nicht hereinkommen?" Sie blickte über Rachels Schulter und sah Gregory im Jeep sitzen. „Ist der Gentleman ein Freund von Ihnen?"

„Ja." Schon besser, ihre Stimme zitterte zwar noch ein wenig, aber zumindest hatten die Stimmbänder wieder ihre Arbeit aufgenommen.

„Möchte er auch hereinkommen?"

„Nein, er . . . er möchte im Wagen warten." Ihre Beine fühlten sich steif und ihre Hände klamm an, als sie die wenigen Stufen auf die Veranda zurücklegte.

Als Rachel das Haus betrat, fielen ihr zuerst die Blumen auf. Überall standen frische Sträuße, auf der Fensterbank, auf dem Tisch, in einer großen Bodenvase gleich hinter der Tür. Sie liebt also auch Blumen, dachte Rachel. So wie ich.

„Kann ich Ihnen etwas zu trinken anbieten?" fragte die Frau. „Vielleicht einen Tee? Oder Kaffee?"

Rachels Kehle war so zugeschnürt, dass sie kaum atmen konnte. „Im Moment nichts, Madame Laperousse."

„Ach, sagen Sie doch Ginnie." Sie standen da und sahen sich verlegen an.

„Sind Sie allein?" fragte Rachel, während sie sich umsah.

„Ja, mein Mann ist zur Bäckerei gegangen." Sie lächelte. „Ich fürchte, ich bin süchtig nach Ihren Doughnuts."

Sie tut noch immer so, als sei sie eine Französin, dachte Rachel. Aber vielleicht wartete sie auch nur darauf, dass sie den ersten Schritt machte.

Die nächste Frage setzte allen Spekulationen ein Ende. „Du weißt es, nicht wahr?" Ginnie sprach so leise, dass Rachel sie kaum verstehen konnte. „Darum bist du hier."

Rachels Herz pochte schmerzhaft gegen ihre Rippen. „Ja", sagte sie mit erstickter Stimme. „Ich glaube, ich wusste es schon im ersten Augenblick. Ich . . . ich habe nur nicht sofort die Zeichen erkannt."

„Oh, Lillie!" Ginnie standen Tränen in den Augen, während sie die Hand vor den Mund presste, als könnte sie so ihre Tränen aufhalten. „Mein Liebling, mein hübsches, kleines Mädchen. Du bist hier, du bist wirklich hier."

Rachel wusste nicht, wer sich zuerst auf den anderen zubewegte, aber plötzlich standen sie eng umschlungen da und weinten leise.

„Ich hätte nicht gedacht, dass ich dich noch mal wieder sehen würde", flüsterte Ginnie, während sie Rachel fest umschlossen hielt.

Rachel erwiderte die Umarmung, schmiegte ihr Gesicht in das weiche, duftende Haar ihrer Mutter und sagte mit erstickter Stimme: „Und ich hätte nicht geglaubt, dass ich dich finden würde."

Ginnie lehnte sich zurück, lächelte durch ihre Tränen und nahm Rachels Gesicht in ihre Hände. „Lass mich dich ansehen. Lass mich dich richtig ansehen." Ihre Augen nahmen jedes Detail auf. „Dieses Foto wird dir überhaupt nicht gerecht", sagte sie. „Du bist in Wirklichkeit viel hübscher."

Rachel ließ sich von ihr zum Sofa führen. „Welches Foto?"

„Das im *Paris Match*. Es wurde nach deinem Vertragsabschluss mit Supermarchés Fronsac gemacht."

„Oh."

„So habe ich dich gefunden. Hubert und ich waren gerade aus dem Urlaub zurückgekehrt, ich ging die Post durch und blätterte in dem Magazin, als ich das Foto sah. Die Ähnlichkeit war so verblüffend . . . ich wagte nicht zu hoffen ... und trotzdem wusste ich ... ich wusste, dass du das warst. Als ich dann erfuhr, dass du in Napa Valley lebst, hatte ich gar keine Zweifel mehr, weil es so nahe bei Santa Rosa gelegen ist."

„Es ist ein sehr großes Risiko, hierher zu kommen."

Ginnie lächelte sie an. „Ich würde es immer wieder machen, mein Liebling, und wenn es nur für diesen einen Augenblick wäre." Sie ergriff Rachels Hand. „Und du? Wie bist du darauf gekommen?"

„Ich habe Gregory von dir erzählt, davon, dass ich mich auf dem Weingut wie zu dir hingezogen fühlte."

„Gregory ist der junge Mann, der draußen wartet?"

„Ja. Er ist Privatdetektiv und hat Kontakte in alle Welt. Ich habe ihm deinen Namen gegeben, der auf dem Bestellformular eingetragen war, und er hat einen Freund bei Interpol angerufen. Ein sehr diskreter Freund", fügte sie hinzu, als sie Ginnies besorgten Gesichtsausdruck bemerkte. „Er hat bestätigt, dass du die ehemalige Virginia Potter bist."

Rachel wischte eine Träne weg. „Ich bin so oft in Frankreich gewesen", sagte sie. „Aber ich konnte mir nie erklären, warum ich mich so mit diesem Land verbunden fühlte, warum ich immer wieder dorthin gereist bin." Sie lächelte. „Jetzt weiß ich es. Etwas in mir muss gewusst haben, dass du dort warst. Ich glaube, Gregory hat es vor mir gemerkt."

Ginnies Augen zwinkerten. „Du scheinst diesen Gregory sehr zu mögen", merkte sie an.

Rachel fühlte, wie ihre Wangen erröteten. Sie hatte aber zugleich auch nicht die geringsten Bedenken, sich dieser Frau auf die gleiche Weise zu öffnen, wie sie es bei Grandma gemacht hatte. „Ich schätze ja", sagte sie leise. „Heutzutage."

„Vertraust du ihm?"

„Bedingungslos", erwiderte Rachel, ohne zu zögern.

„Das ist gut", sagte Ginnie lächelnd. „Vertrauen ist für eine Beziehung wichtig."

„Von einer Beziehung habe ich nichts gesagt." Sie spürte, dass ihre Wangen förmlich glühten. „Wir sind nur Freunde."

Bevor sie mehr über Gregory reden musste, als sie ertragen konnte, fügte sie an: „Erzähl mir von . . .“

In dem Moment wurde die Haustür aufgerissen und Mr. Laperousse stand auf der Türschwelle, eine kleine Papiertüte in der Hand, während er von seiner Frau zu Rachel sah.

„Qui est cet homme dehors?“ fragte er, offensichtlich ohne zu wissen, dass Rachel ihn verstehen konnte.

„Es ist alles in Ordnung, Hubert.“ Ginnie lächelte ihn beruhigend an. „Mr. Shaw ist ein Freund von Rachel.“ Dann nickte sie auf seine unausgesprochene Frage. „Rachel weiß es, Liebling. Sie weiß, dass ich ihre Mutter bin.“

„Oh“, sagte er nur.

„Kein Grund zur Sorge“, schob sie beruhigend nach.

„Bist du sicher?“

„Ja.“

„Na gut“, sagte er, sah wieder Rachel und dann seine Frau an, während seine Augen erkennen ließen, dass er erleichtert war. „In dem Fall lasse ich euch beide allein und unterhalte mich mit dem jungen Mann da draußen. Und das hier nehme ich auch mit“, sagte er und hob die Papiertüte hoch. „Ich glaube, dir steht der Sinn im Moment nicht nach Doughnuts.“

Rachel sah ihm nach, als er das Haus verließ. „Du hast einen sehr netten Ehemann“, sagte sie. „Und er scheint dich sehr zu lieben.“

Ginnie lachte leise und glucksend, was sie völlig sorglos klingen ließ, obwohl sie das vermutlich nicht wahr. „Ich liebe ihn auch sehr. In den letzten einunddreißig Jahren ist er meine starke Stütze gewesen, liebevoll, zuverlässig. Ich weiß nicht, was ich ohne ihn gemacht hätte, vor allem in den ersten Monaten, nachdem man mir mitgeteilt hatte, du seist . . . du seist tot.“

„Erzähl mir von dir“, sagte Rachel und beugte sich vor. „Erzähl mir alles.“

Ginnie nickte und berichtete ihre unglaubliche Geschichte.

„Sie war es nicht, Gregory“, sagte Rachel, als sie nach dem Gespräch mit ihrer Mutter wieder im Jeep saß und den

Gurt anlegte. „Alyssa . . . ich meine Ginnie . . . sie hat Mario nicht umgebracht. Er hat gelebt, als sie ihn in jener Nacht verließ."

Am Ende der Straße fuhr Gregory in Richtung Süden auf die Route 29. „Und warum ist sie dann fortgelaufen?"

„Weil sie Angst hatte. Sie wusste, dass die Polizei ihr nicht glauben würde. Sie hatte kaum Zeit, eine Entscheidung zu treffen, und die Entscheidung, die sie gefällt hatte, musste sie später bitter bereuen." Sie erzählte ihm, was sie von Ginnie erfahren hatte, bis zu dem Augenblick, als sie das Weingut betreten und ihre Tochter entdeckt hatte.

„Da ist noch etwas", sagte Rachel dann. „Einen Monat, bevor Mario starb, sagte er zu Ginnie, er glaube, dass Nico, der zu der Zeit der Leiter der Finanzen des Unternehmens war, Geld von der Farm unterschlug. Er wollte sich darum kümmern, hat das aber nie wieder erwähnt. Nach einiger Zeit hatte Ginnie es dann vergessen."

Gregory nickte nachdenklich. „Wenn Nico tatsächlich Geld unterschlagen hatte und wusste, dass sein Bruder ihn im Verdacht hatte, dann hätte er ein verdammt gutes Motiv gehabt, um Mario umzubringen."

„Genau." Tränen schossen ihr in die Augen. „Oh, Gregory, gibt es irgendeine Möglichkeit, dahinterzukommen, ob das wahr ist?"

Ohne den Blick von der Straße zu nehmen, legte er seine Hand auf Rachels Hand und drückte sie zärtlich. „Da bin ich sicher. Lass mich nur eine Weile darüber nachdenken, okay?"

Sal hatte zwar nicht erwartet, so schnell wieder von Kelsey zu hören, aber er war umso erfreuter, dass der Privatdetektiv bereits am Donnerstagmorgen bei ihm anrief. „Joe", sagte er, während er sich eine Zigarre entnahm. „Sie haben schon was für mich?"

„Gewissermaßen ja. Ich bin wie gewünscht Ihrer Tochter gefolgt."

„Ja. Und?"

„Sie hat sehr viel Zeit mit Gregory Shaw verbracht, dem Typ, nach dem Sie mich letzte Woche gefragt hatten."

So, so, dachte Sal. Rachel hatte also einen Privatdetektiv angeheuert. Sehr klug. „Was haben sie vor?"

„Tja", sagte Kelsey in unterwürfigem Ton. „Das ist der Punkt, der Ihnen nicht gefallen dürfte, Sal. Vor ein paar Stunden habe ich die Schicht von einem meiner Leute übernommen." Er seufzte. „Ich habe sie verloren, Sal. Der Drecksack hat mich reingelegt."

„Was soll das heißen, dass Sie ihn verloren haben?" bellte Sal. „Sie sind ein Schnüffler, verdammt noch mal. Sich an Leute dranzuhängen, ist Ihr Geschäft. Wie zum Teufel konnten Sie ihn da verlieren?"

„Shaw hat mich reingelegt. Ich bin ihnen ins ,The Diner' gefolgt, ein Lokal in Yountville, in dem viele Touristen frühstücken. Als sie reingingen, bin ich hinterher. Ich habe an der Theke eine Tasse Kaffee getrunken, für den Fall, dass sie vorne rein und hinter wieder raus marschieren wollten. Als sie dann Frühstück bestellten, ging ich davon aus, dass sie sich länger dort aufhalten würden. Ich bin daraufhin zum Wagen zurückgegangen und habe auf sie gewartet."

„Sagen Sie nichts", warf Sal trocken ein. „Sie sind nicht wieder rausgekommen."

„Genau so war es", antwortete Kelsey und murmelte etwas, das Sal nicht verstehen konnte. „Ich habe die Kellnerin gefragt, aber die konnte sich an nichts erinnern, weil der Laden so verdammt überlaufen ist. Sie müssen durch die Hintertür verschwunden sein."

„Und wie sind sie von da weggekommen?"

„Sie mussten einen zweiten Wagen bereitstehen haben, weil Shaws Jaguar immer noch vor dem Lokal stand."

„Sie dämlicher Idiot", sagte Sal verächtlich. „Shaw hat Sie in die älteste Falle laufen lassen, die es überhaupt gibt." Er atmete tief durch.

„Tut mir Leid, Sal, wirklich. Das kommt nicht wieder vor, das schwöre ich."

„Sorgen Sie dafür, dass es wirklich nicht wieder vorkommt. Und finden Sie verdammt noch mal heraus, wo die beiden waren, haben Sie mich verstanden?" Wütend knallte Sal den Hörer auf.

28. KAPITEL

„Na", sagte Sam, als sie am gleichen Abend beim Essen zusammensaßen. „Hat Gregory seinen Jaguar vom ‚Diner' zurückbekommen?" Auch wenn er noch so neutral klang, konnte Rachel spüren, dass er verärgert darüber war, nicht eingeweiht worden zu sein.

Sie fühlte sich schrecklich. In all den Jahren, seit sie Sam und Tina kannte, hatte sie sie nie belogen. Wäre es nach ihr gegangen, hätte sie ihnen auf der Stelle alles erzählt, aber Hubert und Ginnie hatten darauf bestanden, dass sie niemandem etwas sagte. Niemand durfte wissen, dass sie sich hier aufhielten.

„Ja, das hat er", antwortete sie und schenkte sich noch eine Tasse Kaffee ein, um ihn nicht ansehen zu müssen. „Danke übrigens, dass du uns geholfen hast, Sam. Ich weiß das zu schätzen."

„Kein Problem. Wenn es wieder erforderlich ist, sag einfach Bescheid."

Sie lächelte über seinen nicht zu überhörenden Versuch, mehr in Erfahrung zu bringen. „Das werde ich machen." Sie merkte, dass es sie zu sehr belastete zu lügen, also stand sie auf und begann, den Tisch abzuräumen.

Augenblicke später hatte sich Sam bereits in seinen Lieblingssessel zurückgezogen und las die Abendausgabe der Zeitung, während Tina über den bevorstehenden Herbstball redete. „Wirst du Gregory einladen?" fragte sie, während sie die Teller in die Geschirrspülmaschine einräumte.

Rachel zuckte mit den Schultern. „Darüber habe ich mir

noch gar keine Gedanken gemacht. Um ehrlich zu sein, bin ich nicht mal sicher, ob ich dieses Jahr hingehe. Ohne Grandma werde ich viel zu traurig sein."

„Oh, Honey, deine Großmutter wäre bestimmt verärgert, wenn sie wüsste, dass du ihretwegen nicht hingehen willst. Das ist außerdem eine wunderbare Gelegenheit, um für deine Weine zu werben."

„Für Spaulding-Weine zu werben, ist Annies Spezialität. Sie kann das besser als jeder andere, den ich kenne."

Tina legte ihren Arm um Rachels Schultern und drückte sie herzlich an sich. „Niemand, nicht einmal Annie, hat diese Leidenschaft für Weine, Honey, und niemand kann diese Leidenschaft besser vermitteln als du. Denk daran." Sie beugte sich vor und betätigte einen Schalter am Geschirrspüler. „Und denk darüber nach, Gregory einzuladen. Ich möchte wetten, dass er dich liebend gerne zu einem so schicken Ball begleiten möchte."

„Hmm. Ich nehme an, du hast ihm gegenüber den Ball bereits erwähnt."

Tina sah sie unschuldig an. „Ist das so verkehrt?"

„Es ist verkehrt, weil ich Gregory schon viel zu sehr in Anspruch genommen habe. Und ihn zum Ball einzuladen, wäre nur eine weitere Bürde für ihn."

„Ach, Unsinn, der Mann ist verrückt nach dir. Du kannst nicht so blind sein, dass du das nicht merkst."

„Ist er nicht", protestierte Rachel halbherzig. „Komm also nicht auf irgendwelche Gedanken, hörst du?"

„Ich?" Tina sah sie wie ein Unschuldslamm an. „Warum sollte ich auf irgendwelche Gedanken kommen."

„Weil du glaubst, dass Gregory und ich füreinander geschaffen sind. Du brauchst es gar nicht abzustreiten", fügte sie rasch an, als sie sah, wie ein Lächeln über Tinas Lippen huschte. „Ich habe dich und Sam darüber reden hören. Du hast mich mit dem Mann praktisch schon verheiratet."

„Ich möchte nur, dass du glücklich bist, Honey."

Ich bin glücklich, dachte Rachel. Glücklicher, als du dir vorstellen kannst. Sie wünschte, dass sie ihre Freundin einweihen könnte.

Um Viertel nach zehn sagte Rachel den Hughes gute Nacht und ging auf ihr Zimmer. Nachdenklich sah sie auf die Uhr und fragte sich, ob es wohl zu spät sei, um Gregory anzurufen. Sie hoffte, dass dem nicht so war, und wählte seine Nummer.

„Hi", sagte sie, als er abnahm.

„Ach, hallo. Ich habe gerade noch an dich gedacht. Du hattest ja einen ereignisreichen Tag."

„Und das verdanke ich alles dir."

„Ich habe doch kaum was getan."

Das war ein weiterer Punkt an ihm, den sie sehr zu schätzen begann. Er war bescheiden bis zum Äußersten. „Du warst da, du hast meine Hand gehalten, du hast mich aufgemuntert, wenn mein Laune auf dem Nullpunkt war, und du hast mir im entscheidenden Moment den nötigen Schubs gegeben."

„Ich bin froh, dass es mit dir und Ginnie so gut verlaufen ist."

„Das kann ich dir niemals wieder gutmachen."

„Ach, ich weiß nicht. Vielleicht findet sich da was." Sein Tonfall hatte etwas Spielerisches. „Was machst du am Wochenende?"

„Lass mich überlegen . . . Am Samstag bin ich zum Abendessen bei Ginnie und Hubert eingeladen, aber am Sonntag habe ich nichts vor. Und du? Was machst du?"

„Ich nehme Noelle am Samstagnachmittag mit zu einer Eiskunstlaufveranstaltung, aber Sonntag bin ich frei. Vielleicht können wir ja gemeinsam etwas unternehmen."

„An was hast du gedacht?"

„Wie wärs mit einem Abendessen bei meiner Tante in Sausalito?"

„Bei deiner Tante?"

Er musste lachen. „Du sagst das, als würde ich dir mit einer Atombombe drohen."

„Vermutlich, weil ich so viel über sie gehört habe und ein wenig Angst habe."

„Musst du aber nicht haben, sie ist sehr nett. Außerdem brennt sie darauf, dich kennen zu lernen."

„Warum das?"

„Ich weiß nicht, ich nehme an, ihre journalistische Ader lässt ihr keine Ruhe. Keine Angst, sie weiß nichts von Ginnie. Das Geheimnis ist bei mir sicher."

„Gut."

„Also, was sagst du, Spaulding? Ein wenig Ruhe würde mir auch gut tun."

Das Angebot war verlockend. „Also . . ."

„Ich hole dich auch ab."

„Nein, da müsstest du viel zu viel fahren."

„Dann treffen wir uns bei mir zu Hause."

Sie notierte die Adresse und den Weg zu seiner Wohnung. „Gegen Mittag?" fragte sie.

„Perfekt. Gute Nacht, Spaulding."

„Gute Nacht, Sherlock."

Nachdem Rachel aufgelegt hatte, zog sie sich aus, griff aber nicht nach ihrem Schlafanzug, um sich schlafen zu legen, sondern nahm sich einen Bikini und ein flauschiges Handtuch aus dem Badezimmer mit.

Schwimmen war für ihre Nerven eine wunderbare Erholung, und seit sie bei den Hughes wohnte, hatte sie es sich zur Gewohnheit gemacht, im Pool zu schwimmen, nachdem Tina und Sam sich schlafen gelegt hatten. Sie liebte den Pool, über sich die Sterne, die Berge in der Ferne, und die herrliche Stille, die nur vom Zirpen der Zikaden gestört wurde. Da sie fürchtete, dass die Poolbeleuchtung in das Schlafzimmer von Tina und Sam scheinen könnte, ließ sie sie ausgeschaltet.

Die Luft war frisch, als sie nach draußen an den Poolrand trat, aber sie wusste, dass das Wasser im Gegensatz dazu angenehm warm sein würde. Ihr fröstelte ein wenig, als sie bis zum Rand des Sprungbretts ging, tief einatmete und dann kopfüber ins Wasser tauchte. Sekunden später tauchte sie wieder auf und begann, mit langen, kräftigen Stößen zu schwimmen. In der High School hatte sie zum Schwimmteam gehört und war so gut gewesen, dass man ihr olympisches Potenzial zugeschrieben hatte. Doch als ihre Eltern bei diesem grässlichen Ballonunfall ums Leben kamen, verlor Rachel ihren Eifer für Wettkämpfe und verließ das Team.

DIE FEINDIN

Am anderen, flachen Ende des Pools berührte sie die Wand und stieß sich ab, um ihre zweite Bahn zu schwimmen, diesmal noch etwas schneller. Sie genoss die schmerzende körperliche Anstrengung, so wie vor vielen Jahren.

Du kannst es noch immer, altes Mädchen. Als wolle sie es jemandem beweisen, schwamm sie eine dritte Bahn, um dann zu tauchen und über die Hälfte der Strecke unter Wasser zurückzulegen.

Den Rest legte sie auf dem Rücken schwimmend zurück und dachte zurück an ihre Zeit als Rettungsschwimmerin. Sie konnte den Atem viel länger anhalten als . . .

In dem Moment legte sich eine Hand um ihren Knöchel. Rachel riss den Mund auf, bekam aber keine Gelegenheit zum Schreien. Derjenige, der sie so fest umklammerte, zerrte sie mit einem kräftigen Ruck unter Wasser bis zum Boden des Pools.

Sie war nicht sicher, an welchem Punkt der Überlebenswille stärker wurde als ihre Panik. Auf jeden Fall begann sie gegen ihren Angreifer anzukämpfen und trat ihm ins Gesicht, in den Bauch und jeden anderen Körperteil, den sie mit ihren Füßen erreichen konnte. Sie versuchte, sein Gesicht zu erkennen, doch es gelang ihr nicht. Sie war nur sicher, dass es sich um einen Mann handelte.

Ihre Tritte schienen ihm kaum etwas auszumachen. Mit der rechten Hand griff er in ihre Haare, schwamm nach oben und drückte sie unter die Wasseroberfläche. Obwohl sie trainiert war, konnte sie ihm nichts entgegensetzen.

Rachel versuchte es mit einer Bewegung, die sie seit der Zeit bei den Rettungsschwimmern nicht mehr geübt hatte. Sie zog ihre Knie bis auf Brusthöhe an, machte einen Salto und trat ihren Angreifer mit aller Kraft gegen den Brustkorb. Der lockerte seinen Griff, während sie sich von ihm abstieß und wie eine Rakete an die Wasseroberfläche schoss.

„Sam!" schrie sie, nachdem sie wieder zu Atem gekommen war. „Tina! Hilfe!" Sie schwamm zum Beckenrand und betete, dass die Zeit reichte, um die Leiter zu erreichen.

Die Zeit reichte nicht. Mit zwei schnellen Stößen hatte der Angreifer sie wieder eingeholt. Mit einer Hand hielt er sich am Sprungbrett fest, mit der anderen bekam er ihren Nacken zu fassen und drückte sie erneut unter Wasser.

Diesmal wusste sie, dass sie keine Chance hatte, dennoch setzte sie sich mit aller Macht zur Wehr. Doch es reichte nicht.

Vor ihren Augen begann alles zu verschwimmen, ihre Lungen fühlten sich an, als müssten sie jeden Moment platzen.

Sie würde sterben.

In dem Moment bahnte eine gewaltige Kraft ihren Weg durch das Wasser, der Griff um ihren Nacken lockerte sich. Rachel überlegte nicht lange, was geschehen sein mochte, sondern kehrte einfach nur langsam an die Wasseroberfläche zurück.

Sie hustete und spuckte Wasser, während sie sich am Poolrand festhielt. Nicht weit von ihr entfernt wurde das Wasser aufgewühlt, da ihr Angreifer nun mit Sam kämpfte. Oh, Gott, sie musste ihm helfen. Sie konnte nicht zulassen, dass Sam ihretwegen ums Leben kam.

Sie begann in die Richtung der beiden zu schwimmen, als Tina mit einem langstieligen Netz auf den Pool zugelaufen kam.

„Nimm die Finger von meinem Mann, du Bastard!"

Nach dem ersten Schlag auf seinen Hinterkopf kletterte der Angreifer hastig aus dem Pool, griff nach seiner Kleidung und rannte los.

Tina ließ das Netz fallen und kniete auf dem Betonboden nieder. „Sam, Honey, geht es dir gut?"

„Ich bin in Ordnung." Er sah zu Rachel, die sich kaum noch über Wasser halten konnte. „Rachel?"

Sie konnte nichts sagen, sondern nickte einfach nur und ließ sich dann aus dem Pool ziehen. Am liebsten wäre sie auf dem kalten Boden zusammengebrochen, aber sie wollte Tina nicht noch mehr beunruhigen. Also saß sie einfach da, die Arme hinter dem Rücken verschränkt, die Augen geschlossen, und nach Luft ringend.

Sie hörte Tinas besorgte Stimme. „Sam, ist sie in Ordnung? Sollen wir einen Arzt rufen?"

„Mir gehts gut", hörte Rachel sich selbst sagen. „Nur . . . einen Moment . . ."

„Mein armes Baby." Tina kniete neben ihr nieder und wickelte sie in ein flauschiges Badetuch.

Als Rachel die Augen wieder öffnete, war der Pool hell erleuchtet. Sam stand in einem triefend nassen Pyjama da und sah in Richtung eines Hains, wo der Angreifer verschwunden war.

„Hast du ihn erkennen können?" fragte er.

Rachel schüttelte den Kopf. „Es ging alles so schnell. Ich musste mich darauf konzentrieren, die Luft anzuhalten und am Leben zu bleiben. Ich weiß nur, dass er groß und schnell war und breite Schultern hatte."

Wieder dachte sie an Nico. Er hatte den gleichen Körperbau, und Sal hatte davon gesprochen, dass er ein guter Schwimmer war. „Fast so gut wie sein alter Herr", hatte er Rachel grinsend gesagt.

Aber woher sollte Nico wissen, dass sie bei den Hughes logierte, wenn nur Gregory, Annie und Courtney eingeweiht waren? Und selbst wenn er es herausgefunden hatte, wie sollte er dann wissen, um welche Zeit sie schwimmen ging?

„Da kommt Detective Crowley", sagte Tina, als sie auf der Straße ein Scheinwerferpaar sah.

„Woher weiß er . . .?"

„Ich habe ihn angerufen."

Rachel nickte. Jetzt geht das schon wieder los, dachte sie. Dann lehnte sie sich erschöpft gegen den Liegestuhl und wartete auf den Detective.

„Ich weiß, wohin sie gefahren sind, Sal." Diesmal war Kelsey so aufgeregt, dass die Worte förmlich aus dem Telefonhörer gesprudelt kamen. „Kein Wunder, dass sie mich abhängen wollten."

„Rücken Sie schon raus damit, Joe", sagte Sal ungeduldig.

„Alyssa ist hier. In Napa Valley. Sie hat ein Haus in Calistoga angemietet, und da sind Rachel und Shaw hingefahren."

Sals Herz begann so zu rasen, dass er dachte, es würde jeden Moment explodieren. Er setzte sich hin. Einunddreißig Jahre lang hatte er nicht gewusst, wo sie abgeblieben war und ob er sie jemals finden würde, um den Tod seines Sohns zu rächen. Es gab doch einen Gott, und der hatte ihn erhört.

„Wieso sind Sie so sicher, dass sie es ist?"

„Rachel hat sie noch mal besucht, diesmal allein. Sie ist einige Umwege gefahren, aber sie konnte mich nicht abschütteln. Und damit hat sie mich direkt zu dem kleinen Haus geführt, das Alyssa und ihr Ehemann gemietet haben. Er ist übrigens Franzose."

„Und Sie sind absolut sicher, dass es Alyssa ist?"

„Kein Zweifel möglich, Sal. Ich habe sie mit dem Fernglas beobachtet, als sie die Tür öffnete. Sie ist Rachel wie aus dem Gesicht geschnitten."

„Ist die Kleine lange geblieben?"

„Nur ein paar Minuten, dann ist sie zum Weingut gefahren."

„Sie haben die Adresse?" fragte Sal.

„Und die Telefonnummer." Jetzt klang Kelsey angeberisch. „Ich habe herausbekommen, dass Virginia Laperousse ihr neuer Name ist."

Sal schrieb alles auf, hatte aber Mühe, seine Hand ruhig zu halten. „Gute Arbeit, Joe", sagte er, weil er das Gefühl hatte, Kelsey habe sich ein kleines Lob verdient. „Ich werde das nicht vergessen." Er legte den Stift wieder auf den Schreibtisch. „Geht Alyssas Kerl auch schon mal aus dem Haus?"

„Das weiß ich nicht."

„Finden Sie's raus und rufen Sie mich an", sagte er, dann legte er den Hörer auf.

Er hatte sie. Endlich würde er der Schlampe gegenübertreten können, die seinen Sohn umgebracht hatte.

Er war zu aufgeregt, um still dasitzen zu können, und begann durch das Zimmer auf und ab zu gehen. Im Geiste ging er die Begegnung bereits durch, doch zuerst musste er Alyssa davon überzeugen, sich irgendwo mit ihm zu treffen. Was hatte er davon zu wissen, wo sie war, wenn er nicht an sie herankommen konnte? Im Augenblick hatte er keine Idee, wie er vorgehen sollte, aber er war sicher, dass ihm etwas einfiel.

Etwas schneller als üblich ging er durch den Flur in sein Büro. Seitdem er im Ruhestand war, hielt er sich dort kaum noch auf, doch Maria wusste, dass sie das Zimmer bei ihrer täglichen Reinigung nicht ignorieren durfte.

Er verschloss die Tür hinter sich und ging geradewegs zur gegenüberliegenden Wand, wo hinter einem Ölgemälde seiner Heimatstadt Pozzuoli ein großer Safe versteckt war. Im Safe befanden sich eine Hand voll Dokumente, die seit Jahren dort lagen – seine Geburtsurkunde, seine Einbürgerungspapiere und ein Reisepass, den er stets verlängerte, auch wenn er nicht wusste, warum. Seit mehr als zehn Jahren war er nicht mehr nach Italien gereist.

Hinter diesen Dokumenten wurde der größte Teil des Safes von etlichen Bündeln 100-Dollar-Scheinen in Anspruch genommen, Geld, von dem das Finanzamt nichts wusste. Er griff unter einen Stapel und fühlte den Colt, den er einunddreißig Jahre zuvor einem seiner Arbeiter entwendet hatte, als er mit seiner Suche nach Alyssa begann. Er hatte ihn die ganze Zeit über in Bestzustand bewahrt, ein- oder zweimal im Jahr komplett gereinigt und auf den Moment gewartet, in dem er ihn endlich benutzen konnte.

Dieser Moment war jetzt gekommen.

Neben dem Colt befand sich ein Päckchen Munition, das er auch herausnahm. Nachdem er den Safe verschlossen hatte, setzte er sich an seinen Schreibtisch und begann mit einem Lächeln auf den Lippen und einem Glitzern in seinen Augen, die Waffe zu laden.

29. KAPITEL

„Was ist los, Spaulding?" fragte Gregory, als er auf Rachel zuging. „Willst du hier einen Rekord aufstellen?"

Rachel lächelte. Humor war ihr wesentlich lieber als Besorgnis. Davon hatte sie von Sam und Tina genug bekommen, dass es für den Rest ihres Lebens reichte. Humor hielt sie auf dem Boden der Tatsachen, und er lenkte sie von der Angst ab.

Sie hatte gegen ihre eigenen Regeln verstoßen, Gregory früh am Morgen angerufen und ihm von dem Angriff am Abend zuvor erzählt. Sie wusste, dass er außer sich gewesen wäre, wenn sie nichts gesagt hätte. Sie hatte versucht, ihm zu erklären, dass er nicht herkommen musste, dass es ihr gut ging, dass sie guter Dinge war, aber wie gewöhnlich hatte er nicht auf sie gehört.

„Was sagt Crowley dazu?" fragte er und setzte sich, um sich eine Tasse Kaffee aus der Kanne einzuschenken, die auf dem Tisch stand.

„Nichts Ermutigendes, aber ich konnte ihm auch nicht viel sagen. Ich weiß nur, dass der Mann, der mich gestern Abend angegriffen hat, und der Mann, der mich von der Straße drängen wollte, ein und derselbe Mann sein könnten. Aber sonst . . ."

Sie verfluchte sich selbst, dass sie nicht aufmerksamer gewesen war. Während sie mit dem Angreifer im Wasser gerungen hatte, hätte sie versuchen können, irgendwelche Details zu erkennen – seine Haarlänge oder die Breite seiner Schultern. Aber ihre Angst hatte das alles verhindert und ihr nur den Willen zum Überleben gelassen.

„Hast du den anderen davon erzählt? Oder Ginnie?"

„Nein", sagte sie rasch. „Und das werde ich auch nicht. Detective Crowley meint, dass es nicht notwendig ist. Ich habe ihn auch gebeten, nicht schon wieder meine Leute zu befragen. Es ist keine interne Angelegenheit, Gregory", fügte sie hinzu, als sie Verärgerung in seinen Augen aufflackern sah. „Außerdem würde ich jeden bei Spaulding Vineyards beleidigen, wenn ich weiterhin meine Angestellten verdächtigen würde."

Sie stand auf, ihre Muskeln schmerzten von der Anstrengung des Vorabends. „Wir haben schon ein paar große Kunden verloren. Wenn sich herumspricht, was letzte Nacht hier geschehen ist, dann könnten unsere Verluste noch größer werden."

Gregory stellte sich neben sie. „Du bist nicht für das verantwortlich, was dir irgendein Verrückter antun will."

„Die Leute interessiert das nicht, ob ich verantwortlich bin oder nicht. Der geschäftliche Erfolg hängt allzu oft davon ab, wie man von den Menschen wahrgenommen wird. Nur das Image zählt. Darum war Grandma auch so unerbittlich, dass nichts den Namen Spaulding in den Schmutz ziehen konnte."

Er fasste sie an den Schultern und drehte sie zu sich herum. Die Geste war so liebevoll, dass Rachel sich am liebsten an ihn gelehnt und gewartet hätte, bis alle Sorgen vergangen waren.

„Es wird alles wieder gut, Rachel", sagte er leise. „Wir werden diesen Säufer finden. Es ist mir egal, für wie schlau er sich hält, früher oder später wird er einen Fehler machen."

„Ich hoffe es", erwiderte sie und sah ihn an. „Wie kommst du im Fall meiner Mutter voran?"

„Ich habe ein paar Spuren, von denen ich dir später erzählen werde, sobald ich mehr weiß." Er ließ ihre Schultern los. „Bleibt es bei Sonntag?"

Der Gedanke, einen Nachmittag in einer schönen und

völlig anderen Umgebung zu verbringen, ließ ihre Laune
beträchtlich besser werden. „Auf jeden Fall."

Mit dem Bastkorb über dem Arm ging Ginnie zu dem
Gänseblümchenbeet hinter dem Cottage. Als Rachel gestern auf dem Weg zur Arbeit für ein paar Minuten bei
ihr vorbeischaute, hatte Ginnie ihr entlocken können, dass
Gänseblümchen ihre Lieblingsblumen waren. Für den mor-
gigen Tag, wenn sie zum Mittagessen kam, würde sie das
ganze Haus mit Gänseblümchen dekorieren. Und sie würde
ihr einen dicken Strauß binden, den sie mit nach Hause
nehmen konnte.

Der Gedanke, dass ihre Tochter zum Essen kam, war für
Mütter in aller Welt eigentlich etwas völlig Normales, doch
Alyssa fühlte sich von der Freude fast überwältigt. Und von
einer gewissen Sorge, schließlich sollte alles perfekt sein,
bis ins kleinste Detail.

Sie würde den Tisch im Garten decken, unter der schö-
nen alten Eiche, und natürlich würden sie Spaulding-Wein
trinken: einen Chardonnay zum ersten Gang und Rachels
preisgekrönten Cabernet zur gebratenen Lammkeule. Da
Spaulding Vineyards keinen Champagner herstellte, hatte
Rachel ihr eine exzellente Sorte von Kornell Champagne
Cellars gleich hier in Calistoga empfohlen. Hubert, der
Schaumweine liebte, hatte gleich zwei Kisten bestellt.

„An jedem Tag in Napa Valley feiern wir dein Wiedersehen mit deiner Tochter", hatte er zu Ginnie gesagt.

Das Gänseblümchenbeet erstreckte sich von der Wäsche-
leine bis zu der Stelle, an der die ersten Bäume standen,
und bildete ein großes Tuch aus weißen Blüten, die draußen
genauso wundervoll aussahen wie im Haus.

Während sie ein Kinderlied summte, das sie früher Lillie
vorgesungen hatte, begann Ginnie Blumen abzuschneiden
und den Korb zu füllen. Sie wünschte sich, es wäre bereits
morgen.

Während sie sich um den Brunnen herum vorarbeitete,
hörte sie plötzlich ein Knacken aus dem angrenzenden
Wald, als hätte jemand einen trockenen Zweig zertreten.
Ginnie sah auf, da sie damit rechnete, dass im nächsten

Augenblick ein erschrecktes Reh forteilen würde, das sich möglicherweise so wie in der Auvergne in den Garten verirrt hatte.

Aber da war kein Reh, nur große Bäume und dichtes Gebüsch und eine plötzliche Stille, da die Vögel ihr Gezwitscher eingestellt hatten.

Ginnie hatte sich gerade wieder den Gänseblümchen zugewandt, als sie den Schuss hörte.

Sie machte einen Satz nach hinten, ließ den Korb fallen und sah sich entsetzt um, da sie nicht sicher war, aus welcher Richtung der Schuss gekommen war und ob es sich überhaupt um einen Schuss gehandelt hatte. War die Jagdsaison bereits eröffnet? Wenn das so war, dann würde sie Hubert bitten, bei der Agentur, die ihnen das Cottage vermietet hatte, ein Schild zu besorgen, damit auf diesem Grundstück nicht gejagt wurde.

Sie wusste, dass Hubert angesichts ihrer Befürchtungen lachen würde. Als geborener Jäger sorgte er dafür, dass ihre Kühltruhe in jedem Winter mit allen Sorten Wild gefüllt war. Ginnie dagegen hasste Waffen aller Art und sah keinen Grund, warum normale Bürger Waffen besitzen sollten.

Sie bückte sich und sammelte die Blumen auf, die ihr aus dem Korb gefallen waren.

Ein zweiter Schuss zerriss die Stille, aber diesmal war er lauter und viel näher.

Ginnie schrie entsetzt auf. Wütend und verängstigt hielt sie den Korb fest und machte einen Schritt zurück. Das war kein fernes Gewehrfeuer. Wer immer den Schuss auch abgefeuert hatte, er war viel zu nah. Auch wenn es immer wieder zu Unfällen kam, würde ein Jäger es schwer haben, sie davon zu überzeugen, dass er sich geirrt hatte. In ihrer weißen Hose und ihrem leuchtend orangefarbenen Top konnte niemand sie mit einem Reh verwechseln.

Wenn es kein gedankenloser Jäger war, wer konnte es dann sein? Ihr Mund war trocken, als sie sich langsam zurückzog. Nein, dachte sie kopfschüttelnd, das kann nicht sein. Nicht Sal.

Sie ging weiter rückwärts auf das Haus zu, da sie zu viel Angst hatte, dem dichten Wald den Rücken zuzukehren, in dem man sich ohne Schwierigkeiten verstecken konnte. Als nichts weiter geschah, rief sie sich innerlich zur Ordnung. Das war lächerlich. Was sollte Sal hier machen? Er war kilometerweit entfernt und hatte sich in seinem großen, einsamen Haus vergraben, wo er wahrscheinlich seine Millionen zählte. Und niemand außer Gregory und Rachel wusste, dass die Französin in dem gelben Cottage in Wahrheit Alyssa Dassante war.

Ein kurzes Hupen sagte ihr, dass Hubert vom Doughnut-Shop zurück war. Nach einem letzten besorgten Blick zwischen die Bäume wandte sie sich ab und lief zu ihm.

Sal grinste amüsiert, als er Alyssa wie ein aufgescheuchtes Kaninchen davonlaufen sah. Er stand hinter dem Immergrün und küsste den Colt. Dieses Baby war nicht gerade die präziseste Waffe, die man sich wünschen konnte, aber sie machte einen höllischen Lärm. Der Ausdruck auf Alyssas Gesicht nach dem zweiten Schuss war an sich bereits Belohnung genug für alle Mühe, die er gehabt hatte, um hierher zu kommen und ihr Versteck zu finden.

Zunächst hatte er vorgehabt, sie auf der Stelle zu erschießen.

„Sie verbringt viel Zeit im Garten", hatte Kelsey ihm gesagt. „Und morgens holt ihr Mann die Zeitung und Doughnuts."

Ein Schuss, allerhöchstens zwei, und der Albtraum hätte ein Ende. Seine Pflicht gegenüber seinem Sohn wäre erfüllt. Doch nach einer Weile hatte er sich anders entschieden. Ein rascher Tod war nicht das, was er sich für dieses Miststück wünschte. Er wollte sie leiden und um ihr Leben flehen sehen. Er wollte ihr Angst einjagen und nicht nur wissen lassen, dass sie sterben würde, sondern auch, wer sie töten würde.

Heute hatte er nur mit ihr gespielt, und dafür war er reich belohnt worden. Einen Augenblick lang hatte er einen dritten Schuss abgeben wollen, nur um noch einmal diesen Ausdruck auf Alyssas Gesicht zu sehen. Schade, dass ihr Ehemann so früh zurückgekehrt war.

Er steckte die Waffe zurück in seinen Hosenbund und

knöpfte die Jacke zu. Die Waffe verursachte zwar im Stoff eine Beule, aber das war nicht weiter schlimm. Er musste nicht allzu weit gehen.

Fröhlich pfeifend ging er den schmalen Pfad bergab, den er früher am Tag hinaufgegangen war und kehrte zu seinem Wagen zurück, den er hinter einer alten, verlassenen Papiermühle abgestellt hatte.

Gregory hatte Nico von Anfang an in Verdacht gehabt, und inzwischen hatte er einige interessante Fakten über den jüngeren Dassante-Sohn zusammengetragen. Die erste Tatsache war, dass ihm entgegen der vorherrschenden Meinung Dassante Farms gar nicht gehörte, er war lediglich der Geschäftsführer.

Die zweite Erkenntnis war gleichermaßen aufschlussreich. Mit einundzwanzig Jahren war Nico während des Dienstes in der Army dabei ertappt worden, wie er aus dem Offiziersclub, in dem er als Barkeeper schwarz arbeitete, Geld entwendet hatte. Er wurde vors Kriegsgericht gestellt, für schuldig befunden und unehrenhaft aus der Armee entlassen.

Das hört sich zwar nicht weltbewegend an, dachte Gregory, während er auf der Route 29 in Richtung Süden fuhr, aber es bewies eines: Nico neigte zum Diebstahl. Und wenn Marios Verdächtigungen über seinen Bruder der Wahrheit entsprachen, dann konnte es sein, dass Nico weit mehr als nur ein Veruntreuer war. Er konnte ein Mörder sein.

Gregorys erster Halt war Rio Vista, eine kleine Stadt, die rund dreißig Kilometer südlich von Winters gelegen war. Der Polizeibericht über den Tod von Mario Dassante hatte einen Angestellten erwähnt, einen Achtzehnjährigen namens Luis Ventura, der behauptet hatte, mehrere lautstarke Auseinandersetzungen zwischen Mario und Alyssa mitbekommen zu haben.

Luis unterhielt mittlerweile ein kleines Lebensmittelgeschäft in der Stadtmitte.

Ein wenig abseits stehend beobachtete Gregory den untersetzten, dunkelhaarigen Mann mit der weißen Schürze, der ein Stück Parmesankäse abschnitt. „Hier, Mrs. Delanco", sagte er und legte das Stück auf die Digitalwaage. „Genau ein halbes Pfund."

Die Kundin schüttelte bewundernd den Kopf. „Ich weiß nicht, wie Sie das machen, Luis." Sie reichte ihm einen Geldschein. „Nie ein Gramm zu viel oder zu wenig."

Mit einem freundlichen Lächeln gab Luis ihr das Wechselgeld und verabschiedete sich von ihr, ehe er sich Gregory zuwandte. „Und was darfs für Sie sein, Sir?"

Gregory trat mit ausgestreckter Hand auf ihn zu. „Wie geht es Ihnen, Mr. Ventura? Mein Name ist Gregory Shaw."

Luis wischte seine Hand ab und begrüßte Gregory, auch wenn er nicht wusste, mit wem er es zu tun hatte. „Angenehm, Mr. Shaw."

„Ich bin hier, weil ich Sie etwas fragen möchte."

„Um was geht es?"

„Um eine Sache, die sich vor langer Zeit ereignet hat." Das freundliche Lächeln des Mannes wurde etwas kühler, während Gregory weitersprach. „Soweit ich weiß, waren Sie zu der Zeit bei Dassante Farms angestellt, als Mario Dassante ermordet wurde."

Das Lächeln verschwand völlig. „Das ist richtig."

„Und nach dem Polizeibericht zu urteilen, arbeiteten Sie in der weiterverarbeitenden Fabrik, stimmt das? In der Nähe von Marios Büro?"

Ein finsterer Blick schlug Gregory entgegen. „Was genau wollen Sie von mir, Mr. Shaw?"

„Ich bin Privatdetektiv und untersuche den Tod von Mario Dassante."

„Sein Vater hat Sie angeheuert?"

Gregory lächelte. „Wohl kaum."

„Wer dann?"

„Jemand, der die Wahrheit ans Licht bringen will. Mehr kann ich im Moment nicht sagen."

Luis zuckte mit den Schultern. „Schön, aber wenn Sie den Polizeibericht gelesen haben, was wollen Sie dann von mir?"

Der Mann war klug und schnell. „Ich hätte gerne ein paar Informationen aus erster Hand."

Luis holte einen Lappen unter der Theke hervor und begann, die bereits glänzende Glasplatte abzuwischen, unter der verschiedene Sorten Käse und Fleisch ausgelegt waren. „Da sind Sie bei mir falsch, Mister. Was ich über Mario Dassantes Tod weiß, habe ich der Polizei gesagt oder in der Zeitung gelesen. Meine Antworten werden nichts ändern."

„Vielleicht", gab Gregory vorsichtig zu bedenken, „hat man Ihnen nur nicht die richtigen Fragen gestellt."

„Und welche Fragen sollten das sein?"

„Zum Beispiel die Frage, ob Sie gehört haben, dass sich Mario und Alyssa über etwas Bestimmtes gestritten haben. Über einen eifersüchtigen Verehrer zum Beispiel. Über jemanden, der ein Interesse an Marios Tod hätte haben können."

Luis musste von Herzen lachen. „Die Frage müsste wohl eher lauten, wer *kein* Interesse an Marios Tod hätte haben können."

„War er so verhasst?"

„Ja." Er wischte weiter über das Glas.

Luis war ein Mann, der nicht viele Worte verlor. Vielleicht würde eine direktere Frage ein besseres Resultat liefern. „Können Sie mir sagen, worüber Mario und Alyssa gestritten haben?"

„Immer über das Gleiche. Sie wollte bessere Arbeitsbedingungen für die Leute auf den Feldern, und er wollte nicht, dass sie sich einmischte."

„Haben die Arbeiter sie deswegen gemocht?"

„Jawohl."

„Haben Sie sie auch gemocht?"

„Aber sicher."

„Warum haben Sie dann gegenüber der Polizei diese Streitigkeiten erwähnt? Sie mussten doch wissen, dass durch Ihre Aussage die Indizien gegen Alyssa genährt wurden."

Luis' Gesicht zeigte keine Regung. „Die Cops haben mir eine Höllenangst eingejagt. Sie sagten, wenn ich nicht alles erzählte, was ich wüsste, würden sie mich und meine Familie ausweisen. Das konnte ich nicht riskieren. Ich hatte eine Frau, unser Baby war unterwegs. Ich brauchte diesen

Job. Ich wollte Mrs. Dassante nicht schaden, aber ich hatte einfach keine andere Wahl."

„Es hat Ihnen also niemand vorgeschrieben, was Sie bei der Polizei sagen sollten?"

„Nein, wie kommen Sie darauf?"

„Weil Sal Dassante sehr darum bemüht war, seiner Schwiegertochter den Mord anzuhängen."

„Davon weiß ich nichts."

„Und was war mit Nico?" bohrte Gregory. „Haben Sie die beiden jemals beim Streiten erlebt?"

Luis sah ihn nicht an. „Nein, die beiden kamen gut miteinander aus."

Gregory beobachtete Luis, wie der den Lappen wieder unter der Theke verschwinden ließ und zu einem kleinen Becken ging, um sich die Hände zu waschen. Er mochte den Mann, aber irgendetwas an seiner Art, an seiner Körpersprache, daran, wie er seinen Blick mied, stellte ihn vor die Frage, ob Luis wirklich alles sagte, was er wusste.

„Haben Sie irgendjemanden mal darüber reden hören, dass auf der Farm Gelder unterschlagen wurden?"

„Nicht dass ich wüsste."

Hinter Gregory klingelte die Türglocke, ein Kunde trat ein. Luis blickte auf. „Wie gehts Ihnen denn heute, Mr. Finch?" Er hob eine Augenbraue und blickte zu Gregory. „Wollten Sie sonst noch was wissen?"

Gregory schüttelte den Kopf. „Nein, Mr. Ventura. Danke, dass Sie sich die Zeit genommen haben."

Auf der Fahrt zurück nach San Francisco dachte Gregory noch immer an Luis. Er hatte gehofft, dass der ehemalige Angestellte der Dassantes sich an irgendetwas Wichtiges erinnern konnte, doch das war nicht der Fall gewesen.

Es sei denn, Luis hatte ihn angelogen.

Das Haus von Willie McBride war ein reizendes zweistöckiges viktorianisches Gebäude, das man in Bonbonrosa gestrichen hatte und das von innen genauso schön anzusehen war wie von außen. Ihr Studio, das in Sonnenschein getaucht war, als Rachel und Gregory kurz nach Mittag am Sonntag eintrafen, war eine Explosion aus Farben. Überall befanden sich Gemälde von Menschen und Orten, die Wände waren voll gehängt, weitere Bilder waren dagegen gelehnt oder standen auf Staffeleien.

Willie selbst war ein Wirbelwind von einer Frau, freundlich, natürlich und eine hervorragende Köchin. Fast so gut wie Ginnie, dachte Rachel und erinnerte sich an das wundervolle Mittagessen am Tag zuvor.

„Ich kann nur zwei Dinge", sagte Willie zu Rachel, während sie ein Brathähnchen zerlegte, das nach den Kräutern der Provence roch. „Eine Zeitung herausgeben und kochen. Und beides kann ich verdammt gut."

Nach dem Essen lehnte Willie jedes Angebot ab, ihr beim Aufräumen zu helfen, und schickte die zwei stattdessen nach draußen auf die Veranda, damit sie sich die bereits gestartete Regatta ansehen konnten.

„Und wie findest du Willie bislang?" fragte Gregory, während sie sich auf das Geländer aufstützten.

„Du hast Recht, sie ist wunderbar. Und ich finde die Beziehung toll, die ihr beide habt. Ihr seid mehr wie beste Freunde, nicht wie Tante und Neffe."

„Willie kann alles sein, beste Freundin, große Schwester, die Mutter, die man nie hatte. Als ich klein war, verbrachte ich jedes Wochenende bei ihr, obwohl sie damals in Sacramento lebte. Meine Vater setzte mich freitags nach der Schule ins Flugzeug, und am Sonntagabend kam ich zurück. Als ich dann aufs College ging, besuchte ich sie immer seltener. Aber als Noelle auf die Welt kam, beschloss ich, sie mit ihr so oft wie möglich zu besuchen."

„Liebt Noelle deine Tante genauso wie du?"

„Sie betet sie an. Und Willie verwöhnt sie natürlich nach Strich und Faden. Mit Lindsay war es dagegen völlig anders."

„Mochte sie Willie nicht?"

„Sie hatte nichts gegen Willie. Aber gegen die Fahrt nach Sacramento. Sie hasst alles, was außerhalb der Stadtgrenze liegt."

Rachel blickte in die Ferne, wo ein hübsches rot-weißes Segelboot einen Vorsprung vor den anderen herausholte. „Deine Exfrau erinnert mich in vieler Hinsicht an Preston", sagte sie. „Er ist durch und durch ein Stadtmensch. Der bloße Gedanke, nach unserer Heirat im Tal leben zu müssen, bereitete ihm Gänsehaut."

„Hättet ihr nicht irgendetwas auf halber Strecke finden können?"

Sie dachte zurück an die langen, ermüdenden Diskussionen, an Prestons Weigerung, irgendeinen Kompromiss einzugehen, an ihre Verärgerung. „Das hatte ich vorgeschlagen, aber für Preston gab es nur San Francisco. Die Diskussionen waren so ermüdend, dass ich schließlich einlenkte."

„Bist du über ihn hinweg?" fragte Gregory nach einer kurzen Pause. „Ich meine . . . richtig?"

Sie drehte sich um und sah, dass er sie anblickte. „Ja", sagte sie leise. „Voll und ganz."

Lächelnd legte er einen Arm um sie und zog sie an sich heran, während er sich wieder dem Bootsrennen zuwandte. „Freut mich, das zu hören."

Gegen fünf Uhr erreichten sie das Parkhaus, in dem Rachel ihren Jeep abgestellt hatte.

„Warum kann ich dich nicht nach Hause fahren?" fragte Gregory, während sie durch einen verlassenen Gang in die zweite Etage gingen. „Es wäre mir wesentlich lieber, wenn du nicht alleine zurückfahren würdest."

Rachel schüttelte den Kopf. „Kommt gar nicht in Frage. Ich will nicht abstreiten, dass mich der Angriff im Pool kalt gelassen hat, aber ich weigere mich, in ständiger Angst zu leben. Ich werde aufpassen, Gregory. Aber mehr nicht."

Er seufzte, bedrängte sie jedoch nicht weiter.

„In der Zwischenzeit", sagte sie mit einem freundlichen Lächeln, „bedanke ich mich erst mal für einen wundervollen Tag. So etwas habe ich wirklich gebraucht."

„Ich hoffe, dass wir das noch öfter wiederholen."

„Dein Wunsch ist mir Befehl." Sie hatten Rachels weißen Jeep erreicht, und sie suchte in ihrem Beutel nach dem Schlüssel. „Und vielleicht kannst du ja eines Tages Willie dazu bewegen . . ."

Sie konnte ihre Einladung nicht zu Ende sprechen. Gregory packte sie an den Schultern und küsste sie. Diesmal war es kein flüchtiger Kuss auf die Wange, sondern ein heißblütiger, leidenschaftlicher Kuss, der in ihr ein Verlangen weckte, dem sie vor gar nicht so langer Zeit noch abgeschworen hatte.

Es wäre ein Leichtes gewesen, sich aus seiner Umarmung zu lösen, wenn sie es gewollt hätte. Und eigentlich hätte sie das auch machen sollen. Ihre Trennung von Preston hatte sie desillusioniert und verwundbar gemacht, und sie war nicht in der Verfassung, um eine neue Beziehung einzugehen.

Warum aber erwiderte sie dann seinen Kuss? Warum hatte sie ihre Arme um seinen Hals gelegt und ihren Körper so schamlos gegen seinen gepresst? Sie fand keine Zeit, um diese Fragen zu beantworten. Das Gefühl und Verlangen ließen sie schwindlig werden, sie ließ sich in den Kuss fallen, während sich tief in ihrem Inneren eine wunderbare Sehnsucht regte.

Seine Hände berührten ihr Gesicht, strichen an ihrem Hals entlang, verweilten kurz auf ihren Brüsten und ließen sie von Kopf bis Fuß vor Verlangen brennen. Nie zuvor hatte ein Mann sie mit so viel Zärtlichkeit berührt ... mit so viel unterdrückter Leidenschaft.

Tief in ihrem Inneren schrillte ein Alarm. *Es ist zu früh, du bist noch nicht so weit.* Die Warnung war wie ein Gesang, den sie nicht ignorieren konnte. Sie riss sich zusammen und legte ihre Hände auf Gregorys Oberkörper, um ihn sanft von sich zu schieben. „Tut mir Leid, ich hätte nicht ...“

„Ich habe damit angefangen“, erwiderte er und holte tief Luft. „Aber wenn du erwartest, dass ich mich jetzt entschuldige, dann kannst du lange warten. Es tut mir nicht Leid. Und wenn du dich jetzt nicht sofort auf den Weg machst, könnte ich das Ganze wiederholen.“

Nach dem heißen, begehrenden Ausdruck in seinen Augen gab es keinen Zweifel daran, dass er jedes Wort so meinte, wie er es sagte. Bevor er aber sehen konnte, wie sehr sie sich danach verzehrte, noch einmal von ihm geküsst zu werden, schloss sie die Fahrertür auf. „In dem Fall fahre ich jetzt wohl besser ab."

Er hielt ihre Hand, während sie einstieg. „Ruf mich an, sobald du zu Hause bist. Dann weiß ich, dass du in Sicherheit bist."

„Das werde ich machen."

Mit dem Geschmack seiner Lippen auf ihren fuhr sie ab.

30. KAPITEL

Ginnie war noch nie so glücklich gewesen. Nach mehr als drei Jahrzehnten hatte sie die Tochter wieder gefunden, von der sie gedacht hatte, dass sie sie nie wieder sehen würde.

Nach dem absolut vollkommenen Mittagessen im Freien am Samstag hatte sich Hubert zurückgezogen, um den beiden Frauen Gelegenheit zu geben, sich den ganzen Nachmittag über ihre Erlebnisse auszutauschen.

Ginnie hatte alles über ihre Tochter wissen wollen: wo sie zur Schule gegangen war, welche Sportarten sie betrieb, sogar, mit welchen Jungs sie ausgegangen war.

„Preston war ein Dummkopf", sagte sie, als Rachel ihr von der Trennung erzählte. „Aber ich muss deiner Freundin Tina zustimmen. Du bist ohne ihn besser dran. Gregory scheint mir dagegen ein wundervoller Mann zu sein. Hubert ist auch von ihm begeistert."

Obwohl Rachel nichts dazu gesagt hatte, spürte Ginnie, dass zwischen den beiden viel mehr war, als ihre Tochter eingestehen wollte. Aber das war so in Ordnung. In den kommenden Monaten würde es noch viele Gelegenheiten für lange Gespräche zwischen Mutter und Tochter geben. Sie hatten bereits Pläne für Rachel gemacht, damit sie sie in Frankreich besuchte. Sie würde ihr die Auvergne zeigen und mit ihr die Berge besteigen und in dem kristallklaren See auf den Anwesen der Laperousses baden.

„Einen Penny für deine Gedanken."

Als Hubert sich vorbeugte, um ihren Nacken zu küssen, lächelte Ginnie. „Oh, Hubert, ich bin so glücklich.

Jetzt habe ich wirklich, was sich eine Frau wünschen kann."

„Wie geht denn das?" fragte er neckend. „Du hast doch noch gar keinen Doughnut mit Marmelade gegessen."

Sie musste lachen. „Das stimmt. Ich komme mir allmählich auch sehr vernachlässigt vor."

Wieder küsste er sie. „In dem Fall muss ich mich wohl beeilen."

Sie sah ihm nach, wie er in der cremefarbenen, unauffälligen Limousine abfuhr, die sie am Flughafen von San Francisco gemietet hatten. Der gute Hubert. Er hatte sich wegen dieser Reise solche Sorgen gemacht, dass man sie erkennen würde. Aber jetzt endlich begann er sich zu entspannen. Sie war ebenfalls nervös gewesen, bis sie erkannt hatte, dass es keinen Grund gab, um sich zu fürchten. Zwar hatten Alyssa Dassante und ihre Tochter im Tal großes Interesse geweckt, aber niemand hatte eine Verbindung zwischen Rachel Spaulding und der Frau in dem angemieteten Cottage hergestellt.

Die beiden Schüsse im Garten am Freitag, die Hubert der Agentur gemeldet hatte, waren bereits in Vergessenheit geraten. Sie war viel zu glücklich, um sich mit dummen, unbegründeten Gedanken zu belasten.

Sie lächelte immer noch, als das Telefon klingelte. Sie nahm schnell den Hörer ab, weil sie dachte, es könnte Rachel sein. „Hallo?"

Einen Augenblick herrschte Stille, dann ertönte eine Stimme, von der sie geglaubt hatte, dass sie sie niemals wieder hören würde: *„Buon giorno*, Alyssa."

Sie atmete so heftig aus, als hätte ihr jemand einen Schlag auf den Brustkorb verpasst. Ihre Beine versagten ihren Dienst, und Ginnie umklammerte die Armlehne, während sie langsam in den Sessel sank. „Sal?" Ihre Stimme klang so fern, als würde sie einem anderem gehören.

„Du hast meinen Namen nicht vergessen. Das ist gut, Alyssa, denn ich habe deinen Namen auch nicht vergessen."

„Wie . . . wie hast du mich gefunden?"

Er lachte. „Das ist der alte Sal, mit dem du redest, Alyssa. Früher oder später finde ich jeden."

„Was willst du?" Sie musste all ihre Willenskraft aufbringen, um sich nicht anmerken zu lassen, welche Todesangst sie empfand.

„Reden", sagte er nur und überraschte sie damit.

Sie sah aus dem Fenster, hinüber zu den Bäumen. „Ich habe nichts mit dir zu bereden, Sal."

„Weißt du", sagte er mit bemerkenswert ruhiger Stimme, „lange Zeit habe ich das auch gedacht. Mir ging es nur darum, dich dafür büßen zu lassen, dass du meinen Sohn umgebracht hast."

Ginnie zitterte und sagte nichts.

„Das hat sich jetzt geändert", fuhr Sal fort. „Jetzt gibt es Rachel."

Rachel. Ihr Magen zog sich zusammen. Wusste er, dass sie hier gewesen war? Eine dumme Frage. Natürlich wusste er es. Wenn er wusste, dass sie in Napa Valley war, dann musste er wissen, dass Rachel sie besucht hatte. Vielleicht hatte er sogar die beiden Schüsse abgegeben. „Was hat Rachel damit zu tun?"

„Nun, zunächst einmal hat sie die verrückte Vorstellung, dass du Mario gar nicht umgebracht hast."

„Das habe ich auch nicht getan."

„Da bin ich nicht ganz so sicher, aber Rachel schon. Und darum, ihretwegen, bin ich bereit, mir anzuhören, was du dazu zu sagen hast."

„Weiß sie . . ."

„Dass ich weiß, dass du hier bist? Noch nicht. Aber sie weiß bereits, dass ich von meiner Blutrache Abstand genommen habe."

„Das würdest du niemals machen."

„Habe ich schon längst. Ich habe meinen Privatdetektiv gefeuert und die Belohnung zurückgezogen."

Sie konnte seine Behauptung nicht überprüfen, die den Privatdetektiv anging, aber dass er das Kopfgeld zurückgezogen hatte, wusste sie. Rachel hatte ihr den Artikel gezeigt, der im *Winters Journal* erschienen war.

Auch wenn Sal scheinbar bereit war, die Vergangenheit ruhen zu lassen, konnte Ginnie seinen Sinneswandel nicht so leicht akzeptieren wie Rachel. Der Sal, den sie kannte, war verschlagen und so gefährlich wie ein Hai. Er konnte einem eine Sache ins Gesicht sagen und hintenrum genau das Gegenteil davon machen. „Warum solltest du dich auf einmal für meine Seite der Geschichte interessieren?"

„Weil das meine Enkelin glücklich machen wird. Sie hat erkannt, dass ich ein gerechter Mann bin, der zu seinem Wort steht. Und wer weiß? Wenn du mich davon überzeugen kannst, dass du Mario nicht umgebracht hast, kann ich die Cops vielleicht auch davon überzeugen. Das würde Rachel zutiefst beeindrucken."

„Das würdest du machen?" fragte sie.

„Ja, das würde ich. Für Rachel. Was willst du für deine Tochter machen, Alyssa?"

Einen Moment lang wollte Ginnie ihm glauben. Wäre es nicht wunderbar, dieses Leben auf der Flucht hinter sich zu lassen und immer dann zwischen den USA und Frankreich zu pendeln, wenn ihr danach war?

Was aber, wenn Sals scheinbar ehrliches Angebot in Wahrheit nur ein Trick war? Was, wenn an seiner Stelle die Polizei auftauchte? „Wie kann ich dir vertrauen, Sal?" fragte sie. „Was ist, wenn du mit der Polizei im Schlepptau ankommst?"

„Und dabei riskiere, dass ich meine Enkelin nie wieder sehe? Du machst wohl Scherze. Ich liebe dieses Mädchen, und ich will es bestimmt nicht wieder verlieren."

„Ich weiß nicht, ob ich dir vertrauen kann. Du bist ein bösartiger Mann, Sal Dassante."

„Nicht, wenn es um meine Familie geht. Das solltest du eigentlich wissen."

Das wusste sie auch. Niemand hatte sich so seiner Familie verpflichtet gefühlt wie Sal. Und er hatte Lillie vergöttert. Er hatte sie in diesen ersten beiden Wochen behandelt wie ein stolzer Großvater. Die Zuneigung, die sie in seiner Stimme hörte, als er jetzt über Rachel sprach, war kein Trick, sie war ehrlich gemeint.

„Was hast du zu verlieren, wenn du mit mir redest, Alyssa?" fragte er, obwohl er wusste, dass er sie noch ein wenig mehr überzeugen musste. „Ich weiß, wo du dich aufhältst. Ein Anruf bei der Polizei von Calistoga, und du verbringst den Rest deines Lebens hinter Gittern. So hast du wenigstens eine Chance."

Obwohl sie in dem warmen und gemütlichen kleinen Cottage saß, wurde ihr mit einem Mal kalt. Draußen war alles beim Alten, ruhig und friedlich, der Lärm vom fernen Straßenverkehr war durch die große Entfernung gedämpft. Sal hatte Recht. Jeden Augenblick konnte diese wunderbare Welt in sich zusammenstürzen, ihre Freiheit konnte ihr genommen werden. Sie dachte an die Dinge, die sie für sich und Rachel geplant hatte, die bloße Freude, ihre Tochter einfach nur anzusehen, ihre Hand zu halten, von ihr ins Vertrauen gezogen zu werden. Das alles würde ihr in dem Moment verwehrt bleiben, in dem hinter ihr die Gefängnistore ins Schloss fielen.

Es sei denn, sie tat das, was Sal von ihr verlangte.

„Warst du vor kurzem hier?" fragte sie plötzlich. „Hast du auf mich geschossen?"

Es folgte eine kurze Pause, dann sarkastisches Gelächter. „Wovon redest du? Geschossen? Spinnst du? Meinst du, ich spiele solche Spielchen?"

„Ich könnte es nicht ausschließen."

„Warum sollte ich auf dich schießen?"

„Um mir Angst einzujagen. Um mir zu zeigen, dass du mich in der Hand hast."

„Das ist ja lachhaft. Ich besitze nicht mal eine Waffe. Und selbst wenn, glaubst du ernsthaft, ich würde das Risiko eingehen, verhaftet zu werden, nur um dir Angst einzujagen?" Wieder lachte er. „Das hätte der alte Sal vielleicht gemacht, aber nicht Rachels Großvater."

Sie dachte einige Sekunden lang unschlüssig über seine Worte nach. „Wo sollen wir uns treffen?" fragte sie schließlich. Oh, Gott, war das wirklich ihr Ernst? Wollte sie sich wirklich mit diesem Mann treffen? Diesem Mann, der einunddreißig Jahre lang nur eines gewollt hatte: ihren Tod. Ich mache das für Rachel, sagte sie sich. Auf diese Weise konnte sie diesen Makel loswerden, die Tochter einer Mörderin zu sein.

„Nun . . ." Er schien nachzudenken. „Ich nehme nicht an, dass du herkommen möchtest."

„Nein!" Wie konnte er nur auf den Gedanken kommen, dass sie dieses Haus je wieder betreten würde? „Das ist mir zu weit."

„Na gut", sagte Sal versöhnlich. „Dann treffen wir uns bei dir in der Gegend. Such einen Ort aus, du kennst dich dort besser aus als ich. Allerdings sollten wir uns abends treffen. Ich möchte nicht, dass meine Familie davon etwas erfährt und mich für einen Weichling hält."

Ginnie überlegte eine Weile. Ja, abends wäre es auch ihr am liebsten. Außerdem musste es ein sicherer, ruhiger Ort sein. „Am Rand von Calistoga gibt es eine kleine Kirche", sagte sie. Am Abend zuvor waren sie dort vorbeigefahren. „An der Kreuzung Route 128 und Petrified Forest Road. Sie ist die ganze Nacht geöffnet."

„Ich werde da sein. Wann?"

„Heute Abend? Um elf?"

„Elf Uhr, einverstanden. Und mach keine Dummheiten, Alyssa."

„Zum Beispiel?"

„Indem du zum Beispiel wieder abhaust. Ich lasse dein Haus beobachten. Wenn du vor heute Abend aus dem Haus gehst, rufe ich sofort die Polizei an."

Die Angst ließ ihren Magen noch heftiger verkrampfen. Er hatte an alles gedacht. „Bis heute Abend", sagte sie.

„*Arrivederci*, Alyssa."

„Was grinst du so?" fragte Nico, als er mit Sal im Wohnzimmer saß und einen Drink zu sich nahm.

Sal lehnte sich in seinem Sessel zurück und sah seinen Sohn an. Er kostete diesen Augenblick voll aus. „Alyssa ist hier", sagte er langsam. „In Kalifornien. In Napa Valley, um ganz genau zu sein."

Nico sah ihn entsetzt an. „Was sagst du? Warum sollte sie hier sein?"

„Sie hat erfahren, dass Lillie lebt, und ist hergekommen. Kelsey hat sie gefunden."

„Wo ist sie die ganze Zeit über gewesen?"

„Ich weiß es nicht, und es interessiert mich auch nicht. Sie ist hier, das ist das Einzige, was zählt."

„Wissen die Cops das?"

Sal schüttelte den Kopf und nippte an seinem Sherry. „Nein, und wir werden es ihnen auch nicht sagen."

„Warum zum Teufel das denn nicht?"

„Weil ich mir anhören will, was sie zu sagen hat."

„Seit wann interessiert es dich, was Alyssa zu sagen hat?"

„Seit ich erkannt habe, dass es Rachel etwas bedeutet."

„Rachel!" Nico warf die Hände hoch. „Ich hätte es wissen müssen. Erst war es Mario, jetzt ist es Rachel. Rachel hier, Rachel da, den ganzen Tag höre ich nur noch diese Scheiße."

„Pass auf, was du sagst, wenn du von meiner Enkelin redest."

Nico schien ihn nicht gehört zu haben. „Du willst dir doch gar nicht anhören, was Alyssa zu sagen hat, Pa. Du willst sie umbringen. Das ist nur ein Vorwand, damit sie sich mit dir trifft."

Sal musste innerlich lachen. Der Junge war doch nicht ganz so dumm.

„Du irrst dich", log er. „Ich bin zu alt, um eine solche Wut noch länger mit mir herumzutragen. Wenn sie unschuldig ist, will ich es wissen."

„Einen Dreck willst du. Du wirst sie umbringen, und du wirst diese Familie zerstören."

„Ach, hör doch mit diesem Unsinn auf, Nico. Das hier ist nicht *12 Uhr mittags*. Ich habe dir gesagt, dass ich mit ihr reden will. Wenn sie lügt, rufe ich die Cops."

Nico war noch immer nicht überzeugt. „Wo triffst du dich mit ihr? Wann?"

„Weiß ich noch nicht", log er erneut.

„Du kannst da nicht alleine hingehen, Pa. Du wirst die Beherrschung verlieren, das weiß ich. Lass mich mitgehen."

„Du gehst mir allmählich auf die Nerven, Nico."

„Dann werde ich Erica davon erzählen. Sie wird dich schon wieder zur Vernunft bringen."

Soll sie es doch versuchen, dachte Sal, während er wieder an seinem Sherry nippte. Sie konnte auf ihn einreden, bis sie schwarz wurde. Sie würde nichts ändern können.

Mehrere Minuten lang saß er da und ignorierte Nico, der

sich immer noch ereiferte. Er dachte an das Telefonat mit Alyssa. Zuerst war er nicht sicher gewesen, ob sie ihm abnehmen würde, dass jemand das Haus beobachtete, aber der Klang ihrer Stimme hatte ihn erkennen lassen, dass sie ihm glaubte. Sie würde bis heute Abend im Haus bleiben und sich erst dann auf den Weg machen. Und der Rest würde schon bald Geschichte sein.

Einige Wagen parkten auf der Petrified Forest Road, als Ginnie wenige Minuten nach elf die Kirche erreichte. Aber nur einer von ihnen parkte direkt vor der St. Mary's Church – ein alter Plymouth Kombi, der so groß wie ein Leichenwagen war. Das musste Sals Wagen sein, wer sonst würde ein solches Museumsstück fahren?

Die kleine Reisetasche, die sie gepackt hatte, während sich Hubert im Garten aufgehalten hatte, stand auf dem Fußboden vor dem Beifahrersitz. In ihrer Handtasche hatte sie ihren Reisepass und tausend Dollar in Reiseschecks. Es würde für einen einfachen Flug nach Europa reichen. Nicht nach Frankreich, dort könnte man sie finden, aber vielleicht in die Niederlande oder nach Schweden.

Sie konnte den Gedanken nicht ertragen, wieder auf der Flucht zu sein und Hubert sowie alles andere, was sie liebte, hinter sich zurückzulassen. Aber wenn in der Kirche irgendetwas schief ging und noch genug Zeit blieb, um zu fliehen, dann hatte sie wenigstens die notwendigen Mittel dafür.

Ihr Körper war steif vor Unbehagen, während sie ihren Wagen hinter dem Kombi abstellte. Im Wagen war niemand zu entdecken, und auch auf der verlassenen Straße waren keine Aktivitäten zu bemerken. Sie stieg aus und kämpfte gegen die Gänsehaut an, die ihren Körper überzog. Ihr Blick fiel auf die Kirche. Hinter einem Bleiglasfenster flackerte ein Licht, vermutlich eine Kerze.

Die Kirchentür war nicht abgeschlossen. Als sie sie öffnete, schlug ihr der vertraute Geruch von Weihrauch entgegen und weckte verschüttete Erinnerungen. Als nur mäßig religiöser Mensch war sie nach Lillies Tod nie wieder in eine Kirche gegangen.

Diese Kirche hier war klein, Holzbänke standen zu beiden Seiten des Mittelgangs in sechs Reihen vor der Kanzel. Hoch über ihr befand sich eine lebensgroße Jungfrau Maria, die Hände zum Segen erhoben. Das einzige Licht in der Kirche stammte von den verschieden großen Kerzen, deren Flackern seltsame Schatten an die Wand warfen.

Auf der ersten Bank saß ein Mann mit gesenktem Kopf. Sal, dachte sie. Sie begann, auf ihn zuzugehen, ihre Schuhe machten fast kein Geräusch. Bei jedem Schritt sah sie sich ängstlich um und erwartete jeden Augenblick, dass ein Polizist mit gezogener Waffe auftauchte.

„Was mache ich hier?" murmelte sie und zweifelte wieder an ihrer Entscheidung. „Ich muss verrückt sein."

Sie blieb stehen, als sie merkte, dass ihr Herz wie wild raste. Aus dem Augenwinkel heraus nahm sie einen Schatten wahr. Sie unterdrückte einen Schrei und blickte in die Richtung, erkannte aber, dass das Flackern einer Kerze die Bewegung verursacht hatte.

Sie erreichte die Reihe, in der Sal saß und offenbar betete. Sollte sie warten, bis er geendet hatte? Oder sollte sie ihn wissen lassen, dass sie da war? Sie sehnte sich nach dem kleinen Cottage, nach dem warmen Bett, in dem sie an Huberts Seite liegen konnte. Der Gedanke fällte für sie die Entscheidung.

Sie legte eine Hand auf die Schulter ihres Exschwiegervaters. „Sal?"

Er antwortete nicht und machte auch nicht den Eindruck, dass er sie wahrgenommen hatte.

„Sal", sagte sie wieder. „Ich kann nicht lange bleiben . . ." Sie fasste ihn am Arm und schüttelte ihn sanft.

Und dann unterdrückte sie einen Aufschrei.

Sals Kopf war nach hinten gekippt, und er starrte sie mit glasigen, leblosen Augen an. In seiner blutverschmierten Brust steckte eine Schere.

31. KAPITEL

Ginnie hielt sich die Hand vor den Mund. Einen Moment lang stand sie wie angewurzelt da, während eine Stimme in ihrem Kopf sie zum Fortlaufen drängte.

„Sal", sagte sie schließlich. „Oh, mein Gott, Sal. Mein Gott." Als sie wieder die Kontrolle über ihre Beine zurückerlangt hatte, machte sie einen Schritt nach hinten, dann noch einen, bis sie beim dritten Schritt gegen etwas stieß.

Erschrocken wirbelte sie herum. Ein junger Mann stand hinter ihr, ein Priester, wie sie erkannte, als ihr entsetzter Blick auf den weißen Kragen fiel.

„Fühlen Sie sich nicht gut?" fragte er besorgt. „Jemand hat mir gerade einen Zwischenfall gemeldet . . ." Er sah über ihre Schulter auf die Reihe, in der Sal saß, und unterbrach den Satz. „Einen Augenblick bitte."

Während er sich Sal näherte, rannte Ginnie nach draußen.

„Was soll das heißen, dass es aus ist?" Ryan stand in Annies Büro und sah sie mit angsterfüllten Augen an. „Ich liebe dich, wir werden heiraten."

„Genau das ist es, Ryan. Wir werden *nicht* heiraten. Außer vielleicht in deiner Fantasie."

Annie saß an ihrem Schreibtisch und sah Ryan mit einer Mischung aus Mitleid und Sorge an. Er sah aus, als würde er jeden Augenblick explodieren. Hätte sie gewusst, dass er es so schlecht aufnehmen würde, dann wäre sie nicht so direkt gewesen. Aber verdammt noch mal, sie hatte genug von seiner Eifersucht, von seinen Anspielungen auf eine Hochzeit, die niemals Wirklichkeit werden würde. Es war an der Zeit, dieser lächerlichen Beziehung ein Ende zu bereiten. Und wenn Direktheit der einzige Weg war, um zu ihm durchzudringen, dann musste es eben sein.

„In meiner Fantasie?" Sein Gesicht verzog sich zu einer Grimasse. „Denkst du so von mir? Bin ich für dich nur ein kleiner Schwachkopf, der von der Frau seines Lebens träumt?"

„Ich habe nie gesagt, du seist ein Schw..."

„Du bist diejenige, die hier träumt, Annie, wenn du glaubst, dass ich dich einfach so davonkommen lasse." Er kam langsam auf sie zu, bis er nur noch gut einen Meter von ihr entfernt war. „Das werde ich niemals machen, dafür habe ich zu viel aufs Spiel gesetzt."

„Was redest du da? Was hast du aufs Spiel gesetzt?"

„Alles. Meinen Job, meinen Ruf, meine Zukunft als erfolgreicher Winzer. Und wie dankst du mir? Indem du mich abservierst?"

Annie fuhr nervös mit der Zunge über ihre Lippen. Er verhielt sich völlig untypisch, und seine Augen loderten sonderbar eindringlich. Dennoch ließ sie sich nicht von ihm einschüchtern. „Ich habe keine Ahnung, wovon du überhaupt redest!" sagte sie ruhig.

„Du hast mich benutzt, Annie." Seine Stimme war gehässig geworden. „Du hast mich deine kleine Drecksarbeit machen lassen, und weil das nicht so gelaufen ist, wie du erhofft hast, willst du mich jetzt loswerden!"

„Verdammt, Ryan, hör endlich auf, in Rätseln zu sprechen. Was für eine kleine Drecksarbeit?"

„Rachel aus dem Weg zu schaffen!"

Annie machte den Mund auf, konnte aber keinen Laut von sich geben. Jetzt war es an ihr, einen kalten, lähmenden Schock zu erleben, als ihr dämmerte, was er meinte. „Was hast du getan, Ryan?" fragte sie tonlos.

Er lachte auf eine knappe, spröde Weise, dass ihr ein Schauder über den Rücken lief. „Ach, tu doch nicht so, unschuldige kleine Annie. Wenn ich es nicht besser wüsste, würde ich sagen, dass du mir was vorspielst. ‚Was hast du getan, Ryan?"" Er ahmte ihre Stimme beinahe perfekt und äußerst erschreckend nach. „Ich habe sie fast für dich umgelegt, Baby." Er kam noch näher, bis ihre Gesichter nur noch wenige Zentimeter voneinander entfernt waren. „Wie gefällt dir das? Ja, genau", sagte er, während sie ihn fassungslos anstarrte. „Ich habe diese Fässer auf Rachel losgelassen. Und ich wollte sie von der Straße drängen. Und die Sache im Pool, das war auch ich."

Annie konnte ihn nur weiter anstarren.

Er lachte. „Wie ich sehe, hat sie dir vom Pool noch nichts gesagt, wie? Ich hätte es fast geschafft", prahlte er. „Mir ist erst zu spät eingefallen, dass sie immer noch eine gute Schwimmerin ist."

„Warum?" schrie Annie ihn an. „Warum wolltest du Rachel umbringen?"

„Damit wir zusammen sein konnten! Ich habe es gehasst, wenn du gesagt hast, dass wir ihretwegen nicht heiraten könnten. Warum sollte sie unserem Glück im Weg stehen?" Das Feuer in seinen Augen loderte noch intensiver. „Also dachte ich mir, dass wir beide das bekommen würden, was wir haben wollten, wenn sie nicht mehr war. Du hättest Spaulding, und ich weiß, dass dir das mehr als alles andere bedeutet. Und ich hätte dich gehabt."

Etwas an der Art, wie er den letzten Satz betont hatte, ließ sie schaudern. Annie lehnte sich in ihrem Bürostuhl weit zurück, um möglichst viel Abstand zwischen sich und Ryan zu bringen. Zwar befand sich ihr Büro in der obersten Etage und war vom Rest des Weinguts isoliert, aber sie wusste, dass sie nur laut genug schreien musste, damit ihr jemand zu Hilfe eilen konnte. Doch das wollte sie im Moment nicht. Sie wollte ihn nicht noch weiter reizen.

„Ich habe dich nie darum gebeten, sie zu töten." Sie versuchte, ruhig und versöhnlich zu sprechen, aber ihre Worte waren nicht mehr als ein zittriges Flüstern.

„Du wolltest sie loswerden, willst du das vielleicht abstreiten?"

„Ich wollte sie loswerden, aber ich wollte nicht, dass sie sterben muss!" Sie stand auf und stellte sich vor ihn, von versöhnlichem Tonfall war aus ihren Worten nichts mehr herauszuhören. Wenn sie eines hasste, dann, für Dinge beschuldigt zu werden, die sie nicht getan hatte. „Nur ein gestörtes Hirn wie deines kann meine Worte als Auftrag zum Mord auslegen."

„Versuch nicht, deinen Kopf aus der Schlinge zu ziehen, Annie. Wir stecken da gemeinsam drin."

„Davon träumst du." Sie versetzte ihm einen Stoß. „Ich werde sofort die Polizei anrufen. Auf keinen Fall werde ich mich . . ."

Noch während sie sprach, griff sie zum Telefon, doch er legte seine Hand auf ihre und hielt sie fest. „Das willst du eigentlich nicht, Annie", sagte er lächelnd. „Und weißt du auch, warum? Weil dir niemand glauben wird. Dein Wort steht gegen meines. Was denkst du, wem wird man eher glauben? Dem untadeligen, hart arbeitenden und vertrauenswürdigen Assistenten oder der verschlagenen, eifersüchtigen Schwester, die um jeden Preis ihren Willen durchsetzen will?"

Jeder Muskel in ihrem Körper spannte sich an. Oh, Gott, warum hatte sie das nicht kommen sehen?

„Du hast mir erst vor kurzem erzählt, dass du bei Spaulding auf Bewährung bist", fuhr er fort. „Dass du dir keinen weiteren Fehler leisten kannst. Und jetzt rate mal, meine Liebe? Du bist im Begriff, diesen nächsten Fehler zu machen. Du wirst alles verlieren."

„Sie werden dir nicht glauben."

„Falsch, Annie. Sie *werden* mir glauben. Ich werde ihnen erzählen, wie du mich verführt hast, wie du mich angefleht hast, ich solle Rachel töten, damit Spaulding dir gehört. Sie werden es mir abkaufen", betonte er. „Denn sie wissen, wie du vorgehst."

Panik ergriff von ihr Besitz, ihr wurde übel. Er hatte Recht. Sie würden ihm glauben – Rachel, Ambrose, Gregory, Sam. Sie alle wussten, was sie getan hatte, wie weit sie ging, wenn es nötig war. Wäre es da so abwegig, dass sie einen Mann dazu bringen würde, für sie zu töten?

Er zog seine Hand zurück. „Hast du es schon begriffen, Annie?" Er strahlte vor Selbstsicherheit.

„Und du?" erwiderte sie und versuchte, überlegen zu

klingen und ihrer Stimme nichts von ihrer Angst anmerken zu lassen, aber sie wusste, dass das Zittern sie verriet. „Ist dir eigentlich klar, dass du wegen eines Mordversuchs ins Gefängnis wandern könntest?"

„Natürlich, aber mir ist egal, was mit mir passiert, wenn ich dich nicht haben kann. Du siehst, es ist alles ganz einfach." Er zuckte desinteressiert mit den Schultern. „Wenn ich untergehe, dann gehst du mit." Er strich mit seinem Handrücken über ihre Wange, eine Geste, die sie inzwischen verabscheute. „Ich frage mich, wie viel Zeit man absitzen muss für Anstiftung zum Mord. Fünf Jahre? Zehn Jahre?"

Ihr Magen verkrampfte sich noch stärker. Wie hatte sie sich nur für diesen Mann interessieren können? Was stimmte nicht mit ihr?

„Natürlich muss es nicht so weit kommen." Ryan wich ein Stück zurück und betrachtete sie auf eine Weise von Kopf bis Fuß, dass sie zurückschreckte. „Du musst nur vergessen, was du vorhin über uns beide gesagt hast. Dann vergesse ich diese Unterhaltung."

„Was ist mit Joe Brock? Du hast bei der Polizei den Eindruck vermittelt, er habe versucht, Rachel zu ermorden. Er ist jetzt auf der Flucht."

Wieder ein Schulterzucken. „Pech für ihn."

„Du bist krank", flüsterte sie.

„Nein, Baby", sagte er kopfschüttelnd. „Ich bin nur ein verliebter Mann. Und ich liebe dich, Annie. Ändere deine Meinung, dann zeige ich dir, wie sehr ich dich liebe. Wenn du willst, nehme ich mir Rachel noch einmal vor. Diesmal werde ich nicht daneb. . ."

„Nein!" Sie packte ihn am Hemdkragen und schüttelte ihn. „Halt dich von ihr fern, hast du verstanden?"

Er hob seine Hand, als würde er kapitulieren. „Okay, okay, ich machs nicht. Jesus", fügte er an, als sie ihn losgelassen hatte, „du klingst ja so, als würde es dir nahe gehen."

„Ich will nur nicht, dass ihr etwas zustößt."

„Okay, dann wird ihr auch nichts zustoßen." Sein Blick bohrte sich in ihre Augen. „Wir haben also eine Abmachung?"

Sie blinzelte einmal. Welche andere Wahl hatte sie schon? „Sag es, Annie. Sag, dass wir zusammenbleiben."

Sie schluckte. „Wir bleiben zusammen."

Er gab ihr einen kraftvollen, leidenschaftlichen Kuss, den sie über sich ergehen ließ. „Dann sehe ich dich heute Abend. Übliche Zeit?"

Sie nickte und sah ihm nach, wie er ihr Büro verließ. Als er verschwunden war, rannte sie zur Toilette und übergab sich.

Rachel saß an ihrem Schreibtisch und versuchte, nicht zu sehr an den Kuss zu denken, den Gregory ihr am Sonntagnachmittag gegeben hatte. Sie hatten sich einfach von einem Augenblick der Leidenschaft mitreißen lassen, und sie musste den Kuss vergessen, auch wenn er das Erste war, was ihr in den Sinn kam, als sie am Montagmorgen und heute Morgen aufwachte. Außerdem war sie in den letzten zwei Stunden schrecklich unruhig gewesen und hatte darauf gehofft, dass Gregory anrief.

Na komm, Rachel, genug von dem Unsinn. Konzentrier dich auf deine Arbeit.

Sie versuchte auszurechnen, wie viele Fässer sie für die Lese des nächsten Jahres bestellen musste, als das Telefon klingelte. Mit einer Hand auf dem Taschenrechner nahm sie den Hörer ab. „Hallo?"

„Rachel, Gott sei Dank, du bist da."

„Hubert", sagte sie. Die Stimme des Franzosen hatte sie sofort erkannt. „Was ist los? Du hörst dich . . ."

„Es geht um deine Mutter!" rief er. „Sie ist festgenommen worden wegen des Mordes an Salvatore Dassante."

32. KAPITEL

Rachel legte die kurze Strecke von Spaulding Vineyards bis zur Polizeiwache von Calistoga in der Washington Road in Rekordzeit zurück. Die knapp umrissene Geschichte, die Hubert ihr am Telefon erzählt hatte, ging ihr immer wieder durch den Kopf und klang mit jedem Mal entsetzlicher. Zwei Dinge waren sicher: Sal war tot. Und Ginnie war wegen des Mordes an ihm verhaftet worden. Ein Priester, der eingetroffen war, als Ginnie vom Tatort floh, hatte das Kennzeichen ihres Wagens notiert, während sie fortgefahren war.

Vom Jeep aus hatte Rachel Ambrose angerufen, der ihr sofort einen Strafverteidiger in Napa City genannt hatte. „Jake Lindquist ist einer der besten Anwälte im Tal", hatte er ihr versichert. „Ich rufe ihn an und sage ihm, er soll dich auf der Wache treffen."

Hubert war dort, als sie eintraf. Er sah blass aus und hatte kaum Ähnlichkeit mit dem eleganten Gentleman, den sie auf dem Weingut zum ersten Mal gesehen hatte.

„Hast du einen Anwalt?" fragte er, als sie ins Gebäude gingen.

„Ja, unser Anwalt schickt jemanden zu uns, der sich auf Kriminalfälle spezialisiert hat. Er heißt Jake Lindquist." Sie hatte keine Ahnung, ob er gut war, aber für den Augenblick musste er genügen. „Hast du mit Ginnie sprechen können?"

Er nickte. „Nur kurz." Er setzte sich und stützte den Kopf zwischen seine Hände. „Das ist alles meine Schuld", murmelte er. „Hätte ich bloß nicht so fest geschlafen . . ."

Rachel sah ihn aufmunternd an. „Du wusstest nicht, dass sie fort war?"

„Nein, sie hat gewartet, bis ich eingeschlafen war. Dann ist sie aufgestanden, um zu der Kirche in Calistoga zu fahren, wo sie sich mit Sal treffen wollte." Er hob den Kopf, einen sorgenvollen Blick in den Augen. „Sie haben in seiner Tasche eine Waffe gefunden, Rachel. Er war dorthin gekommen, um sie zu töten."

„Hat die Polizei das gesagt?"

Hubert schüttelte den Kopf. „Die Polizei sagt, er habe Angst davor gehabt, dass sie ihm etwas antun würde. Er habe die Waffe zum Schutz mitgeführt."

„Woher wusste er, dass sie in Kalifornien ist?"

Hubert schüttelte nur den Kopf.

„Miss Spaulding?"

Ein uniformierter Wachmann stand vor ihnen. „Sie können jetzt ein paar Minuten mit Mrs. Laperousse sprechen."

„Warte hier", sagte sie zu Hubert und legte ihm eine Hand auf die Schulter. „Wenn Lindquist auftaucht, soll man mich rufen." Sie folgte dem Wachmann durch einen Gang in einen fensterlosen Raum, in dem ein Holztisch und vier Stühle standen.

Ginnie saß auf einem der Stühle, ihr Gesicht war weiß, ihre Augen waren vor Panik geweitet, ihre Haare zerzaust. „Oh, Rachel." Sie schob den Stuhl zurück und wollte aufstehen, doch der Wachmann hob eine Hand und sagte: „Bitte keinen körperlichen Kontakt."

Rachel setzte sich, und auch Ginnie nahm wieder Platz und legte ihre Hände gefaltet auf den Tisch. „Ich war es nicht, Rachel, ich habe Sal nicht umgebracht."

„Erzähl mir einfach nur, was geschehen ist", sagte Rachel ruhig.

„Heute Vormittag . . ." Ginnie presste zwei Finger gegen ihre Augen. „Ich meine: Gestern hat Sal mich angerufen."

„Wie hat er dich gefunden?" fragte Rachel und dachte an die Vorsichtsmaßnahmen, die sie und Gregory getroffen hatten.

„Ich weiß es nicht. Er sprach von einem Mann, der mich

beobachtet. Vermutlich der Detektiv, von dem er behauptet hatte, er habe ihn gefeuert."

Rachel drückte ihren Nasenrücken. „Ich hätte ihm nie glauben dürfen."

„Das ist nicht dein Fehler", sagte Ginnie eindringlich und beugte sich vor. „Ich war diejenige, die ihm geglaubt hat. Ich bin zur Kirche gefahren." Sie atmete tief durch, dann sprach sie weiter. „Sal sagte, er wolle mit mir reden. Er wollte sich meine Version anhören, was Marios Tod angeht."

„Warum sollte er das gewollt haben?"

„Er sagte, er würde es für dich tun. Zuerst wollte ich ihm nicht glauben, ich hatte Angst, er würde mich in eine Falle locken. Dann erzählte er von dir, wie sehr du es verdient hättest, die Wahrheit zu erfahren. Das konnte ich verstehen. Ich dachte, dein Leben würde dann endlich wieder normal verlaufen, und du müsstest dich nicht für mich schämen."

„Ich habe mich nie für dich geschämt." Rachel wollte die Hand ihrer Mutter ergreifen, als sie sich an die Warnung der Wache erinnerte. „Erzähl weiter."

„Er hat mir geschworen, mich nicht an die Polizei auszuliefern, weil er dann dich verlieren würde. Und das könnte er nicht ertragen."

„Du hättest nicht hingehen sollen."

Ginnie lachte bitter. „Er hat mir keine Wahl gelassen, Rachel. Er wusste, wo ich war. Entweder musste ich mich mit ihm treffen und versuchen, ihn zu überzeugen, oder er hätte der Polizei mitgeteilt, wo sie mich finden kann. Er hat mich sogar davor gewarnt, das Haus zu verlassen. Falls ich es trotzdem machen sollte, dann würde dieser Mann mich sehen und die Polizei anrufen."

„Hubert sagte, du hättest deinen Reisepass mitgenommen? Und Geld?"

Sie sah fort. „Ich dachte, wenn Sal mir nicht glaubt oder mich umbringen will, dann hätte ich wenigstens noch fliehen können."

Ein geschickter Staatsanwalt würde diese Aussage als Beweis für einen Vorsatz benutzen. „Hat er den Treffpunkt ausgesucht?"

„Nein, ich. Ich wollte nur in der Nähe unseres Hauses sein." Sie atmete tief durch. „Ich habe gewartet, bis Hubert eingeschlafen war, dann bin ich aufgestanden und zur Kirche gefahren. Sie war leer bis auf den Mann in der vordersten Reihe. Er betete. Jedenfalls dachte ich das in dem Moment." Sie fuhr sich durchs Haar. „Es war Sal. Aber er betete nicht, er war tot. Eine Schere steckte in seiner Brust."

Oh, bitte, lieber Gott, betete Rachel stumm. Lass es nicht zu, dass sie diese Schere angefasst hat. „Du hast sie doch nicht angefasst, oder?"

„Nein. Eine Zeit lang konnte ich mich überhaupt nicht bewegen. Dann bin ich rückwärts gegangen, wusste aber nicht, dass hinter mir ein Priester stand."

„Und dann bist du weggelaufen?"

Ginnie nickte. „Ich habe nicht überlegt, Rachel. Ich hatte nur diese Visionen von riesigen Schlagzeilen und einer erneuten landesweiten Suche. Ich wollte nur weg, also bin ich losgerannt. Ich hätte nie gedacht, dass der Priester auf die Idee kommen würde, mir nachzulaufen und sich das Nummernschild zu merken. Wenn ich das gewusst hätte, wäre ich direkt zum Flughafen gefahren und hätte dort mein Glück versucht. Stattdessen bin ich zurück zum Cottage gefahren und habe gedacht, ich wäre dort in Sicherheit."

„Warum hat es so lange gedauert, bis sie dich festgenommen haben?"

„Sie konnten erst heute Morgen mit dem Autoverleiher Kontakt aufnehmen."

„Was ist mit der Schere? Woher kam sie?"

„Ich weiß es nicht, aber sie gehört nicht mir, Rachel. Ich habe sie noch nie gesehen."

Wenigstens das. „Bist du offiziell verhört worden? Hast du irgendetwas unterschrieben?"

Sie schüttelte den Kopf. „Ich habe nichts unterschrieben, aber ein Detective hat mich gefragt, ob ich auch ohne Anwalt ein paar Fragen beantworten wolle. Ich habe zugestimmt. Warum auch nicht? Ich habe nichts zu verheimlichen. Ich habe Sal nicht getötet."

Rachel gab einen langen Seufzer von sich. Sie war keine

Expertin für Strafrecht, aber sie war lange genug mit Preston zusammen gewesen, um zu wissen, dass ein Gespräch mit Polizisten ohne Anwalt einem Geständnis gleichkam.

Sie verriet Ginnie nichts von diesen deprimierenden Gedanken. Ihre Mutter musste mehr denn je dem Rechtssystem vertrauen. „Na gut", sagte sie mit mehr Zuversicht, als sie selbst eigentlich verspürte. „Das ist alles nicht so schlimm, wie es sich anhört. Deine Fingerabdrücke sind nicht auf der Mordwaffe, niemand kann als Augenzeuge auftreten. Die Polizei hat gegen dich nur Indizienbeweise in der Hand."

„Aber ich war am Tatort."

„Ebenfalls Indizien."

„Und der Mord an Mario", erinnerte Ginnie sie. „Vergiss das nicht. Wenn sie mich für den Mord an einem Dassante nicht zum Tode verurteilen, dann eben für den Mord an dem anderen."

„Warum überlassen wir das nicht deinem Anwalt?" Sie sah auf ihre Uhr. „Er müsste inzwischen eingetroffen sein." Sie stand auf. „Kann ich noch irgendetwas für dich tun?"

Ginnie versuchte, sie anzulächeln. „Kannst du mich hier rausholen?"

„Das werde ich versuchen, Ginnie."

Im Warteraum blieb Rachel wie angewurzelt stehen. Nico saß auf der Holzbank, den Kopf in seine Hände vergraben. Neben ihm hockte Erica mit schneeweißem Gesicht und versuchte, ihn zu trösten. Von Hubert war nichts zu sehen.

Als Erica die Schritte auf dem Kachelboden hörte, sah sie auf. Ihre Augen waren rot unterlaufen.

„Erica, das mit Sal tut mir so Leid", begann Rachel. „Ich weiß . . ."

Nico riss den Kopf hoch. In seinen Augen entdeckte sie Trauer, aber auch Hass, der ihr galt. „Bist du jetzt zufrieden?" fragte er leise und gehässig. „Hast du das gewollt?"

„Natürlich nicht!" Bei jeder anderen Gelegenheit hätte sie auf diese unverhohlene Attacke mit einer scharfen Bemerkung reagiert, aber sie wusste, was Trauer in einem Menschen auslösen konnte. „Ich habe Sal nie etwas Schlechtes gewünscht."

„Aber du bist der Grund, warum Alyssa zurückgekehrt ist", fuhr Nico fort. „Wenn du das einzig Richtige getan und ihr gesagt hättest, dass sie in deinem Leben nicht willkommen ist, dann hätte sie sich ins nächste Flugzeug gesetzt und wäre zurück nach Frankreich geflogen. Aber nein, du musstest ja die liebevolle, nachsichtige Tochter spielen. Und jetzt ist mein Vater tot. Dieses Miststück hat ihn umgebracht, so wie sie meinen Bruder umgebracht hat."

„Nico, hör auf", sagte Erica und zog ihn leicht am Arm. „Du bist ungerecht."

„Ungerecht?" Nico schob die Hand seiner Frau fort. „Mein Vater ist kaltblütig ermordet worden, und du erzählst mir, ich wäre ungerecht?"

„Rachel hat mit Sals Tod nichts zu tun."

„Und meine Mutter auch nicht", sagte Rachel und zwang sich, ihn nicht anzuschreien. „Sie ist zu dieser Kirche gefahren, weil Sal sie darum gebeten hat."

„Was ist hier los?" mischte sich plötzlich eine Männerstimme ein. „Was soll dieses Geschrei?"

Rachel drehte sich um. Ein schwergewichtiger, pockennarbiger Mann mit Knollennase stand hinter ihr und sah in die Runde. Hinter ihm entdeckte sie Hubert.

„Ich bin Detective Bob Green." Der Mann sah Rachel regungslos an. „Ich leite den Fall."

Rachel reichte ihm nicht die Hand. „Ich bin Rachel Spaulding. Virginia Laperousse ist meine Mutter."

Der Detective nickte. „Dann habe ich eine Nachricht für Sie. Der Anwalt Ihrer Mutter hat eben angerufen, er steckt im Stau und kommt ein paar Minuten später her."

„Danke, Detective. Ich würde Sie gerne etwas fra. . ."

Bevor Rachel ihre Frage aussprechen konnte, hatte sich der Detective von ihr abgewandt. „Mr. und Mrs. Dassante, ich möchte Ihnen mein Beileid aussprechen."

„Ich will Ihr Beileid nicht, Detective", sagte Nico wütend. „Ich möchte von Ihnen hören, was Sie unternehmen, damit Alyssa für den Mord an meinem Vater angeklagt wird."

„Virginia Laperousse wird formell angeklagt werden, Mr. Dassante. Aber erst, wenn ihr Anwalt hier ist." Green deutete auf eine Tür hinter sich. „Warum kommen Sie beide nicht in mein Büro, wo wir uns ungestört unterhalten können?"

Voller Wut darüber, dass er sie auf eine so unhöfliche Weise abserviert hatte, trat Rachel vor. „Kann ich Ihnen eine Frage stellen, bevor Sie gehen, Detective?" Ihr Ton war schneidend genug, um Green erkennen zu lassen, dass sie sich weder ignorieren noch abschieben ließ.

„Was wollen Sie denn wissen?"

„Warum wurde meine Mutter verhört, obwohl ihr Anwalt noch nicht anwesend war?"

„Sie hat aus freien Stücken auf dieses Recht verzichtet, Miss Spaulding", sagte er verärgert. „Niemand hat ihr eine Pistole an den Kopf gehalten."

„Wurde sie darauf hingewiesen, dass ihre Aussage gegen sie verwendet werden kann, wenn sie auf ihre Rechte verzichtet?"

Die Augen des Detective verengten sich. „Wollen Sie unterstellen, dass in dieser Abteilung nicht vorschriftsgemäß gearbeitet wird, Miss Spaulding?"

„Sie haben meine Frage nicht beantwortet, Detective."

Er sah sie einige Sekunden lang abschätzend an. „Der Officer, der sie verhaftet hat, hat ihr ihre Rechte vorgelesen. Das genügt."

Rachel sah das zwar anders, würde aber die Auslegung des Rechts Jake Lindquist überlassen.

33. KAPITEL

Eine Freilassung auf Kaution wurde abgelehnt. Vor der Entscheidung hatte Ginnies Anwalt wiederholt auf die Indizienbeweise hingewiesen, doch der Richter hatte sich von seiner Ansicht nicht abbringen lassen. In seinem Gerichtssaal war noch niemand, der unter Mordverdacht stand, auf Kaution freigelassen worden. Der stellvertretende Bezirksstaatsanwalt war gleichermaßen unnachgiebig gewesen, hatte behauptet, der Mord sei mit Vorsatz ausgeführt worden, und außerdem bestehe bei Virginia Laperousse mit Blick auf ihre Vergangenheit Fluchtgefahr. Ein erster Vorverhandlungstermin wurde für den 21. Oktober anberaumt.

„Rachel!"

Sie drehte sich um und sah Gregory im Zuschauerraum stehen, tadellos gekleidet in einem hellgrauen Anzug, mit weißem Hemd und Krawatte.

Sie fühlte sich unendlich erleichtert. Er sah so unerschütterlich stark und standfest aus, dass allein seine Anwesenheit Ruhe in die verrückten Ereignisse zu bringen schien.

„Ich bin sofort hergekommen, als ich es gehört habe", sagte er, als sie ihm in die Arme fiel.

„Danke." Sie fragte nicht, woher er es erfahren hatte. Sie war einfach nur froh, dass er hier war, dass er sie in seinen Armen hielt und seinen Mund gegen ihre Wange drückte.

„Lass uns hier verschwinden", sagte er. „Bist du mit dem Jeep hier?"

Sie nickte.

„Den lassen wir hier stehen und bitten Sam oder Ryan, ihn später abzuholen." Er sah zu Hubert, dessen Blick noch immer auf die Tür gerichtet war, durch die man Ginnie abgeführt hatte. „Hubert, komm, lass uns gehen."

Eine Schar von Reportern wartete vor dem Gerichtsgebäude, als die drei herauskamen. Sofort stürmten sie auf sie los und ließen ein Sperrfeuer von Fragen auf Rachel los, dass ihr schwindlig wurde.

„Ignoriert sie einfach", wies Gregory sie an. „Hubert, du nimmst deinen Wagen, wir nehmen meinen."

Als hätten sie es Hunderte Male geprobt, unternahm Hubert einen kurzen Sprint zu seinem Buick und zog die Hälfte der Reporter mit sich.

Den Arm noch immer fest um Rachels Hüfte gelegt, bahnte sich Gregory seinen Weg durch die restlichen Journalisten bis hin zu seinem Jaguar, der einige Meter hinter Huberts Wagen geparkt war. Er schob Rachel ins Wageninnere und schlug die Tür zu.

Sie hörte einen kurzen, verärgerten Wortwechsel, unmittelbar bevor die Fahrertür geöffnet wurde, dann stieg Gregory ein. Ein unerbittlicher Reporter fasste nach dem Türgriff, aber als Gregory den Motor aufheulen ließ, machte er einen Satz nach hinten.

„Ich habe vorhin noch Willie angerufen", sagte Gregory, während er den Wagen wendete. „Sie nimmt dich gerne bei sich auf, bis sich die Aufregung gelegt hat. Du musst nur was sagen, dann fahre ich dich sofort hin."

Rachel drückte sich in den Sitz. Sie hätte nichts lieber getan, als das Chaos der letzten fünf Stunden zu vergessen, auch wenn es nur für ein paar Minuten war. Doch vor einer Katastrophe wegzulaufen, war nicht ihr Stil. Sie schüttelte den Kopf. „Ich werde nicht weglaufen, Gregory, und ich werde mich auch nicht verstecken. Außerdem muss ich Annie und den anderen mitteilen, was geschehen ist."

„Okay", sagte er, während er nach links und rechts sah, bevor er auf die Route 29 einbog. „Warum erzählst du mir nicht auch, was sich genau abgespielt hat?"

Neben ihm zu sitzen und seiner sanften Stimme zu lauschen, genügte, damit sie ihr mentales Gleichgewicht wieder fand. Sie erzählte ihm alles von dem Moment an, als Hubert sie angerufen hatte, bis zu der Sekunde, in der die Kaution abgelehnt worden war.

„Sal hat mich angelogen", fuhr Rachel fort, als sie alles berichtet hatte. „Er hat mir gesagt, er würde nicht länger nach meiner Mutter suchen, dabei hatte er vor, sie umzubringen." Sie sah aus dem Fenster. „Vielleicht hätte ich etwas misstrauischer sein sollen, dann wäre das alles nicht passiert."

„Mach dir keine Vorwürfe, Rachel. Sal war ein verschlagener alter Mann. Es war seine Spezialität, Menschen zu täuschen."

Eine Weile hingen sie beide ihren Gedanken nach. Als Gregory ihr einen kurzen Blick zuwarf, bemerkte er einen ungewöhnlichen Ausdruck auf ihrem Gesicht. „Welchen Eindruck hast du von Jake Lindquist?" fragte er.

Sie zuckte erschöpft mit den Schultern. „Ich bin mir nicht sicher. Ambrose sagt, er sei der beste Strafverteidiger im Tal, aber das hier ist nicht gerade die Brutstätte für hochkarätige Mordfälle. Außerdem haben wir ja schon gesehen, welche Aufmerksamkeit diesem speziellen Fall zuteil wird. Ich habe so meine Zweifel, dass Jake weiß, wie er mit den Medien umgehen muss, vom Bezirksstaatsanwalt ganz zu schweigen."

„Über den weiß ich gar nichts. Du?"

Sie lachte. „Er will sich wieder zur Wahl aufstellen lassen und braucht einen großen Triumph vor Gericht. Bei der Anhörung hat er jedes Argument von Lindquist sofort torpediert, als wüsste er schon im Voraus, was Jake sagen wollte. Der Ärmste hatte überhaupt keine Chance."

Gregory nahm ihre Hand und hielt sie fest. „Ich kenne ein paar Leute in San Francisco. Lass mich mal sehen, was ich tun kann, okay?"

Sie drückte seine Hand und sagte nichts, während sie zu Spaulding Vineyards zurückfuhren.

Anstatt Annie zu bitten, das Hauptgebäude benutzen zu können, hatte Rachel beschlossen, das Familientreffen ins Haus der Hughes zu verlegen, da sie sich dort wohler fühlte.

Alle hatten sich im gemütlichen Wohnzimmer versammelt: Annie, Sam, Tina und Courtney, die gerade von der Schule zurückgekehrt war. Nach außen war Rachel erstaunlich gelassen, während sie vor dem Kamin stand und ihnen vom Besuch der Laperousses auf dem Weingut erzählte, von der anschließenden Erkenntnis, dass Ginnie in Wahrheit Alyssa Dassante war, und schließlich vom Mord an Sal und der Verhaftung von Ginnie.

„Mein Gott!" sagte Annie fassungslos. „Hat es nicht gereicht, dass sie einen Dassante getötet hat? Musste es noch einer sein?"

„Sie hat Sal nicht umgebracht", herrschte Rachel sie an. „Und Mario auch nicht. Wenn du also weder objektiv bleiben noch hinter Ginnie stehen kannst, dann halt verdammt noch mal die Klappe."

„Augenblick mal, du kannst . . ."

„Nichts da, Annie." Rachel zeigte mit dem Finger auf ihre Schwester. „Ich habe dich in dieses Gespräch einbezogen, weil du zur Familie gehörst, und das Mindeste, was ich von dir erwarte, ist, dass du mir im Gegenzug deine bissigen und unbegründeten Kommentare ersparst."

Die Retourkutsche hatte gesessen. Mit hochrotem Gesicht verschränkte Annie die Arme vor der Brust und ließ sich wie ein schmollendes Kind in den Sessel zurücksinken.

„Was können wir machen?" fragte Sam.

„Sag es bitte den Angestellten. Ich würde es ja selbst tun", fügte sie mit einem leichten Seufzer an, „aber ehrlich gesagt, fühle ich mich im Moment nicht dazu in der Lage."

Sam nickte. „Wird erledigt."

Courtney kam zu ihr, Tränen standen ihr in den Augen. „Oh, Tante Rachel, es tut mir so Leid. Ich wusste ja, wie sehr du deine Mutter finden wolltest. Und jetzt das . . ."

„Das wird schon wieder", erwiderte Rachel und wünschte, sie könnte ihre eigenen Worte glauben. „Der Fall wird nicht mal zur Verhandlung kommen. Daran muss ich glauben."

„Wer ist ihr Anwalt?" fragte Tina.

„Jake Lindquist. Er ist ein Freund von Ambrose."

„Ist er gut?"

Sie wischte eine Träne fort, die ihr gekommen war, obwohl sie mit eisernem Willen versuchte, ihre Emotionen unter Kontrolle zu halten. „Ich hoffe es. Ambrose ist jedenfalls der Ansicht."

„Wenn er so gut ist, warum sitzt deine Mutter dann immer noch hinter Gittern?" Annie hatte die Frage gestellt, sie konnte nie für längere Zeit den Mund halten.

Rachel sah ihre Schwester lange nachdenklich an. „Ich weiß es nicht, Annie. Ich weiß es einfach nicht."

Nachdem er Rachel auf dem Weingut abgesetzt hatte, war Gregory direkt nach Pacific Heights gefahren. Als er in die Presidio Avenue einbog, erinnerte er sich daran, dass er seit seinem letzten großen Streit mit Milton vor sechs Monaten keinen Fuß mehr in das Haus gesetzt hatte.

Er konnte sich nicht mehr daran erinnern, was den Streit ausgelöst hatte, vermutlich waren es irgendwelche abfälligen Bemerkungen von Milton gewesen. Innerhalb von wenigen Augenblicken war der Streit zu einer Beschimpfung eskaliert, und Gregory war aus dem Haus gestürmt, wobei er sich schwor, nie wieder dorthin zurückzukehren.

Herzukommen war eine dumme Idee, sagte sich Gregory unterwegs immer wieder. Reine Zeitverschwendung. Milton würde sich niemals dazu bereit erklären, Ginnie zu vertreten. Warum sollte er? Wann hatte er seinem Sohn zum letzten Mal einen Gefallen erwiesen? In der vergangenen Stunde waren ihm unzählige Gründe eingefallen, warum er nicht hätte herkommen sollen, aber nur ein einziger, der dafür sprach: Rachel.

Obwohl sie sich im Gericht tapfer geschlagen hatte, stand ihr die Verzweiflung im Gesicht geschrieben, als man ihre Mutter abführte. Der niedergeschlagene Eindruck bei einem so willensstarken Menschen hatte etwas in ihm auf eine Weise getroffen, die er nicht erwartet hatte.

Wie hätte er dabeistehen und nichts unternehmen können, wenn er wusste, dass er es konnte?

Doch dafür musste er nach Hause zurückkehren und das machen, was er sich geschworen hatte, dass er es niemals machen würde – seinen Vater um Hilfe bitten. Er stand vor der Tür des beeindruckenden Kolonialgebäudes, in dem er aufgewachsen war, und wartete darauf, dass Miltons ruhiger und tüchtiger Haushälter Niles die Tür öffnete. Als das geschah, konnte er auf dem sonst so teilnahmslosen Gesicht des Engländers plötzliche Freude ablesen.

„Mr. Shaw, welch angenehme Überraschung."

„Guten Tag, Niles. Ist mein Vater da?"

„Ja, Sir. Er ist im Billardraum. Ich werde . . ."

„Nicht nötig", winkte Gregory ab. „Sie müssen mich nicht anmelden." Vermutlich musste er es doch, aber Gregory scherte sich nicht darum.

Der Billardraum, in dem sich sein Vater nach einem anstrengenden Fall ausruhte, hatte sich nicht verändert. Er wurde noch immer von einem großen antiken Billardtisch dominiert, über dem ein Tiffanyleuchter hing. Hinter dem Billardtisch stand der Kartentisch, an dem Milton und seine Freunde früher bei ihren Pokerpartien zusammengesessen hatten. Gregory hatte keine Ahnung, ob sie das immer noch machten.

Milton Shaw stand am Billardtisch, den Queue in der Hand, während er die Positionen der verbliebenen sieben Kugeln studierte. Er trug eine braune Hose, ein weißes Hemd und eine braune Strickjacke, die er nicht zugeknöpft hatte.

Er war ein würdevoller Mann mit grauem Haar, intensiven blauen Augen wie sein Sohn, und einer Ehrfurcht einflößenden Aura. Während Gregory ihn ansah, wie er seinen nächsten Zug plante, fühlte er sich in eine andere Zeit versetzt. Als kleiner Junge war er oft hergekommen, um alleine Billard zu spielen oder seinem Vater in Aktion zuzusehen, während er sich wünschte, der Mann würde sich zu ihm umdrehen, ihn sehen und zu sich winken.

Komm her, Sohn. Lass uns eine Runde spielen.

Aber diese Worte hatte er nie gesprochen. Sein Vater hatte ihn in diesem Zimmer nie wirklich zur Kenntnis genommen.

Gregory beobachtete ihn weiter. Milton hatte sich über den Tisch gebeugt, die Finger seiner linken Hand auf den grünen Filz gelegt. Der Queue lag locker zwischen Daumen und Zeigefinger. Während er seinen Stoß ausrichtete, zog er den Queue langsam zurück und stieß dann die weiße Kugel an, um dann gekonnt die Sechs in der hinteren Ecke zu versenken. Ohne Unterbrechung ging er um den Tisch und nahm wieder Position ein, diesmal visierte er die Zehn an. Auch sie versenkte er.

Gregory lächelte. Sein alter Herr beherrschte das Spiel noch immer.

Milton rieb mit einem kurzen Stück blauer Kreide über die Spitze des Queue, als er plötzlich aufsah. Gregory wartete darauf, dass sich der Gesichtsausdruck seines Vaters veränderte, dass er Überraschung oder Verärgerung zeigte, nur nicht diesen gleichbleibenden, neutralen Blick.

„Hallo, Dad." Dieses Wort, das er so selten gesagt hatte, blieb ihm fast im Hals stecken.

„Gregory." Er klang kühl, distanziert. Er hätte ebenso gut einem Fremden gegenüberstehen können. Nein, das stimmt nicht, dachte Gregory. Einem Fremden hätte er mehr Wärme entgegengebracht.

Als wäre Gregory gar nicht da, richtete Milton seinen Blick wieder auf den Billardtisch, um seinen nächsten Stoß zu wählen.

Gregory räusperte sich. „Hast du eine Minute Zeit?"

„Sicher." Milton zielte auf die Fünf und sah ihr nach, wie sie Sekunden später in der linken Ecke verschwand.

Jetzt oder nie, dachte er. Er nahm sich den Rat seiner Tante Willie zu Herzen – „wenn du Zweifel hast, dann spring kopfüber ins Wasser" – und machte genau das. „Ich brauche deine Hilfe."

Er glaubte zu sehen – oder bildete er sich das nur ein? –, dass die völlige Konzentration für einen Sekundenbruchteil gestört war. Dann war dieser Augenblick aber auch schon wieder vorüber. Milton schickte eine weitere Kugel quer über den Filz geradewegs auf die Seitentasche zu.

Gregory nahm sein Schweigen als Aufforderung zum Reden und erzählte ihm von Ginnies Verhaftung – von der Milton wahrscheinlich längst wusste –, von den Umständen, die sie einunddreißig Jahre zuvor nach Frankreich verschlagen und jetzt wieder in die Staaten zurückgebracht hatten. Er erzählte ihm von Rachel, davon, wie sehr sie ihre Mutter liebte und wie schuldig er sich fühlte, weil er sich in ihr Leben eingemischt hatte.

„Schuld ist ein nutzloses Gefühl", erwiderte Milton und versenkte die nächste Kugel.

Das musst du ja am besten wissen. Gregory wollte sich nicht auf eine Diskussion über den Sinn oder Unsinn von Schuld einlassen. Er ignorierte Miltons Bemerkung einfach. „Ginnies Ehemann hat einen Anwalt aus der Region, einen Mann namens Jake Lindquist, engagiert." Er atmete tief durch. „Ich glaube nicht, dass er Ginnie da rausholen kann."

Die beiden Männer sahen sich an, und Gregory kämpfte dagegen an zu blinzeln. Blinzeln und vor diesem gewaltigen Mann zurückzuweichen, waren die beiden Schwächen, die er am meisten hasste. Aber diese Tage waren Vergangenheit. Ob es seinem Vater gefiel oder nicht, er würde sich damit abfinden müssen.

„Und?" Milton beugte sich wieder über den Tisch.

„Ich möchte dich bitten, ihre Verteidigung zu übernehmen."

Diesmal traf der Ball die Ecke der Tasche und rollte zurück in die Tischmitte. Milton richtete sich langsam auf und sah Gregory wieder durchdringend an. „Nenn mir einen guten Grund."

Hätte sich Gregory nicht auf diese Reaktion vorbereitet, dann wäre die Bemerkung und die Art, wie sie ausgesprochen wurde, Grund genug gewesen, um ihn die Flucht ergreifen zu lassen. „Es ist ein hochkarätiger Fall", sagte er ruhig, „der bereits durch alle Medien gegangen ist, nicht nur lokal, sondern landesweit. Und ab morgen wird die Story wohl auch in jeder europäischen Zeitung zu finden sein."

„Glaubst du, dass ich es deswegen mache?" fragte Milton kühl. „Für den Ruhm?"

„Ja, das glaube ich." Gregory hielt seinem Blick stand. „Für den Ruhm und das Geld. Jedenfalls wurde mir das als Kind eingehämmert." Er wartete einen Moment lang. „Heute hatte ich allerdings gehofft, du würdest es machen, weil ich dich darum bitte."

„Mein Terminplan ist im Augenblick voll." Milton betrachtete wieder den Tisch und die beiden letzten Kugeln.

„So voll auch nicht. Ich habs überprüft." Das stimmte, denn er hatte die sehr stoische und ebenso reizende Sekretärin seines Vaters angerufen.

Wieder verfehlte die Kugel ihr Ziel, und diesmal fluchte Milton leise. Er war noch nie ein guter Verlierer gewesen, weder beim Spiel noch vor Gericht.

„Sie war es nicht, Dad." Während Milton unbekümmert nach der Kreide griff, nahm Gregory ihm den Queue aus der Hand und ignorierte den verwunderten und wütenden Blick. „Jemand anderes hat Sal umgebracht und es ihr angehängt. Vielleicht ist der Mörder derselbe, der auch Mario tötete. Vielleicht auch nicht. Ich weiß nur, dass Ginnie in beiden Fällen unschuldig ist. Und wenn sie nicht Lindquist feuert und sich einen hochkarätigen Anwalt nimmt, wandert sie ins Gefängnis."

„Mir fallen auf Anhieb ein halbes Dutzend Anwälte ein, auf die diese Beschreibung zutrifft."

„Keiner von denen ist so gut wie du."

Milton verzog keine Miene, als er das Kompliment hörte. „Liebst du Rachel Spaulding?"

Die Frage erwischte Gregory völlig unerwartet. Soweit er sich erinnern konnte, hatten er und Milton nie über Frauen gesprochen. Eines Tages hatte er Lindsay seinem Vater vorgestellt, ihm gesagt, dass sie heiraten würden, und das war es auch schon gewesen. Sechs Jahre später, als er erklärte, er werde sich von Lindsay scheiden lassen, weil die Ehe nicht funktionierte, hatte Milton in seiner direkten Art erwidert: „Hatte ich auch nicht erwartet."

Gregory brauchte einige Augenblicke, ehe er etwas sagen konnte. Das hatte weniger damit zu tun, dass Milton ihn unvorbereitet erwischt hatte. Vielmehr hatte er sich seine wahren Gefühle für Rachel noch nicht eingestanden, geschweige denn laut ausgesprochen. Wie seltsam, dass er ausgerechnet jetzt in Gegenwart eines Mannes darüber sprechen sollte, der so wenig über Liebe wusste.

„Ja", sagte er schließlich. „Ich liebe Rachel."

„Das habe ich mir gedacht."

Sofort ging Gregory in die Defensive. „Was zum Teufel soll denn das schon wieder heißen?"

„Das heißt, dass du impulsiv handelst. Du lässt dich von einer Frau zu etwas verleiten, was du eigentlich nicht machen willst. Lindsay hat dich damals manipuliert, und jetzt geschieht es schon wieder."

Obwohl er sich geschworen hatte, ruhig zu bleiben, platzte Gregory der Kragen: „Schwachsinn! Rachel ist völlig anders als Lindsay. Und niemand manipuliert mich."

„Nicht?" Miltons Tonfall wurde sarkastisch. „Hältst du mich für dumm? Denkst du, ich weiß nicht, dass du dir eigentlich lieber die Zunge abbeißen würdest, als hier zu stehen und mich um einen Gefallen zu bitten?"

„Welchen Unterschied macht es, was ich lieber machen würde? Ich bin jetzt hier, oder nicht? Und ich bitte dich um deine Hilfe. Das Leben einer Frau steht auf dem Spiel. Einer unschuldigen Frau. Wenn du einen Widerling wie Freddy Bloom verteidigen kannst, dann dachte ich, dass du erst recht Ginnie Laperousse verteidigen könntest." Er schüttelte den Kopf. „Ich dachte, du hättest dich verändert, Dad. Ich habe wirklich geglaubt, dass du deine Verbitterung für einen Augenblick zurückstellen und mir in dieser Sache helfen könntest." Angewidert warf er den Queue auf den Tisch. „War wohl ein Irrtum."

Er verließ den Billardraum und stieß fast mit Niles zusammen, der den Streit wahrscheinlich gehört hatte. „Machen Sie sich nicht die Mühe, mich zur Tür zu bringen", sagte er zu dem verdutzten Haushälter. „Sie könnten gar nicht so schnell laufen, wie Sie mich rauswerfen müssten."

Seine Hand hatte schon den Türgriff seines Jaguar umschlossen, als er seinen Vater rufen hörte.

„Gregory!"

Gregory wandte sich um und erwartete eine letzte Bemerkung.

„Komm zurück." Milton winkte ihn wieder ins Haus. „Lass uns noch ein wenig reden."

34. KAPITEL

Sie saßen in Miltons Arbeitszimmer, Gregory in einem weichen Ledersessel, sein Vater hinter dem Schreibtisch, wo er Notizen machte und von Zeit zu Zeit aufsah, um ihn etwas zu fragen. Es war ein sonderbares Gefühl, zusammenzusitzen und sich zivilisiert zu verhalten, während sie einen Kriminalfall diskutierten, nicht ihre persönlichen Probleme.

Gregory machte sich keine Illusionen darüber, dass der Entschluss seines Vaters, Ginnie zu vertreten, irgendein Hinweis darauf war, dass sich seine Einstellung gegenüber seinem Sohn geändert hatte. Das hier war Business, die Art von Business, bei der Milton Shaw aufblühte, und aus dem Grund hatte er sich zu einem vorübergehenden Waffenstillstand bereit erklärt.

„Zuerst einmal müssen wir herausfinden", sagte Milton, während er etwas auf einem gelben Block notierte, „welcher Fall zuerst verhandelt wird."

„Wird nicht üblicherweise der Fall zuerst verhandelt, der auch als Erster für ein Verfahren bereit ist?"

Milton blickte auf. „Wie ich sehe, hast du doch das eine oder andere von deinem alten Herrn gelernt." Bevor Gregory sich entscheiden konnte, ob es sich um ein Kompliment oder um eine Beleidigung handelte, klopfte Milton bereits mit der Spitze seines Bleistifts auf den Block. „Weißt du, ob es einen nicht zugestellten Haftbefehl gegen Ginnie wegen des Mordes an Mario gibt?"

Gregory versetzte sich im Geiste einen Tritt in den Hintern, weil er daran nicht gedacht hatte. „Ich weiß es nicht", gab er zu. „Es sollte aber doch einen geben, oder?"

„Bei alten Fällen haben Haftbefehle schon mal die Angewohnheit, verloren zu gehen."

„Kann ein Richter nicht einfach einen neuen Haftbefehl ausstellen?"

„Sicher, aber das braucht seine Zeit. Die Polizei müsste den Fall praktisch komplett neu aufrollen und Zeugen befragen, von denen einige inzwischen fortgezogen oder gestorben sind. Und dann sind da die Beweise. Die Vorschriften sind sehr streng, was die lückenlose Beweiskette angeht. Um die Beweise vor jeglicher Manipulation zu bewahren, müssen sie in der Asservatenkammer untergebracht werden. Wenn auch nur ein Stück dabei in irgendeiner Weise manipuliert wird, hat der Fall vor Gericht keine Chance mehr."

„Also wird man Ginnie zuerst für den Mord an Sal anklagen."

„Ich denke schon. Es ist da einfacher, die Zeugen zu laden und Beweise zu sammeln, als bei einem alten Fall."

„Und was ist mit der Kaution? Denkst du, dass du sie rausholen kannst? Oder ist es schon zu spät, um an der Entscheidung noch was zu ändern?"

Milton lächelte schwach, aber zuversichtlich. „Es ist nie zu spät. Ich muss nur den Bezirksstaatsanwalt davon überzeugen, dass die Anklage auf Totschlag reduziert wird."

„Kannst du das?"

Milton sah ihn über den Rand seiner Brillengläser an. „Natürlich kann ich das."

Gregory lächelte. „Ich schätze, man nennt dich nicht umsonst den wortgewandten Fuchs."

„Woher weißt du, wie man mich nennt?"

Gregory zuckte mit den Schultern. „Ich verfolge ab und zu deine Fälle."

Milton lehnte sich in seinem Sessel zurück, verzog aber weiterhin keine Miene. „Tatsächlich?"

„Ich war letzte Woche im Gericht, um mir dein Schlussplädoyer im Schlitzer-Fall anzuhören."

Noch immer keine Reaktion. „Und wie denkst du darüber?"

Gregory zögerte. Hätte er ihm gesagt, was er wirklich dachte, dann wäre der kleine Fortschritt zunichte gemacht worden, den er bislang erreicht hatte. „Es war ein brillantes Plädoyer", sagte er wahrheitsgetreu. „Eine Geschworene kämpfte sogar gegen Tränen an."

Milton nickte. „Geschworene Nummer sechs. Ihretwegen dauerte die Beratung sechsundsiebzig Stunden, aber am Ende reichte ihr Mitgefühl nicht aus, um Freddy zu retten."

„Hätte er gerettet werden sollen?" Die Frage war ihm entglitten, bevor er es merkte. Er verfluchte sich im Geist. Er und seine große Klappe.

Wie erwartet reagierte Milton scharf: „Stellst du noch immer in Frage, dass jeder Mensch, auch ein Krimineller, verteidigt werden sollte? Dass er ein gerechtes Verfahren bekommen sollte?"

Da ist sie wieder, dachte Gregory, die „Herausforderung", wie er sie früher genannt hatte. Jetzt musste er nur auf die Herausforderung anspringen, und aus der zivilisierten Unterhaltung würde ein ausgewachsener Streit werden, ein verletzendes Wort würde das andere geben.

Und diese Herausforderung war nicht so einfach zu ignorieren. Von dem Augenblick an, als Gregory darüber nachgedacht hatte, Rechtsanwalt zu werden, hatte er keinen Hehl daraus gemacht, dass brutale Kriminelle aller Rechte enthoben werden sollten, weil sie ihren Opfern auch sämtliche Rechte genommen hatten. Als Verteidiger hatte sich Milton nachdrücklich gegen diese Haltung ausgesprochen.

Gregory konzentrierte sich völlig auf Rachel und bemühte jedes Quäntchen Diplomatie, das in ihm steckte. „Nicht, wenn der Gerechtigkeit damit gedient wird. Im Fall von Freddy glaube ich, dass das der Fall war."

Miltons Augen verengten sich, und es schien so, als wäre da die Andeutung eines Lächelns in diesen blauen Augen. Aber es war nur eine kurzlebige Illusion.

Milton legte seine Hände flach auf den Tisch. „Ich sage dir was. Ruf Rachel an und sag ihr, dass ich den Fall übernehme. Danach rede ich mit Mr. und Mrs. Laperousse." Er reichte Gregory sein schnurloses Telefon.

Sonn- und Feiertage im Napa Valley waren ein Chaos, dem sich die Anwohner nicht entziehen konnten. Besucher aus San Francisco und anderen Gebieten in der Umgebung kamen in Scharen ins Tal, stürmten die Geschäfte und Weingüter, machten am Straßenrand Picknick und sorgten auf der Route 29 für gewaltige Staus. Valley Week – die „Woche des Tals" –, die am Wochenende zuvor begonnen hatte und bis zum nächsten durchgehen würde, stellte keine Ausnahme dar.

Von der Terrasse an Rachels Bungalow, in den sie sich zurückgezogen hatten, um ein paar ruhige Stunden zu verbringen, sah Gregory auf das endlose Band aus Autos, das sich in Richtung Süden vorkämpfte. Auf dem Tisch standen die Reste eines Mittagessens, das er und Rachel für Hubert und Ginnie zubereitet hatten, um die Tatsache zu feiern, dass sie wie von Milton versprochen an diesem Morgen auf Kaution aus dem Gefängnis entlassen worden war.

„Hier."

Gregory wandte seinen Blick von dem stockenden Verkehr auf der Straße weit unter ihnen ab und sah zu Rachel, die ihm ein in blaue Folie verpacktes Paket auf den Tisch gestellt hatte. „Was ist das?"

Sie stellte die Teller zusammen. „Ein kleines Zeichen meiner Dankbarkeit. Ich glaube, ich habe dir für alles, was du bislang getan hast, noch nicht genügend gedankt."

„Du musst dich nicht bedanken."

„Nein, aber ich will es. Es kann nicht einfach für dich gewesen sein, dich an deinen Vater zu wenden. Das werde ich dir nie vergessen."

Gregory spielte mit dem gekräuselten Band, zog aber nicht daran. „So wild war es nicht. Das Ganze war sogar seltsam schmerzfrei."

Sie klopfte ihm leicht auf die Schulter. „Ich nehme das Geschenk nicht zurück, also hör auf, so starrsinnig zu sein, und mach das verdammte Paket auf."

Grinsend zog er das Band auf und riss die Verpackung

ab, zum Vorschein kam eine weiße Schachtel. Er hob den Deckel an und begann zu lachen. Im Paket befand sich ein Radarwarngerät. „Willst du mir damit irgendetwas sagen?"

„Nun, du hast neulich einen Strafzettel bekommen, weil du zu schnell gefahren bist. Und da du in letzter Zeit sehr viel meinetwegen unterwegs bist, wäre es mir lieber, wenn du mit diesem Ding da unterwegs bist. Es ist sehr nützlich."

Er sah auf. „Ach, ja? Und woher weißt du das?"

Sie grinste und sah zu ihrem Cherokee, den sie gerade erst aus der Werkstatt abgeholt hatte. „Ich habe auch eines."

„Verstehe." Er legte das Warngerät zurück in die Schachtel. „Danke, Rachel, das ist sehr nett von dir."

Das Aufheulen eines Motors ließ sie beide aufblicken. Eine Augenbraue hochgezogen, sah Gregory ein leuchtend rotes Corvette-Cabrio die Straße heraufkommen, das zwischen Rachels Jeep und Gregorys Jaguar zum Stehen kam.

Preston Farley stieg aus dem Wagen aus, jedes einzelne seiner blonden Haare war da, wo er es hatte haben wollen. In seinem blassen Leinenjackett und der makellos geschnittenen Hose sah er cool und geschniegelt aus, und es schien ihm nichts auszumachen, dass Rachel nicht allein war.

Als sei er noch immer ein gern gesehener Gast, lief er die Treppe hinauf und nahm zwei Stufen auf einmal. „Dein Assistent hat mir gesagt, dass du dir den Nachmittag frei genommen hast." Er beugte sich vor, um Rachel auf die Wange zu küssen, und sah enttäuscht aus, als sie ihren Kopf wegdrehte, um jeden Kontakt zu vermeiden.

„Was willst du denn hier?" fragte sie.

Ohne sich an ihrem schneidenden Tonfall zu stören, setzte sich Preston. „Ich muss mit dir reden." Er sah zu Gregory, dann wieder zu Rachel. „Unter vier Augen."

„Du hattest vor drei Wochen die Gelegenheit, mit mir zu reden." Sie klang kühl und distanziert. „Du hattest keine Zeit, erinnerst du dich?"

„Es geht nicht um uns."

Sie musste spöttisch lachen. „Dann gibt es absolut nichts, worüber wir reden müssten, Preston."

„Es geht um deine Mutter."

Gregory nahm ein wenig verärgert zur Kenntnis, dass sich

Rachel versteifte. Der Dreckskerl hatte es geschafft, ihre volle Aufmerksamkeit zu bekommen. „Was ist mit meiner Mutter?" fragte sie.

Preston sah wieder Gregory an, diesmal mit dem kühlen, allumfassenden Blick eines Mannes, der einen anderen Mann betrachtete, in dem er ein niederes menschliches Wesen sah.

Gregory kannte den Grund dafür. Als Preston einige Jahre zuvor noch stellvertretender Bezirksstaatsanwalt gewesen war, hatten er und Milton sich vor Gericht oft gegenübergestanden. Und dabei war der ältere Anwalt öfter der Sieger gewesen, als Preston hatte mitzählen können. Aus irgendeinem Grund, den Gregory nie verstanden hatte, erstreckte sich Preston Farleys Hetzkampagne gegen Milton Shaw auch auf seinen Sohn.

„Unter vier Augen", wiederholte Preston.

„Gregory und ich haben keine Geheimnisse voreinander." Sie stand noch immer neben seinem Stuhl und legte Gregory eine Hand auf die Schulter. „Was du zu sagen hast, kannst du auch in seiner Gegenwart sagen." Sie lächelte süßlich. „Du kennst doch Gregory Shaw, oder?"

„Wir sind uns schon mal begegnet."

Gregory ahnte bereits, welchem Zweck der unerwartete Besuch dienen sollte. Er lehnte sich in seinem Sessel zurück und streckte seine langen Beine aus, um sie dann übereinander zu schlagen. Er würde das genießen.

„Also gut." Preston räusperte sich. „Ich komme direkt auf den Punkt. Ich möchte deine Mutter vertreten."

Rachels Mundwinkel zuckten, was Gregory als Zeichen dafür wertete, dass sie Prestons Absichten ebenfalls vorzeitig erraten hatte. „Tatsächlich?" fragte sie und täuschte eine gewisse Überraschung vor.

„Ja, und bevor du mein Angebot ablehnst, hör dir erst an, was ich zu sagen habe."

„Ach, Preston, ich glaube, du kommst zu spät." Rachel leistete hervorragende Arbeit, um richtig mitleidsvoll zu klingen. „Weißt du, meine Mutter hat bereits einen Anwalt. Ich glaube, du kennst ihn sogar . . ."

„Ja, Jake Lindquist. Den kenne ich", schnaubte Preston

verächtlich. „Er ist ein Dorfanwalt, Rachel, und nicht mal darin ist er gut. Deine Mutter braucht einen Strategen, einen Mann mit Erfahrung, der aggressiv vorgehen kann und der sich nicht so schnell einschüchtern lässt."

Gregory musste grinsen. Farley hatte schon immer eine so aufgeblasene Meinung von sich selbst gehabt. „Und wer sollte dieser Mann sein?" fragte er.

Diesmal war Prestons Blick so eisig, dass sogar die Hölle hätte gefrieren können. „Halten Sie sich da raus, Shaw", herrschte er ihn an. „Das geht Sie nichts an."

„*Au contraire, mon ami.*" Gregory legte Rachel einen Arm um die Hüfte und lächelte sie absichtlich innig an. „Was Rachel angeht, geht auch mich etwas an. Sie müssen wissen, ich bin in dem Fall der Ermittler. Wenn Rachel also tatsächlich damit einverstanden sein sollte, dass Sie ihre Mutter vertreten, kann ich mir nicht vorstellen, dass Sie mit mir zusammenarbeiten wollen."

Preston wandte sich an Rachel. „Stimmt das?"

„Dass Gregory der Ermittler ist? Ja, das stimmt."

„Hast du ihn gefragt, wann er zum letzten Mal in einem Mordfall ermittelt hat?"

„Das interessiert mich nicht, Preston. Für mich zählt nur, dass er meine Mutter gefunden hat."

Preston verzog den Mund zu einem affektierten Lächeln. „Er hat sie nicht gefunden, sie ist von sich aus in die Staaten gekommen."

Farley hat sich überhaupt nicht verändert, dachte Gregory. Er liebte es auszuteilen, war aber zu Tode beleidigt, wenn er das Ziel einer ähnlichen Attacke war. „Weiß Ihre Mutter, dass Sie hier sind?" fragte er sarkastisch.

„Halten Sie Ihre Fresse, Shaw", presste er zwischen zusammengebissenen Zähnen hervor. Als hätte er erkannt, dass seine Wut ihn nicht weiterbringen würde, konzentrierte er sich wieder auf Rachel und spielte den Charmeur. „Ich weiß, dass du wütend auf mich bist. Aber um ehrlich zu sein, ich bin auf die Art, wie ich unsere Trennung gehandhabt habe, selbst nicht sehr stolz . . ."

„Ach, du machst dir da was vor, Preston", sagte Rachel kühl. „Ich bin nicht wütend, auch nicht verärgert. Ich bin gar nichts." Sie zuckte mit den Schultern. „Es interessiert mich überhaupt nicht."

Preston starrte sie schockiert an, als hätte er sich nicht vorstellen können, dass sie über ihn hinwegkommen würde. „Ähm ... ja ... also gut. Was ich sagen wollte ... Egal, was zwischen uns geschehen ist, du bedeutest mir nach wie vor noch etwas. Als ich gehört habe, dass deine Mutter in Schwierigkeiten ist ..."

„ ... wollten Sie zu Hilfe eilen", fiel Gregory ihm ins Wort. „Wie edel von Ihnen. Und Ihr Entgegenkommen hat ganz bestimmt nichts damit zu tun, dass Virginia Laperousse die Frau eines berühmten Konzertpianisten ist, nicht wahr? Und damit, dass ihre Verteidigung Ihrer im Sinkflug befindlichen Karriere einen gewaltigen Aufschwung geben würde?"

„Sie wissen doch gar nichts über mich", gab Preston zurück. „Meine Karriere befindet sich ganz sicher nicht im Sinkflug, also halten Sie sich mit vorschnellen Äußerungen gefälligst zurück."

Gregory lachte. „Vorschnell? Finde ich nicht, Farley. Ich kann Anwälte von Ihrem Schlag meilenweit gegen den Wind riechen."

„Sie verdammter ..."

Wutentbrannt sprang Preston auf, während Gregory sich gemächlich erhob und erfreut feststellte, dass er einen halben Kopf größer war als der Schönling. „Fangen Sie nichts an, was Sie nicht zu Ende führen können, Farley", warnte er ihn.

Der Anwalt sah ihn von oben bis unten an, als würde er tatsächlich überlegen, ob er es mit ihm aufnehmen sollte. Dann wechselte er zu einem Blick, der andeuten sollte, dass er sich nicht die Hände schmutzig machen wollte, und wandte sich abermals Rachel zu. Eines musste Gregory ihm lassen, der Kerl wusste, wann er die Richtung wechseln musste. Es reizte ihn zu sehen, wie dieses überhebliche Grinsen verschwand, und er fragte sich, wann es wohl richtig lustig werden würde.

„Lass es mich für dich tun, Rachel, und für deine Mutter. Ich verspreche dir, dass du es nicht bereuen wirst."

„Aber Preston . . .“, zwitscherte sie. „Du hast nicht zugehört. Ich habe doch gesagt, dass meine Mutter bereits einen
Anwalt hat.“ Sie nickte Gregory knapp zu.

Mit den Händen in den Hosentaschen beugte Gregory sich
vor und sagte in bester James-Bond-Manier: „Der Name ist
Shaw. Milton Shaw.“

Der Schock, der Farley ins Gesicht geschrieben stand,
war so verdammt befriedigend, dass Gregory lauthals lachen musste. „Was ist das für ein Gefühl, Farley? Der alte
Herr hat Sie wieder mal ausgetrickst.“

Unfähig, ein einziges Wort zu sagen, stand Preston einfach
nur da und sah ihn an. „Ist das ein Witz?“ fragte er schließlich, als er sich wieder gefangen hatte. Rachel schüttelte
den Kopf.

„Du machst einen großen Fehler“, sagte er und gab seine
süßliche Art auf. „Milton Shaw ist nicht der richtige Anwalt für deine Mutter. Er ist großspurig, arrogant und wird
ihr Selbstbewusstsein vollkommen zerstören.“

„Machs gut, Preston.“

Kopfschüttelnd und mit einem verständnislosen Seufzer
ging er fort.

35. KAPITEL

Nachdem die Corvette außer Sichtweite war, saßen Rachel und Gregory wieder auf der Terrasse und genossen den Rest Kirschkuchen, den Gregory zusammen mit der Schokolade mitgebracht hatte. Beides waren Rachels Lieblingsnaschereien, und sie war gerührt, dass er sich die Mühe gemacht hatte, Tina anzurufen und sie zu fragen, was Rachel mochte.

Bevor der Mann sie zu gefühlsduselig werden ließ, stand sie auf. „Noch etwas Kaffee?"

„Klingt gut. Warte, ich helfe dir hier", erwiderte Gregory und stand auf, um ihr die Kuchenteller aus der Hand zu nehmen und in die Küche zu bringen. „Das war ein exzellentes Mittagessen, Rachel", sagte er. „Danke."

„Gern geschehen." Rachel konzentrierte sich auf die Kaffeemaschine und bemühte sich, das Zittern ihrer Hände zu unterdrücken. Jetzt, da sie allein waren, wurde ihr unmissverständlich deutlich, welche Wirkung Gregory auf sie hatte und wie ihr Körper auf seine Nähe reagierte.

Sie spürte, dass er sie ansah, und blickte über ihre Schulter. Er betrachtete sie mit unverhohlener Bewunderung. Sie hatte diesen Blick schon einmal bemerkt, im Haus seiner Tante Willie, aber dort hatte sie sich sicherer gefühlt, nicht so verletzlich.

Sie lachte kurz und selbstbewusst. „Was ist los? Warum siehst du mich so an?"

Er blickte sie amüsiert an. „Du bist einfach schön anzusehen." Er lehnte sich gegen den Türrahmen. „Ich mache dich doch nicht nervös, oder?"

„Natürlich nicht." Sie hoffte, dass er die leichte Rötung ihrer Wangen nicht bemerkte.

Er kam zu ihr und stellte sich so dicht neben sie, dass sie seine Körperwärme spüren konnte. „Warum bist du dann so angespannt?"

„Ich wusste nicht ... oh."

Er legte seine Hände auf ihre Schultern und begann, sie sanft zu massieren. Mit geschlossenen Augen ließ Rachel langsam ihren Kopf kreisen. „Ich wusste nicht, dass du solche verborgenen Talente besitzt", murmelte sie.

„Es gibt viele Dinge an mir, von denen du nichts weißt."

Als sie nichts sagte, drehte er sie sehr langsam zu sich herum. Der Humor war aus seinen Augen verschwunden und hatte etwas Ernsterem und Eindringlicherem Platz gemacht. Rachel fühlte sich im gleichen Augenblick wie gebannt.

„Ist es dir recht, wenn wir da weitermachen, wo wir gestern Nachmittag aufgehört haben?" fragte er.

„Ich ..." Als er sie an sich zog, leistete sie keinen Widerstand. Wie sollte sie das auch, wenn ein Teil von ihr sich so danach verzehrte, von ihm geküsst zu werden?

Als sich ihre Lippen berührten, schoss pures Verlangen durch ihre Adern. Zur gleichen Zeit nahm sie ganz entfernt die warnenden Stimmen wahr, die sie bereits tags zuvor gehört hatte, Überbleibsel aus einer anderen Zeit, als sie genauso verwundbar gewesen war. Diesmal ignorierte sie die Warnungen und gab sich dem Kuss hin.

„Ja, Rachel", flüsterte er, während er sie fester an sich zog. „Das ist es, Rachel. Kämpf nicht dagegen an, lass es geschehen."

Seine Hände umschlossen ihr Gesicht, während er ihr in die Augen sah. Dieser Blick, diese Geste, dieser Augenblick vollkommener Zärtlichkeit waren es, die sie schließlich hatten kapitulieren lassen. Denn Zärtlichkeit hatte sie bei Preston nicht gefunden. Während ihre Bedenken dahinschmolzen, legte sie die Arme um seinen Nacken. „Wer kämpft hier?"

Gregory hob sie in einer raschen, gleitenden Bewegung in seine Arme, wobei sich ihre Lippen nicht lösten, und trug sie ins Schlafzimmer, das er ohne Schwierigkeiten fand.

Er legte sie mit so sanften Bewegungen auf das Bett, als habe er es mit einer Porzellanpuppe zu tun. Alle Hemmungen waren verschwunden, als sie ihm sein Polohemd über den Kopf zog und ihre Hände auf seine breite Brust legte. Ihre Finger wanderten langsam zu seinem Herzen, das die letzten Tage so heftig für sie geschlagen hatte – und immer noch schlug.

Geschickte Hände machten sich am Reißverschluss ihrer Jeans zu schaffen und schoben den rauen Stoff über ihre Hüften. Während er sie auszog, bewegte er sich so wunderbar langsam, als hätte er alle Zeit der Welt dafür. Was seine eigene Kleidung anging, war er wesentlich schneller, da er sie sich vom Leib riss und hinter sich warf.

Er setzte sich neben sie und betrachtete ihren nackten Körper mit einer Mischung aus Erstaunen und Verlangen. „Du bist noch viel schöner, als ich es mir vorgestellt habe", murmelte er.

„Ich wusste nicht, dass du so von mir gedacht hast."

Er beugte sich hinunter, küsste ihre Brust und nahm ihre fester werdende Brustwarze zwischen die Lippen. „Lügnerin. Du hast die ganze Zeit über gewusst, was ich für dich empfinde." Er widmete sich der anderen Brust und unterzog sie der gleichen wunderbaren Folter.

Ein wundervolle Hitze flammte durch ihren Unterleib. Nichts zuvor hatte sich jemals so angefühlt, niemand hatte in ihr eine so unverfälschte Leidenschaft geweckt. Während seine forschenden Finger sich über ihren Körper bewegten und sie vor Lust nach Atem ringen ließen, bezweifelte sie, dass einer von ihnen in der Lage sein würde, diesen Augenblick so sehr in die Länge zu strecken, wie sie hofften.

Sie war entschlossen, das herauszufinden, und schob Gregory sanft von sich. „Leg dich hin", wisperte sie, „und sieh mich an."

Seine Augen schienen zu verraten, dass er ein wenig irritiert war, aber er tat, was sie ihm sagte.

„Und jetzt beweg dich nicht."

Er blieb völlig ruhig liegen, während er ihre Brüste ganz leicht auf seiner Haut spürte. Sein Atem war noch nicht außer Kontrolle, aber er merkte, dass er heftiger zu atmen begann. „Ist das ein Wettkampf?" fragte er.

Sie hielt seinem verlangenden Blick stand. „Gibst du auf?"

Er lachte. „Sollte ich?"

„Ja, wenn du es nicht länger aushältst." Tatsächlich schien er sich zu ergeben. Und wenn sie sich wirklich bemüht hätte, dann hätte sie vielleicht noch einige Augenblicke länger in dieser Position verharren können, doch als er sie überraschend wieder auf den Rücken drehte und ihren Körper mit seinem bedeckte, gerieten ihre Sinne völlig außer Kontrolle.

„Du hast geschwindelt", sagte sie.

„Das ist eine Sache, die du auch noch nicht weißt."

„Dass du ein Schwindler bist?"

„Nein, dass mich dein Körper verrückt macht."

Die Eindringlichkeit seiner Stimme ließ Rachel erschauern. Sie konnte sich nicht länger zurückhalten und krümmte sich unter ihm. „Ich will dich, Gregory", flüsterte sie. „Ich will dich jetzt."

Während er in sie eindrang, stöhnte sie vor Wollust laut auf und begann sich zu bewegen, zunächst langsam, dann immer schneller und schneller, während sie erstaunt bemerkte, dass ihre Körper sich so vollkommen verschmelzen und so völlig synchron bewegen konnten.

Der Höhepunkt durchfuhr sie mit solcher Gewalt, dass sie glaubte, sie müsse das Bewusstsein verlieren. Doch sogar in diesem Moment war er für sie da, hielt ihre Hände, umklammerte ihre Finger mit seinen, flüsterte ihren Namen, während seine eigene Leidenschaft den Höhepunkt erreichte.

Gregory traf Rachel unter der Dusche an, der Wasserdampf hüllte ihren verführerischen Körper in eine erotische Wolke. Sie kicherte, als er zu ihr unter die Dusche kam und die Tür hinter sich zuzog. „Was machst du da?"

„Ich sorge dafür, dass ich meine Pflichten als der perfekte Gast erfülle." Er nahm ihr ein Stück Seife aus der Hand und stellte erleichtert fest, dass es keine von diesen süßlich parfümierten Marken war. „Perfekte Gäste werden nämlich wieder eingeladen."

„Ich verstehe." Sie stöhnte leise auf, als er begann, ihren Rücken einzuseifen, und sich dabei langsam nach unten bewegte. „Ist das dein einziges Motiv? Der perfekte Gast zu sein?"

„Nun . . ." Er ließ seine Hand über ihre glatten, eingeseiften Schenkel hinabgleiten und war im gleichen Moment erregt. „Ich wollte dich auch so sehen, so heiß und feucht." Er drückte sie an sich. „Hast du eine Vorstellung davon, was du in mir auslöst?"

„Ja", sagte sie mit einem tiefen Seufzer. „Das habe ich vorhin gemerkt."

Als er sie umdrehte, um ihren Oberkörper einzuseifen, warf sie den Kopf nach hinten und schloss ihre Augen. „Hmm, daran könnte ich mich gewöhnen."

„Das will ich doch hoffen", sagte er.

Er liebte sie unter der Dusche, während das heiße Wasser über seinen Rücken lief und ihre kleinen lustvollen Schreie seine Sinne berauschten.

„Erica, es interessiert mich nicht, was Sal gewollt hätte", sagte Rachel am Telefon „Er ist zu dieser Kirche gefahren, um meine Mutter zu töten. Glaubst du, ich könnte ihm das verzeihen?"

„Gott hat ihm verziehen."

„Schön, aber ich bin nicht Gott", gab Rachel zurück. „Und ich bin keine Heuchlerin. Ich werde mich nicht an sein Grab stellen und so tun, als trauere ich um ihn, wenn ich ihn in Wahrheit mit jeder Faser meines Körpers hasse. Seinetwegen droht Ginnie jetzt ein Gerichtsverfahren."

Rachel atmete tief durch. Was machte sie da eigentlich? Erica trauerte um ihren Schwiegervater, und sie schrie sie am Telefon an. „Es tut mir Leid, Erica", sagte sie leiser. „Ich weiß, dass du ihn geliebt hast. Und in gewisser Weise bewundere ich dich sogar dafür. Vermutlich hast du in ihm etwas gesehen, das ich nicht entdeckt habe."

„Ich habe dir ja gesagt, dass er nicht vollkommen war."

Rachel musste unwillkürlich auflachen. Das musste die Untertreibung des Jahres sein. „Ich komme nicht zur Beerdigung", sagte sie noch einmal. „Ich hoffe, dass sich das nicht auf unsere Freundschaft auswirkt. Und wenn doch . . ." Sie führte den Satz nicht zu Ende.

Nach einer langen Pause sagte Erica: „Das wird es nicht. Ich fühle mich dir viel zu sehr verbunden, um dich wegen einer Meinungsverschiedenheit zu verlieren."

Rachel lächelte. „Das freut mich. Ich rufe dich in ein paar Tagen an."

„Das wäre schön", erwiderte sie und machte wieder eine Pause. „Rachel?"

„Ja?"

„Ich habe gehört, dass deine Mutter auf Kaution freigelassen wurde. Das freut mich für dich."

„Mich freut es auch. Sie hätte gar nicht erst festgenommen werden dürfen, sie hat Sal nicht umgebracht."

„Das habe ich auch nie geglaubt."

Die Zusammenarbeit mit seinem Vater machte Gregory Spaß. Sie tauschten Ideen aus, sie sprachen über potenzielle Zeugen, sie verglichen ihre Notizen. Manchmal entdeckte er in den Augen seines alten Herrn sogar eine Spur von Respekt, als habe er nicht erwartet, dass Gregory so gründlich recherchieren könnte.

Wie Milton erwartet hatte, war der einunddreißig Jahre alte Haftbefehl irgendwo verloren gegangen, so dass es einige Zeit dauern würde, ehe ein neuer ausgestellt werden konnte. Folglich würde man Ginnie wegen des Mordes an Sal zuerst anklagen. Was danach geschehen würde, hing in hohem Maße vom Ergebnis der Vorverhandlung in der kommenden Woche ab.

Gregory blickte von seinen Notizen auf. „Hast du dich noch mal mit Marios Vermutungen beschäftigt, Nico habe Geld von der Farm veruntreut? Ich weiß, dass wir uns mit dem Mord an Sal befassen, aber was wäre, wenn die beiden

Morde miteinander in Zusammenhang stehen? Was, wenn Sal festgestellt hatte, dass Geld fehlte, und begann, zwei und zwei zusammenzuzählen?"

Milton warf ihm einen nachdenklichen Blick zu. „Dann hätte Nico ein Motiv, um seinen Vater zu töten." Er nickte. „Ich habe daran gedacht, aber leider kann sich Ginnie an dieses Thema kaum erinnern. Ich könnte die Steuerunterlagen anfordern und mit den Firmenbüchern vergleichen, aber das würde viel Zeit in Anspruch nehmen, vor allem, wenn die alten Bücher versteckt oder vernichtet wurden. Nico ist nicht so dumm, wie ich zuerst gedacht hatte. Wenn er der Mörder ist, dann hat er seine Spuren sehr gut verwischt."

„Es muss doch irgendwo einen Beweis geben, Dad. Vielleicht sollte ich . . ."

Milton hob die Hand. „Wenn du denkst, was ich denke, dann sag nichts. Ich will es nicht wissen."

„Woher willst du wissen, was ich gerade gedacht habe?"

Wieder blitzte ein flüchtiges Lächeln in Miltons Augen auf. „Ich kenne dich besser, als du glaubst." Er schob ihm ein Blatt Papier über den Schreibtisch zu.

„Was ist das?" fragte Gregory.

„Eine Kopie von Sals Telefonaten an dem besagten Tag. Die Polizei hatte sie angefordert. Die unterstrichene Nummer ganz oben ist der Anschluss der Laperousses. Sal hat sie am letzten Sonntag um 9:17 Uhr angerufen."

„Hilft uns das weiter?"

Milton zuckte mit den Schultern. „Nicht sehr. Es beweist nur, dass Ginnie die Wahrheit gesagt hat. Sal hat sie angerufen, nicht umgekehrt."

Milton machte sich Notizen, während er sprach. Gregory konnte nicht anders, er musste einfach diese unglaubliche Fähigkeit seines Vaters bewundern, verschiedene Dinge gleichzeitig zu tun, ohne auch nur einmal den Faden zu verlieren.

„Ich möchte, dass du dich noch mal mit dem Priester unterhältst, der das Kennzeichen von Ginnies Wagen notiert hatte", fuhr Milton fort. „Ich weiß, dass er bei der Polizei bereits eine Aussage gemacht hat, er habe nur die Fahrzeuge von Ginnie und von Sal vor der Kirche gesehen. Aber sieh doch mal, ob du seiner Erinnerung nicht ein wenig auf die Sprünge helfen kannst."

Gregory schrieb den Namen Father Genardi auf seinen Block. „Sonst noch etwas?" fragte er. „Soll ich auch noch mal mit Harold Mertz sprechen, vielleicht hat er ja Mario umgebracht."

„Glaubst du immer noch, dass der Detective es auf Alyssa abgesehen hatte?"

„Ich habe nicht den leisesten Zweifel."

„Gregory, sie kann sich nicht mal an ihn erinnern."

„Und? Vielleicht hat Mario ihn erwischt, wie er ihr nachsah, und hat ihm gedroht. Mertz war darüber so sauer, dass er Mario getötet hat. Wäre doch denkbar, oder? Ich meine, wir haben nicht gerade viel, womit wir arbeiten können."

Milton schürzte die Lippen, dann nickte er. „Du hast Recht. Wir sollten der Möglichkeit nachgehen. Aber diesmal nehme ich ihn mir vor, okay? Ein anderer Ansatz könnte Mertz ein wenig aus dem Gleichgewicht bringen. Beschäftige du dich mit dem Geistlichen."

Er lehnte sich in seinem Sessel zurück. „Irgendwelche neuen Hinweise darauf, wer versucht hat, Rachel umzubringen?"

Gregory schüttelte den Kopf. Er war Detective Crowley in der Sache so sehr auf die Nerven gegangen, dass der ihn schließlich regelrecht angefaucht hatte. Aber seine Beharrlichkeit hatte nichts ergeben. Der Fall trat auf der Stelle.

„Der Hauptverdächtige ist weiterhin Joe Brock", sagte Gregory. „Der ehemalige Spaulding-Angestellte, der immer noch untergetaucht sein soll."

Milton sah Gregory einen Moment lang an. „Um Rachel musst du dir aber keine Sorgen machen, oder? Sie wohnt bei ihren Freunden?"

„Zur Zeit ja", sagte er grimmig und dachte daran, wie oft sie gesagt hatte, die Gefahr sei vorüber und sie könne in ihr Haus zurückkehren.

„Kannst du ihr klarmachen, dass es in ihrem Interesse ist, wenn sie weiter bei den Hughes wohnt?"

„Ich habe ein kleines Detail vergessen, als ich dir von Rachel Spaulding erzählt habe", sagte er lachend. „Sie ist so stur wie ein Esel."

„Ah." Milton grinste zu Gregorys Überraschung. „Hübsch und stur, eine tödliche Kombination, wenn es um eine Frau geht."

36. KAPITEL

„Mom, ich muss mit dir reden."

Annie stand vor dem Spiegel und zog einen schmalen Gürtel durch die Schlaufen ihrer Jeans. „Sicher, Baby, was gibt es denn?"

Courtney warf ihr einen raschen, vorwurfsvollen Blick zu. „Gehst du schon wieder aus?"

Annie lachte. „Was meinst du mit ‚schon wieder'? Führst du Buch, was deine alte Mutter macht?"

„Nein, ich weiß auch so, dass du diese Woche jeden Abend fortgegangen bist."

Annie schloss die Gürtelschnalle um und seufzte leise. Was sollte sie sagen? Courtney hatte Recht. Seit der Konfrontation mit Ryan hatte er darum gebeten, sie jeden Abend zu sehen, auch wenn sie versucht hatte, sich davor zu drücken, indem sie Kopfschmerzen vorschob.

Der heutige Tag bei Spaulding war besonders hektisch gewesen, da ihre Arbeit immer wieder von Anrufen aus allen Teilen des Landes unterbrochen wurde, die auf die Einladung zum Herbstball reagierten. Sie hätte alles dafür gegeben, den Abend zusammen mit ihrer Tochter und einer Schale von Mings wunderbarer Wonton-Suppe zu verbringen.

Aber Ryan hatte wieder mal eine Nachricht auf ihrem Anrufbeantworter hinterlassen, und solange sie keinen Ausweg aus der verfahrenen Situation fand, in die sie sich selbst manövriert hatte, musste sie seine Wünsche befolgen.

„Was wolltest du mit mir besprechen?" fragte sie, während sie im Schrank nach einer Jacke suchte.

„Ich wollte wissen, ob du morgen mit mir einkaufen gehst."

„Ist das alles, Darling? Natürlich gehe ich mit dir einkaufen. Was brauchst du denn? Eine neue Handtasche? Schuhe?"

„Ein Ballkleid."

Annie drehte sich zu ihr um. „Ein Ballkleid?"

„Für den Herbstball am Samstag."

„Aber, Darling, du hast doch so viele schöne Kleider, von denen du eines anziehen kannst. Zum Beispiel das rosafarbene mit dem . . ."

„Für das Kleid bin ich zu alt, Mom. Ich möchte etwas Besseres." Courtneys Wangen nahmen eine kräftige Rotfärbung an. „Ich möchte etwas . . . Besonderes."

Annie erfasste sofort die Bedeutung ihrer Worte. „Etwas Besonderes, ja?" Sie lächelte. „Wer ist denn dein Begleiter?"

„Niemand", erwiderte sie eine Spur zu schnell. „Es ist nur ein wichtiges Ereignis für Spaulding, und ich möchte einen guten Eindruck machen. Weiter nichts."

Annie nahm Courtneys Hand und zog sie zu einem Hocker, damit sie sich hinsetzte. Ryan musste warten. Sie verspürte das plötzliche Aufwallen von mütterlicher Schuld. So viele Jahre lang hatte sie ihre Tochter ignoriert und es zugelassen, dass andere – Grandma, Rachel, sogar Tina – dem Kind den nötigen emotionalen Rückhalt gaben. Das würde sie ab sofort ändern. Sie würde nicht weiterhin ihre Verantwortung als Mutter abwälzen und andere für sie einspringen lassen. Wenn sie aus der verrückten Affäre mit Ryan eine Sache gelernt hatte, dann war es, dass die Familie an erster Stelle stehen musste. Und das würde von nun an auch so sein.

„Du hast einen neuen Freund, nicht wahr?" fragte sie sanft. „Darum willst du besonders schön aussehen."

„Er ist nicht mein Freund."

„Also gut, er ist nicht dein Freund. Sag mir wenigstens seinen Namen. Kenne ich ihn?"

Courtney begann, an der Nagelhaut eines Fingers zu kratzen. „Eigentlich ja."

„Eigentlich ja?" Annie lachte auf. „Was ist denn das für eine Antwort? Entweder kenne ich ihn oder nicht."

„Na gut", sagte ihre Tochter widerwillig. „Du kennst ihn." Sie zog heftiger an der Nagelhaut. „Es ist . . . Ryan."

Der Schock traf Annie völlig unvorbereitet. „Ryan Cummings?" fragte sie mit erstickter Stimme, als sie sich wieder gefangen hatte.

Zum Glück hatte Courtney ihre Reaktion nicht bemerkt. „Er scheint keine Freundin zu haben, darum hatte ich gehofft, mit ihm zum Ball zu gehen."

Eine eiskalte Hand legte sich fest um in Annies Herz. „Hast du ihn gefragt?"

„Nein", erwiderte Courtney traurig. „Noch nicht."

„Weiß er, was du für ihn empfindest?"

Courtney schüttelte den Kopf.

Annie hätte vor Erleichterung am liebsten geweint. Nachdem sie Ryans manipulierende Art kennen gelernt hatte, wäre es nicht verwunderlich gewesen, wenn er Courtney auch noch für seine schäbigen Zwecke und als Druckmittel gegen sie selbst eingesetzt hätte. Aber wie konnte sie ihre Tochter vor diesem Mann warnen, ohne sich zu verraten?

„Darling", sagte sie und nahm Courtneys Hand. „Ich weiß, dass du dir vorgenommen hast, mit Ryan zum Ball zu gehen, aber . . . ich glaube, das ist keine gute Idee."

Courtney riss ihre Hand zurück. „Warum nicht?"

„Weil er viel älter ist als du."

„Das war Daddy auch, aber das hat dich nicht abgehalten."

„Ich war dreiundzwanzig, als ich deinem Vater begegnete. Du bist noch ein Kind. Ryan ist ein Mann, und er hat die Bedürfnisse eines Mannes . . ."

Trotzig warf Courtney ihre langen blonden Haare nach hinten über die Schulter. „Ich bin kein Kind mehr, Mom. Ich wünschte, du würdest aufhören, mich so zu nennen."

Mit Tränen in den Augen erinnerte sich Annie an das kleine Mädchen mit den Zöpfen, das noch vor wenigen Jahren versucht hatte, in ihren hochhackigen Schuhen zu gehen und erwachsen zu spielen. Dieses kleine Mädchen war jetzt eine junge Frau, und sie, Annie, hatte die gesamte Phase dazwischen verpasst.

„Ich weiß, dass du kein Kind mehr bist, Darling. Das habe ich sehr schlecht ausgedrückt. Aber du musst mir in dieser Sache vertrauen, ich habe viel mehr Erfahrung in solchen Dingen als du."

„Was hat Erfahrung damit zu tun? Ich will Ryan nicht heiraten oder mit ihm schlafen, wenn du davor Angst hast. Ich möchte nur mit ihm zum Herbstball gehen."

Annie entschloss sich zu einer anderen Taktik. „Hast du schon mal darüber nachgedacht, warum er dich noch nicht gefragt hat?"

„Er weiß ja nicht mal, dass ich existiere", sagte Courtney und machte einen Schmollmund.

„Vielleicht", versuchte Annie es in ihrem freundlichsten, diplomatischsten Tonfall, „hat er ja auch eine Freundin und will mit ihr zum Ball gehen."

„Nein, er hat keine Freundin. Tante Rachel hat ihn noch nie mit jemandem gesehen. Sie wollte ihn deswegen sogar fragen, aber ich glaube, sie hat es im Trubel der letzten Zeit vergessen."

Annie verschluckte sich beinahe. „Rachel hat dir dabei geholfen, dich mit Ryan zusammenzubringen?"

„Was ist denn daran verkehrt? Sie mag Ryan sehr. Sie meint sogar, ich solle die Initiative ergreifen. Und das werde ich auch machen."

Annie saß einige Sekunden lang vor Wut kochend einfach nur da. Das war wieder typisch für Rachel, sich zur falschen Zeit einzumischen. Sie holte mehrmals tief Luft. Als sie wieder normal atmen konnte, zwang sie sich, die Situation ruhig und rational zu betrachten. Das hatte sie in letzter Zeit des Öfteren versäumt. Es war vermutlich nicht allein Rachels Schuld. Courtney konnte manchmal unnachgiebig sein, und wenn ihre Mutter keine Zeit für sie hatte, war es nur natürlich, dass sie die Tante um Rat fragte, die sie liebte. Woher sollte Rachel wissen, dass Ryan eigentlich eine Schlange war?

„Hör zu, Darling, es tut mir wirklich Leid, dass ich nicht für dich da war, als du mich gebraucht hast. Ich erkenne jetzt, dass ich einen schrecklichen Fehler gemacht habe. So sehr ich jetzt auch will, dass du glücklich bist und mir wieder vertraust . . .“ Sie schüttelte den Kopf. „Es geht nicht. Ich kann dir nicht erlauben, mit Ryan Cummings auszugehen.“

Wut funkelte in Courtneys Augen. „Du kannst mir das nicht verbieten, dazu hast du kein Recht!“

„Ich bin deine Mutter“, erwiderte sie. „Das gibt mir jedes Recht.“

„Seit wann?“ Courtney ging erkennbar auf Konfrontationskurs. „Es hat dich noch nie interessiert, was ich mache, mit wem ich ausgehe oder wo ich überhaupt bin. Warum interessierst du dich auf einmal dafür?“

Die Worte taten weh, aber sie hatte sie wahrscheinlich auch verdient. „Weil ich nicht will, dass du verletzt wirst, und das würdest du, wenn du mit diesem Mann ausgehst.“

„Wie kannst du so über Ryan reden?“ schrie Courtney. „Du kennst ihn doch gar nicht.“

Bevor Annie sie aufhalten konnte, war Courtney bereits aus dem Zimmer gestürmt.

„Weißt du, Daddy, es ist so.“ In der gut besuchten Snackbar in Downtown hatten Gregory und Noelle wie oft nach ihrem Gymnastikunterricht einen Halt eingelegt. „Mom braucht mich im Augenblick.“

Zwar hatte Gregory erwartet, dass sich das Gespräch in diese Richtung bewegen würde, dennoch war er ein wenig enttäuscht. Seit seiner letzten Unterhaltung mit Noelle hatte er ernsthaft darüber nachgedacht, um das volle Sorgerecht für seine Tochter zu bitten, allerdings nicht über den Weg eines hässlichen Gerichtsverfahrens, sondern im Rahmen einer einvernehmlichen Einigung mit Lindsay.

Er griff nach seiner Kaffeetasse. „Sie braucht dich?“

„Mh-hm. Mein Unfall war für sie der totale Horror.“

Gregory lächelte. „Kocht sie immer noch wie eine Wahnsinnige?“

Noelle saugte kräftig an dem Strohhalm in ihrem Erdbeer-Shake. „Und sie kommt um fünf Uhr nach Hause, manchmal sogar noch früher. Vor kurzem hat sie sogar ein Video ausgeliehen und es mit mir angesehen."

„Aha."

„Sie gibt sich wirklich Mühe, Dad. Wenn ich ihr sage, dass ich bei dir leben möchte, dann würde sie bestimmt zusammenbrechen."

Er fragte sich, ob Lindsay irgendeine Ahnung davon hatte, dass ihre zwölf Jahre alte Tochter sie so völlig durchschaut hatte. „Ja", sagte er, während er Noelle nachdenklich ansah. „Ich glaube, das würde sie."

„Zoe und ich haben uns unterhalten", sagte sie in dem gleichen ernsten Tonfall. „Wir sind zu dem Schluss gekommen, dass du eine Freundin brauchst."

Gregory verschluckte sich an seinem Kaffee. „Du sprichst *mit Zoe* über mein Privatleben?"

Noelle lächelte ihn fürsorglich an. „Nur, weil ich dich lieb habe, Daddy. Und weil ich mir Sorgen um dich mache."

„Du musst dir keine Sorgen um mich machen, mir geht es gut."

„Ich weiß. Ich will nur nicht, dass du für den Rest deines Lebens alleine bleibst."

„Das habe ich auch nicht vor."

„Oh? Gibt es da was, das du mir erzählen möchtest, Daddy?"

„Nein, beim besten Willen nicht", antwortete er lachend, erkannte aber, dass Noelle ihm nicht glaubte.

„Du bist jemandem begegnet, stimmts?" Das Funkeln in ihren Augen hätte es mit jedem Feuerwerk aufnehmen können. „Zoe hatte Recht. Sie hat gesagt, dass du viel zu gut aussiehst, um keine Freundin zu haben."

„Ich muss mal ein ernstes Wort mit Zoe reden."

Noelle ließ sich nicht ablenken. Sie schob ihr Glas zur Seite und stemmte die Ellbogen auf den Tisch. „Du kannst es mir sofort sagen, Daddy. Wir gehen sowieso nicht, bevor du es mir nicht verraten hast."

„Weißt du wirklich, was du da machst?" flüsterte Rachel.

Während sie sprach, sah sie sich wieder besorgt um. Die

Produktionshalle der Dassantes lag in Finsternis und zum Glück weit genug vom Haus entfernt, als dass jemand auf ihren nächtlichen Besuch hätte aufmerksam werden können. Es sei denn, jemand stand in dem Moment am Fenster und sah zu ihnen herüber.

„Natürlich weiß ich das", erwiderte Gregory ebenfalls im Flüsterton. „Ich bin Privatdetektiv, weißt du noch?"

„Wann hast du denn zum letzten Mal ein Schloss geknackt?"

Er hielt den Kopf über seine Arbeit gebeugt. „Mach dir keine Gedanken, halt lieber die Taschenlampe ruhig. Du leuchtest in alle möglichen Richtungen."

Vielleicht hatte die Tatsache, dass sie Todesängste ausstand, etwas mit ihrem Zittern zu tun, aber sie sagte nichts davon. Er war ohnehin schon nicht davon begeistert gewesen, sie mitzunehmen, so dass jedes Wort von ihr ein vollauf berechtigtes „Ich habe es dir ja gesagt" nach sich gezogen hätte.

Seine Entscheidung, Nicos Büro zu durchsuchen, hatte ihr eine Panikattacke beschert. „Warum du?" hatte sie wissen wollen. „Warum kannst du nicht einen von deinen Leuten schicken?"

„Weil das hier eine Privatangelegenheit ist", hatte er erwidert und ihren Einwand mit einem Kuss auf ihre Nase verworfen. „Und das möchte ich lieber selbst erledigen."

Ein leises Klicken des Schlosses ließ sie erleichtert aufatmen. Gregorys Hand lag schon auf dem Türknauf, als sie ihn stoppte. „Was ist, wenn es eine Alarmanlage gibt?"

„Warum musst du so negativ sein?"

„Warum beantwortest du nicht meine Frage?"

„Es gibt keine Alarmanlage", sagte er und öffnete die Tür. „Diese Leute sind viel zu knauserig. Außerdem habe ich mich hier schon umgesehen, alles ist clean."

„Umgesehen? Wann hast du das denn gemacht?"

„Heute Morgen. Ich habe mich als Walnussgroßhändler aus dem Osten ausgegeben und den Leiter der Anlage dazu gebracht, mich herumzuführen."

„Mein Gott!" japste Rachel. „Bist du verrückt? Hat Nico dich gesehen?"

351

„Er war nicht da."

„Und wenn er da gewesen wäre?"

Gregory antwortete nicht, sondern nahm ihr die Taschenlampe aus der Hand, um vor ihr durch ein höhlenartiges Lagergebäude zu gehen, in dessen Mitte sich zwei Förderbänder befanden, an die verschiedene Maschinen angeschlossen waren. An den Wänden türmten sich Holzkisten voll mit Walnüssen, die nur darauf warteten, verschickt zu werden.

„Die Chefetage ist da oben auf der Empore", sagte Gregory und deutete auf einen Laufsteg aus Metall, der dem bei Spaulding ähnlich sah.

„Welches ist Nicos Büro?"

„Das letzte. Das erste war Sals Büro und dient jetzt als Lagerraum, jedenfalls sah es für mich danach aus. Im mittleren sitzt der Leiter der Anlage."

Im Schein der Taschenlampe stiegen sie rasch die Treppe hinauf. „Wonach suchen wir eigentlich genau?" wollte Rachel wissen.

„Nach alten Büchern, Kontoauszügen, Depotbelegen, irgendetwas, das große Überweisungen erkennen lässt."

„Werden Überweisungen nicht elektronisch abgewickelt?"

„Heute ja, aber nicht in den sechziger Jahren."

Nicos Tür war verschlossen, und Gregory musste abermals seinen kleinen Werkzeugsatz hervorholen. Entweder war dieses Schloss einfacher zu knacken, oder Gregory steigerte sich, in jedem Fall gab der Mechanismus bereits nach wenigen Sekunden nach.

Nicos Büro war tipptopp aufgeräumt, mehrere Aktenschränke säumten die gegenüberliegende Wand, ein Schreibtisch mit Computer, ein Telefon und ein Foto von Erica. An den Händen hingen Farbdrucke von Dassante-Walnüssen in verschiedenen Verpackungen. Das große Fenster erlaubte einen ungehinderten Blick auf die gesamte Produktionsebene.

„Okay, an die Arbeit", sagte Gregory. „Du nimmst den Schreibtisch, ich kümmere mich um die Schränke."

„Die Schubläden sind verschlossen."

Gregory fluchte leise. „Bürotür abgeschlossen, Schreibtisch zu, Schränke verriegelt. Also wenn der Kerl nichts zu verbergen hat, dann weiß ich es nicht."

„Vielleicht ist er nur misstrauisch."

Nach fünfunddreißig Minuten Suche hatten sie nichts finden können, was einen Hinweis darauf gab, dass Nico von Dassante Farms Geld veruntreut hatte. Auch Gregorys Bemühungen, auf den Computer zuzugreifen, mussten nach einem halben Dutzend Fehlversuchen aufgegeben werden, da keines der Passwörter akzeptiert wurde, die er eintippte.

„Verdammt", sagte er und schaltete den Computer aus. „Er muss das ganze Zeugs zu Hause haben."

„Vielleicht hat sich Mario auch geirrt, und Nico hat nie Geld veruntreut."

„Er hat bei der Army Geld gestohlen. Einmal ein Dieb, immer ein Dieb."

„Und was sollen wir jetzt machen?" Eigentlich hatte sie ihn fragen wollen, wann sie endlich wieder gehen würden.

„Wir kehren nach Hause zurück und entwickeln einen neuen Plan."

Das gefiel ihr gar nicht. „Du denkst doch wohl nicht daran, in Nicos Haus zu suchen?"

„Das weiß ich noch nicht." Er zog gerade die Bürotür ins Schloss, als er plötzlich innehielt. „Hast du das gehört?"

Rachel erstarrte. „Was gehört?" flüsterte sie.

Er machte das Licht aus. „Schritte. Ich glaube, sie kamen aus Sals Büro."

Rachel lauschte, schüttelte dann aber den Kopf. „Ich kann nichts hören."

„Schht." Er presste sich gegen die Wand und legte eine Hand schützend vor Rachel, als ein Schatten aus Sals Büro eilte und auf die Treppe zurannte.

„Stehen bleiben!"

Gregory verfolgte den Eindringling und trat dabei so fest auf den Laufsteg auf, dass Rachel die Erschütterung spüren konnte. Bevor der Flüchtende die erste Stufe erreicht hatte, sprang Gregory mit ausgestreckten Armen auf ihn zu. Sie hörte ein lautes Ächzen, während beide Männer stürzten und zu einem Gewirr aus Armen und Beinen wurden.

Der Kampf dauerte nur Sekunden, dann drehte Gregory den Mann um und setzte sich auf ihn.

Rachel betete, dass er sich nicht mit einem Wachmann oder sogar einem Polizisten angelegt hatte, und ging auf die beiden zu. Sie hörte Gregorys erstaunten Ausruf, als er den Lichtkegel seiner Taschenlampe auf das Gesicht des anderen richtete.

„Luis?"

37. KAPITEL

Gregory richtete sich auf und wartete darauf, dass Luis ebenfalls aufstand. „Was läuft hier, *Amigo*? Was machen Sie hier?"

Luis schob das Kinn vor. „Das könnte ich Sie auch fragen."

„Stimmt." Gregorys Blick fiel auf ein gefaltetes Blatt Papier, das der Lebensmittelhändler festhielt. „Ist das irgendetwas, das Alyssa Dassante entlasten könnte?"

„Nein." Im indirekten Schein der Taschenlampe bemerkte Gregory, dass Luis unbehaglich zu Rachel sah. „Ich habe davon gehört . . . dass Ihre Mutter verhaftet wurde, Miss Spaulding, tut mir Leid."

„Sehen Sie, Luis", ging Gregory dazwischen, um Rachel an einer Antwort zu hindern, weil er wusste, dass sie ein weiches Herz hatte. „Ich möchte Ihnen gerne glauben, aber es fällt mir schwer. Vor ein paar Tagen haben Sie mir gesagt, dass Sie Mario nicht getötet haben . . ."

„Das habe ich auch nicht!"

„Aber jetzt spazieren Sie aus Sals Büro und halten irgendetwas in Ihrer Hand, das niemand sehen soll. Können Sie verstehen, dass ich ein wenig misstrauisch bin?"

„Ich habe Ihnen doch gesagt, das hier hat nichts mit Marios Tod zu tun."

„Hat es etwas mit Sals Tod zu tun?" fragte Gregory ruhig.

„Nein."

Er konnte sich nicht erklären, warum es so war, aber er

glaubte dem Mann. Er konnte sich sogar recht gut vorstellen, warum Luis so kurz nach Sals Ermordung in die Fabrik gekommen war. „Hat Sal Sie erpresst?"

Luis schien die Luft auszugehen wie einem Ballon, der mit einer Nadel in Berührung gekommen war. Seine Schultern sackten herab, und sein Gesicht wurde lang, während er auf das Blatt sah, ohne es auseinander zu falten. „Rufen Sie die Cops?"

„Nicht, wenn Sie mir alles erzählen."

Luis nickte, als wisse er, dass ein Geständnis unvermeidbar war. „Als ich siebzehn war", begann er mit gedämpfter Stimme, „geriet ich in einer Kneipe in eine Schlägerei. Ich tötete einen Mann, einen Wanderarbeiter so wie ich. Es war ein Unfall, aber anstatt auf die Polizei zu warten und alles zu erklären, lief ich zu Sal. Ich arbeitete damals für ihn und wusste, dass er mit mir zufrieden war. Ich war schnell und billig und verschwiegen."

„Was machte er?"

„Er schmierte einen der Cops, damit der Zwischenfall vertuscht wurde."

Gregory deutete auf das Papier, das Luis in der Hand hielt. „Und das da?"

„Bevor er mich da rausholte, musste ich ihm ein Geständnis unterschreiben. Er sagte, das sei zu seinem eigenen Schutz, falls ich später auf die Idee kommen sollte, ihn in die Sache zu ziehen. Ich sagte ihm, dass ich doch nicht verrückt sei, aber er bestand darauf. Also schrieb ich alles auf und setzte meinen Namen drunter."

„Und danach hat er Sie mit diesem Geständnis erpresst?"

„Ständig. Zuerst sollte ich meine Kollegen ausspionieren. Er wollte wissen, wer nicht richtig arbeitete und wer stahl. Es war mir egal, ich erzählte ihm sowieso nur das, was ich wollte. Zwei Wochen später wurde ein Freund von mir krank. Er arbeitete auf den Feldern. Ich wollte nicht, dass Sal ihn rauswarf, also habe ich mich aus der Fabrik geschlichen, um für meinen Freund dessen Arbeit zu machen. Jemand muss mich verpfiffen haben, weil ich ein paar Minuten später von Mario angeschrien und beschimpft wurde. Bevor ich reagieren konnte, stürzte er sich auf mich und schlug mich zusammen. Sie mussten ihn zu zweit zurückhalten."

„Sie sind doch hoffentlich zur Polizei gegangen", sagte Rachel mit vor Wut zitternder Stimme.

Luis lachte verbittert. „Nein, Miss Spaulding, das habe ich nicht gemacht. Sal warnte mich, dass er mein Geständnis hervorholen würde, wenn ich mit irgendjemandem über den Fall rede."

„Er hätte ebenfalls ins Gefängnis wandern können", beharrte Rachel. „Er war schließlich Mitwisser."

„Daran hatte ich nie gedacht, ich hatte nur Angst, dass ich ins Gefängnis müsste."

„Und was ist mit Ihrer Aussage, die Sie nach Marios Tod bei der Polizei gemacht haben?" wollte Gregory wissen.

Offensichtlich aufgewühlt, blickte Luis zu Rachel. „Ich wollte der Polizei nichts über Mrs. Dassante sagen, das schwöre ich. Aber Sal zwang mich dazu. Er sagte mir, was ich sagen sollte, und er ließ mich erst gehen, nachdem wir das unzählige Male durchgegangen waren."

„Wie lange haben Sie danach noch für Sal gearbeitet?" fragte Gregory.

„Fast zwanzig Jahre. Dann hatte ich genug Geld zusammen, um ein Geschäft aufzumachen. Aber er fand immer wieder einen Weg, mich daran zu erinnern, wie viel ich ihm zu verdanken hatte. Er kam in mein Geschäft und sagte, wie stolz er auf mich sei und darauf, was aus mir geworden war. Aber er sorgte auch dafür, dass ich niemals vergaß, dass ich das alles nur seinetwegen geworden war."

Gregory warf einen Blick zu Sals Büro. „Und als Sie gehört haben, dass Sal tot ist, haben Sie sich gedacht, das wäre jetzt die beste Gelegenheit, um das Geständnis zurückzuholen."

Luis nickte. „Ich hatte mir vor Jahren extra dafür einen Nachschlüssel machen lassen, aber ich hatte nie den Mut herzukommen und sein Büro auf den Kopf zu stellen. Allein der Gedanke, dass sich Sal im Haus aufhielt und mich vielleicht sogar beobachtete, bereitete mir Todesangst."

„Wusste Nico nichts von dem Geständnis?"

„Ich glaube, dass niemand sonst davon weiß. Heute Nacht war ich endlich bereit, mein Glück zu versuchen. Ich dachte mir, dass mein Wort gegen das von Nico stand, wenn ich erst einmal das Geständnis vernichtet hatte." Er sah hinüber zu Nicos Büro. „Ich war schon hier, als Sie und Miss Spaulding hereinkamen."

„Dann wissen Sie, wonach wir suchen?"

Luis nickte. „Haben Sie's gefunden?"

„Nein."

Luis seufzte. „Ich wünschte, ich könnte Ihnen helfen, Mr. Shaw, aber ich habe Ihnen die Wahrheit gesagt. Ich weiß nichts davon, dass Nico Geld veruntreut hat. Wirklich nicht."

Rachel drückte Luis' Arm. „Danke, Luis. Und machen Sie sich keine Gedanken. Ihr Geheimnis ist bei uns sicher."

„Danke, Miss Spaulding", sagte Luis und warf Gregory einen besorgten Blick zu.

Rachel gab ihm einen Stoß in die Rippen. „Gregory?"

„Das gilt auch für mich, Luis. Wie wäre es, wenn wir uns jetzt aus dem Staub machen?"

Während Dassante Farms hinter ihnen außer Sichtweite geriet, warf Gregory Rachel, die auf dem Beifahrersitz seines Jaguar saß, einen kurzen Blick zu. „Das war eine sehr nette Geste", sagte er, „dass du nicht auf Luis wütend geworden bist, obwohl er bei der Polizei gelogen hatte."

Er sah, dass sie sich eine Träne wegwischte. „Der arme Mann. Ich kann nicht fassen, was Sal die ganzen Jahre über mit ihm gemacht hat. So ein widerwärtiger Mensch. Und ich war drauf und dran, ihn zu mögen."

„Du hast ein gutes Herz, Spaulding. Daran ist nichts verkehrt."

Sie sah noch immer besorgt aus. „Und was werden wir machen?"

„Was meinst du?"

„Ich meine Luis", sagte sie etwas ungehalten. „Was er gesagt hat, könnte meiner Mutter helfen. Aber wenn er zugibt, dass er damals die Polizei belogen hat, dann will die den Grund dafür erfahren. Und den kann Luis ihnen nicht sagen. Er gehört zu der Sorte Mensch, die nicht lügen kann. Das habe ich vorhin gemerkt." Sie starrte in die Dunkelheit. „Ich kann den Gedanken nicht ertragen, dass er ins Gefängnis müsste."

„Das muss er nicht. Seine damalige Aussage war nicht entscheidend, um den Fall gegen deine Mutter zu konstruieren. Es ist nur ein weiterer Indizienbeweis, den die Polizei zusammengetragen hatte. Auch wenn er seine Aussage widerrufen würde, könnte es ihr nicht helfen. Luis ist in Sicherheit."

Sie seufzte erleichtert auf.

„Komm schon", sagte er, als er sah, dass sie ihre Augen rieb. Er legte ihr einen Arm auf die Schulter. „Denk nicht mehr an Sal. Oder Luis. Oder sonst wen. Mach einfach die Augen zu."

Er lächelte, als sie ihren Kopf zur Seite legte und die Augen schloss. Dann nutzte er die leere Straße und das stumme Radarwarngerät auf dem Armaturenbrett, trat das Gaspedal durch und raste durch die Nacht.

Und wieder hatte Milton Recht gehabt. Nach ein wenig Überzeugungsarbeit konnte sich Father Genardi an ein maßgebliches Detail erinnern. In der Nacht, in der Sal ermordet worden war, hatten noch andere Wagen in der Petrified Forest Road geparkt, von denen ihm einer im Gedächtnis geblieben war – ein dunkler Geländewagen. Er hatte den Jeep nur am Rande wahrgenommen, weil er gut dreißig Meter von der Kirche entfernt abgestellt worden war.

Father Genardi war auf dem Rückweg von einem Gemeindemitglied gewesen, und in der Dunkelheit hatte er weder die Marke noch die Farbe des Trucks ausmachen können, aber er war sicher, dass es sich um einen Geländewagen handelte. Er war außerdem sicher, dass der Wagen einen Dachgepäckträger hatte.

„Was für einen Wagen fährt Nico?" fragte Gregory, als er Rachel Augenblicke später anrief.

„Ich weiß nicht. Erica fährt einen BMW, aber ich glaube nicht, dass ich seinen Wagen jemals gesehen habe. Warum?"

Er erzählte ihr von dem Geländewagen, den der Priester in der Mordnacht gesehen hatte.

„Ich könnte Erica fragen", bot Rachel ihm an. „Aber ich würde ihr damit wohl einen Hinweis geben, dass Nico unter irgendeinem Verdacht steht."

„Das ist schon in Ordnung, ich frage Luis, ob er es herausfinden kann. Er hat bestimmt noch ein oder zwei Freunde auf der Farm."

Drei Stunden später rief Luis zurück und hatte gute Neuigkeiten. Nico Dassante besaß einen dunkelgrünen Pathfinder mit einem Skiträger auf dem Dach.

„Sehen Sie, Mr. Shaw", sagte Detective Bob Green, während er langsam ein Stück Kaugummi aus der Folie wickelte, aufrollte und in den Mund steckte. „Ich weiß, dass Sie als großer Anwalt es gewohnt sind, dass die Dinge so laufen, wie Sie es sich vorstellen. Aber Ihre Taktik des starken Mannes läuft in meiner Abteilung nicht." Er sah zu Gregory, der sich völlig damit zufrieden gab, entspannt dabeizusitzen und sich das Schauspiel anzusehen. „Wenn Sie beide also glauben, Sie könnten hier hereinspazieren und mir vorschreiben, wie ich meine Arbeit zu machen habe, dann sind Sie nicht so klug, wie Sie glauben."

Gregory sah zu seinem Vater, der zu seinem großen Erstaunen lächelte. Noch überraschter war er, als er merkte, dass sich dieses Lächeln beruhigend auf den Polizisten auswirkte.

„Ich würde mir nie anmaßen, einem der besten Polizisten von Napa Valley zu sagen, wie er seine Arbeit machen soll", sagte Milton milde. „Aber hier steht das Leben einer Frau auf dem Spiel, Detective. Und ich würde *meine* Arbeit nicht ordentlich machen, wenn ich nicht jeder Möglichkeit nachgehe."

Bevor Green etwas erwidern konnte, beugte sich Milton vor. „Glauben Sie mir, Detective, ich würde Sie nicht belästigen, wenn ich der Ansicht wäre, dass Nico Dassantes Pathfinder nichts mit der Sache zu tun hat. Aber Tatsache ist, dass Father Genardi in der Nacht, in der Sal ermordet wurde, einen dunklen Geländewagen mit einem Dachgepäckträger am Ende der Straße hat stehen sehen. Mein Sohn und ich haben uns in der Nachbarschaft umgehört, und wir haben niemanden finden können, dem ein Wagen gehört, auf den die Beschreibung passt. Aber wir haben herausgefunden, dass Nico einen dunkelgrünen Pathfinder mit Skiträgern fährt."

Er lehnte sich zurück. „Und jetzt sagen Sie mir, dass ich keinen verdammt guten Grund habe, zu verlangen, dass dieser Pathfinder auf mögliche Blutspuren untersucht wird."

„Welches Motiv sollte Nico Dassante haben, um seinen Vater zu ermorden?" fragte der Detective, doch Gregory konnte schon jetzt erkennen, dass Milton ihn auf seine Linie gebracht hatte.

„Geld. Dem Anwalt der Dassantes zufolge war Sal im Begriff, sein Testament zu ändern. Er wollte die Hälfte von allem, was er besaß, seiner Enkelin Rachel Spaulding vermachen."

„Wusste Nico davon?"

Milton zeigte ein honigsüßes Lächeln. „Das weiß ich nicht, Detective. Wie gesagt, ich will und kann Ihnen keine Vorschriften machen, aber an Ihrer Stelle würde ich darauf brennen, die Antwort auf diese Frage zu erfahren."

Die beiden Männer sahen sich gut eine halbe Minute lang an, dann nickte Green. „Also gut", sagte er. „Ich werde Ihnen Ihren Willen lassen und mit dem Richter über einen Durchsuchungsbefehl reden." Er richtete einen Finger auf Milton. „Aber seien Sie nicht enttäuscht, wenn er das ablehnt. Er könnte Ihre Auslegung eines möglichen Motivs anders deuten."

„Das Risiko gehe ich ein." Milton erhob sich und streckte ihm die Hand entgegen. „Danke, Detective. Lassen Sie mich wissen, wenn ich irgendetwas für Sie tun kann."

Green hatte keine andere Wahl, er musste die dargebotene Hand schütteln. Er rang sich sogar zu einem Lächeln durch. „Das werde ich machen."

„Und Sie sagen mir Bescheid, wenn Sie auf Blutspuren stoßen?"

„Es sei denn", erwiderte Green sarkastisch, „Sie wollen mitkommen und den Wagen persönlich inspizieren."

Ein amüsiertes Lächeln blitzte in Miltons Augen auf. „Das überlasse ich lieber den Experten."

Gregory, dem das Geplänkel außerordentlichen Spaß gemacht hatte, wartete, bis sie das Büro verlassen hatten und außer Hörweite waren, ehe er etwas sagte. „Gut gemacht, Dad. Einen Moment lang dachte ich, er würde uns rausschmeißen. Und dann macht er eine Wendung um hundertachtzig Grad."

„Logik hat auf die Menschen diese Wirkung."

Aber es war mehr als das, dachte Gregory bewundernd. Miltons Geduld, Zurückhaltung und sein umfassendes Wissen über menschliches Verhalten hatten ihm einen Vorteil verschafft. Vielleicht würden sie beide sich eines Tages hinsetzen und ausgiebig über dieses Thema reden. Vielleicht.

Sie hatten das Ende der Washington Street erreicht, wo Milton seinen weißen Eldorado geparkt hatte. „Wie lange wird es dauern, bis das Labor die Resultate hat?" fragte Gregory.

Milton blickte zurück zu dem zweistöckigen stuckverzierten Gebäude. „Wahrscheinlich nicht vor morgen. Ich wollte eigentlich nachfragen, aber ich wollte nicht drängen."

Gregory lachte. „Bloß nicht."

Milton öffnete die Wagentür. „Fährst du zurück nach San Francisco?"

„Ich muss. Ed hat ein Treffen mit einem potenziellen Kunden vereinbart, und da muss ich dabei sein. Danach komme ich zurück für den Herbstball, aber ich habe mein Mobiltelefon mit. Du kannst mich also immer erreichen."

Milton stieg ein. „Dann viel Spaß."

Gregory wartete, bis der Cadillac um die Straßenecke gefahren war, dann ging er zu seinem Jaguar.

Annie konnte sich nicht daran erinnern, jemals in einer schlechteren Stimmung gewesen zu sein. Und ausgerechnet heute musste sie sich charmant geben, um für Dutzende wichtiger Großhändler aus dem ganzen Land die Gastgeberin zu spielen.

Der Herbstball fing in wenigen Stunden an, und die Probleme wurden immer größer und stellten sie in jeder

Hinsicht auf die Probe. Unter normalen Umständen hätte sie einen kühlen Kopf bewahrt, aber nicht heute. Ihr Gespräch mit Courtney hatte ihr schwer zu schaffen gemacht, und als sie später versucht hatte, noch einmal mit ihr zu reden, hatte sie sich geweigert, aus ihrem Zimmer zu kommen.

Seufzend ging Annie hinüber zum Schlafzimmerfenster. Auf dem Rasen war ein großes weißes Zelt aufgebaut worden, und Lieferanten waren dabei, Zwölfertische aufzustellen. Zu ihrer Linken waren drei Männer damit beschäftigt, die letzten Nägel in die Bühne zu schlagen, während sich ein Elektriker um die Lautsprecheranlage kümmerte.

Sie sah dem hektischen Treiben desinteressiert zu. Mein kleines Mädchen, dachte sie und fühlte sich von den Emotionen fast überwältigt. Ihre süße, wunderbare Courtney, das Beste, was ihr je widerfahren war . . . sie liebte Ryan Cummings.

Sie durfte es nicht zulassen. Sie würde dieser krankhaften Beziehung ein Ende machen, jetzt gleich, und dann würde sie Rachel die Wahrheit sagen, was sie von Anfang an hätte machen sollen.

Sie blickte auf ihre Uhr. Drei Uhr. Von Ryan abgesehen, der an einer neuen Mischung arbeitete, waren alle draußen und halfen bei den Vorbereitungen für den Ball. Jetzt war der beste Zeitpunkt, um ihren zukünftigen Exgeliebten alleine anzutreffen.

38. KAPITEL

Als Annie ihm diesmal erklärte, dass sie die Affäre beendete, reagierte Ryan weder wütend noch schockiert, nicht einmal überrascht. Er legte seine Finger aneinander und drückte sie gegen seinen Mund. Sein Ausdruck war seltsam ruhig, und er schien nur darauf zu warten, dass Annie zum Ende kam.

Obwohl sie vor wenigen Minuten noch so mutig und entschlossen gewesen war, ließ ihr die lange, angespannte Stille, die ihrer Erklärung folgte, und die Art, wie er sie ansah, den kalten Schweiß ausbrechen.

Als er endlich etwas sagte, klang er kühl und distanziert. „Ich glaube, dass du dir diese Entscheidung nicht sehr gründlich überlegt hast, Annie."

Sie straffte die Schultern, entschlossen, sich nicht einschüchtern zu lassen. „Ganz im Gegenteil, Ryan, ich habe sogar sehr gründlich darüber nachgedacht. Ich kann so nicht weiterleben. Unsere Beziehung sollte Spaß machen und frei von Stress sein. Du hast aus ihr einen Albtraum gemacht."

Lässig lehnte er sich in seinem Sessel zurück und legte seine Füße auf den Tisch. „Dir ist doch klar, dass ich zur Polizei gehe und sage, dass du mich gebeten hast, Rachel umzubringen?"

„Tu, was du nicht lassen kannst."

Er hob eine Augenbraue. „Es interessiert dich nicht, was dann mit dir geschieht? Dass du wegen Anstiftung zum Mord angeklagt wirst? Dass du deinen Job verlierst, deine Tochter, alles, was dir etwas bedeutet?"

Er war so sicher, dass sie nachgeben würde. Vielleicht hätte sie es getan, wenn da nicht die Sache mit Courtney gewesen wäre. „Es interessiert mich schon, Ryan. Ich müsste lügen, wenn ich sagen würde, dass mir das alles keine Angst einjagt. Aber ich habe größere Angst vor dieser Beziehung."

„Alles wird in sich zusammenbrechen, wofür du jahrelang gearbeitet hast. Du wirst im Gefängnis alt und grau werden."

Sie konnte fast hören, wie hinter ihr die Zellentür ins Schloss fiel.

„Du glaubst nicht, dass ich es tun werde, ist es das?" Er lachte. „Du unterschätzt mich, Baby. Und du unterschätzt meine Liebe zu dir."

„Das ist keine Liebe, Ryan. Du bist besessen von mir, das ist ein großer Unterschied . . ."

Ein lautes Krachen, das von außerhalb des Büros kam, ließ sie beide herumwirbeln. Annie schrie auf. „Was war das?"

Ryan sprang auf und rannte zur Tür. Sein Klemmbrett, das er stets auf das Fass vor seinem Büro legte, war zu Boden gefallen. Hastige Schritte hallten durch den menschenleeren Keller, dann folgte Stille. Ryan schlug mit der Faust gegen die Tür. „Verdammt."

Annie schloss die Augen. Jemand hatte sie belauscht.

Gregory hatte Spaulding Vineyards fast erreicht und konnte bereits die Kapelle hören, die eine vertraute Broadway-Melodie spielte, als sein Vater ihn auf dem Mobiltelefon anrief. Er hatte in den letzten Tagen genug Zeit mit seinem alten Herrn verbracht, um zu erkennen, dass Milton seine Begeisterung unterdrückte.

„Du klingst wie jemand, der gute Neuigkeiten hat", sagte er.

Milton lachte leise. „Vielleicht, *weil* ich gute Neuigkeiten habe. Detective Green hat mich angerufen. Nico Dassante ist soeben festgenommen worden."

„Was?" Beinahe wäre Gregory mit seinem Jaguar in den Graben gefahren.

„Sie haben Blutspuren am Sicherheitsgurt gefunden, nicht viel, aber genug für eine Untersuchung."

„Wessen Blut?"

„Das wird noch untersucht, aber ich tippe auf Sals Blut. Und wenn das der Fall ist, wird Nico höchstwahrscheinlich dieser Mord zur Last gelegt."

„Und was sagt Nico?"

„Er behauptet, man hätte ihn reingelegt. Seine Frau behauptet das Gleiche. Sie sagt, er sei in der Nacht zu Hause gewesen. Im Bett."

Noch eine beschützende Ehefrau, dachte Gregory, während er vor das Haus der Hughes vorfuhr. „Weiß Ginnie es schon?"

„Ich will auf das Laborergebnis warten, bevor ich ihr etwas sage."

„Gute Idee."

Gregory klappte sein Telefon zusammen und steckte es zurück in die Jacke seines Smokings. Dann stieg er aus, grinste von einem Ohr zum anderen und ging auf das Haus zu.

Rachel stand vor dem großen Spiegel im Gästezimmer der Hughes und glättete ihr Kleid, ein enges, schulterfreies Modell aus schwarzer Seide, und fragte sich, ob jemand bemerken würde, dass sie das Kleid vom letzten Jahr trug.

Durch alles, was in den letzten drei Wochen geschehen war, hatte sie überhaupt nicht mehr daran gedacht, einkaufen zu gehen. Sonst hätte sie wohl versucht, einen Besuch in Jans Boutique in Napa City dazwischenzupacken, in der alle Spaulding-Frauen einkauften.

Sie war ohnehin nicht in Partylaune. Zum Teil hatte es damit zu tun, dass Grandma in diesem Jahr fehlte, zum anderen lag es an der erfolglosen Suche in Nicos Büro, durch die Ginnies Schicksal ungewisser denn je erschien.

Mit einem Seufzer wandte sie sich vom Spiegel ab und wühlte sich durch die Schmuckschatulle, die sie aus ihrem Bungalow mitgebracht hatte. Sie wünschte sich, dass Courtney hier war und sie beriet.

„Ah", sagte sie und holte ein Paar kleiner schwarzer Perlen hervor, die einfach perfekt zu ihrem Kleid passten.

Während sie einen Stecker am Ohr festmachte, musste sie an Courtney denken. Dass sie keine weiteren Fragen über Ryan gestellt hatte, war ermutigend. Vielleicht war der Fall doch nicht so ernst, wie Rachel gedacht hatte. In dem Fall würde sie wahrscheinlich mit Peter zum Ball gehen, der mal ihr Freund war und dann mal wieder nicht. Aber wo war ihre Nichte eigentlich? Sie hatte sie seit mindestens zwei Tagen nicht gesehen.

„Rachel", rief Tina von der anderen Seite der geschlossenen Tür. „Deine Verabredung ist hier."

„Ich komme."

Während sie das Wohnzimmer betrat, war sie noch damit beschäftigt, den zweiten Stecker zu befestigen. Gregorys bewundernde Blicke wanderten über ihren Körper. „Du machst ja richtig was her, Spaulding."

„Danke, Sherlock, du siehst auch nicht übel aus", entgegnete sie geschmeichelt. Sie war mittlerweile mit seinen schwankenden Stimmungen vertraut und sah ihn etwas genauer an. „Gibt es irgendwas, das ich wissen sollte."

„Vielleicht, vielleicht auch nicht."

Sie liebte diese verspielte Seite an ihm. „Sag schon."

„Nein."

Sie schlug ihre Wimpern nieder. „Was wäre, wenn ich dir einen Anreiz biete?"

Er schien gründlich darüber nachzudenken. „Und welche Art von Anreiz?"

„Ich weiß nicht, ich bin für alles offen."

„Wie wäre es denn damit?" Er küsste sie innig, bis sich jemand hinter ihnen diskret räusperte.

Tina, die einen schwarzen paillettenbesetzten Hosenanzug trug, hielt eine Kamera hoch. „Sagt Cheese, ihr beiden."

Rachel und Gregory lächelten, während Tina sie fotografierte. „Und jetzt noch ein bisschen mehr für die Enkel", sagte sie mit einem neckischen Lächeln.

„Sehr gut, Tina." Sam verdrehte die Augen, während er näher kam. „Und sehr dezent."

Seine Frau zuckte mit den Schultern . „Dezentes Verhalten ist hoffnungslos überbewertet."

„Gregory hat uns was zu sagen", verkündete Rachel und zerrte ihn leicht am Arm. „Aber er spielt den großen Schweigsamen."

Sam grinste. „Rück lieber raus damit, Gregory. Sonst wird es dir Leid tun. Lass dir das von einem verheirateten Mann gesagt sein." Er hob und senkte seine Augenbrauen ein paar Mal in rascher Folge.

„Na gut, ich glaube, ich habe euch alle lange genug auf die Folter gespannt." Gregory sah zu Rachel. „Die Polizei hat Nico festgenommen."

Rachel legte die Hände vor den Mund. „Sie haben Blut im Wagen gefunden?"

Er nickte. „Milton wartet noch auf die Laborergebnisse, bevor er Ginnie etwas sagt, aber es sieht so aus, dass es Sals Blut ist. Dann wird Nico des Mordes angeklagt."

„Wann wissen sie es sicher?" fragte Sam.

„Keine Ahnung. Mein Vater ruft mich an, wenn er etwas hört."

Als sie wenige Minuten später zum Ball gingen, war Rachel wesentlich besser gelaunt.

Über vierhundert Gäste, die allesamt herausgeputzt waren, hatten sich zum Herbstball eingefunden.

Am nächtlichen Himmel strahlten die Sterne, und der Champagner floss in Strömen, während die Gäste umherspazierten und die reichhaltige Auswahl an Horsd'oeuvres, die exotischen Blumenarrangements und die Eisskulpturen in der Gestalt von Weintrauben bewunderten.

In dem weißen Zelt leuchteten Kerzen auf den Tischen, und auf der Bühne spielte eine Sechsmannkapelle Gershwin, um auf das diesjährige Thema einzustimmen: „The Best of Broadway".

Annie überschaute die Menge und versuchte, sich zu entspannen. Einige Stunden waren vergangen, seit sie und Ryan belauscht worden waren. Sie war seitdem wie auf heißen Kohlen und fragte sich, wer sie belauscht hatte und wann er damit an die Öffentlichkeit kommen würde.

Eines war sicher: Es war nicht Rachel gewesen. Ihre Schwester hätte ihr längst den Krieg erklärt. Aber wer? Einer der Kellerarbeiter? Jemand aus dem Labor? Die Ungewissheit brachte sie fast um. Vielleicht sollte sie sofort mit Rachel reden und nicht erst bis nach dem Ball warten. Je eher der Albtraum vorüber war, umso besser.

Sie wollte sich gerade ihren eigenen Ratschlag zu Herzen nehmen, als sie Courtney auf dem Rand eines großen Terrakottakübels sitzen sah. Annie lächelte und bewunderte das Kleid, eine Wolke aus blauem Chiffon, das ihre Tochter wie eine Prinzessin aussehen ließ.

„Courtney, da bist du ja!"

Courtney hielt den Kopf gesenkt, als Annie sich vorbeugte, um sie auf die Wange zu küssen.

„Ein schönes Kleid, Darling", sagte sie und vergaß für einen Moment ihre Ängste. „Jan sagte mir, dass du dir etwas Wunderschönes gekauft hast. Sie hatte Recht, du siehst traumhaft aus." Sie lachte. „Du solltest tanzen, anstatt hier auf einem Blumenkübel zu sitzen."

Courtney starrte nach wie vor auf das Glas in ihrer Hand. „Ich habe keine Lust zum Tanzen."

„Bist du immer noch böse auf mich?"

„Nein."

„Doch, das bist du", sagte Annie und strich ihrer Tochter übers Haar. „Du bist noch immer böse, weil ich dich nicht mit Ryan habe ausgehen lassen."

„Nein, bin ich nicht!" Courtneys Kopf schoss hoch. „Warum lässt du mich nicht einfach in Ruhe?"

„Courtney!" Annie machte einen Schritt nach hinten. Sie hatte das Mädchen noch nie so grob und irrational erlebt. „Was ist in dich gefahren?"

„Nichts ist in mich gefahren." Courtney stand auf und begann fortzugehen. „Ich will nur einfach meine Ruhe haben."

Annie holte sie schnell ein. „Ich will dich aber nicht in Ruhe lassen. Irgendetwas belastet dich, und ich will wissen, was es ist." Als Courtney in dem Moment aufstieß, fiel Annies Blick auf das leere Glas. „Mein Gott, bist du betrunken?"

Bevor Courtney etwas erwidern konnte, hatte Annie ihr das Glas aus der Hand genommen und daran gerochen. „Gin." Sie sah am Boden zerstört aus. „Oh, Courtney, wie konntest du nur?"

„Was solls?" erwiderte Courtney und sah Annie ungerührt an.

„Du bist betrunken!" Annie knallte das Glas auf einen Tisch in der Nähe und sah sich um. „Wo ist Peter? Er soll dich nach Hause bringen."

„Peter ist nicht hier. Die arme kleine Courtney ist ganz alleine hier." Sie stieß wieder auf. „Und was ist mit dir, liebste Mommy?" fragte sie mit einem hässlichen Unterton. „Wo ist denn *deine* Begleitung?"

„Courtney, um Gottes willen, jetzt mach hier keine Szene."

„Ist mir doch egal."

Plötzlich sah Courtney ihr über die Schulter und wurde blass. Annie folgte ihrem Blick und war selbst ebenfalls von einem Schlag getroffen. Ryan stand nur wenige Meter von ihr entfernt und sah in seinem Smoking fantastisch aus. Mit seinem mysteriösen Lächeln auf den Lippen und einem Champagnerglas in der Hand erinnerte er sie für einen Moment an Jay, den gut aussehenden Helden in *Der große Gatsby*. Aber sie sah, dass er hinter seiner nonchalanten Fassade ebenfalls angespannt war.

Courtney kicherte sarkastisch. „Na, sieh mal einer an", sagte sie, hatte aber Mühe, völlig deutlich zu sprechen. „Sieh doch, Mom, dein Liebhaber, wie er leibt und lebt."

Annie musste sich am Horsd'oeuvre-Tisch festhalten, während alles Blut aus ihrem Gesicht zu weichen schien. Großer Gott. Courtney hatte ihr Gespräch mit Ryan mit angehört!

„Und, Mom?" sagte Courtney lachend. „Willst du gar nichts sagen? Warum nimmst du nicht deinen schönen Geliebten in die Arme? Oh, ich weiß was. Ihr könntet doch tanzen, ihr beide seid so ein hübsches Paar."

Annie merkte, dass einige Leute in ihrer Umgebung aufgehört hatten zu reden und verwundert zu ihnen herübersahen. „Bitte, Darling", flüsterte Annie. „Nicht jetzt."

„Warum nicht? Hast du Angst, dass ich dir deine tolle Party ruiniere? Hey, warum eigentlich nicht?" Ihr Tonfall wurde gereizt. „Meine Party hast du mir ja auch ruiniert."

Die Menge wurde totenstill. Irgendwer musste dem Orchester ein Zeichen gegeben haben, denn mit einem Mal verstummte auch die Musik. Die Gäste sammelten sich zu kleinen Gruppen und beobachteten fasziniert, wie direkt vor ihren Augen ein Drama seinen Lauf nahm.

Aus dem Augenwinkel heraus sah Annie, dass sich Rachel und Gregory einen Weg durch die Menge bahnten. Ryan hatte sich offensichtlich von seinem Schock erholt und nahm Courtney am Arm. „Komm, Courtney", sagte er mit zusammengebissenen Zähnen, aber laut genug, dass Annie ihn hören konnte. „Ich bringe dich nach Hause."

„Warum?" Sie riss sich von ihm los. „Damit du versuchen kannst, mich umzubringen? So wie du Tante Rachel umbringen wolltest?"

Ein entsetztes Raunen ging durch die Menge.

Annie sah, dass Rachel wie angewurzelt stehen blieb. Ihr Gesicht war ebenfalls kreidebleich geworden, während sie von Courtney zu Ryan sah. „Stimmt das?" fragte sie ihren Assistenten.

„Natürlich nicht", brüllte Ryan aufgebracht. „Das sind alles Lügen! Warum sollte ich dich umbringen wollen? Ich liebe dich wie eine Schwester." Er warf Courtney einen abfälligen Blick zu. „Siehst du nicht, dass dieses Mädchen betrunken ist und sich diesen ganzen Unsinn nur ausdenkt?"

Als Annie diese Worte hörte, ergriff eine plötzliche Wut von ihr Besitz. Er sprach von ihrer Tochter, ihrem Baby. Sie legte schützend einen Arm um Courtneys Schultern und begegnete dem wutentbrannten Blick ihrer Schwester. „Ryan lügt", sagte Annie mit erhobenem Haupt. „Courtney denkt sich das nicht aus, sie sagt die Wahrheit."

39. KAPITEL

Ryan stürmte los und rannte einen Ober um, der ein Tablett mit Lachskanapees trug.

Gregory setzte ihm nach und holte ihn ohne Schwierigkeiten ein. „Du Hurensohn", brüllte er, packte den jüngeren Mann am Jackett und wirbelte ihn herum. „Glaubst du etwa, ich lasse dich abhauen?" Seine Faust traf Ryan ins Gesicht und schickte ihn zwischen die Rhododendronbüsche. Er hätte ihm eine Zugabe verpasst, wenn Sam ihn nicht zurückgehalten hätte.

„Das reicht, Gregory. Die Polizei übernimmt das jetzt." Er hielt sein Mobiltelefon hoch. „Ich habe gerade angerufen, Crowley ist schon unterwegs."

Gregory zog sein Jackett zurecht. „Du verweichlichter kleiner Bastard."

Sam legte ihm eine Hand auf die Schulter. „Was glaubst du, wie mir zu Mute ist? Ich habe ihn zu Spaulding gebracht."

Jemand musste den Musikern ein weiteres Zeichen gegeben haben, da sie plötzlich die fröhlichen Klänge von „Hello, Dolly" durch das Zelt schickten. Die wenigen Zuschauer, die die Auseinandersetzung mitbekommen hatten, wurden von eifrigen Kellnern mit frisch gefüllten Champagnergläsern abgelenkt. Rachel war noch immer zu wütend, um etwas zu sagen, und sah Ryan einfach nur an, der sich in den Büschen zu verstecken versuchte, bis Crowley mit zwei uniformierten Polizisten eintraf.

„Ich habe es nicht allein getan", brüllte er und sah zu

Annie, während die Polizisten ihn hochzerrten. „Dieses Miststück hat mich dazu gezwungen."

„Das ist nicht wahr", erwiderte Annie aufgebracht. „Er lügt."

„Sie lügt!" Er strampelte, während ihm Handschellen angelegt wurden. „Verdammt, Crowley, das müssen Sie mir glauben."

„Erzählen Sie das dem Richter", entgegnete der und gab ihm einen Schubs.

Nachdem sie gegangen waren, nahm Gregory Rachel in die Arme. Einen Moment lang blieb sie dort, während ihr Körper bebte und sie ihre Hände zu Fäusten geballt gegen seine Brust drückte. Sie fragte sich, wie viel mehr sie noch ertragen konnte.

Dann dachte sie an Courtney, atmete aus und befreite sich aus Gregorys Umarmung. „Ich bringe Courtney auf ihr Zimmer", sagte sie leise. „Danach muss ich mit Annie reden." Sie sah ihn an. „Bleibst du noch?"

„So lange, wie du mich brauchst."

Von der Musik abgesehen, die von draußen hereindrang, war es im Haus ruhig, als Rachel ins Wohnzimmer kam, nachdem sie Courtney ins Bett gebracht hatte.

Annie stand vor dem Kamin, in dem die Holzscheite knisterten. Das leuchtende Feuer bildete einen krassen Gegensatz zu der düsteren Stimmung, die im Zimmer herrschte.

Zwei Schwestern, für die wieder mal der Augenblick der Wahrheit gekommen ist, dachte Rachel, während sie Annie betrachtete. Wo sollte das alles enden? Wie viele Leben mussten noch zerstört werden, wie viele weiße Westen mussten noch beschmutzt werden, bevor dieser Unsinn zwischen ihnen endlich zur Ruhe kam?

Sie wollte Annie anschreien, nicht nur, weil sie an einem Mordkomplott gegen sie beteiligt war und Spaulding in eine peinliche Situation gebracht hatte, sondern vor allem, weil sie Courtney so verletzt hatte. Aber sie konnte sich nicht dazu durchringen. Irgendetwas an der Art, wie Annie dastand, die Arme um sich geschlungen, die Schultern hochgezogen, berührte Rachel so tief in ihrem Inneren, dass sie es nicht ignorieren konnte.

Sie ging einige Schritte weiter ins Zimmer, woraufhin sich Annie zu ihr umdrehte, einen Blickkontakt aber vermied. „Geht es Courtney gut?"

„Ja. Morgen früh wird sie einen entsetzlichen Kater haben, aber jetzt schläft sie erst mal."

„Hat sie noch irgendetwas gesagt?"

„Ich habe sie nichts sagen lassen, sondern gleich ins Bett gesteckt." Rachel blieb nehmen Annie stehen. „Du hast dagegen eine ganze Menge zu sagen und zu erklären."

„Ich weiß nicht, wo ich anfangen soll", erwiderte Annie.

„Am Anfang. Das ist meistens am besten."

„Du würdest mir nicht glauben."

„Ach, das weiß ich nicht. Du hast mir in all den Jahren einige ziemlich unglaubliche Geschichten erzählt, bei denen ich mich im Zweifel oft für deine Version entschieden habe."

Annie drehte sich schließlich um und betrachtete Rachel, als würde sie sie zum ersten Mal sehen. Dann ging sie langsam hinüber zu Grandmas Schaukelstuhl, wollte sich hineinsetzen, überlegte es sich dann aber anders und nahm im Sessel daneben Platz. „Du darfst im Schaukelstuhl sitzen", sagte sie.

„Wie du willst", erwiderte Rachel und wartete darauf, dass Annie zu reden begann.

Annie starrte in die züngelnden Flammen. „Ich erwarte nicht, dass du verstehst, wie ich mit einem vierzehn Jahre jüngeren Mann ein Verhältnis anfangen konnte, aber ich werde versuchen, es dir zu erklären. Du hast die Wahrheit verdient."

„Das wäre schön."

Sie atmete tief durch. „Nach Grandmas Tod war ich am Boden zerstört. Ich weiß . . .", sagte sie nach einem kurzen Blick in Rachels Richtung. „Das waren wir alle, aber ich ganz besonders, weil ich das Gefühl hatte, dass ich meine letzte Verbündete verloren hatte. Grandma war der einzige Mensch, der mir beistand, ganz egal, was ich gemacht hatte, der einzige Mensch, der mich trotz aller meiner Fehler liebte."

Rachel war zwar wütend, musste aber gegen die Gefühle ankämpfen, die drohten, ihr gelassenes Äußeres zum Einsturz zu bringen. Hatte diese Frau in den letzten einunddreißig Jahren denn gar nichts gelernt? „Ich liebe dich auch, Annie. Und Courtney liebt dich ebenfalls."

„Nicht so wie Grandma. Sie hat mich bedingungslos geliebt." Sie griff nach ihrer goldverzierten Handtasche und nahm ein Taschentuch heraus, um sich eine Träne zu trocknen. „Als sie dir das Weingut hinterließ, war ich davon überzeugt, dass sie mich überhaupt nicht geliebt hatte."

„Das ist doch völliger Unsinn."

„Aber mir kam es so vor. Ich fühlte mich verraten und allein gelassen."

„Und darum hast du Gregory aufgesucht."

Annie nickte. „Ich dachte, wenn ich einen Skandal in deinem Leben aufdecken kann, würde es mir gelingen, das Testament zu meinen Gunsten ausfallen zu lassen."

Also hat sie an jenem Morgen in Ambroses Büro gelogen, dachte Rachel. Sie hatte einen Plan ausgeheckt, um ihr Spaulding zu entreißen. „Erzähl weiter."

„Am Abend nach Grandmas Beerdigung war ich allein im Garten. Es war spät und ich tat mir selbst Leid. Aus irgendeinem Grund, vielleicht war es sein sechster Sinn, kam Ryan in dem Moment vorbei, um nach mir zu sehen. Er fand mich in Tränen aufgelöst vor."

Sie lehnte sich zurück und betrachtete ein Porträt von Hannah Spaulding über dem Kaminsims. „Er war wunderbar – zärtlich, verständnisvoll, voller Trost. Wir haben uns in dieser Nacht zum ersten Mal geliebt. Anfangs war diese Beziehung alles, was ich mir erhofft hatte: witzig, aufregend und ohne Verpflichtungen. Du weißt, wie sehr ich Verpflichtungen hasse."

Rachel musste ein Lächeln unterdrücken. „Ich weiß."

„Auf einmal begann sich alles zu verändern. Ryans Gefühle veränderten sich, aus Anziehung wurde Besessenheit. Er wollte wissen, wo ich war, wenn wir nicht zusammen waren, was ich machte, mit wem ich mich traf. Er begann sogar von einer Hochzeit zu reden. Das brachte mich völlig aus dem Konzept. Nach vier gescheiterten Ehen wollte ich mich nicht in eine fünfte stürzen. Außerdem habe ich ihn nicht geliebt."

„Hast du ihm das gesagt?"

„Nicht sofort. Ich wollte ihn nicht verlieren. Ich sagte ihm, dass eine Ehe nicht zur Debatte stehe, weil du einen Wutanfall bekämest, wenn du von uns erfahren würdest. Erst später wurde mir klar, dass ich einen schrecklichen Fehler gemacht hatte."

Abrupt stand Annie auf, ging zur Bar und schenkte sich einen Cognac ein. „Auch einen?" fragte sie.

Rachel schüttelte den Kopf. „Hat er da beschlossen, mich umzubringen?"

„Ich nehme es an. Er hat es erst vor ein paar Tagen erwähnt, als ich mich von ihm trennen wollte."

„Wie nahm er das auf?"

„Er wurde zum Wahnsinnigen. Er erzählte mir von seinen Mordversuchen, davon, dass er es für uns getan hatte, damit wir zusammen sein konnten. Als ich die Polizei informieren wollte, sagte er, er würde erklären, dass *ich* ihn zum Mord angestiftet hätte, damit ich Spaulding bekommen könnte. Aber das habe ich nicht gemacht, Rachel, ich schwöre es dir. Ich wusste nicht, dass er etwas so Verrücktes machen würde. Ich wollte es ihm zuerst nicht mal glauben, als er es mir erzählte."

Ihrer Schwester zu glauben, war noch verrückter als das, was Ryan getan hatte, aber aus einem unerklärlichen Grund glaubte Rachel ihr tatsächlich. „Du hättest zu mir kommen sollen", sagte sie. „Wir hätten einen Ausweg aus dieser Bescherung gefunden."

Annie seufzte. „Ich hatte Angst, dass du mir nicht glauben würdest, vor allem nach meiner letzten Eskapade. Also sagte ich, ich würde bei ihm bleiben. Ich hatte einfach zu viel Angst, etwas anderes zu machen."

„Wie ist Courtney dahintergekommen?"

Annie nippte an ihrem Glas. „Vor drei Tagen sagte sie mir, sie sei in Ryan verliebt und wolle ihn fragen, ob er sie zum Ball begleitet. Du kannst dir vorstellen, was mir durch den Kopf ging. Mein Mädchen in den Händen eines Wahnsinnigen. Wir haben uns schrecklich gestritten. Ich sagte ihr, sie könne nicht mit ihm ausgehen, und daraufhin stürmte sie aus dem Zimmer."

„Darum habe ich sie auch die ganze Zeit nicht gesehen. Sie hatte sich versteckt."

„Sie hat sich vor mir versteckt, Rachel, nicht vor dir. Da wurde mir klar, welch eine schlechte Mutter ich gewesen war. Aber bevor ich irgendetwas wieder gutmachen konnte, musste ich sie erst mal vor Ryan beschützen. Um das zu tun, musste ich mich von ihm trennen und dann dir und Courtney die Wahrheit sagen. Um drei Uhr heute Nachmittag ging ich in den Keller, um mit Ryan zu reden. Ich ahnte ja nicht, dass Courtney mir ein paar Minuten später folgen und jedes Wort mit anhören würde."

Rachel dachte daran, welche Rolle sie bei Courtneys Schwärmerei für Ryan gespielt hatte, und legte den Kopf zwischen ihre Hände. „Ich bin nicht viel besser gewesen", murmelte sie. „Ich wusste, was sie empfand, und habe sie auch noch ermutigt. Vermutlich, weil sie mich so sehr an mich in dem Alter erinnerte. Ich habe Ryan sogar gefragt, ob er eine Freundin hat."

„Du hast dich schon immer überall reinhängen müssen." Diese Bemerkung war bei weitem nicht so abwertend gemeint, wie die Worte es vermuten ließen.

„Und diesmal ist es ins Auge gegangen." Während ihr Blick auf den Flammen ruhte, die um die Holzscheite züngelten, erzählte Rachel Annie von Ryans Reaktion, als sie ihn gefragt hatte, und wie sie vermutet hatte, er sei mit einer verheirateten Frau liiert. „Ich hielt den Mund und hoffte, dass Courtney ihn vergessen würde. Offenbar ist das nicht geschehen."

Annie starrte in ihren Drink und schwieg.

„Sie braucht dich morgen früh, Annie."

„Du machst Witze. Sie wird mich nie wieder sehen wollen."

Rachel stand auf und ging zu Annie. Mit einem Mitgefühl, wie sie es lange nicht mehr empfunden hatte, legte sie einen Arm um die Schultern ihrer Schwester. „Courtney ist eine intelligente, nachsichtige junge Frau, Annie. Und sie liebt dich, ob du das glaubst oder nicht. Sei einfach ehrlich zu ihr, so wie du zu mir ehrlich warst, und dann wird alles wieder gut werden."

Tränen sammelten sich in Annies Augen. „Und was ist mit uns, Rachel? Wird mit uns auch alles gut werden?"

Rachel lächelte. „Ich glaube schon. Es hat eine Weile gedauert, aber jetzt sind wir doch noch auf dem richtigen Weg. Meinst du nicht auch?"

Annie nickte.

„Gut." Rachel sah auf ihre Uhr. „Was hältst du denn davon, wenn du jetzt zur Party zurückkehrst und einen deiner berühmten großen Auftritte hinlegst und unseren Gästen irgendetwas erzählst, um ihre Neugier zu stillen und ohne sie zu sehr zu beunruhigen?"

Annie lachte trocken auf. „Du könntest mich ebenso gut bitten, ohne Fallschirm aus einem Flugzeug zu springen."

Rachel zog sie an sich heran. „Bau da draußen Mist", flüsterte sie ihr ins Ohr, „und ich werde dich höchstpersönlich aus dem Flugzeug stoßen."

40. KAPITEL

Dank Annie, die die Menge mit ihrem Charme und Witz schnell verzaubert hatte, war der Ball ein voller Erfolg geworden. Anscheinend hatte keiner der anwesenden VIPs an der improvisierten Nebenvorstellung Anstoß genommen. Die meisten hatten sie sogar verpasst, und als sie schließlich davon erfuhren, war es schon Schnee von gestern.

Den Sonntagmorgen genossen Gregory und Rachel mit einem gemütlichen Frühstück in ihrem Bungalow. Milton rief an und sagte, dass man Sals Blut in Nicos Wagen gefunden hatte. Damit blieb Nico in Haft, und die Anklage gegen Ginnie wurde fallen gelassen. Da sie sich aber immer noch wegen des Mordes an Mario verantworten musste, hatte man sie angewiesen, die Stadt vorläufig nicht zu verlassen.

Jetzt stand eine neue Woche bevor, und Rachel machte sich für die Arbeit am Montagmorgen bereit, als sie den Rest der Lokalnachrichten auf ihrem Fernseher in der Küche mitbekam. Auf dem Bildschirm sah sie Erica, die sichtlich erschüttert die Kameraleute beiseite schob, während sie die Polizeiwache von Calistoga verließ.

„Oh, Erica", murmelte Rachel. „Dich habe ich völlig vergessen." Sie zögerte nur eine Sekunde lang, dann nahm sie den Hörer und wählte die Nummer der Dassantes. Die Leitung war besetzt, und Rachel war ein wenig enttäuscht. Ob Erica mit jemandem sprach? Oder hatte sie einfach nur den Hörer danebengelegt?

Anstatt darüber zu spekulieren, nahm sie ihren Regenmantel aus dem Schrank und verließ das Haus. Zuerst würde sie nach Courtney sehen, danach würde sie nach Winters fahren, um Erica einen Besuch abzustatten.

Augenblicke später saß sie bereits in ihrem Cherokee und fuhr langsam, aber mit konstanter Geschwindigkeit durch den Regen, während die Scheibenwischer hektisch arbeiteten. Eine Unwetterfront war über Nacht über das Land hereingebrochen und hatte heftige Regenfälle und schwere Stürme mitgebracht, die das Autofahren riskant machten.

Als Rachel die Stadtgrenze von Winters erreicht hatte, entdeckte sie einen Bäcker und nahm zwei Muffins mit, in der Hoffnung, Erica dazu zu bewegen, etwas zu essen.

Wegen der düsteren Wolken waren in dem alten Steingebäude etliche Lampen eingeschaltet worden, als Rachel ihren Jeep neben Ericas BMW parkte. Mit der Papiertüte aus der Bäckerei in der Hand und der Kapuze über dem Kopf lief sie durch den Regen zur Haustür.

Als Erica öffnete, musste Rachel feststellen, dass sie gar nicht so mitgenommen aussah, allenfalls ein wenig müde.

Rachel lächelte sie vorsichtig an. „Ich dachte, du könntest ein wenig Gesellschaft gebrauchen." Sie hielt die Tüte hoch. „Ich hoffe, du magst Muffins."

Erica lächelte, konnte aber ihre Erschöpfung nicht überspielen. „Ich habe keinen Hunger, aber das ist trotzdem sehr nett von dir, Rachel", sagte sie. „Komm rein, bevor du weggespült wirst."

Sie nahm Rachels nassen Regenmantel und hängte ihn über einen Stuhl im Foyer.

„Lass uns in die Küche gehen, ich mache mir gerade einen Kaffee."

Rachel folgte ihr durch den Flur in die große Küche. „Wo ist Maria?"

Erica öffnete das Gefrierfach eines Edelstahlkühlschranks und holte einen Beutel mit Kaffee heraus. „Sals Tod hat sie tief getroffen, ich habe ihr ein paar Tage frei gegeben."

„Ich hatte heute Morgen angerufen, aber es war besetzt", sagte Rachel und setzte sich an den Küchentisch. „Ich dachte schon, du hättest den Hörer daneben gelegt."

„Ich hatte mit Nicos Anwalt gesprochen."

„Wie geht es Nico?"

„Er ist wütend." Sie seufzte. „Josh, sein Anwalt, will, dass ich Nico dazu überrede, den Mord an Sal zuzugeben. Dann kann er mit dem Bezirksstaatsanwalt einen Handel ausmachen."

„Und du willst das nicht machen?"

Erica sah Rachel traurig an. „Wie kann ich meinen Ehemann bitten, etwas zuzugeben, das er nicht getan hat?"

„Erica", sagte Rachel sanft. „Sie haben Blut in seinem Wagen entdeckt."

„Das ist mir egal, er wars nicht." Mit dem Handrücken wischte sie eine Träne fort. „Du hast nicht geglaubt, dass deine Mutter schuldig ist, warum sollte ich also glauben, dass mein Mann der Täter ist?" schrie sie.

Ein stechendes Schuldgefühl bohrte sich durch Rachels Herz. In dem Punkt hatte Erica einfach Recht. „Es tut mir Leid, ich wollte nicht gefühllos klingen."

„Und ich wollte dich nicht anbrüllen." Sie setzte sich zu Rachel an den Küchentisch. „Meine Nerven sind einfach am Ende."

„Vielleicht hilft dir das ein wenig." Rachel öffnete die Tüte und nahm die beiden Muffins heraus. „Und mach dir um mich keine Sorgen, ich habe ein dickes Fell." Sie lächelte. „Das bekommt man, wenn man mit Annie zusammenlebt."

Erica ließ langsam die Hände sinken. „Ich war so von meinen eigenen Problemen vereinnahmt, dass ich deine völlig vergessen habe. Man hat deinen Assistenten verhaftet, habe ich gehört. Ich wusste gar nicht, dass er gleich drei Mordversuche unternommen hatte."

„Ich habe niemandem davon erzählt, es war besser so." Rachel legte einen Muffin auf ein Papiertaschentuch vor Erica, den anderen nahm sie in beide Hände. „Das Gute an diesem kleinen Melodrama ist, dass der bisherige Hauptverdächtige Joe Brock von Ryans Verhaftung erfahren hat und zu Frau und Kindern zurückgekehrt ist."

Erica nickte geistesabwesend. Rachel konnte ihr nicht

verdenken, dass sie sich nicht so sehr für sie interessierte. Das Gespräch hatte sie eigentlich ein wenig von ihren Sorgen ablenken sollen, doch der Plan hatte offenbar nicht so ganz funktioniert.

Sie wollte gerade von ihrem Muffin abbeißen, als das Telefon klingelte. „Soll ich rangehen?" fragte sie, da sich Erica nicht regte.

Erica schüttelte den Kopf. „Ich gehe besser ran. Es könnte Nico sein."

Nach dem Tonfall der Unterhaltung zu urteilen, war es nicht Nico, sondern sein Anwalt.

„In Ordnung, Josh", sagte Erica matt. „Ich treffe dich dann vorm Haus. Ja, vier Uhr ist in Ordnung."

Nachdem sich Erica wieder hingesetzt hatte, sagte sie: „Das war Nicos Anwalt. Er will erst mit mir sprechen, bevor wir uns mit Nico treffen."

Rachel legte ihre Hand auf Ericas und drückte sie aufmunternd. „Es wird alles gut werden."

„Ich weiß es nicht, Rachel." Sie betrachtete den Muffin, aß aber nicht davon. „Was soll ich denn ohne Nico machen? Was soll ich mit diesem Haus machen? Mit dem Geschäft? Mit all den Dingen, um die er sich immer gekümmert hat?"

„Ich werde dir gerne helfen, wenn du . . ."

„Oh, nein!" rief Erica plötzlich aus und sah zum Fenster hinaus.

Rachel folgte ihrem Blick, konnte aber nichts sehen. „Was ist?"

„Die Sprenger. Sie haben sich gerade eingeschaltet."

Durch den strömenden Regen konnte Rachel kaum etwas erkennen.

„Sie schalten sich automatisch ein", sagte Erica und stand auf. „Ich muss sie abstellen."

„Kann ich dir helfen?"

Erica schüttelte den Kopf. „Nein, das dauert nur eine Minute, die Steuerung befindet sich im Keller. Maria hat mir mal gezeigt, wie sie funktioniert. Wenn ich Hilfe brauche, werde ich rufen." Sie deutete auf die Theke. „Der Kaffee ist fertig, bedien dich doch."

Nachdem sie die Küche verlassen hatte, stand Rachel auf und füllte einen der Becher, die Erica bereitgestellt hatte. Arme Erica, dachte sie, während sie in den schwarzen Kaffee starrte. Vor einer Woche hatte sie noch alles gehabt – einen Ehemann und einen Schwiegervater, die sie beide liebten, ein aktives gesellschaftliches Leben –, und praktisch über Nacht war ihr das alles entrissen worden.

Sie trank einen Schluck Kaffee, als das schnurlose Telefon klingelte, das Erica gerade eben noch benutzt hatte. „Erica!" rief sie. „Telefon!"

Als sie nicht antwortete, nahm Rachel kurz entschlossen das Gespräch an. „Hallo?"

„Oh, Mrs. Dassante", sagte eine weibliche Stimme am anderen Ende der Leitung und ließ Rachel keine Zeit, auf die Verwechslung aufmerksam zu machen. „Ich hatte schon befürchtet, dass Sie sich auf den Weg zum Flughafen gemacht haben. Hier ist Charlene von United Airlines. Der Abflug Ihrer Maschine nach Zürich ist von 13:10 Uhr auf 15:15 Uhr verschoben worden. Sie kommen dann in Zürich etwa um 14 Uhr am nächsten Tag an. Gute Reise, Mrs. Dassante, und nochmals vielen Dank, dass Sie sich für United Airlines entschieden haben."

Fassungslos starrte Rachel auf den Hörer in ihrer Hand, als die Bedeutung der Worte ihr dämmerten. Erica wollte nach Zürich abreisen, nein, nicht abreisen, korrigierte sie sich. Sie erinnerte sich an Ericas Gespräch mit Nicos Anwalt. Nein, sie trat die Flucht an.

„Wer war das?"

Rachel wirbelte herum. Erica stand in der Türöffnung, den Kopf ein wenig schräg gelegt, während sie auf eine Antwort wartete.

„Charlene von United Airlines", sagte Rachel dumpf. Sie bemerkte, dass in Ericas Augen Panik aufflackerte. „Dein Flug nach Zürich ist auf Viertel nach drei verschoben worden."

„Ein Flug nach Zürich?" Erica schüttelte den Kopf. „Da muss sich jemand verwählt haben."

„Nein, sie hat mich Mrs. Dassante genannt. Soll ich sie

zurückrufen?" Rachel legte das Telefon hin. „Du verlässt das Land, nicht wahr? Du wolltest dich gar nicht mit Nico und seinem Anwalt treffen, weil du um diese Zeit schon längst in der Maschine nach Zürich sitzen würdest."

Erica seufzte lange. „Oh, Rachel, du hättest nicht ans Telefon gehen sollen." Sie ging unbekümmert auf die Theke zu, öffnete eine Schublade und nahm etwas heraus. „Jetzt muss ich dich nämlich töten."

41. KAPITEL

Ohne den Blick von der regennassen Straße zu nehmen, schaltete Gregory sein Mobiltelefon aus und fluchte leise. Seit zehn Minuten versuchte er vergeblich, Rachel zu erreichen. Sie war nicht auf dem Weingut, nicht bei den Hughes und auch nicht bei den Laperousses. Sie ging nicht mal an ihr Handy.

Das gefiel ihm nicht. Es war nicht Rachels Art, überhaupt nicht erreichbar zu sein.

„Ich würde mir keine Sorgen machen, Gregory. Wahrscheinlich frühstückt sie mit irgendeinem unserer Großhändler", hatte Sam gesagt. „Einige von ihnen sind noch ein paar Tage länger im Tal geblieben. Es kann sein, dass sie sie herumführt und einfach nur vergessen hat, sich zu melden."

Sam hat Recht, redete Gregory sich ein, während er in Richtung Norden fuhr. Ryan und Nico saßen hinter Gittern, Rachel war also nicht unmittelbar in Gefahr. Aber warum hatte er dieses unangenehme Gefühl, dass irgendetwas nicht stimmte?

Er griff wieder nach seinem Telefon und rief die Polizeiwache an; es konnte durchaus sein, dass sie dort war, um Ryan zur Rede zu stellen. „Detective Crowley, bitte", sagte er.

Der Detective meldete sich einen Moment später in seiner schroffen Art und Weise. „Crowley."

„Detective, hier ist Gregory Shaw. Ich bin auf der Suche nach Rachel Spaulding, haben Sie sie zufällig gesehen?"

„Sollte ich?"

„Ich kann sie nirgends finden", erwiderte er. Die kurz angebundene Art des Mannes störte ihn. „Ich dachte, sie könnte bei Ihnen vorbeigeschaut haben, um mit Ryan Cummings zu sprechen."

„Hat sie nicht." Nach einer kurzen Pause sprach er weiter: „Ich nehme an, Sie haben die üblichen Verdächtigen angerufen?"

„Ja. Niemand hat sie gesehen. Sie geht auch nicht an ihr Mobiltelefon."

Der Tonfall des Detective wurde ein wenig sanfter. „Vielleicht will sie einfach nur allein sein. Sie hat einiges durchgemacht."

„Sie kennen sie nicht so, wie ich sie kenne. Wenn sie weiß, dass sie sich verspätet, ruft sie immer an."

Crowley seufzte. Gregory erkannte, dass der Augenblick des Mitgefühls verstrichen war. „Ich kann Ihnen im Moment nicht helfen. Wenn Sie in vierundzwanzig Stunden immer noch nicht aufgetaucht ist, rufen Sie mich an."

„Herzlichen Dank." Gregory ließ das Telefon zuschnappen.

Er hatte gerade die Ausläufer des Tals erreicht, als er daran dachte, Courtney anzurufen. Sie und Rachel verstanden sich gut, vielleicht wusste sie etwas, was sonst niemand wusste.

Nach ihrer Stimme zu urteilen ging es Courtney inzwischen schon wieder viel besser. „Sie war heute Morgen kurz hier, um zu sehen, wie es mir geht", sagte Courtney. „Aber ich habe gedacht, dass sie danach zur Arbeit gefahren ist." Sie klang besorgt, als sie fragte: „Ist sie nicht im Büro?"

„Nein."

„Oh." Es folgte eine Pause, dann: „Warte mal, sie hat davon gesprochen, bei Erica nachzufragen, wie sie sich fühlt. Ich weiß bloß nicht, ob sie sie anrufen oder ob sie bei ihr vorbeifahren wollte. Ich weiß nur, dass sie sich Gedanken um sie gemacht hat."

Endlich jemand, der seinen Verstand benutzte. „Danke, Courtney, ich versuchs dort."

Unter der Nummer der Dassantes meldete sich nur

der Anrufbeantworter. Angesichts des Medienauflaufs, der Erica nach Nicos Verhaftung ins Haus stand, wollte sie vermutlich nicht ans Telefon gehen.

Er wendete und fuhr nach Winters.

Rachel blickte entsetzt auf die Waffe in Ericas Hand. „Erica, bitte, leg die Waffe weg. Du löst überhaupt nichts, wenn du . . ."

„Halt deine Klappe." Ericas Gesicht war schneeweiß, doch die Hand, mit der sie die Waffe auf Rachels Bauch richtete, war völlig ruhig. „Nico hatte Recht. Du hättest deine Mutter nach Frankreich zurückschicken sollen. Sie hat nur Leid über uns alle gebracht."

Rachel versuchte, äußerlich eine Gelassenheit zur Schau zu stellen, von der sie innerlich Welten entfernt war. „Nico hat Sal nicht ermordet", sagte sie und schaffte es, den Blick von der Waffe zu lösen und Erica anzusehen. „Du warst es."

„Bingo", erwiderte Erica lächelnd.

„Hast du auch Mario umgebracht?"

Erica zuckte mit den Schultern. „Es kann nicht schaden, wenn ich es dir sage, du wirst so oder so gleich sterben. Ja, ich habe Mario getötet."

Rachel klammerte sich mit beiden Händen an die Küchentheke hinter sich. „Ich hatte dich nie im Verdacht. Wie konntest du nur so . . ."

„. . . so falsch sein?" Wieder reagierte Erica unbekümmert. „Ich hatte genug Zeit zum Üben. Was denn? Warum siehst du mich so überrascht an? Meinst du etwa, ich hätte diesen hässlichen Riesenaffen aus Liebe geheiratet? Ich hasse ihn fast so sehr wie die dreiunddreißig Jahre, die ich in diesem Mausoleum gelebt habe."

Rachel ging einen Schritt zurück. „Und warum hast du ihn geheiratet?" Vielleicht konnte sie sie in ein Gespräch verwickeln und genug Zeit gewinnen, um einen Fluchtplan zu entwickeln, auch wenn die Situation kaum dafür sprach. Auf der einen Seite versperrte Erica den Weg durch die Küchentür, auf der anderen Seite war die Terrassentür fest verschlossen. Ein Schritt in diese Richtung, und Erica würde sie erschießen.

„Geld, Rachel", erwiderte Erica. „Du kannst das wahrscheinlich nicht verstehen, weil du immer Geld hattest. Aber ich bin in Slums aufgewachsen, in denen Mädchen wie ich so gut wie alles tun, um die Chance auf ein gutes Leben zu bekommen." Sie lachte. „Und das habe ich getan. Ich habe mich prostituiert. Ich habe einen Mann geheiratet, den ich verabscheute, und ich bin in ein Haus gezogen, das mir eine Gänsehaut bereitet."

Ihre Augen bekamen einen milden Ausdruck. „Ich hätte es kein Jahr ausgehalten, wenn da nicht Mario gewesen wäre."

Rachel zog die Augenbrauen einen Moment lang zusammen, bis sie die Wahrheit erkannte. „Du hast Mario geliebt?"

Ericas Lächeln nahm verträumte Züge an. „Ich war verrückt nach ihm. Er war der wunderbarste Mann, den ich je gesehen habe. Ich habe immer und immer wieder versucht, ihn das spüren zu lassen. Aber ich hätte auch mit einer Wand flirten können." Ihre Augen wurden wieder unerbittlich. „Der Mann, den ich liebte, blieb mir wegen einer Schlampe für immer vorenthalten."

Diese Bemerkung versetzte Rachel einen weiteren Schlag. „Ich dachte, du hättest Alyssa gemocht. Du hast mir gesagt . . ."

„Ich habe sie gehasst! Sie hatte alles, was ich nicht hatte. Sie war schön, charmant, leidenschaftlich. Und sie hatte Marios Liebe." Sie machte einen Schritt nach vorn und fuchtelte mit der Waffe herum, während sie weitersprach. „Sie war diejenige, die ich hätte töten sollen. Vielleicht hätte ich es auch getan, wenn . . ." Ericas Blick wanderte zum Fenster, als hätte sie sich mit einem Mal in ihren Gedanken verloren.

Rachel nutzte diesen Moment und sah sich rasch um. In Reichweite konnte sie keine Waffen entdecken, nichts, womit sie sich zur Wehr hätte setzen können. Ihre Handtasche lag zusammen mit ihrem Telefon auf dem Tisch, und nicht mal ihr Kaffeebecher befand sich in greifbarer Entfernung.

Erica sah wieder zu Rachel. „Aber Mario musste ja so ein Ehrenmann sein."

„Wie meinst du das?"

„Er sagte, er wisse, was ich vorhabe. Er wollte es Nico sagen, und was das bedeutet hätte, ist dir ja wohl klar, oder?"

Rachel schüttelte den Kopf.

„Nico hätte mich aus dem Haus geschmissen. Ich hätte nichts gehabt, ich wäre wieder so arm gewesen wie an dem Tag, an dem ich ihn geheiratet hatte. Und darum konnte ich auch in der Nacht nicht schlafen, als deine Mutter die Flucht ergriff. Meine Schlaflosigkeit hatte nichts mit dem Sturm zu tun. Ich suchte nach einer Möglichkeit, wie ich Nico dazu bringen konnte, eher mir als seinem Bruder zu glauben. Ich hörte, wie sich Mario und Alyssa stritten. Ich ging nach unten, um nachzusehen, doch als ich unten ankam, war der Streit vorüber. Alyssa war fort, und Mario saß auf dem Boden. Sein Hinterkopf war blutverschmiert." Sie lachte wieder. „Sieh mich nicht so an. Ich tat das, was ich machen musste. Du hättest es auch getan, wenn deine Zukunft davon abgehangen hätte."

Rachel starrte sie an. „Was genau *hast* du getan?"

„Ich habe dem Leiden dieses Hurensohns ein Ende gemacht. Er konnte sich nicht wehren, und ich packte ihn an den Schultern, um seinen Kopf noch einmal kräftig gegen den Traktor zu schlagen. Er war auf der Stelle tot."

„Du hast den Mann getötet, den du geliebt hast?"

„Er wollte mich vernichten! Er wollte mich wie einen schmutzigen Lappen rauswerfen. Das waren seine Worte."

Der Kaffeebecher, dachte Rachel. Er stand direkt hinter ihr. Wenn sie ihn zu fassen bekommen konnte, ohne Erica aufmerksam zu machen ... „Und nachdem du ihn getötet hast", sagte sie und hielt dem Blick ihrer Tante stand, „bist du nach oben gegangen, um Sal und Nico zu wecken."

Ericas Gesichtsausdruck bekam etwas Überhebliches. „Ziemlich schlau, hm?"

„Das macht mich krank. Ich kann es nicht fassen, dass ich dich gemocht und dir vertraut habe, während du die ganze Zeit ..." Sie schüttelte den Kopf. „Wie konntest du nur einer unschuldigen Frau die Schuld für etwas in die Schuhe schieben, das du verbrochen hattest?"

„Entweder sie oder ich, Rachel."

„Und Sal? Warum hast du ihn getötet?"

Als sie wieder einen Schritt nach vorne machte, wich Rachel ein Stück zurück. „Er wollte sein Testament ändern und dir die Hälfte vererben." Sie machte eine abfällige Handbewegung. „Das war mir egal, denn die Hälfte von Sals Geld ist immer noch ein Vermögen. Aber Nico war außer sich. Er hielt es für die absolute Ohrfeige, und die wollte er diesmal nicht hinnehmen. Er wollte Dassante Farms verlassen und ein eigenes Unternehmen aufbauen. Er sagte, wir hätten genug Geld, um irgendwo einen kleinen Hain zu kaufen." Sie lachte verächtlich. „Natürlich hätten wir ein paar Jahre sparsam sein müssen. Keine Designerkleidung, keine Reisen nach Europa, keine Mitgliedschaft im Country Club."

„Wäre das so schlimm gewesen?"

„Ja, Rachel." Ericas Stimme war mit einem Mal wutentbrannt. „Das wäre sehr schlimm gewesen. Ich habe dreiunddreißig Jahre an diesem gottverdammten Ort verbracht. Sollte ich alles, was auf uns wartete, einfach aufgeben, nur weil ein alter Mann meinte, er müsse plötzlich sein Testament ändern? Außerdem wusste ich, dass Nico keinen Erfolg haben kann, wenn er nicht seinen Vater im Rücken hat. Er ist einfach zu dämlich."

„Aber woher wusstest du, dass sich Sal mit meiner Mutter treffen wollte?" Während Rachel sprach, arbeitete sich ihre Hand langsam auf der Theke hinter ihr vor auf der Suche nach einer Waffe. Sie betete, dass Erica es nicht bemerkte.

„Sal sagte Nico, dass er sich mit Alyssa treffen würde, aber er verriet ihm weder wo noch wann. Ich habe daraufhin abgewartet, bis der Alte sich in Bewegung setzte, was noch in derselben Nacht geschah, und dann bin ich ihm einfach gefolgt."

Das Telefon klingelte, und beide zuckten zusammen. Rachels Hand schoss auf das schnurlose Telefon zu, doch Erica war schneller. „Eine gute Methode, um erschossen zu werden, Rachel."

„Du erschießt mich ja ohnehin." Wieder begann Rachels Hand mit ihrer langsamen Suche.

„Stimmt." Es klingelte vier Mal, dann sprang irgendwo im Haus der Anrufbeantworter an.

„Wusstest du, dass Sal meine Mutter umbringen wollte?" Erica lachte. „Natürlich. Das war einunddreißig Jahre lang sein einziges Sinnen und Trachten. Nichts und niemand hätte ihn davon abbringen können, nicht mal du", fügte sie mit einem verächtlichen Blick auf Rachel an.

„Und warum hast du ihn dann seinen Plan nicht in die Tat umsetzen lassen, wenn du doch meine Mutter so sehr gehasst hast?"

„Daran hatte ich gedacht. Ich dachte, ich lasse ihn sie töten und dann würde ich ihn töten. Aber dann hätte die Polizei keinen Hauptverdächtigen gehabt und wäre bei den Ermittlungen vielleicht bei mir gelandet."

„Also hast du gewartet, bis meine Mutter die Leiche findet, um dann anzurufen und einen Vorfall zu melden. Du hast sie in die Falle gelockt."

Erica umschloss die Waffe fester. „Sie hat sich selbst in die Falle gelockt, als sie sich zu einem Treffen mit Sal einverstanden erklärte. Ich habe nur ihre Dummheit ausgenutzt."

„Und warum bist du mit Nicos Wagen gefahren?"

„Das war nicht geplant, aber mein Wagen war in der Werkstatt, und das war auch mein Fehler. Hätte ich meinen BMW nehmen können, dann hätte der Priester nichts gemerkt."

Rachel schüttelte langsam und verwundert den Kopf. „Und du warst heute Morgen im Fernsehen so am Boden zerstört. Als ich dich sah, wie du schluchzend zu deinem Wagen gelaufen bist, hat es mir das Herz gebrochen."

Erica lächelte. „Danke, Rachel. Ich bin auf meine Darbietung auch sehr stolz."

„Du bist ein Monster. Ich weiß nicht, wie du dich jeden Morgen im Spiegel betrachten kannst, wie du jeden Sonntag zur Kirche gehen kannst. Du hast einen Mann in einem Gotteshaus umgebracht, Erica. Ist dir das wirklich so egal?"

„Wie ich schon sagte: Der Wille zum Überleben ist eine wunderbare Motivation."

„Du sprichst von Habgier, nicht wahr?"

Erica zog den Abzug nach hinten. „Sprich dein letztes Gebet, Rachel."

42. KAPITEL

Frustriert warf Gregory das Mobiltelefon auf den Beifahrersitz. Wo zum Teufel war Erica? Er hatte sie drei Mal zu Hause angerufen, aber nur ihr Anrufbeantworter schaltete sich ein.

Und wo war Rachel bei diesem Wetter? Warum war sie nicht auf dem Weingut? War sie verrückt, ihm solche Angst einzujagen?

Gregory kniff die Augen zusammen, um die Straße erkennen zu können. Obwohl es neun Uhr am Morgen war, war der Himmel wolkenverhangen, die Straße war rutschig und gefährlich. Diese Fahrt war völlige Zeitverschwendung, aber vielleicht war Erica ja doch zu Hause und ging nur nicht ans Telefon. Wer konnte ihr das schon verdenken?

Die Sichtverhältnisse waren so schlecht, dass er beinahe die Abfahrt zu Dassante Farms übersah. Was er aber nicht übersah, war Ericas schwarzer BMW, der vor dem Haus stand. Und auch nicht Rachels roten Cherokee gleich daneben.

Rachel wusste, dass sie keine zweite Chance bekommen würde. Sie musste schnell und präzise vorgehen.

Ihre Finger berührten die schwere Kristallkaraffe. In einer einzigen schnellen Bewegung musste sie sie Erica entgegenschleudern.

„Hör zu, Erica", sagte sie in der Hoffnung, sie abzulenken. „Das ist doch lächerlich. Du kannst mich hier nicht erschießen. Die Polizei wird sofort wissen, dass du es warst."

„Bis das geschieht, bin ich schon weit weg."

„Sie werden über die Fluggesellschaft herausbekommen, wohin du geflogen bist."

Erica lächelte wieder arrogant. „Das werden sie nicht, weil ich nicht in Zürich bleiben werde. Es ist alles geplant, Rachel, so wie deine Mutter damals auch alles geplant hatte."

„Und das Geld lässt du einfach im Stich?" fragte sie und versuchte, ungläubig zu klingen.

Ericas Körper zuckte, als sie lautlos lachte. „Mach dir meinetwegen keine Sorgen. Sal hat viel Geld beiseite geschafft. Geld, das er über die Jahre aus der Firma genommen hatte. Nico und ich wussten nicht, wie viel es war, bis wir nach Sals Tod seinen Safe öffneten. Und weißt du, was dabei wirklich witzig ist? Jahre zuvor hatte Mario Nico verdächtigt, er würde Gelder veruntreuen, dabei war es Sal, der das Geld nahm und am Finanzamt vorbeischleuste."

Ihre Augen leuchteten vor Habgier. „Drei Millionen Dollar, Rachel. Ich schätze, ich hätte warten können, bis Sals Testament eröffnet wird, aber ganz ehrlich gesagt, möchte ich nur ungern noch länger bleiben. Nico benimmt sich schon sonderbar, als hätte er mich im Verdacht. Er hat noch nichts gesagt, aber ich weiß, was in seinem Kopf vorgeht. Darum musste ich für heute den Flug buchen. Drei Millionen sind eine nette Summe. Allein von den Zinsen kann ich mir für den Rest meines Lebens Designerkleider kaufen."

Rachel riss die Karaffe hoch und schleuderte sie Erica ins Gesicht. Die taumelte mit einem lauten Aufschrei nach hinten und fiel zu Boden.

Rachel vergeudete keine Sekunde. Mit einem Sprung war sie an der Terrassentür, entriegelte sie und rannte in den strömenden Regen hinaus. Wenn sie es nur bis zum Cherokee schaffte, bevor . . .

Ein Schuss ließ sie einen Satz machen, sie hatte keine andere Wahl, sie musste sich in den Walnusshain retten. Gregory wollte gerade zum zweiten Mal klingeln, als er den Schuss hörte. „Was zur Hölle . . .!" Er rannte auf den Hain zu, aus dessen Richtung der Schuss gekommen war, und verfluchte sich, dass er selbst keine Waffe mitgebracht hatte.

Im strömenden Regen sah er Erica, die mit einer Waffe in der Hand Rachel verfolgte, die ihrerseits zwischen den Bäumen hin und her rannte. Er machte sich keine Gedanken, was hier los war, sondern legte die Hände an den Mund und rief: „Erica! Stop!"

Doch die Frau lief weiter. Entweder hatte sie ihn nicht gehörte oder sie wollte sich nicht ablenken lassen.

Noch ein Schuss fiel.

Er hörte Rachel schreien, war aber ziemlich sicher, dass sie nicht vor Schmerzen schrie, auch wenn er sie im Augenblick nicht entdecken konnte. Er würde Erica nicht einholen können, um sie an einem weiteren Schuss zu hindern, aber er musste irgendetwas unternehmen – und das sofort.

Hektisch sah er sich um. Sein Blick fiel auf einen Stein, der zu seinen Füßen lag und der in etwa die Form, wenn auch nicht die Größe eines Footballs hatte. Er bückte sich und legte die Finger seiner rechten Hand auf die raue Oberfläche. Es war nicht ideal, aber es musste genügen.

Indem er die Technik anwandte, die ihm vier Jahre lang auf der U.C.L.A. so gute Dienste geleistet hatte, riss er seinen Arm nach hinten, ließ den Blick auf dem Ziel und warf dann mit aller Kraft den Stein durch die Luft.

Er traf Erica unterhalb der Schulter und ließ sie wie eine Puppe zusammenklappen, ihre Beine knickten ein. Im nächsten Augenblick hatte Gregory sie erreicht und sah, dass sie lediglich bewusstlos war. „Rachel, ich bins, Gregory", rief er und bemühte sich, den Sturm zu übertönen. „Es ist alles in Ordnung, du kannst herkommen."

Sie kam hinter einem Baum hervor. Sie war völlig durchnässt, ihre Haare klebten ihr am Kopf, aber sie war unverletzt. Mit einem leisen Aufschrei rannte sie auf Gregory zu und fiel ihm schluchzend in die Arme.

Als Rachel und Gregory Spaulding Vineyards erreichten, war dort bereits alles überlaufen. Die Medien trotzten dabei dem Regen ebenso wie rund hundert Schaulustige, die sich schoben und drängelten, um einen Blick auf das „starke

Duo von Napa Valley" zu werfen, wie die beiden von einem Rundfunksender getauft worden waren.

Rachel trug die Kleidung, die eine Polizistin in Winters ihr gegeben hatte, und stellte sich den Kameras, während sie sich an Gregorys Arm festhielt.

Ihre Stimme war einigermaßen ruhig, als sie den Reportern erzählte, was die größtenteils schon wussten. Erica Dassante war des Mordes an Sal und Mario Dassante angeklagt worden, Nico hatte man freigelassen, und die Anklagen gegen Ginnie Laperousse war fallen gelassen worden.

Ein Reporter in der hinteren Reihe hob seine Hand. „Hatten Sie bereits vermutet, dass Ihre Tante die Täterin sein könnte, als Sie zu ihr fuhren, Miss Spaulding?"

„So mutig bin ich nicht", erwiderte sie lächelnd. „Und auch nicht so dumm. Wenn ich es gewusst hätte, wäre ich nicht allein dorthin gefahren."

Ein anderer Reporter, den Rachel kannte, deutete mit seinem Stift auf Gregory. „Ihr Wurfarm ist ja in bester Verfassung", sagte er grinsend. „Irgendeine Chance, dass wir eine Wiederholung zu sehen bekommen?" Er fasste in die Tasche, die vor ihm auf dem Boden stand, und holte einen Football heraus. „Ich habe gleich mal das richtige Material mitgebracht."

Gregory lachte und schüttelte den Kopf. „Ich fürchte, meine Footballzeit liegt hinter mir." Er nahm Rachels Hand. „Wenn Sie uns jetzt entschuldigen würden . . ."

„Eine letzte Frage, Miss Spaulding, bitte", sagte jemand aus der Menge.

Rachel drehte sich um. „Ja?"

„Wussten Sie schon, dass sich Mrs. Dassante soeben einen neuen Anwalt genommen hat?"

Rachel blickte Gregory an, der sich versteifte. Oh, nein, dachte sie, nicht Milton. „Nein", sagte sie schließlich, während sie Gregorys Hand festhielt. „Das wusste ich nicht. Wer ist es denn?"

„Ihr Exverlobter Preston Farley."

Sie musste sich ein Lachen verkneifen und merkte, dass es Gregory nicht anders erging. „Ich bin sicher, dass sie eine hervorragende Wahl getroffen hat", sagte sie ausdruckslos und zog Gregory ins Haus.

Sie saßen alle im großen Speisezimmer versammelt, in dem Ming gerade ein Festmahl serviert hatte, das es beinahe mit dem vom Herbstball aufnehmen konnte.

Ginnie und Hubert waren da, ebenso Tina und Sam sowie Annie und Courtney. Gregory hatte dankend abgelehnt, als Annie ihm noch ein Stück Kürbispastete angeboten hatte, und beobachtete, wie sie Ming bedeutete, Kaffee nachzuschenken.

Die Spannung, die sich auf dem Ball entwickelt hatte, war verflogen, und das Verhalten von Annie und Courtney zeigte, dass sich das Verhältnis zwischen Mutter und Tochter beträchtlich verändert hatte. Es war zwar noch nicht perfekt, aber beide waren auf dem Weg der Besserung.

Für die große Überraschung des Abends hatte allerdings Annie gesorgt. Kurz vor dem Essen hatte sie Gregory beiseite genommen und sich in aller Form bei ihm dafür entschuldigt, ihn in ihren niederträchtigen Plan einbezogen zu haben.

Er lächelte noch immer über diesen Gedanken, als Ming zu ihm kam und sagte, er habe einen Anruf.

Er entschuldigte sich, ging ins Foyer und nahm den Hörer ab. „Hallo?"

„Wie gehts dir, Sohn?"

Das letzte Wort schnürte ihm die Kehle zu. Er konnte sich nicht daran erinnern, wann Milton ihn zum letzten Mal so genannt hatte. „Mir gehts gut, Dad. Ich bin froh, dass alles vorüber ist."

„Ich habe heute die Übertragung von Spaulding Vineyards gesehen. Ich hatte fast erwartet, dass du auf die Herausforderung des Reporters eingehen würdest."

Gregory lachte. „Ich war nie ein guter Schauspieler."

„Nein, das warst du nicht." Er machte eine Pause. „Ich habe überlegt . . ."

Gregory bemühte sich, seine Hoffnungen nicht unnötig aufzubauen. „Ja?"

„Ein paar Freunde haben mich für nächsten Sonntag

zu einer Billardpartie herausgefordert. Wie wärs, wenn du mein Partner wärst?" Bevor Gregory sich von dem Schock erholte, fügte Milton an: „Danach können wir uns noch ein wenig unterhalten. Ich glaube, das ist längst überfällig. Meinst du nicht auch?"

„Das passt mir gut, Dad." Gregorys Stimme war emotionsgeladen.

Als spürte er, dass dieser dramatische Augenblick ein wenig Auflockerung benötigte, lachte Milton kurz. „Gut. Üb bis dahin noch ein wenig, ja? Ich möchte es den Jungs mal so richtig zeigen."

Es dauerte lange, ehe sie allein waren und sich im Bungalow vor dem knisternden Kaminfeuer aneinander kuschelten.

Gregory hatte seine Arme so um Rachel geschlungen, als wolle er sie nie wieder loslassen, und beugte sich vor, bis seine Lippen ihr Ohr berührten. „Willie hat angerufen, als du Kaffee gekocht hast. Sie sagt, wenn du damit fertig bist, den ganzen Ruhm einzuheimsen, musst du sie unbedingt wieder besuchen."

Rachel lachte. „Hast du ihr gesagt, dass ich nicht der einheimsende Typ bin?"

„Ja." Er schwieg einen Moment lang. „Meine Tochter hat auch angerufen."

Rachel hörte die Zufriedenheit aus seiner Stimme heraus und drückte ihren Kopf gegen seine Brust. „Sie muss sehr stolz auf dich sein."

„Hmm, ich weiß nicht so recht. Sie schien sich mehr für dich zu interessieren."

Rachel setzte sich auf und sah ihn an: „Für mich?"

„Ja, sie hat dich im Fernsehen gesehen und mich mit tausend Fragen gelöchert. Sie wollte alles über dich wissen. Wie alt du bist, ob du Mädchen im Teenageralter magst, ob ich dich liebe . . ."

Ihr Herz schlug so schnell und kräftig, dass sich Rachel fragte, ob er es hörte. Gregory hatte das Wort Liebe nie erwähnt, und sie auch nicht. Warum, wusste sie nicht so genau. Natürlich liebte sie ihn. Sie liebte ihn seit dem Tag, an dem sie ihn zum ersten Mal gesehen hatte. Sechzehn Jahre lang und während ihrer Beziehung zu Preston hatte sie ihre Gefühle für Gregory sorgfältig begraben und vergessen.

Bis er in ihr Leben zurückgekehrt war.

„Und ... was hast du geantwortet?" fragte sie zitternd.

Er hob eine Augenbraue. „Worauf?"

Sie schlug ihm auf die Hand. „Auf die letzte Frage, ob ... ob du mich liebst."

„Ach, *die* Frage." Als sie drohte, ihn noch einmal zu schlagen, hielt er ihre Hand fest. „Ich habe ihr die Wahrheit gesagt", fuhr er schließlich fort. „Ich habe ihr gesagt, dass ich dich wahnsinnig, hoffnungslos und unwiderruflich liebe."

Sie strahlte. „Hast du ihr gesagt, dass ich für ihren Vater das Gleiche empfinde?"

„Nein, ich dachte, das solltest du ihr sagen." Er küsste sie auf die Nasenspitze. „Also was sagst du, Spaulding? Bist du der Herausforderung gewachsen, Noelle Shaw gegenüberzutreten?"

Sie dachte zurück an das schreckliche erste Treffen mit den Farleys und fühlte sich plötzlich eingeschüchtert. „Oh, Gregory, ich weiß nicht. Was ist, wenn sie mich hasst?"

„Wie kann sie dich hassen? Du bist die ..."

„Was ist, wenn ich irgendetwas Dummes mache? Wenn ich zu viel oder zu schnell rede? Wenn ich nur Unsinn rede und sie zu Tode langweile? Das mache ich immer, musst du wissen. Ich mache das, wenn ich nervös bin, oder wenn ich ..."

Er brachte sie mit einem leidenschaftlichen Kuss zum Schweigen.

„Na ja", sagte sie, als er seine Lippen von ihren wieder löste. „Wenn du es so betrachtest ..."

Sie packte ihn am Kragen und zog ihn wieder zu sich, damit er sie noch einmal küsste.

– ENDE –

Julia *Prestige*

In dieser Reihe mit den großen CORA-Autorinnen
erwartet Sie am **23. Mai** bei Ihrem Zeitschriftenhändler
der überaus fesselnde und erotische
Roman unserer Bestseller-Autorin

KAREN YOUNG:
„SCHATTEN DER VERGANGENHEIT".

Von Panikattacken, Schwindelanfällen und erschreckenden
Visionen wird die engagierte Ärztin Dr. Kate Madison, die an
einer Klinik in Boston arbeitet, heimgesucht. Um eine
Erklärung für ihre verstörenden „Geisterbilder" zu finden,
kehrt sie in ihren Heimatort Bayou Blanc zurück. Dort trifft
sie ihren Ex-Liebhaber wieder, den Arzt Dr. Sam Delacourt.
Vor fünf Jahren verließ sie ihn, als er ihr gestand, dass er
verheiratet ist. Erneut flammt die Leidenschaft zwischen ihnen
auf. Aber wenn Sam auch Kates Küsse genießt, so spürt er
doch, dass etwas Dunkles, Zerstörerisches sie quält. Etwas in
ihr will ans Tageslicht, will nicht länger verdrängt bleiben.
Könnte es mit einem Bootsunfall zu tun haben, bei dem die
damals sechsjährige Kate ihren Vater verlor? Noch ahnt sie
nicht, wie nah sie der Wahrheit ist …